Teacher's Edition

SECOND EDITION

A·L·M ®

GERMAN

LEVEL TWO

Teacher's Edition

SECOND EDITION

A·L·M ®

GERMAN

LEVEL TWO

HARCOURT BRACE JOVANOVICH, INC.

New York   Chicago   San Francisco

Atlanta   Dallas

ISBN 0–15–383928–7

Printed in the United States of America

® Registered Trademark, Harcourt Brace Jovanovich, Inc.

Contents

Introduction

1. Background Notes on the Second Edition

The past decade has brought significant changes in modern foreign language curriculum practice. But the roots of change go back even further. In the 1950's, scholarly groups, notably the Modern Foreign Language Association, pointed to the need for new materials and new methods, and engaged in pioneering efforts to develop them. Dr. James B. Conant, in his influential report on American schools (1957), helped clarify the problem by his statement on objectives. "The main purpose of studying a foreign language is to obtain something approaching a mastery of that language," he said. "And by a mastery is surely meant the ability to read the literature published in the language and, in the case of a modern language, to converse with considerable fluency and accuracy with an inhabitant of the country in question."

That broad objective implied the central concerns of the reform movement: (1) A redefinition of the objectives of foreign language study in high school, involving a commitment to the development of the four communication skills: listening, speaking, reading, and writing, in that order, and with particular emphasis on oral-aural competence. (2) The need for longer sequences of study; especially, the need for widespread availability of third- and fourth-year programs in the schools, with appropriate materials. (3) A new approach to methods of teaching and learning.

This, then, is the background of the First Edition of the A-LM program, Levels One through Four in French, German, Russian, and Spanish.[1] The program, published in 1965, has not only been widely used, but has also been widely influential.

2. Objectives of the Second Edition

Because the First Edition was, in a sense, experimental, unusual care was taken to note and consider the strengths and weaknesses of the program in actual classroom use. The Second Edition, of which Level One was published in 1969 and Level Two in 1970, reflects that concern. There are significant improvements in the program, explained in the following sections of this Teacher's Edition. Yet the spirit of the program and the main strands of its fabric have proven sound, and they remain. The long-range objectives of the Second Edition are the same as

---

[1] Levels One and Two in Italian were also developed and published at this time.

those of the First Edition. They are reflected in the level of proficiency which an A-LM student should have attained at the end of four levels of study.

Listening Comprehension: He should understand an educated native speaking at normal speed, either in a relatively formal situation, as in a classroom or lecture hall, or under normal conditions of conversation.

Speaking: He should speak with a pronunciation and intonation acceptable to a native speaker, with grammatical accuracy, and with adequate fluency. He should be able to participate in a conversation or group discussion as well as speak at some length when a situation calls for it.

Reading: He should be able to read newspapers, magazines, and most non-technical contemporary writing with comprehension and be prepared to begin reading literature from periods other than his own.

Writing: He should be able to write correctly anything he can say. In addition, he should be aware of and observe the conventions which distinguish formal writing from informal spoken language. He should be able to write two or three pages on a topic within his experience in a style acceptable to a native speaker.

Culture: He should also have acquired a sensitivity to the value system and behavior patterns of the people whose language he is studying. If he ever has the opportunity to live among those people, he should be able to participate in their culture with knowledge and understanding.

3. Modifications

Experience in classrooms has shown that the audio-lingual approach to language teaching—the basis of A-LM—does indeed achieve effective results. Comments from teachers using the First Edition made clear, however, that modifying certain pedagogical approaches of the First Edition would strengthen the program and lead to even more effective language teaching. The Second Edition has been prepared in the light of both practical classroom experience and theoretical advances made in the fields of linguistics and the psychology of learning.

The most significant modifications in Level Two of the Second Edition are outlined in the following pages.

BASIC SENTENCES
VS
DIALOG/NARRATIVE

The series of Basic Sentences and Basic Text which introduced each unit of the First Edition do not appear in the Second Edition. They have been replaced by two Basic Materials (either dialogs or short narratives) and related Supplements which appear at the beginning of the first two major subdivisions of the unit. This modification was made for several reasons. In the First Edition, the new structures and most of the new lexical items were introduced at only one point in the unit, in the passage called the Basic Text. The students were obliged to learn a long series of Basic Sentences before they could proceed to the Basic Text and read it with comprehension. With this format, the teacher could not proceed to the grammatical points and Structure Drills until he had spent several class hours on the Basic Sentences and Basic Text. When he did reach the Structure Drill section of a given unit, he was faced with a lengthy series of structure drills to be practiced in class. The authors of the Second Edition of Level Two feel that the new format has several advantages over the old one. Each unit is divided into three distinct subdivisions: (1) Basic Material I and Supplement, followed by Grammatical Presentation(s) and Generalization(s) and Structure Drills; (2) Basic Material II and Supplement, followed by Grammatical Presentation(s) and Generalization(s) and Structure Drills; (3) Reading, followed by Recombination Exercises and Conversation Buildup. With this format, the student is introduced to new structure at two different points in the unit (Basic Material I and II) and to new lexical items at three different points (Basic Material I and II and the Reading). The Basic Materials are shorter and therefore more quickly learned than the First Edition Basic Sentences and Basic Texts. The relationship between the Basic Material and the structural point to be practiced is clearer, since each Basic Material Section introduces only one or two points of grammar. The student's interest is more easily sustained, since he is introduced to new material at several points in the unit.

USE OF ENGLISH The use of English in the foreign language classroom has been debated for many years. Some teachers attempt to exclude it completely. Others, aware that it cannot be ignored, have learned how to use it to an advantage. The authors of the Second Edition feel that if English is used judiciously and sparingly, it is a tool which can contribute to the language learning process.

English is used in the Level Two textbook to help the students remember the situations presented in the Basic Material, and to give them equivalents of the new structures and lexical items. English is also used in the Presentation and Generalization sections of the student textbook, which are intended primarily for home study. It is also used in English Cue Drills to contrast an idiom or construction in English with the equivalent in German.

PRESENTATION OF GRAMMAR As in the First Edition, Level Two, Second Edition, includes structure drills and generalizations which focus on particular points of grammar. Experience has shown that extensive drilling of structure plays an important part in the total language learning process and that no amount of explanation of a grammatical pattern can take the place of this practice. But it has also become clear that drilling grammar without any previous explanation can frustrate students, and that it is more efficient to lead them to an understanding of the grammatical principle before beginning extensive drill practice. For this reason, structure is presented in such a way that the students "discover" the grammatical principles which they are about to apply. Unlike in Level One of the Second Edition, there are no separate Teacher Presentations in this Teacher's Edition. The Presentations printed in the student textbook are to be used. After a grammatical point has been presented, the teacher proceeds to the related structure drills (indicated in the annotated part of this book). He then goes on to the next point in the Presentation and related structure drills, etc. Only after a sufficient amount of drills in class are the Presentation and Generalization assigned for study at home. (Note: In a few cases, you will be directed to go over the Generalization before proceeding to the drills.)

LISTENING COMPREHENSION Understanding the spoken language is a basic objective in foreign language learning. The Listening Comprehension program, an extension of the Listening and Speaking program, begun in Level One of the Second Edition, includes exercises specially designed to train the students in this skill. These exercises,

T3

which are to be used with each unit, vary in form in order to both interest and challenge the students. For a complete description of the format and use of the Listening Comprehension program, see page T12.

SPEAKING Each Level Two unit contains many activities intended to increase the students' ability to speak. Some are controlled in scope, as for example, practice with the Basic Material and manipulation of structure in the elementary drills. Others are designed to lead the students toward a relatively spontaneous and "personal" kind of communication. For example, a student is asked to respond to a personalized question (Free Response), to produce several new sentences based on an original one (Free Substitution) or to give a response to a remark made by the teacher (Rejoinders). In addition, the Recombination Material at the end of each unit is organized to prepare the students to participate in a short natural conversation (Conversation Stimulus). All of these activities take place, of course, within the framework of familiar structure and vocabulary.

CULTURE Culture is the sum total of the beliefs and behavior of a people, and culture, in this anthropological sense, is best reflected by language. Thus, as in the First Edition, a major emphasis has been placed on the appropriate use of the German language in culturally authentic situations. In the Second Edition, further insight into German culture is provided in the special section at the end of every unit, called Buntes Allerlei. This section is always related in some way to the topic of the unit and includes such material as poems, sayings, newspaper ads, maps, a circus program, a menu, photographs, signs, etc. In most cases, the material has been taken directly from a German source and therefore is completely culturally authentic.

4. Components of the Level Two Program

STUDENT MATERIALS

STUDENT TEXTBOOK The Student Textbook consists of 15 units (the last three units of Level One plus twelve new Level Two units) illustrated with full-color and black-and-white photographs. The last three Level One units have been reprinted for the benefit of those classes that have not completed all the material of Level One during the preceding year. The textbook also includes a Grammatical Summary of the structure taught in the two levels, a German-English Vocabulary, and a Grammatical Index.

EXERCISE BOOK Part I of the Exercise Book lists all the Listening Comprehension Exercises of the recorded program and contains the necessary Response Forms for the student. Part II includes writing exercises to supplement those in the student textbook. The answers to the writing exercises are printed on tear-out sheets in the back of the Exercise Book.

STUDENT PRACTICE RECORD SET The Student Practice Record Set (also called "Take-Home Disks") includes twelve 7-inch disks each of which contains the Basic Materials and Supplements of a given unit. These records are designed for use by the individual student at home (see p. T18).

STUDENT TEST BOOKLET The Student Test Booklet contains answer forms for the listening-reading-writing test to be administered after each unit, a mid-year test (after Unit 21), and a final test (after Unit 27). It also includes the score sheets to be used by the teacher for the speaking tests.

TEACHER MATERIALS

TEACHER'S EDITION The Teacher's Edition, which correlates all the A-LM materials, serves as the keystone of the program. The first part describes the concepts of A-LM, the components of the Level Two Program, unit organization, and suggested procedures. It also contains the script of the Listening Comprehension Exercises, Additional Structure Drills, and suggestions for the use of the Buntes Allerlei section which appears at the end of most units.

The second part reproduces the entire student textbook with annotations which correlate the recorded materials and the writing exercises in the Exercise Book with the student textbook. Answers are given for exercises that appear without answers in the student textbook, and variations of structure drills are frequently suggested.

CUE CARDS The Cue Cards reproduce the Basic Materials, Vocabulary Exercises, Presentations of Structure, and Structure Drills as they appear in the annotated part of the Teacher's Edition, i.e., with responses to drills and suggested drill variations.

CLASSROOM/ LABORATORY TAPE AND RECORD SET The Classroom/Laboratory Tape and Record Sets include: (1) Basic Materials I and II and Supplements, (2) those Structure Drills that are marked in the text with a tape symbol, (3) Additional Structure Drills, printed in the Teacher's Edition only, and (4) the Listening Comprehension Exercises. The recordings are available in three forms, each of which contains the same material: (1) a full-track tape set, (2) a two-track tape set, and (3) a 12-inch record set. For further details on the format and use of the recorded program, see p. T19.

TEACHER'S TEST MANUAL The Teacher's Test Manual reproduces the Student Test Booklet and contains, in addition, the text of the recorded portions of each test, an answer key, and a guide to scoring. It also includes an explanation of the relationship of the tests to the entire program and suggests ways to conduct the tests in the language laboratory or the classroom. (The listening and speaking portions of each test have been recorded and are available in a separate Testing Tape Set.)

5. *General Classroom Procedures*

INTRODUCING NEW MATERIAL When introducing new material, walk around the classroom so that all students can see and hear you. Model each new utterance several times at normal speed, remembering that gestures and facial expressions can often be of use in making meaning clear and in helping to recall a dialog line or to cue a response. If a sentence is too long for students to remember at first hearing, it is helpful to practice it in partial utterances. If a word or phrase proves difficult, it should be practiced first in syllables. However, after the students have repeated the individual syllables or words, be sure to put the utterance together again and have them repeat it at normal speed.

It is helpful to establish a signaling system with your class early in the course by which a particular gesture will always call for a particular kind of response. Some of the different kinds of responses are described below. They are usually most effective when used in combination.

Full-Choral Repetition. Give the utterance at normal speed, and indicate that the whole class is to repeat it. Train the class to speak in unison at a normal rhythm and to imitate you as closely as possible. It is best not to repeat with the class. Repeating with the students prevents you from hearing their mistakes and tends to make them dependent upon your participation.

Part-Choral Repetition. Divide the class into sections and have each section repeat the line. A section may consist of half the class, all the boys or all the girls, or individual rows of students. This technique is particularly useful when practicing the different roles in a new dialog.

Individual Repetition. During the practice with full-choral and part-choral repetition, ask individual students to repeat a single line. This helps to pinpoint difficulties and to maintain the students' attention.

Double Repetition. Occasionally, you may want to ask an individual student to repeat a full or partial utterance twice in quick succession. Some teachers feel that this double repetition establishes a firm acoustical image of the sequence of syllables and of the accent and melody of the utterance.

**CORRECTING
STUDENT
MISTAKES**
When a student makes a mistake, call on other students to supply the correct response and ask the original student to repeat it. If he continues to have difficulty, do not persist too long in the correction. Remember to work on it again with him, perhaps after class. If several students seem to be having difficulty with the same point, you may want to have the whole class repeat the correct answer.

6. Unit Organization and Teaching Suggestions

**BASIC MATERIAL
AND SUPPLEMENT**
Format. Every unit has two sections called Basic Material in which new structure and vocabulary are introduced. The Basic Material—either a dialog or a narrative—is followed by a Supplement which introduces related lexical items. The English equivalent of the Basic Material and Supplement is included for student reference.

Presentation. During the initial classroom presentation of the Basic Material, students should not refer to their textbooks. They should devote their full attention to the material being presented and drilled orally—to its meaning, pronunciation, intonation, and rhythm.

The first step in introducing a new dialog or narrative is to establish context and meaning. This is probably best done by presenting the entire selection first in English and then in German. In those units in which the number of new words is limited, you may find that it is enough to paraphrase the situation in English before presenting the German.

Once you have "set the scene" with the initial presentation, begin intensive practice with the dialog or narrative lines, breaking them down into partial utterances whenever necessary.

It is suggested that no more than ten minutes at a time be spent on the presentation and repetition of the Basic Material and Supplement. Vary your class activities by using the appropriate related material from the Vocabulary Exercises. Learning will be reinforced if you come back to the Basic Material just before the end of the class period. Have students repeat the lines after you or the recorded voices, as they follow along in their books.

Assignment and Review. After sufficient practice in class assign the Basic Material and the Supplement for study at home. Explain to the students that they are not expected to memorize the dialogs and narratives, but that they are expected to return to class the next day able to give prompt answers to the Vocabulary Exercises. The Supplement lines are generally short enough so that the students can be required to learn them by heart.

The home learning process will be greatly facilitated for a student who has the Take-Home Disks. For the short dialogs and narratives, you should suggest that he first work with the disk with his book closed, until he has adequately mastered the pronunciation, rhythm, and intonation of the new lines. At that point, he should open his book and read along as he listens. As the sentences and partial utterances become longer, he may need to work with his book open from the start.

The following day in class, some time should be spent reviewing the assigned material. You may want to begin the review by having the entire class repeat the Basic Material after you in chorus and then by calling for rapid part-choral and individual repetition of the lines. You may wish to check the learning of the Supplement lines by giving a stimulus and calling on individual students to supply the different responses. (The students should not be required to memorize the Supplement lines *in order,* but they should be familiar enough with the material so that they can provide several appropriate responses to a given stimulus.) The role of memory is considerably reduced at this level. The most profitable way of checking the student's comprehension and mastery of the new material is by working with the Vocabulary Exercises.

VOCABULARY EXERCISES

Format. Following the English equivalents of the Basic Material is the Vocabulary Exercise section, which provides immediate practice of the Basic Material. The exercises in this section include questions on the Basic Material, free response and/or personalized questions, antonym exercises, and drills based on new idioms. All these exercises help to verify the students' comprehension and give them the opportunity to use the new material in different contexts.

Presentation. Once the Basic Material has been introduced, the Vocabulary Exercises can be used to check comprehension. They can also be profitably used when reviewing the Basic Material on the second or third day of each unit.

When working with the questions in this section and those in other parts of the unit, it is a good idea to accept both sentence fragments and complete sentences as correct answers. This gives the classroom give-and-take a naturalness which is missing if you always insist on full sentence answers.

Assignment and Review. Once you have worked with an exercise in class, assign it along with the Basic Material for review at home. Many of the exercises may also be used for written practice, but it is suggested that they always be done orally in class first. You may find it useful to return to the exercises for review at some later time in the unit.

NOUN EXERCISES

Format. The Noun Exercises are intended to establish the gender of the "active" nouns—that is, nouns which recur in subsequent units—introduced in the two Basic Material sections and in the Reading. These exercises are designed to be done as homework.

Presentation. The first time this kind of exercise appears (p. 69) the student is given instructions about how to use the exercise at home. Go over these instructions with the students to be sure that they understand what they are to do.

Assignment and Review. These exercises should always be assigned for home study after some initial work has been done on the Basic Material or Reading section. They should be spot checked in class the next day.

Have the students cover the left-hand column of the exercise, and then call on individual students to read the sentences in the right-hand column aloud, supplying the appropriate article. The sentences in the right-hand column have been numbered so that they may be elicited *in random order*.

VERB EXERCISES

Format. The Verb Exercises are intended to give students practice with the verb forms of new strong verbs and those weak verbs which have irregular forms or use *sein* to form the perfect tenses. Exercises involving regular weak verbs are found in the Exercise Book.

Presentation. In almost all cases, the Verb Exercises are set up as cued responses. The student is given the new form in the cue, enabling him to recognize the irregularity and is then required to use the new form in the response, usually in a different person. The Verb Exercises can be done at any time after the Basic Material has been presented in class. The exercises following the Reading, however, should be done only after the student has worked with this section for some time.

Assignment and Review. After the Verb Exercises have been presented and drilled orally in class, they should be assigned for review at home and spot checked the following day in class. Since irregular verbs require a good deal of oral and written practice, they should be reviewed at appropriate intervals throughout the unit.

GRAMMAR: PRESENTATION

Format. The treatment of most points of grammar begins with a short Presentation. This usually consists of a series of sentences followed by questions designed to elicit an understanding of the grammatical principle involved.

Presentation. Unlike Level One, there is no separate Teacher Presentation for the introduction of a new grammatical point. The Presentations printed in the Student Textbook are sufficiently detailed to be used in class. The Structure Drills appearing in the Student Textbook should be done at appropriate points during the course of a given Presentation, as indicated in the annotated part of this book. The *teaching* sequence, which is indicated in the annotated part of this book (but which is not apparent in the student textbook) is thus as follows: (1) the student is guided to a discovery of the grammatical principle in question; (2) the principle is immediately put to work as he proceeds to the Structure Drills (If the Presentation is a long or involved one, this process is repeated several times.) (3)

the student then reviews and sees a summary of what he has done as he goes over the Presentation and Generalization at home.

Assignment and Review. Once the Presentation and related drills have been done in class, assign the Presentation in the student textbook for study at home.

Reading the Presentation should help the student "rediscover" the most significant points of grammar presented in class. (Students who were absent when a particular structure was presented can use the Presentation in their book to approximate the classroom learning process.)

GRAMMAR: GENERALIZATION: *Format.* For each new structure in Level Two, there is a Generalization which summarizes and sometimes amplifies the grammatical point presented and practiced in class. Since in most cases the student encounters these "rules" only after he has discovered the principles on his own and has had some practice in applying them, he considers them as principles derived from speech patterns rather than formulas which lead to speech patterns.

The Generalizations are worded simply and grammatical terms are explained whenever necessary. Grammatical patterns are often presented in chart form.

Assignment and Review. After a new grammatical point has been presented and practiced in class, the Generalization may be assigned for study at home along with the Presentation and the appropriate drills. In the following class period, students should be given an opportunity to discuss particular points in the Generalization, if necessary.

STRUCTURE DRILLS *Format.* The Structure Drills provide practice in manipulating the new structure. Some of the initial drills are essentially habit-formation exercises. After doing drills of this type, the students progress to more challenging drills which incorporate the structure into previously learned patterns. In the most advanced exercises, the students use the new structure in a relatively spontaneous manner.

All structure drills are numbered consecutively within a unit. Most appear in a double column format, with the left side providing the stimuli and the right side the responses. Although all responses are included in the Teacher's Edition, the responses are not provided for all drills in the student textbook. Suggested drill variations, which may be useful in maintaining student interest, have been provided in the Teacher's Edition.

(NOTE: There are also additional structure drills, which are usually recorded but are not printed in the student textbook. The points at which these occur in the recorded program are indicated in the annotated portion of this book and the text for all such drills is printed in a section beginning on p. T113.)

Presentation. Structure Drills should be done in class as soon as the new structure has been presented. The Presentation for a given structure indicates the point at which specific drills can be done.

The various types of drills and the manner in which they should be done are described below. However, certain general procedures are appropriate for almost all drill types. It is always best to begin by modeling the initial stimulus and response. Have the entire class repeat the response once in chorus. When presenting a new drill type or a particularly difficult drill, you may want to repeat the initial stimulus two or three times, calling on individual students to respond. As you continue with the drill, it is best to call for individual rather than choral responses. This helps to keep the students alert and discourages them from mumbling their answers. If an incorrect answer is given, say the stimulus again and call on another student. Then allow the student who responded incorrectly to repeat the correct response.

Since Structure Drills should proceed at a fairly rapid pace, it is best not to interrupt the rhythm to give extensive correction in pronunciation. Words which present particular difficulty may be practiced briefly after the drill is completed.

Assignment and Review. Structure Drills should be assigned for home study the same day they are done in class. If you do not have time to cover in class all the structure drills related to a particular grammatical presentation, you may want to assign for home study some that you did not cover as well as those you did. Related writing exercises may also be part of the same assignment. In reviewing this material the next day, the class should be able to do the assigned drills quite rapidly.

STRUCTURE DRILLS: INDIVIDUAL FORMATS

The formats of the most common drill types are given below. (The reference in parentheses indicates the drill from which the example is taken.)

Substitution Drills. The initial stimulus consists of a model sentence plus an item to be substituted into the model sentence. Each subsequent stimulus is the substitution item alone.

PERSON-NUMBER SUBSTITUTION

(Drill 10, p. 101)

Teacher	*Student*
Waren sie schon an Bord?	
_____ ihr _____?	Wart ihr schon an Bord?
_____ der Kapitän _____?	War der Kapitän schon an Bord?
_____ Sie(Sie-Form) ___?	Waren Sie schon an Bord?

ITEM SUBSTITUTION

(Drill 10.2, p. 74)

Teacher	*Student*
Mir gefällt diese grüne Farbe.	
_____ Verdeck.	Mir gefällt dieses grüne Verdeck.
_____ Wagen.	Mir gefällt dieser grüne Wagen.
_____ Modell.	Mir gefällt dieses grüne Modell.

FREE SUBSTITUTION

(Drill 27, p. 301)

The model sentence given in the book has one or more elements underlined. As you cue an element, the student is required to create a new sentence in which he replaces that element with a new word. His sentence then becomes the model, and the procedure continues.

The initial stimulus consists of the model sentence plus one of the underlined elements.

Teacher	*Student*
Das ist ein Pianist, der sehr berühmt ist.	
_____ Pianist _____.	Das ist ein Orchester, das sehr berühmt ist.
_____ berühmt __.	Das ist ein Orchester, das sehr gut ist.
_____ Orchester _____.	Das ist eine Ausstellung, die sehr gut ist.

T10

Transformation Drills. The initial stimulus is the first sentence on the left. This class of drills encompasses the greatest variety of individual drill types. Shown below are a few representative examples.

SENTENCE TRANSFORMATION
(Drill 6.1, p. 263)

Teacher	*Student*
Der Briefträger hat ein Rad.	Das ist das Rad des Briefträgers.
Der Pilot hat ein Flugzeug.	Das ist das Flugzeug des Piloten.

DIRECTED DIALOG
(Drill 34, p. 115)

Teacher	*Student*
Fragen Sie Hans, wo er aufgewachsen ist!	1ST STUDENT Wo bist du aufgewachsen?
Sagen Sie, dass Sie in England aufgewachsen sind!	"HANS" Ich bin in England aufgewachsen.

Response Drills. The initial stimulus consists of the first sentence on the left plus the first cue in parentheses, if any.

CUED RESPONSE
(Drill 16.1, p. 219)

Teacher	*Student*
Was waschen Sie sich? (die Hände)	Ich wasche mir die Hände.
Was ziehen Sie sich an? (einen Mantel)	Ich ziehe mir einen Mantel an.

PATTERNED RESPONSE
(Drill 21.1, p. 244)

Teacher	*Student*
Isst du das kleine Stück?	Nein, ich esse das grössere Stück.
Kaufst du das neue Modell?	Nein, ich kaufe das ältere Modell.

Situational Drills. This type of drill gives the student situational cues which he must respond to with a coherent succession of sentences. The cues are taken directly from the new material in the unit.

NARRATION
(Drill 31, p. 170)

Teacher	*Student*
The rich people used the farms for weekends and vacations. They renewed the old rooms and installed modern kitchen appliances.	Die reichen Leute benutzten die Bauernhöfe für Wochenende und Ferien. Sie erneuerten die alten Zimmer und bauten moderne Küchengeräte ein.

SUSTAINED TALK
(Drill 28, p. 301)

Teacher	*Student*
Flugzeug-notlanden	Ein Flugzeug musste in der Heide notlanden.
Lüneburger Heide-Schönheit	Die Lüneburger Heide ist für ihre Schönheit weltberühmt.

Communication Drills. Each sentence is an independent stimulus; each student called upon should respond freely.

FREE RESPONSE
(Drill 13, p. 159)

Teacher	*Possible Student Response*
Was tun Sie in Ihrer Freizeit?	Ich lese gern.
	Ich gehe manchmal ins Kino.

T11

REJOINDERS	*Teacher*	*Possible Student Response*
(p. 143)	Moderne Malerei gefällt mir gut.	Mir nicht.
		Welche Maler gefallen dir?

English Cue Drills. Model the German sentence on the left and have the class repeat it. Then treat the first English line as the initial stimulus.

ENGLISH CUE DRILL	*Teacher*	*Student*
(Drill 3, p. 233)	Wer ist an der Reihe?	Wer ist an der Reihe? (chorus)
	It's my turn.	Ich bin an der Reihe.
	Is it your turn? (du)	Bist du an der Reihe?

LISTENING COMPREHENSION EXERCISES: GENERAL

Format. The Listening Comprehension Exercises of Level Two are a continuation of the program begun in Level One of the Second Edition. These exercises are grouped into categories, depending upon the type of drill involved:

(1) **listening exercises** in which the student listens to a sentence or selection, is presented with a problem, and indicates his choice by circling a letter (A, B, C) or placing a check mark in a box.

(2) **listening–reading exercises** in which the student listens to a sentence or selection and selects an appropriate response after reading the choices printed on his paper.

(3) **listening–reading–speaking exercises** in which the student first hears a passage from the reading selection of the unit, and then reads it aloud segment by segment after either the teacher or the native speaker on the recordings.

(4) **listening–writing exercises** in which the student provides a written completion for an incomplete sentence.

These exercises are intended for aural presentation exclusively, and therefore do not appear in the student textbook. They are presented most effectively by means of tapes or records. A complete script of the Listening Comprehension Exercises appears on pp. T22–T98 in the front part of this book. The teacher who does not have the recorded materials should use it to give the exercises. The teacher who is using the recorded materials should familiarize himself with the exercises contained in the program before the exercises are given in the lab.

The Listening Comprehension Exercises are an integral part of the A-LM program and are closely coordinated with the material in the textbook units. To facilitate the scheduling of these exercises, each unit of Level Two is divided into four sections, A, B, C, and D, which are indicated in the annotated part of this book. Each section incorporates both textbook material (Basic Material or Structure Drills) and Listening Comprehension Exercises to be done in conjunction with that material. However, it should be noted that the section indications in the annotated part of this book reflect *the order of exercises in the recordings.* They do not indicate the order in which the material should be presented in class. *The Listening Comprehension exercises in a given section should not be used until after the appropriate student textbook material (basic material or structure drills) has been presented and practiced in class.* For a description of the distribution of the material in the recorded program, see p. T19.

T12

NOTE: Unlike in Level One, there are no Student Response Forms for the Listening Comprehension Exercises printed in the back of the Level Two textbook. *If your students do not have the Exercise Book, you will have to provide them with response forms.* If you have one copy of the Exercise Book, you can refer to it to obtain model response forms. If not, you will need to devise your own forms according to the instructions accompanying each Listening Comprehension Exercise.

LISTENING COMPREHENSION EXERCISES

Format. The simplest of these exercises requires the student to just listen to a dialog or narrative (taken from the Conversation Stimulus section of the Student Textbook). For other Listening Comprehension exercises the student is required to indicate his choice between several suggested responses. All of these exercises are divided into a problem-solving phase and a verification phase. *They are intended to be used for training rather than for setting.* The students should not be made to feel nervous about their performance, and should be encouraged to listen to each exercise as carefully as possible, and if necessary, more than once.

Presentation. Since most of the Listening Comprehension Exercises include examples of the structure and vocabulary treated in a given section, they should always be conducted *after* you have done some oral work on the structure in that section. In the problem-solving phase, the student hears the stimulus and he should be given sufficient time to make his response. If you have the tapes or records which accompany this program, it would be preferable to use them rather than presenting the exercises yourself since they provide a variety of native voices.

Verification. In the verification phase, the student should hear the stimulus again, followed by the correct response.

As soon as possible after a Listening Comprehension Exercise has been done and students have verified their responses, you should get some indication of how well they performed. You might ask for a show of hands by students who got all the items right, more than two wrong, etc. Occasionally, you might want to collect the Exercise Books or answer papers. But do keep in mind—and make the students aware—that these exercises are not being used as tests. If performance is generally good, you may want to give individual attention after class to those students who did not do well. If there are many wrong answers, or if the majority of students answered a particular item incorrectly, it might be profitable to take time to conduct the exercise again. If you find that a particular structural point presents special difficulty, try to give it extra oral drill practice.

WRITING EXERCISES

Format. Each Level Two Unit includes a number of writing exercises. Some are intended to reinforce a point of structure taught. These usually appear at the end of a Grammar section. Others which are more challenging and involve recombinations of the grammar taught, appear at the end of the unit, just before the Reference List.

The students may also be asked to write out the answers to those drills for which no answers have been provided in the textbook. Unlike in Level One, however, there are no specific indications of which drills to use. This is left to the discretion of the teacher.

Supplementary writing exercises are found in the second half of the Exercise

Book. The points within each unit at which these exercises may be assigned are indicated in the annotated section of this book.

Assignment and Review. The Writing Exercises on specific points of grammar (both the ones in the student textbook and those in the Exercise Book) should be assigned as homework after the structure has been drilled orally in class. The textbook exercises should be corrected and returned to the students the following day. The exercises from the Exercise Book can be corrected by the students themselves in class, since the answers are given in the back of the Exercise Book.

WORD STUDY *Format.* The reading selection of most units is usually preceded by a Word Study section which is intended to help the students recognize the meaning of new words that are related to words they already know. Once a word relationship has been presented, it is hoped that the student will learn to recognize similar word relationships in subsequent units.

Presentation. Before you begin the Reading section, go over the Word Study section with your students and make sure that they clearly understand the word relationship involved.

READING The goal of the A-LM reading program is to teach the student to read by direct association between the printed or written foreign language and its meaning. Since translation is *not* an objective, there is no need for practice in translation, and exercises in translation should not be used to evaluate the student's reading skill.

The Level Two reading program is an extension of the one begun in Level One. In the first level, the student learned the letter-sound correspondences and began to develop his reading skills with the limited amount of Recombination Material at the end of each unit. In Level Two he progresses to an increased number of pages of material which he is expected to read with complete comprehension.

Format. The reading passages in Level Two vary from one to four pages per unit. The subjects of the selections were chosen to be of interest to the American ninth- or tenth-grader. All readings and the Basic Materials of Units 26 and 27 were written by Jürg Federspiel, a young Swiss author of novels, plays, and short stories.

Each reading selection includes new vocabulary and examples of the structure taught in the unit. Cognates and Word Study words which appear in the reading are not marked. All other new vocabulary items are either glossed in the margin or defined in the Dictionary Section which follows the Reading. The Dictionary Section includes those words which the student should be able to guess from context. (Words found in this section are underlined in the annotated part of this book.)

Presentation. Although the Reading is intended primarily as an exercise in reading comprehension, parts of it may also be used for listening comprehension. If you decide to use it in this way, you may wish to read a section of the passage to the students and check their comprehension by asking the questions that follow the Reading.

Assignment and Review. Assign the reading selection (including the related questions) for study at home. Whether or not you decide to assign the entire selection at one time will depend on the capabilities of your class and on the length of the particular selection.

Tell your students to read the assigned passage through once without stopping in order to become familiar with the broad outlines of the selection before studying it more closely. Encourage them to try to guess the meaning of unknown words from context rather than look them up in the back of the book. In the early units, you may want to spend class time helping them infer meaning from context. If they cannot guess the meaning of a particular word (and it is not glossed), they should look first in the Dictionary Section for a definition before referring to the German-English Vocabulary at the end of the book.

The review in class the next day should consist mainly of questions and answers. However, you should occasionally use other activities to help maintain student interest. You may, for example, want to read a passage yourself and ask more detailed questions on it than the ones printed in the textbook. Where the Reading passage includes a dialog, you may wish to assign roles to the students and have them practice reading aloud.

Once all of the questions on the Reading passage have been treated in class, you may want to assign some of them for written work at home.

DICTIONARY SECTION As has been previously stated, this section includes those words whose meanings the student may be able to infer from context. If the meaning of a particular word is obvious to a student from the clues provided in the reading, he will have no need to refer to this section. If the meaning of a word is not sufficiently clear, he can turn to this section, where he will find a definition in German and at least one example sentence intended to clarify its meaning. This section is also designed to help prepare the student for eventual use of a monolingual dictionary.

RECOMBINATION EXERCISES The exercises in this part of the unit recombine the structure taught in the two Basic Material sections with the new vocabulary of the reading. Minor grammatical points that appear in the Reading are also drilled in this section.

CONVERSATION BUILDUP: GENERAL Immediately preceding the final writing exercise, each unit includes a section called Conversation Buildup which is aimed at developing the student's ability to express himself in German. The exercises in this section encourage the student to speak "freely" within his linguistic limitations.

Format. The Conversation Buildup normally includes one or two recombination dialogs or narratives, each of which is followed by Rejoinders and a Conversation Stimulus.

DIALOG(S) Present each dialog orally to give the students additional practice in listening comprehension. If you have the recorded materials, you may want to use the recorded dialog (the last Listening Comprehension Exercise on Reel D). Check the students' understanding of the situation by asking the questions printed in the annotated part of this book. Then have them read the dialog aloud. These oral activities should help prepare them to participate in the Conversation Stimulus.

REJOINDERS Each dialog is followed by a Rejoinders section which is related to the dialogs and which prepares the students for the Conversation Stimulus. This section includes questions or statements to which the students are expected to provide natural responses. Elicit as many rejoinders as possible, keeping in mind that the response and the original sentence should always constitute a natural exchange. (Suggested Rejoinders have been listed in the annotated part of this book.)

The Conversation Stimulus begins by outlining a situation which will provide a context for a dialog between students.

In the initial presentation of the Conversation Stimulus, explain the situation to the students, and suggest a first line for a conversation. (A first line is always provided in the text.) Have a student give this first line, and elicit a response from another student. (A suggested response is printed in the annotated part of this book.) Have a third student respond to the second, and so on, until the possibilities of developing that particular conversation are exhausted. At this point, begin a new conversation, either with the same first line or another, and encourage the class to develop the situation differently. In some cases, you may want to ask a third student to participate.

REFERENCE LIST

The Reference List is the final element of the unit. It includes those words and expressions which are considered the "active" vocabulary of the unit. It provides the student with a summary of the new lexical items he has practiced in class and which he should be able to use actively. As its name indicates, this list is intended to be used *as a reference* by the student; it is not intended that he study it in order to learn any new information.

BUNTES ALLERLEI

With the exception of Unit 27, all units are followed by a section called Buntes Allerlei which features authentic aspects of everyday life and German culture. The material in this section is related to the subject matter of the unit and includes such diversified items as poems, sayings, maps, newspaper ads, a menu, a circus program, traffic signs, etc.

The students should not be held responsible for new lexical items which appear in this section. New words appearing in this section are considered "passive" unless activated in a subsequent unit. (With the exception of cognates, all such words are included in the German-English vocabulary at the back of the book.) It is expected that this section will generate a great deal of interest about various aspects of German culture and that the students will absorb much useful and interesting information.

Many of the Buntes Allerlei sections may be used to stimulate conversation and/or sustained talk. Special suggestions for working with these sections are provided in the front part of this book, beginning on page T126.

7. Sample Lesson Plan

Although you will plan your daily lessons as you find most effective, the following sample lesson plan may give you some ideas on how to balance the different components of each unit. Note that it provides variety and constant review of the material being taught. This plan has been organized with laboratory sessions in addition to regular class periods. This is the most effective arrangement, since it gives the students additional practice in manipulating structures and allows more class time for activities leading to communication.

Each unit should be taught in about 2½ weeks. This plan shows how the material in Unit 21 may be distributed over 12 days. Part of Day 13 should be devoted to the Unit Test.

UNIT 21	REVIEW	PRESENT	ASSIGN FOR HOMEWORK	LABORATORY
DAY 1	• Test from previous unit	• Basic Material I • Supplement • Vocabulary Exercises 1, 2	• Basic Material I • Supplement • Vocabulary Exercises 1, 2	
DAY 2	• Basic Material I • Supplement I • Vocabulary Exercises 1, 2	• Verb Exercise 3 • Grammar: The Reflexive Construction, Accusative • Drills 4.1–4.3; 5; 9.1–9.6	• Review Basic Material I • Grammar: Presentation and Generalization • Verb Exercise 3 • Drills 4, 5, 9 • *Exercise Book:* Exercise 1	
DAY 3	• Verb Exercise 3 • Drills 4, 5, 9 • *Exercise Book:* Exercise 1	• Listening Comprehension: Exercise 36 • Drills 6, 7, 8, 10	• Drills 6–8; 10 • Writing, p. 214 • *Exercise Book:* Exercise 2	Section A
DAY 4	• Drills 6, 8, 10 • Writing, p. 214 • *Exercise Book:* Exercise 2	• Basic Material II • Supplement • Vocabulary Exercises 11, 12	• Basic Material II • Supplement • Vocabulary Exercises 11–14	
DAY 5	• Basic Material II • Supplement • Vocabulary Exercises 11–14	• Grammar: The Reflexive Construction, Dative • Drills 15.1–15.2; 20	• Review Basic Material II • Grammar: Presentation and Generalization • Drills 15.1–15.2, 20	
DAY 6	• Drills 15.1–15.2, 20	• Drills 16–19; 21–22 • Writing Drill, p. 220	• Drills 16–19; 22 • *Exercise Book:* Exercises 3, 4	Section B
DAY 7	• Drills 16–19; 22 • *Exercise Book:* Exercises 3, 4 • Review Basic Materials I and II • Vocabulary Exercises 1, 11	• Listening Comprehension: Exercise 37 • Word Study	• Word Study • Reading (entire selection) • Drill 23—questions 1–11 with a written answer	
DAY 8	• Drill 23—go over written answers, questions 1–11	• Reading, partial (orally) • Drills 23—all questions • Verb Exercise 26 • some oral reading by students	• Noun and Verb Exercises 24–26 • *Exercise Book:* Exercise 5	
DAY 9	• Exercises 24–26 (spot check) • *Exercise Book:* Exercise 5	• Listening Comprehension: Exercises 38, 39, 40 • Drills 27.1–27.3; 28.1–28.2	• Reread Reading • Drills 27.1–27.3 • Write answers to Drill 28	Section C

UNIT 21	REVIEW	PRESENT	ASSIGN FOR HOMEWORK	LABORATORY
DAY 10	• Drills 27.1–27.3—go over answers to Drill 28	• Drills 29; 30 Conversation Buildup	• *Exercise Book:* Exercise 6 • Try to think of ways of continuing Conv. Stim.	
DAY 11	• Drills 28.1–28.2 • *Exercise Book:* Exercise 6 • Conversation Buildup	• Listening Comprehension: Exercises 41, 42 • Writing: Sentence Construction, p. 227	• Writing: Sentence Rewrite, p. 227 • *Exercise Book:* Exercises 7, 8	Section D
DAY 12	• Writing: Sentence Rewrite, p. 227 • *Exercise Book:* Exercises 7, 8	• **Buntes Allerlei**	• **Buntes Allerlei**	
DAY 13	• Basic Materials I and II • Reading • Selected Structure Drills	• Test, Unit 21		

8. Recorded Materials

STANDARDS The tape recordings and records expose the students to authentic spoken German in addition to that which can be provided by the teacher. The recordings provide uniform quality of performance and relieve the teacher of some of the burden of constant oral drill.

Any language is spoken with regional variations. The recorded materials include a variety of native speaker voices with a reasonable range of variations. Extreme regional differences have been avoided, however, and the variations are limited to those occurring in the speech of educated people.

STUDENT PRACTICE RECORD SET The Student Practice Record Set (or "Take-Home Disks") includes twelve 7-inch 33⅓ rpm disks. Each disk contains the Basic Material I and Supplement of the unit on one side and the Basic Material II and Supplement on the other side. These disks are designed primarily for practice at home. They provide the student with an immediately accessible authentic model for pronunciation and intonation, and consequently accelerate the learning process while encouraging correct pronunciation and intonation. Listening to the disks should be part of a student's homework assignment. If it is not possible for each student to have a set, it is suggested that students take turns using the sets which are available, or that they work together in small groups. In some schools, it may be possible to set up listening stations, either with or without headphones, in a classroom or the library. The 7-inch disks can, of course, be used during the class period if neither the tapes nor the 12-inch disks are available.

The teacher's recordings are available in three forms, each of which contains the same material:

      (a) a 48-reel 7½ ips full-track Tape Set
      (b) a 24-reel 7½ ips two-track Tape Set
      (c) a 24-disk 12-inch 33⅓ rpm Record Set

The recordings for each unit include material from the student textbook (Basic Material, Supplement, and Structure Drills) and the Listening Comprehension Exercises. In most units, there are also additional structure drills. The recorded material is divided into four 18–20 minute sections, A, B, C, and D. The following charts show the distribution of material in a typical unit.

SECTION A
Basic Material I
Supplement
Vocabulary Exercises *
Listening Comprehension Exercise
Structure Drills

SECTION C
Listening Comprehension Exercises (including oral reading)
Structure Drills
Additional Structure Drill(s) *

SECTION B
Basic Material II
Supplement
Vocabulary Exercises *
Listening Comprehension Exercise
Structure Drills

SECTION D
Listening Comprehension Exercise
Structure Drills
Additional Structure Drills *
Listening Exercise (the dialog(s) of the Conversation Buildup)

* Included only in certain units.

Indications in the annotated part of this book show where each recorded section begins, and what material is included in each section. For example, in Unit 18, "Section A" on page 123 lists the recorded materials for this section. This includes the Basic Material I and the Supplement, Listening Comprehension Exercise 15, and the Structure Drills 6.1–6.2; 7.1–7.2; 8. "Section B" on page 131 includes the Basic Material II and the Supplement, Listening Comprehension Exercise 16, and the Structure Drills 15, 16, and 17. "Section C" on page 137 includes the Listening Comprehension Exercises 17, 18, and 19, and the Structure Drills 26; 27.1–27.2. "Section D" on page 142 includes the Listening Comprehension Exercise 20, Additional Structure Drills, and the Listening Exercise 21.

USE OF THE RECORDED MATERIALS

The most desirable arrangement is to have language laboratory sessions scheduled in addition to the usual class periods. The work done in the laboratory should always be a natural extension of work begun in class. Before taking your students to the laboratory to work with a given section, be sure that the vocabulary and structure contained in the section have been adequately presented and drilled in class. Since each lab session will require some written responses, students should go prepared with their Exercise Books, or with the appropriate Response Forms provided by you.

Laboratory sessions should be as frequent as possible, but it is recommended that a session not exceed twenty-five minutes in length. Whenever possible, students working with recorded materials should be monitored by a language teacher. This monitoring may be done by listening at the console through a monitoring system or simply by walking around the room. When several students make the same error, it may be profitable to stop the program, give the necessary explanations, and begin the exercise again. In the case of individual errors, correction should be as precise and brief as possible in order not to distract the student any longer than necessary. Once a section has been drilled in the laboratory, you should review it in class to be sure that the students have mastered the material.

(NOTE: Some language laboratories are equipped with facilities that allow each student to make his own recordings and play them back. These should be used judiciously. It has not yet been shown that students profit from listening to their own responses; they usually have difficulty hearing differences between their performance and that of the model, and even greater difficulty correcting their errors. If you do ask students to play back their own recordings, be sure to monitor them carefully.)

FORMAT OF THE RECORDED MATERIALS

The following is a description of the format used in most of the recorded materials. Every line has been recorded at normal speed and with natural intonation. Pauses for student's responses have been inserted through editing so that the naturalness of the native speaker's utterance is not affected. Each pause has been calculated in consideration of the time it would take a native speaker to respond plus the additional time a student needs to react.

BASIC MATERIAL AND SUPPLEMENT

Basic Materials and Supplements are presented together in the following format:

1. Basic Material for listening.
2. Basic Material presented in partials and recombined when necessary. Each partial utterance or sentence is heard *only once* and is followed by a pause for repetition.
3. Supplement presented line by line with pause for repetition.

STRUCTURE DRILLS

The Structure Drills have been recorded in a 6-phase format:

stimulus—pause for response—confirmation—

same stimulus—pause for response—confirmation

This format allows the student to respond to the stimulus a second time instead of just echoing the correct response. The stimuli and responses are usually spoken by different voices.

LISTENING EXERCISES

The student listens to one or more dialogs (narrative) and poetry. He has no problem to solve.

Since many types of exercises are used, the variety of format cannot be described here at length. All the exercises are divided into a problem-solving phase and a verification phase. The format of each exercise is clearly indicated in the Listening Comprehension Exercise section of the Teacher's Edition (pp. T22–T98).

Listening Comprehension Exercises

This section includes the last three Units of the Listening and Speaking Exercises of Level One which have been reprinted here for your convenience.

UNIT 13—SECTION A

EXERCISE 157. DICTATION

Be prepared for a dictation. You will hear five sentences. Each one will be read to you twice. You are to write each sentence as you hear it. *Read each sentence twice.*

1. Holt Kurt den Mäher aus der Garage?
2. Steht der Mäher bei der Treppe?
3. Ist der Mäher schon alt und kaputt?
4. Wer hat auch so einen Rasenmäher?
5. Warum soll Kurt besonders vorsichtig sein?

These sentences were taken from Section 4 of the Vocabulary Exercises of Unit 13. Later, when you have time, compare what you have written with the sentences as they appear in the book.

[sh]

EXERCISE 158. PRONUNCIATION

Schaufel, Schere, Schlauch, Schuppen, Spass, schneiden, sprechen, stehen, zuschauen, zustimmen

Stress

EXERCISE 159. PRONUNCIATION

Terrasse, zusammen, gegenüber, Schokolade, Arabien, kaputt, gehören, gehorchen, gefallen

EXERCISE 160. LISTENING COMPREHENSION

Be prepared to mark down your responses for Exercise 160. You will hear a series of statements, each one followed by two rejoinders—A and B. Listen carefully to each rejoinder, then place a check mark in either row A or row B, depending on which of the two rejoinders is more appropriate.

EXAMPLE   You hear   Ist Jochen zu Hause?

A. Ja, er ist im Wohnzimmer.   B. Ja, er ist in der Schule.

You place your check mark in row A, because rejoinder A is more appropriate than rejoinder B. We will begin now. *Read each item once.*

1. Schade, dass der Mantel nicht passt; sonst gefällt er mir.
   A. Ich muss dir zustimmen: er passt nicht.   B. Du hast recht: er passt gut.

2. Unser Hund hört nicht gut. Oft rufe ich ihn, aber er kommt nicht.
   A. Vielleicht hört er dich aber will dir nicht gehorchen.
   B. Du hast recht. Er ist ja sehr freundlich.

3. Kann ich mal sehen, wie du das Gras im Garten mähst?
   A. Gut, du kannst zuhören.   **B. Gut, du kannst zusehen.**

4. Peter, die Blumen sind schon wieder trocken.
   A. Um Mittag werde ich sie schneiden.
   B. Hab keine Angst! Es regnet heute bestimmt noch.

5. Sei bitte vorsichtig mit dem Messer!
   A. Keine Angst! Ich schneide dich nicht.
   B. Keine Angst! Ich mache dich nicht nass.

6. He! Was ist los! Ich glaube, dass du nicht zuhörst.
   A. Du hast recht. Ich bin so müde.   B. Du hast recht. Ich bin zu vorsichtig.

7. Wie kann ich denn die Blumen giessen? Ich finde den Schlauch nicht.
   A. Ist er nicht im Schuppen? Er muss dann irgendwo im Keller liegen.
   B. Er hängt nicht im Schuppen? Er liegt dann bestimmt im Wohnzimmer.

8. Ich verstehe nicht, warum du jetzt die Terrasse kehren willst.
   A. Du kennst mich: ich bin faul und bleibe faul.
   B. Hast du keine Augen? Sie ist furchtbar schmutzig.

9. Onkel Max, ich danke dir sehr für die Bücher.
   A. Leg sie mal auf! Ich möchte sie selbst hören.
   B. Hoffentlich hast du diesen Sommer Zeit zum Lesen.

10. Sei vorsichtig und mach den Mäher nicht kaputt!
    A. Denkst du, ich bin so ernst?   **B. Denkst du, ich bin so leichtsinnig?**

Now check your answers. *Repeat each sentence once and give the correct answer as:*

1. Schade, dass der Mantel nicht passt; sonst gefällt er mir.
   Ich muss dir zustimmen: er passt nicht.   A

EXERCISE 161. PRONUNCIATION

gehorcht, spricht, verspricht, riecht, gehorchst, sprichst, versprichst, riechst

EXERCISE 162. LISTENING COMPREHENSION

Be prepared to mark down your responses for Exercise 162. You will hear a series of short dialogs. Each dialog is followed by an incomplete statement related to the dialog, and three completions—A, B, and C. You are to choose the one that appropriately completes the statement.

EXAMPLE You hear MUTTER Stefan, ich sehe, dass du noch deine Erkältung hast.

      STEFAN Muss ich dann auch heute zu Hause bleiben?

      MUTTER Sei nicht so traurig! Du wirst morgen bestimmt wieder gesund sein.

Stefan ist heute noch _____.
A. faul   B. krank   C. frech

You circle the letter B, because B. **krank** is the most appropriate completion for the sentence. We will begin now. *Read the dialog and choices once.*

1.

    ROBERT Schau mal, Mutti! Diese Blume sieht ganz krank aus.

    MUTTER Du hast recht, Robert. Sie soll auch nicht in der Küche stehen. Sie braucht viel Sonne.

    ROBERT Dann bringe ich sie ins Wohnzimmer.

Im Wohnzimmer gibt es wahrscheinlich _____.
A. kein Fenster   **B. viel Sonne**   C. keine Sonne
Die Blume braucht viel Sonne, und Robert bringt sie ins Wohnzimmer.

2.

    MUTTER Rolf, du kannst mir helfen, wenn du nichts vorhast.

    ROLF Was soll ich tun?

    MUTTER Du kannst die Terrasse für mich kehren. Sie ist sehr schmutzig.

Die Mutter gibt Rolf jetzt wahrscheinlich _____.
A. eine Schaufel   **B. einen Besen**   C. einen Lappen
Rolf kehrt die Terrasse mit einem Besen.

3.

    HORST Wen rufst du denn, Brigitte?

    BRIGITTE Meinen Hund. Sieh mal! Er spielt im Wasser, und er will nicht herkommen.

    HORST Warum läufst du nicht weg? Dann folgt er dir bestimmt.

Der Hund will Brigitte nicht _____.
A. gefallen   B. gehören   **C. gehorchen**
Sie ruft ihn, aber er kommt nicht.

4

MONIKA Manfred, ärgere die Katze nicht! Sie will schlafen.

MANFRED Dir muss ich nicht gehorchen, Monika. Du bist nur meine Schwester. Ich kann machen, was ich will.

MONIKA Warte nur, bis Vati kommt! Dann wirst du nicht so frech sein.

Manfred und Monika sind _____.

A. Geschwister   B. Eltern   C. Schulfreunde

   Manfred sagt ja, dass Monika seine Schwester ist.

5.

ONKEL UWE Warum siehst du mir nicht zu, Herbert, wie ich den Rasen mähe?

HERBERT Glaubst du, ich kann das nicht tun, Onkel Uwe?

ONKEL UWE Nun. . . doch. Aber vielleicht kennst du diesen Mäher nicht.

Herbert will seinem Onkel nicht _____.

A. zuhören   B. zustimmen   **C. zusehen**

   Er glaubt, er kann den Rasen mähen und muss ihm deshalb nicht zusehen.

6.

MUTTER Aber Rudi! Was machst du denn mit der Schere im Garten?

RUDI Ich brauche ein paar Blumen, Mutti. Uschi hat Geburtstag.

MUTTER Soso. Dann bring mir doch auch gleich ein paar Blumen fürs Wohnzimmer.

Rudi ist im Garten. Er will _____.

A. die Blumen giessen

B. Blumen für seine Mutter holen

C. ein paar Blumen schneiden

   Er hat eine Schere, und er braucht Blumen für Uschis Geburtstag.

Now check your answers. *Repeat each dialog and give the correct answer as:*
Im Wohnzimmer gibt es wahrscheinlich **viel Sonne.** **B—Die Blume braucht viel Sonne, und Robert bringt sie ins Wohnzimmer.**

Long Vowels   **EXERCISE 163. PRONUNCIATION**

Besen, Blume, Gras, Mäher, Motor, Rasen, Schere, Tür, gehören, giessen, kehren, stehen, hoch, grün

UNIT 13—SECTION D

EXERCISE 164. LISTENING COMPREHENSION

Be prepared to mark down your responses for Exercise 164. You will hear a series of monologs. In each one, some object is repeatedly referred to but not named.

For each monolog, you have before you three words—A, B, and C. Using all the clues present in the monolog, you are to determine which of these words names the object that was being talked about.

EXAMPLE You hear Ich weiss nicht, was ich tun soll. Ich rufe ihn und rufe ihn, aber er gehorcht nicht.

You see A. Katze B. Hund C. Fisch

You circle the letter B, because B. **Hund** is the only one of the three words whose meaning and gender indicate that it was the object referred to. We will begin now. Read each item once. *The students' printed choices are in parentheses. Do not read these.*

1. Rudolf! Hier, nimm sie doch! Sie schneidet noch gut. Gib sie mir aber wieder zurück!
(**A. Schere** B. Blumen C. Schaufel)

2. Ich stimme dir zu; er schreibt ja sehr schön. Ein Geburtstagsgeschenk, sagst du? Hmm . . . billig ist er bestimmt nicht. Was glaubst du? Zehn, vielleicht fünfzehn Mark?
(A. Heft B. Brief **C. Füller**)

3. Natürlich kann ich sie gut spielen! Ich übe jeden Tag nach dem Abendessen. Sei bitte vorsichtig mit dem Wasser! Das Holz darf nicht nass werden.
(A. Platte B. Kapelle **C. Gitarre**)

4. Hab' keine Angst! Ich kenne Motoren, und ich mach' ihn nicht kaputt. Hmm . . . sehr schön. Mäht er gut, auch wenn das Gras sehr hoch ist?
(A. Schlauch **B. Rasenmäher** C. Motorrad)

5. Sie sieht krank aus. Vielleicht trinkt sie ein bisschen Milch. Kannst du die Milch aus der Küche holen?
(**A. Katze** B. Reh C. Vogel)

6. Ich schneide es gern, wenn es noch nass ist. Es riecht dann so gut.
(**A. Gras** B. Käse C. Messer)

7. Ich danke dir für das Geburtstagsgeschenk. Sind sie aus deinem Garten? Sie sind so schön. Ich gebe ihnen gleich Wasser.
(A. Rasen B. Fische **C. Blumen**)

Now check your answers. *Repeat each item once and give the correct answer as:*
1. Rudolf! Hier, nimm sie doch! Sie schneidet noch gut. Gib sie mir aber wieder zurück! **Schere A**

[R]

EXERCISE 165. PRONUNCIATION

Rasen, Rasenmäher, raten, Terrasse, Ring, reich, richtig, Gras, grün, Treppe, trocken

EXERCISE 166. LISTENING COMPREHENSION

Be prepared to write at the end of this exercise. You will hear a dialog between a woman, Frau Haas, and her son, Herbert. You will then be asked to write answers to questions on the dialog. Your answers do not have to be complete sentences but they should be grammatically correct. Now listen to the dialog.

FRAU HAAS Sei doch vorsichtig, Herbert! Der Schlauch ist kaputt. Siehst du das nicht?

HERBERT Die Hose darf nass werden. Sie ist schmutzig, und du musst sie sowieso waschen.

FRAU HAAS Ich meine nicht deine Hose, ich meine dich. Du bekommst bestimmt wieder eine Erkältung, wenn du nass wirst.

HERBERT Nicht heute, Mutti. Es ist so schön warm.

FRAU HAAS Vergiss nicht, es ist noch April! Und du hast noch immer den Schnupfen. Willst du wieder zwei Wochen zu Hause bleiben?

HERBERT Na, gut. Dann gehe ich zu Onkel Franz und frage ihn, ob er mir seinen Schlauch leiht.

Now listen to the questions.

1. Warum soll Herbert vorsichtig sein?
2. Was kann er wieder bekommen, wenn er nass wird?
3. Wie ist das Wetter heute?
4. Was für eine Jahreszeit ist es?
5. Was soll Onkel Franz tun?

Now listen to the dialog again. *Repeat only the dialog, and then give the students time to write their answers.*

UNIT 14—SECTION A

EXERCISE 167. LISTENING COMPREHENSION

Be prepared to mark down your responses for Exercise 167. You will hear a series of incomplete sentences. After each one, you will hear three words—A, B, and C. You are to choose the one that appropriately completes the sentence.

EXAMPLE You hear Ich wecke deinen Bruder noch nicht. Es ist zu _____.
A. früh   B. spät   C. müde

You circle the letter A, because A. **früh** appropriately completes the sentence. We will begin now. *Read each item once.*

1. Ach! Der Zahn tut mir furchtbar weh. Ich kann jetzt bestimmt nichts _____.
   A. taugen   **B. essen**   C. vergessen

2. Wir fahren heute nicht lange zum Strand. So früh am Morgen ist nie viel _____.
   A. Verkehr   B. Wasser   C. See

3. Geh nicht ohne Bademütze ins Wasser! Sonst werden deine Haare _____.
   A. nass   B. krank   C. trocken

4. Ich reibe dir Öl auf die Nase. Dann bekommst du keinen _____.
   A. Badeanzug   B. Husten   **C. Sonnenbrand**

5. Deine Hände sind schmutzig. Wasch sie doch bitte mit _____!
   A. Bier   **B. Seife**   C. Sonnenöl

6. Warum schreist du so? Tut dir etwas _____?
   A. schlecht   **B. weh**   C. krank

7. Mir tun die Augen weh. Ich glaube, ich brauche eine _____.
   A. Idee   B. Decke   **C. Brille**

8. Wie siehst du denn aus! Du bist so rot wie ein _____!
   A. Krebs   B. Hund   C. Tiger

9. Du gibst für einen Lippenstift nur drei Mark aus? Dann kann er nicht viel _____.
   A. kosten   B. brauchen   **C. taugen**

10. Deine Haare sind ganz trocken von der Sonne. Hast du denn _____?
    A. keine Sonnencreme   **B. kein Haaröl**   C. keine Seife

11. Aber Ursel! Deine Hände sind noch immer ganz nass. Sieh mal, dort drüben hängt ein _____.
    A. Handtuch   B. Handtasche   C. Ring

12. Peter, dieser Film ist traurig. Du sollst nicht _____!
    A. zeigen   B. reden   **C. lachen**

Now check your answers. *Give the correct answer as:*

1. Ach! Der Zahn tut mir furchtbar weh. Ich kann jetzt bestimmt nichts **essen.** B

[au]

EXERCISE 168. PRONUNCIATION

Auge, blau, braun, taugen, Bauer, aus, Schaufel, Schlauch, aufstehen, zuschauen, laufen, kaufen

UNIT 14—SECTION B

EXERCISE 169. LISTENING COMPREHENSION

Be prepared to mark down your responses for Exercise 169. You will hear a series of sentences which contain an indirect object pronoun. For each of these sentences, you have in front of you three noun phrases—A, B, and C. You are to select the noun phrase which the indirect object pronoun has replaced.

EXAMPLE   You hear   Er gibt es ihm nach der Schule.
          You see   A. seiner Lehrerin
                    B. seinem Lehrer
                    C. seinen Freunden

You circle the letter B, because B. **seinem Lehrer** is the only one of the three noun phrases that the pronoun **ihm** in the sentence could have replaced. We will begin now. *Read each sentence once.*

1. Ich erkläre es ihm nachher.
   A. meiner Schwester   **B. meinem Bruder**   C. meinem Buch

2. Heute abend zeige ich sie ihnen.
   A. meinen Freunden   B. meinem Freund   C. meiner Freundin

3. Ich schicke ihr morgen die Bücher.
   A. meinen Kusinen   B. meinem Vetter   **C. meiner Kusine**

4. Warum sagst du es ihnen nicht?
   A. den Kindern   B. dem Gast   C. den Gärten

5. Er darf sie ihr nicht geben.
   A. dem Hund   B. den Fischen   **C. der Katze**
6. Warum wollt ihr ihm kein Geld leihen?
   A. den Herren   **B. dem Herrn**   C. den Herrn
7. Ich schulde ihnen nur noch fünf Mark.
   A. meinen Eltern   B. meinen Sachen   C. meiner Schwester
8. Schenkst du es ihm zu Weihnachten?
   A. deiner Mutter   B. deinen Vettern   **C. deinem Vater**
9. Er sagt, dass er ihr das Fernglas nicht leihen wird.
   A. seinen Freunden   **B. seiner Freundin**   C. seinen Freund
10. Sie schickt ihnen im Paket einen Katalog mit.
    A. ihrer Mutter   **B. ihren Geschwistern**   C. ihre Brüder
11. Warum willst du es ihm nicht reichen?
    A. Rolf   B. Ingrid   C. der Lehrerin
12. Müsst ihr ihr so etwas Teures kaufen?
    A. euren Eltern   B. eurer Idee   **C. eurer Schwester**

Now check your answers. *Repeat each sentence once and give the correct answer as:*

   1. Ich erkläre es ihm nachher.   **meinem Bruder**   B

Final [ə]   **EXERCISE 170. PRONUNCIATION**

   Beine, Decke, Mütze, Nase, Salbe, Seife, Schere, Treppe, Kette

UNIT 14—SECTION C

EXERCISE 171. LISTENING COMPREHENSION

Be prepared to write your responses for Exercise 171. You will hear a series of statements. After each one you are to write the noun phrase or pronoun that is the subject of the sentence.

EXAMPLE   You hear   Dem Arzt muss der Vater zwanzig Mark geben.
           You write   **der Vater**, which is the subject of the sentence. We will begin now. *Read each sentence once.*

   1. Die Prüfung kann der Lehrer heute nachmittag nicht geben.   **der Lehrer**
   2. Den Jungen könnt ihr es sagen.   **ihr**
   3. Wer will morgen einen Ausflug machen?   **wer**
   4. Seiner Kusine muss Peter diese Woche noch schreiben.   **Peter**
   5. Die Ärztin soll heute noch zu uns kommen.   **die Ärztin**
   6. Die Tiger soll das Kind nicht füttern.   **das Kind**
   7. Wem folgt dieser Hund?   **dieser Hund**
   8. Dem Kind erzählt die Tante eine Geschichte.   **die Tante**
   9. Die Mädchen spielen immer im Hof.   **die Mädchen**
   10. Seinen Bruder weckt mein Freund um 7.   **mein Freund**
   11. Mein Onkel schenkt mir eine Uhr.   **mein Onkel**
   12. Dem Lehrer antwortet Peter nicht.   **Peter**
   13. Meine Eltern wollen zum Strand fahren.   **meine Eltern**

14. Diesen Kindern tut nie etwas weh. **etwas**
15. Wen lädt dein Bruder zum Geburtstag ein? **dein Bruder**

Now check your answers. *Repeat each sentence once and give the correct answer as:*

1. Die Prüfung kann der Lehrer heute nachmittag nicht geben. **der Lehrer**

Singular–plural contrasts

EXERCISE 172. PRONUNCIATION

der Kamm–die Kämme, der Kopf–die Köpfe, der Strand–die Strände, der Stuhl–die Stühle, das Handtuch–die Handtücher, der Wunsch–die Wünsche, der Vogel–die Vögel, der Zahn–die Zähne

UNIT 14—SECTION D

EXERCISE 173. LISTENING COMPREHENSION

Be prepared to mark down your responses for Exercise 173. You will hear a series of statements. After each one the speaker will make two further statements—A and B. Only one of these naturally continues the thought of the first statement. You are to decide which one it is.

EXAMPLE   You hear Hans, pfeife nicht!
A. Du weisst, du sollst das am Strand nicht tun!
B. Du weisst, du sollst das in der Schule nicht tun!

You place your check mark in row B, because only statement B naturally continues the thought of the first statement. We will begin now. *Read each item once.*

1. Kannst du mir mal deine Sonnenbrille leihen?
   A. Mir tun nämlich die Augen weh.   B. Die Sonne ist heute so schwach.
2. Gib mir doch lieber die Sonnencreme!
   A. Das Öl taugt nichts.   B. Ich will nicht braun werden.
3. Du siehst furchtbar blass aus.
   A. Du bist so rot wie ein Krebs.
   B. Du sollst nicht immer im Schatten liegen!
4. Reichst du mir bitte das Handtuch?
   A. Ich will jetzt ins Wasser gehen.
   B. Meine Füsse sind nämlich noch ganz nass.
5. Walter ist nie pünktlich.
   A. Er soll um 5 kommen, und um 6 ist er noch nicht da.
   B. Er soll um 5 kommen, und um 4 ist er noch nicht da.
6. Leihst du mir mal deine Illustrierte?
   A. Ich will ein bisschen in der Sonne schlafen.   **B. Ich lese gern am Strand.**
7. Was machst du mit deinem Badeanzug?
   A. Bringst du ihn nicht ins Kino mit?
   B. Ziehst du ihn nicht an, bevor wir zum Strand fahren?
8. Kannst du irgendwo mal einen Sonnenschirm für mich finden?
   A. Diesen Schnee habe ich ja gern.   **B. Hier gibt es keinen Schatten.**

T30

9. Du darfst jetzt nicht ins Wasser gehen!
   A. Schwimmen ist zu gefährlich, wenn es Gewitter gibt.
   B. Du kannst noch zehn Minuten im Wasser bleiben.
10. Meine Schwester möchte deine Kamera an den See mitnehmen.
    A. Soll ich sie dir leihen?   **B. Leihst du sie ihr?**
11. Ich weiss nicht, warum du so lachst.
    A. Dieser Film ist so traurig.   B. Dieser Film ist so lustig.
12. Ich glaube, ich muss zum Arzt gehen.
    A. Die Schulter tut mir weh, und ich kann schon fast nicht mehr schreiben.
    B. Ich bin wieder ganz gesund und fahre heute zum Strand.

Now check your answers. *Repeat each sentence once and give the answer as:*
1. Kannst du mir mal deine Sonnenbrille leihen?
   Mir tun nämlich die Augen weh.   A

[I]

EXERCISE 174. PRONUNCIATION

lachen, lustig, Liegestuhl, blau, Salbe, pünktlich, Schulter, Brille, Sonnenöl

EXERCISE 175. LISTENING COMPREHENSION

Be prepared to write at the end of this exercise. You will hear a dialog between a woman, Frau Hinckel, and her son, Jürgen. You will then be asked to write answers to questions on the dialog. Your answers do not have to be complete sentences but they should be grammatically correct. Now listen to the dialog.

FRAU HINCKEL	Was du für ein Gesicht machst! Tut dir etwas weh?
JÜRGEN	Es ist wieder meine Schulter. Das habe ich oft; immer, wenn ich lange Korbball spiele.
FRAU HINCKEL	Geh doch lieber mal zum Arzt!
JÜRGEN	Hm! Du kannst mir wieder die Salbe auf die Schulter reiben. Sie hilft immer.
FRAU HINCKEL	Ja, sie ist gut. —Ich glaube aber, dass ich nachher doch Doktor Schmitt anrufe. Vielleicht kannst du noch heute abend zu ihm hingehen.
JÜRGEN	Heute abend gehe ich doch ins Theater. Ich gehe lieber morgen früh zu ihm. Dann komme ich erst um zehn Uhr in die Schule und zu spät für die Matheprüfung.

Now listen to the questions.

1. Warum macht Jürgen so ein Ge- sicht?
2. Hat er das oft?
3. Was soll die Mutter für ihn tun?
4. Wen will die Mutter lieber anrufen?
5. Warum will Jürgen heute abend nicht zum Arzt gehen?

Now listen to the dialog again. *Repeat only the dialog and then give the students time to write their answers.*

T31

UNIT 15–SECTION A

EXERCISE 176. DICTATION

Be prepared for a dictation. You will hear a dialog between a woman and her son. First, just listen to the dialog. Then, the dialog will be repeated with pauses between sentences. Write each sentence as you hear it. *Read the dialog once. Then repeat it with pauses between sentences.*

MUTTER	Du siehst krank aus. Was hast du?
JOCHEN	Ach, mir tut nur der Kopf weh.
MUTTER	Du bekommst bestimmt die Grippe. Bleib mal lieber zu Hause!
JOCHEN	Du hast recht. Rufst du dann bitte Herrn Müller für mich an? Sag ihm, dass ich heute nicht komme.

What you have heard is Dialog III from the Recombination Material at the end of Unit 14. Later, when you have time, compare what you have written with the dialog as it appears in the book.

Long vowels

EXERCISE 177. PRONUNCIATION

Besuch, Kuchen, Weg, Bahn, Dia, Tal, Haar, Nase, Stuhl, Zahn

Stress

EXERCISE 178. PRONUNCIATION

Verkehr, Motor, Metall, kaputt, Geschäft, Kapelle

UNIT 15–SECTION B

EXERCISE 179. LISTENING COMPREHENSION

Be prepared to mark down your responses for Exercise 179. You will hear a series of short dialogs. Each dialog is followed by an incomplete statement related to the dialog, and three completions—A, B, and C. You are to choose the one that appropriately completes the statement.

EXAMPLE You hear	
EVA	Guten Abend, Herr Müller. Ist Ute zu Hause?
HERR M.	Ja, sie ist im Wohnzimmer. Sie übt Englisch mit Karin.
EVA	Ach ja! Morgen ist unsere Englischprüfung.

Ute übt Englisch _____.
A. im Garten   B. im Haus   C. in der Schule

You circle the letter B, because B. **im Haus** is the most appropriate completion for the statement. We will begin now. *Read the dialog and choices once.*

MUTTER Rolf, hast du die Äpfel schon gekauft?

ROLF Ich brauche eine Tasche, Mutti. Ich kann die Äpfel sonst nicht tragen.

MUTTER Hier, nimm diese Tasche! Und du kannst auch gleich noch ein paar Apfelsinen mitbringen.

Rolf geht für seine Mutter zum _____.
A. Bäcker   **B. Gemüsehändler**   C. Fleischer
Dort bekommt er Äpfel und Apfelsinen, nicht beim Bäcker oder beim Fleischer.

2.

FRAU SAUER Gibt es noch Semmeln?

HERR KUNZ Nein, Frau Sauer. Ich habe heute schon alle Semmeln verkauft.

FRAU SAUER Schade! —Ach, dann nehme ich einen Kuchen.

Frau Sauer spricht mit dem _____.
A. Schuster   B. Fleischer   **C. Bäcker**
Sie kauft einen Kuchen, und Kuchen gibt es beim Bäcker, nicht beim Fleischer oder Schuster.

3.

HANS Du, Mutti! Was hast du mit meiner Jacke gemacht? Ich kann sie einfach nicht finden.

MUTTER Zieh dir doch heute einen Pullover an! Es ist sehr kalt draussen, Hans.

HANS Wie der Pullover aussieht! Du kannst mir bald mal wieder einen Pulli kaufen.

Hans redet mit seiner Mutter _____.
A. draussen am Strand   **B. im Haus**   C. draussen im Wald
Hans sucht seine Jacke, und seine Mutter sagt, es ist sehr kalt draussen.

4.

WALTER Du has mir immer noch nicht gesagt, wie der Herr dort drüben heisst.

EVA Das ist Herr Hoffmann. Du hast bestimmt schon von ihm gehört. Er schreibt für eine Illustrierte.

WALTER Natürlich! Ich möchte gern mal mit ihm sprechen. Stellst du ihn mir vor?

Walter möchte Herrn Hoffmann _____.
A. kennenlernen   B. vorstellen   C. liegenlassen
Eva soll Walter dem Herrn Hoffmann vorstellen.

5.

HERR PILZ Haben Sie diesen Kuchen beim Bäcker gekauft? Er schmeckt herrlich!

FRAU STROBEL Ich mache meine Kuchen immer selbst, das

wissen Sie doch, Herr Pilz. Die Kuchen beim
Bäcker sind mir zu teuer.

HERR PILZ   Sie haben recht. Ach, und meine Frau gibt so viel
Geld beim Bäcker aus!

Die Frau von Herrn Pilz gibt beim Bäcker _____.
A. keinen Pfennig aus   B. das Geld von ihrem Bruder aus   C. viel Geld aus
Herr Pilz sagt, seine Frau gibt beim Bäcker viel Geld aus.

Now check your answers. *Repeat only the dialog and give the correct answer as:*
1. Rolf geht für seine Mutter zum **Gemüsehändler. B**—Dort bekommt er
Äpfel und Apfelsinen, nicht beim Bäcker oder beim Fleischer.

[sh]   EXERCISE 180. PRONUNCIATION

Schloss, Schuster, Stein, Fleisch, Tisch, Schatten, Schulter, Stirn,
Strand, Stuhl

UNIT 15—SECTION C

EXERCISE 181. LISTENING COMPREHENSION

Be prepared to mark down your responses for Exercise 181. You will hear a
series of statements, each one followed by three rejoinders—A, B, and C. Listen
carefully to each rejoinder, then circle the letter corresponding to the most
appropriate one.

EXAMPLE   You hear   Hast du die Karten für die Bergbahn?
A. Die Bergbahn ist nicht gefahren.
B. Vater hat mir das Geld gegeben.
C. Die Karten habe ich gestern gekauft.

You circle the letter C, because rejoinder C is the most appropriate of the three
rejoinders. We will begin now. *Read each item once.*

1. Du hast den Apfel noch nicht gewaschen. Iss ihn lieber nicht!
   A. Meine Hände sind nicht schmutzig.   **B. Ich wasche Äpfel nie.**
   C. Glaubst du, ich esse Äpfel gern?
2. Du hast den Tisch im Wohnzimmer noch nicht gesäubert.
   A. Der Tisch ist nicht kaputt.   **B. Das mache ich nachher.**
   C. Das Wohnzimmer ist gegenüber der Küche.
3. Kannst du mir sagen, wie du vom Berg runtergekommen bist?
   A. Die Berge in Bayern sind hoch.   **B. Zu Fuss, natürlich!**
   C. Ich bin mit der Bergbahn raufgefahren.
4. Warum hast du die Ansichtskarte zur Post gebracht?
   A. Ich habe die Ansichtskarte heute bekommen.
   B. Ich habe die Post nicht gefunden.
   C. Ich habe eine Briefmarke gebraucht.
5. Du hast dir ja die Schuhe wieder angezogen.
   A. Ja, hier liegen so viele Steine.   B. Ja, meine Schuhe sind zu Hause.
   C. Ja, ich gehe gern ohne Schuhe.

6. Wie hast du deinen Freund kennengelernt?
   A. Gestern abend im Theater.   **B. Rolf hat ihn mir vorgestellt.**
   C. Mein Freund kennt Österreich gut.

7. Ich kann nicht verstehen, warum du so geschrien hast.
   A. Ich habe dich gehört.   **B. Der Zahn hat mir furchtbar weh getan.**
   C. Ich habe lange geschlafen.

8. Dein Mantel hat mir gut gefallen. Von wem hast du ihn?
   A. Meine Mutter hat ihn mir geschenkt.
   B. Meiner Schwester hab' ich ihn geliehen.
   C. Meine Tante hat ihn angehabt.

9. Weisst du nicht, wer die Einladung zum Tanz geschickt hat?
   A. Der Tanz ist erst morgen.   **B. Aber doch! Sie ist von meiner Kusine.**
   C. Der Tanz ist in der Schule.

10. Wie ist das Wetter gestern in Frankreich gewesen?
    A. In Frankreich bin ich nie gewesen.   **B. Es hat gestern dort geregnet.**
    C. Das Wetter wird heute gut.

Now check your answers. *Repeat each item once and give the correct answer as:*
   1. Du hast den Apfel noch nicht gewaschen. Iss ihn lieber nicht!   **Ich wasche Äpfel nie.   B**

EXERCISE 182. PRONUNCIATION

gegossen, gerochen, begonnen, gewonnen, geholfen, gesprochen,
getroffen, genommen, geschwommen, geworden

UNIT 15—SECTION D

EXERCISE 183. LISTENING COMPREHENSION

Be prepared to mark down your responses for Exercise 183. You will hear a number of incomplete sentences in groups of three. For each of these groups, you have in front of you a set of possible completions. For each incomplete sentence, you are to choose the most appropriate completion.

EXAMPLE   You see the following completions: gegangen ist–gewaschen hat–gepasst hat–kennengelernt hat
You hear   A. **Ich glaube, dass sie das Obst noch nicht** _____. You circle the letter A after **gewaschen hat,** the most appropriate completion.
You hear   B. **Ich glaube, dass sie meinen Nachbar noch nicht** _____. You circle the letter B after **kennengelernt hat.**
You hear   C. **Ich glaube, dass er dorthin noch nicht** _____. You circle the letter C after **gegangen ist.**

We will begin now. *Read each sentence once omitting the boldfaced words. After each group the students' choices for the group are printed in brackets. Do not read these.*

1A. Die Mutter wird traurig sein, dass Peter ihr nicht einmal eine Ansichtskarte **geschrieben hat.**

T35

1B. Dein Bruder wird weinen, dass der Vater keine Briefmarken für ihn **gesammelt hat.**

1C. Der Fleischer wird dich anrufen, wenn er die Wurst **bekommen hat.**

[bekommen hat–gesammelt hat–geschrieben hat–gesäubert hat]

2A. Ich will dir nicht sagen, wie ich wieder vom Berg **runtergekommen bin.**

2B. Ich kann dir sagen, wie lange ich beim Gemüsehändler **gewartet habe.**

2C. Ich kann dir nicht versprechen, ob ich dir das Schloss **zeigen werde.**

[gebummelt bin–zeigen werde–runtergekommen bin–gewartet habe]

3A. Denkst du, dass die beiden den Weg durch das Tal **genommen haben?**

3B. Weisst du, ob die beiden viele Schlösser in Deutschland **besucht haben?**

3C. Glaubst du, dass die beiden das Gemüse **mitgebracht haben?**

[gestanden haben–mitgebracht haben–besucht haben–genommen haben]

4A. Hast du mir gesagt, dass du wieder deine Dias von Deutschland zu Hause **gelassen hast?**

4B. Hast du mir erzählt, dass du einen Brief von Rolf aus Österreich **bekommen hast?**

4C. Hast du mir gesagt, dass du alle Ansichtskarten ohne Briefmarken **weggeschickt hast?**

[weggeschickt hast–vorgestellt hast–bekommen hast–gelassen hast]

Now check your answers. *Repeat each item once and give the correct answer as:*

1A. Die Mutter wird traurig sein, dass Peter ihr nicht einmal eine Ansichtskarte **geschrieben hat.**

EXERCISE 184. PRONUNCIATION

gegangen, gestanden, gebracht, gedacht, gekannt, gefallen, gerannt, gelassen, gewaschen

EXERCISE 185. LISTENING COMPREHENSION

Be prepared to write at the end of this exercise. You will hear a dialog between a girl, Inge, and a boy, Herbert. You will then be asked to write answers to questions on the dialog. Your answers do not have to be complete sentences, but they should be grammatically correct. Now listen to the dialog.

INGE   Wie hat es dir in Frankreich gefallen, Herbert?

HERBERT   Frankreich? Ich bin aber in Österreich gewesen. Dort ist es herrlich.

INGE   Und du hast mir nicht mal eine Ansichtskarte geschrieben.

HERBERT   Doch, aber ich habe sie erst am Montag zur Post gebracht. Du bekommst sie bestimmt noch diese Woche.

INGE   Kannst du mir ein paar Bilder zeigen? Du hast doch deine Kamera mitgenommen, nicht?

HERBERT   Am Samstag bekomme ich die Dias. Ich komm' dann gleich rüber zu dir und zeig' sie dir.

Now listen to the questions.

1. Wo ist Herbert gewesen?
2. Was hat seine Freundin noch nicht bekommen?
3. Warum nicht?
4. Was wird Herbert am Samstag seiner Freundin zeigen?

Now listen to the dialog again. Repeat only the dialog, and then give the students time to write their answers.

Listening Comprehension Program: Level Two

UNIT 16—SECTION A

EXERCISE 1. LISTENING

You will hear a series of sentences which contain a noun phrase with a gender cue. You are to determine whether the noun is masculine, feminine, or neuter. Listen carefully for the gender cues, and place a check mark in the appropriate row labeled **der, die,** or **das.**

EXAMPLE   You hear   Wir bekommen morgen schlechtes Wetter.

You place your check mark in the row labeled **das,** because **Wetter** is a neuter noun: **das Wetter.** *Read each sentence once.*

1. Englischer Käse schmeckt mir einfach nicht.   *englischer Käse* / **der** *Käse*
2. Wer von euch möchte heissen Kaffee?   *heissen Kaffee* / **der** *Kaffee*
3. Natürlich kannst du in Österreich deutsches Benzin kaufen.   *deutsches Benzin* / **das** *Benzin*
4. Gestern abend haben sie sogar mal tolle Musik gespielt.   *tolle Musik* / **die** *Musik*
5. Ich bin mit Hans ausgegangen, und wir haben italienisches Eis gegessen. *italienisches Eis* / **das** *Eis*
6. Ich kann mir teuren Schmuck nicht kaufen.   *teuren Schmuck* / **der** *Schmuck*
7. Ich mach' dir etwas aus schöner Wolle.   *aus schöner Wolle* / **die** *Wolle*
8. Wir haben fast nichts gesehen. Immer nur dicken Nebel.   *dicken Nebel* / **der** *Nebel*
9. Gib sie mir! Ich brauche altes Metall.   *altes Metall* / **das** *Metall*
10. Mit guter Creme wirst du bestimmt nicht wieder rot.   *mit guter Creme* / **die** *Creme*

Now check your answers. Repeat each sentence once, adding the gender cue and the gender of the noun. For example:

1. Englischer Käse schmeckt mir einfach nicht.   **englischer** *Käse* / *der* **Käse**

UNIT 16—SECTION B

EXERCISE 2. LISTENING—READING

You will hear a series of short monologs. In each one, some object is referred to but not named. For each monolog, you have before you three words—A, B, and C.

T37

Using all the cues present in the monolog, you are to determine which of these words names the object that was being talked about.

EXAMPLE You hear Hm. Der Gummi ist gut. Und wie schön breit sie sind.
　　　　　You see　A. Verdeck　　B. Reifen　　C. Scheinwerfer

You circle the letter B, because B. **Reifen** is the only one of the three words the sentence could be referring to. We will begin now. *Read each item once. Do not read the choices.*

1. Ich kann nicht sagen, ob sie grün oder rot gewesen ist. Ich hab' sie einfach nicht gesehen, da diese Stelle furchtbar unübersichtlich ist.
   [A. Blinker　　　　　　**B. Ampel**　　　　C. Scheinwerfer]

2. Mir gefällt es nicht. Es ist nicht geräumig und auch nicht ein bisschen schnittig.
   [A. Reifen　　　　　　B. Kofferraum　　**C. Modell**]

3. Im Sommer ist es schön, wenn es offen ist. Du kannst auch viel mehr sehen, besonders, wenn du durch die Berge fährst.
   [**A. Verdeck**　　　　　B. Tür　　　　　C. Lieblingsfarbe]

4. Den Reifen brauchen wir doch nicht; und dann passen deine drei grossen Koffer bestimmt rein. Schau mal, wie schön geräumig er jetzt ist.
   [**A. Kofferraum**　　　B. Karosserie　　C. Lastwagen]

5. Sieh mal her! Wie schmal und wie dünn sie sind. Da möchte ich bestimmt nicht mit einem andern Auto zusammenstossen.
   [A. Nummernschild　　B. Karosserie　　**C. Stossstangen**]

6. Er ist am Marktplatz passiert—ein Lastwagen mit einem Personenwagen.
   [**A. Unfall**　　　　　B. Kreuzung　　C. Krankenhaus]

7. Sie ist kaputt. Schau mal! Die Scheinwerfer gehen nicht einmal.
   [A. Motor　　　　　　B. Blinker　　　**C. Batterie**]

8. Die Verletzungen sind nur leicht, aber sie müssen den Fahrer dorthin bringen.
   [**A. ins Krankenhaus**　B. in die Schule　　C. auf den Marktplatz]

9. Wir dürfen mit unserem neuen Wagen noch nicht fahren, denn wir haben es noch nicht.
   [A. Batterie　　　　　B. Scheinwerfer　　**C. Nummernschild**]

10. Sie haben den Unfall gesehen. Deshalb können sie berichten, was passiert ist.
    [A. Marktplatz　　　　B. Fahrer　　　**C. Zeugen**]

Now check your answers. *Repeat each item once and give the correct answer. For example:*

　　1. Ich kann nicht sagen, ob sie grün oder rot gewesen ist. Ich hab' sie einfach nicht gesehen, da diese Stelle furchtbar unübersichtlich ist.　　**Ampel　B**

UNIT 16—SECTION C

EXERCISE 3. LISTENING—READING—SPEAKING

Open your textbook to page 82, line 1. A passage will be read to you twice. The first time it will be read without pauses. You are to listen and read along silently. The second time, the passage will be broken up into segments. You are to read each segment aloud in the pause provided. We will begin now. *Read the title and the first paragraph of the reading selection on page 82 once.*

Now read each segment aloud after it is read by the speaker. *Read each segment between the red slashes once and pause long enough for the students to repeat the segment you have just read.*

EXERCISE 4. LISTENING

You will hear a series of short statements based upon the reading selection of this unit. You are to identify whether each statement you hear was most likely made by Karl, by the driver of the car, or by the police. Place your check mark in one of the three rows: **Karl, Fahrer, Polizei.**

EXAMPLE   You hear   Es ist furchtbar langweilig heute. Ich weiss nicht, was ich tun soll.

You place your check mark in the row labeled Karl, because the statement you heard was most likely made by Karl. We will begin now. *Read each item once.*

1. Wir warnen alle Leute, den See nicht zu betreten. Das Eis ist noch nicht dick genug. *Polizei*
2. Wir können schnell zu Hause sein, wenn wir hier über den See fahren. Ich hab' gestern schon andere Autos auf dem See gesehen. *Karl*
3. Kommen Sie sofort! Da ist jemand mit seinem Wagen auf den See gefahren, und das Auto ist eben stehengeblieben. *Karl*
4. Jedes Jahr warnt die Polizei, und ich kann es nicht verstehen, warum so viele Autofahrer mit ihren Wagen über das Eis fahren wollen. *Karl*
5. Wo denken Sie denn, wo Sie sind? Zeigen Sie mir Ihre Papiere bitte! *Polizei*
6. Sie müssen's mir glauben! Ich habe es nicht gewusst, dass dies keine Strasse ist. *Fahrer*
7. Was wird jetzt passieren? Ich werde jetzt bestimmt eine hohe Strafe bekommen. *Fahrer*
8. Sie müssen aber schnell kommen! Die Männer steigen eben aus ·dem Wagen und gehen vorsichtig zum Ufer zurück. *Karl*
9. Wissen Sie nicht, dass es bei Eis verboten ist, mit einem Auto auf den See zu fahren? *Polizei*
10. Sie dürfen hier nicht stehenbleiben. Wenn Sie es tun, bekommen Sie eine hohe Strafe. *Polizei*

Now check your answers. *Repeat each item once and give the correct answer. For example:*

1. Wir warnen alle Leute, den See nicht zu betreten. Das Eis is noch nicht dick genug. *Polizei*

EXERCISE 5. LISTENING–READING

You will hear a series of questions. For each question you have a choice of three answers—A, B, and C. Select the most appropriate answer and circle the corresponding letter.

EXAMPLE   You hear   Was sagen Sie, wenn ein Buch uninteressant ist?
          You see   A. verboten   B. totenbleich   C. langweilig

T39

You circle the letter C, because C. **langweilig,** is the most appropriate answer to the question. We will begin now. *Read each question once.*

1. Was bekommen Sie, wenn Sie etwas getan haben, was verboten ist?
   [A. eine Pflicht   **B. eine Strafe**   C. ein Steuer]
   Ich bekomme eine Strafe. B

2. Was sagen Sie, wenn das Eis im Frühling wieder zu Wasser wird?
   [A. es schneit   B. es regnet   **C. es schmilzt**]
   Ich sage, es schmilzt. C

3. Wie heissen die beiden Seiten von einem See oder von einem Fluss?
   [**A. Ufer**   B. Wasser   C. Bodensee]
   Sie heissen Ufer. A

4. Wie sieht jemand aus, der ganz blass im Gesicht ist?
   [A. langweilig   **B. totenbleich**   C. betrunken]
   Er sieht totenbleich aus. B

5. Was sagen Sie von Leuten, die immer mehr erzählen als wahr ist?
   [A. Sie steigen aus.   **B. Sie übertreiben.**   C. Sie bleiben stehen.]
   Ich sage, sie übertreiben. B

6. Wie heisst die Stelle, wo Strassen zusammenkommen?
   [A. Marke   B. Ampel   **C. Kreuzung**]
   Die Stelle heisst Kreuzung. C

7. Wohin bringen Sie Leute, die schwere Verletzungen haben?
   [A. ins Gasthaus   **B. ins Krankenhaus**   C. ins Gipfelhaus]
   Ich bringe sie ins Krankenhaus. B

8. Was müssen Sie für den Wagen kaufen, bevor Sie fahren können?
   [**A. Benzin**   B. Modelle   C. Stossstangen]
   Ich muss Benzin kaufen. A

9. Was sagen Sie, wenn jemand nicht viel isst und sehr dünn ist?
   [A. Er ist dick.   B. Er ist langweilig.   **C. Er ist mager.**]
   Ich sage, er ist mager. C

10. Wie heissen die Leute, die einen Unfall sehen?
    [A. Fahrer   B. Begleiterinnen   **C. Zeugen**]
    Die Leute heissen Zeugen. C

Now check your answers. *Repeat each question once and give the correct answer. For example:*

1. Was bekommen Sie, wenn Sie etwas getan haben, was verboten ist?
   Ich bekomme eine Strafe. B

UNIT 16—SECTION D

EXERCISE **6.** LISTENING–READING

You will hear a series of incomplete sentences. For each one you have a choice of three completions—A, B, and C. Select the most appropriate completion to the sentence and circle the corresponding letter.

EXAMPLE You hear Hier dürfen Sie nicht halten! Das ist _____.
              You see   A. betrunken   B. verboten   C. langweilig

You circle the letter B because B. **verboten,** is the only word that appropriately completes the sentence. We will begin now. *Read each incomplete item once.*

1. Karl hat ein scharfes Fernglas. Bei gutem Wetter kann er den ganzen See
   _____.

   [A. übertreiben   **B. überschauen**   C. übersichtlich]

2. Der Wagen ist im See versunken, und die Polizei muss ihn mit dem Traktor
   _____.

   [A. aussteigen   B. zufrieren   **C. herausziehen**]

3. Die Leute dürfen bei warmem Wetter den See nicht betreten, denn das Eis
   beginnt dann zu _____.
   [**A. schmelzen**   B. versinken   C. frieren]

4. Hör den Zeugen nicht zu! Sie wollen gern immer ein wenig _____.
   [A. vergehen   B. retten   **C. übertreiben**]

5. Sie können nicht weiterfahren. Sehen Sie nicht, dass Ihre Räder nur Schnee
   _____?
   [A. herausziehen   **B. aufwirbeln**   C. zufrieren]

6. Wir haben die drei Männer gerettet, denn wir halten das für unsere _____.
   [A. Strafe   B. Wort   **C. Pflicht**]

7. Die Polizei hat den Fahrer sofort ins Krankenhaus gebracht, denn er hatte
   eine schwere _____.
   [**A. Verletzung**   B. Begleiterin   C. Karosserie]

8. Die Polizei weiss nicht, wem dieser Wagen gehört. Er hat kein _____.
   [A. Steuer   **B. Nummernschild**   C. Benzin]

9. Heute haben wir einen interessanten Film gesehen. Die Zeit ist aber schnell
   _____.
   [**A. vergangen**   B. gefahren   C. vergessen]

10. Das Wetter ist nicht mehr so kalt. Ein Volkswagen auf dem Eis wird schnell
    _____.
    [A. vergehen   **B. versinken**   C. verdienen]

11. In einem Wagen sitzt der Fahrer _____.
    [A. hinten   B. im Kofferraum   **C. am Steuer**]

12. Wenn Sie mit dem Wagen von Hamburg nach Stuttgart fahren wollen,
    brauchen Sie viel _____.
    [A. Wasser   B. Farben   **C. Benzin**]

Now check your answers. *Repeat each item once and give the correct answer. For example:*

1. Karl hat ein scharfes Fernglas. Bei gutem Wetter kann er den ganzen See
   überschauen.   B

EXERCISE **7.** LISTENING

For dialog and newspaper article to be used for listening practice, see page 89.

EXERCISE 8. LISTENING–READING

You will hear a series of incomplete sentences. For each of these you have a choice of three completions. You are to underline the word or words that appropriately complete the sentence.

EXAMPLE   You hear   Wir machen eine schöne Fahrt den Rhein hinunter; wir fahren mit _____.

You see the words: dem Bus   dem Dampfer   dem Zug

You underline **dem Dampfer,** the only one of the three expressions that appropriately completes the sentence. We will begin now. *Read each incomplete item once.*

1. Ich glaube, Bonn ist nicht so weit von Köln _____.
   [hinauf   **entfernt**   allein]

2. Auf dem Frachter haben wir gut geschlafen. Wir hatten _____.
   [zwei Matrosen an Bord   einen richtigen Kapitän   **eine nette Koje**]

3. Ein Matrose wurde sogar seekrank, denn die Fahrt auf dem Rhein war nicht sehr _____.
   [abwärts   **ruhig**   langweilig]

4. Da staunst du, was? Die Fahrt hat wirklich nur zwei Tage _____.
   [**gedauert**   gewartet   gerettet]

5. Wenn die Dampfer von Holland nach Köln oder Bonn fahren, so fahren sie den Rhein _____.
   [abwärts   hinunter   **hinauf**]

6. Ausser uns Europäern war nur ein Matrose nicht vom Kontinent; er war _____.
   [**Amerikaner**   Italiener   Spanier]

7. Der alte Kapitän war ein richtiger _____.
   [Matrose   **Seebär**   Steuermann]

8. Wir waren zu zweit. Ich war nicht _____.
   [zusammen   **allein**   zu dritt]

Now check your answers. *Repeat each item once and give the correct answer. For example:*

   1. Ich glaube, Bonn ist nicht so weit von Köln **entfernt.**

UNIT 17–SECTION B

EXERCISE 9. LISTENING

You will hear a series of statements, each one followed by two rejoinders—A and B. Listen carefully to each, then place a check mark in either row A or B, depending on which of the two rejoinders is more appropriate.

EXAMPLE   You hear   Wir waren vorgestern in Bonn.
              A. Wie seid ihr dorthin gekommen?
              B. Wohnt der Onkel in Köln?

You place your check mark in row A, because rejoinder A is more appropriate than rejoinder B. We will begin now. *Read each item once.*

1. Ich habe gehört, dass du letzte Woche am Rhein gewesen bist.
   A. Da staunst du, was?   B. Der Kapitän war Holländer.

2. Wie lange hat die Fahrt von hier den Rhein hinunter gedauert?
   A. Wir sind zwei Tage dort geblie-   **B. Nicht ganz zwei Tage.**
   ben.

3. Bist du allein gefahren, oder war jemand mit?
   A. Ich habe niemand gesehen.   **B. Wir waren zu dritt.**

4. In Bonn mussten wir den Frachter verlassen, weil wir die alte Stadt besichtigen wollten.
   A. Was habt ihr dort alles gese-   B. Wie lange seid ihr schon in Bonn?
   hen?

5. Wir konnten nicht lange in Bonn bleiben, weil die Hotels furchtbar teuer sind.
   A. Warum habt ihr nicht das ba-   **B. Warum habt ihr denn nicht in der**
   rocke Schloss besichtigt?   **Jugendherberge übernachtet?**

6. Ist nicht ein Schulfreund von deinem Vater bei der Regierung beschäftigt?
   A. Ja, er arbeitet in einem moder-   B. Ja, er ist ein bekannter Komponist.
   nen Regierungsgebäude.

7. Bonn ist eine kleine Stadt. Es is aber unsere Bundeshauptstadt.
   A. Wie viele Einwohner hat Bonn?   B. Wie viele bekannte Leute wohnen
                                               in Bonn?

8. Habt ihr auch das Beethovenhaus besichtigt? Ist Beethoven dort geboren oder gestorben?
   A. Er ist in Bonn gestorben.   **B. Er ist in Bonn geboren.**

Now check your answers. *Repeat each sentence once and give the correct answer. For example:*

   1. Ich habe gehört, dass du letzte Woche am Rhein gewesen bist.   **Da staunst du, was?   A**

UNIT 17–SECTION C

EXERCISE 10. LISTENING–READING–SPEAKING

For the passage to be used for oral reading practice, see page 110.

EXERCISE 11. LISTENING

You will hear a series of short monologs which are based upon the reading selection of this unit. Each monolog is then followed by an incomplete statement and three completions—A, B, and C. You are to choose the one that appropriately completes the statement and circle the corresponding letter.

EXAMPLE   You hear   Klaus und ich wollten die Reise bis Rotterdam machen,
                       doch es waren unsere drei letzten Ferientage.
                       Die beiden Jungen sind bestimmt _____.
                       A. Matrosen   B. Schiffer   C. Schüler

You circle the letter C, because C. **Schüler,** is the most appropriate completion for the sentence. We will begin now. *Read each item once.*

1. Ausser dem Kapitän und seiner Frau waren noch zwei junge Matrosen an Bord, beide mit ihren Frauen, und jede Familie hatte eine kleine Wohnung. Die Matrosen und ihre Frauen haben eine kleine Wohnung, weil sie auf dem Frachter _____.

    A. widerstehen   **B. wohnen**   C. aufwachsen

2. Die Kinder von den Rheinschiffern wachsen in Kinderheimen auf, weil sie ja regelmässig zur Schule gehen müssen.

    Die Rheinschiffer sehen also ihre Kinder _____.

    A. nicht sehr oft   B. alle paar Tage   C. jeden Tag

3. An der Lorelei hat es einmal gefährliche Stromschnellen gegeben, die vielen Männern das Leben gekostet haben.

    Heute gibt es aber keine Stromschnellen mehr, denn man hat die Steine aus dem Fluss _____.

    A. ausgestiegen   **B. entfernt**   C. gerettet

4. Die Sage erzählt, dass viele Schiffer ertrinken mussten, weil sie dem schönen Anblick und dem herrlichen Gesang der Lorelei nicht widerstehen konnten. Der Rhein an dieser Stelle war sehr _____.

    A. vorsichtig   B. kalt   **C. gefährlich**

5. Wir durften mit einem Kohlenfrachter eine Fahrt auf dem Rhein machen, und wir mussten keinen Pfennig dafür zahlen.

    Die Jungen mussten kein Geld zahlen, denn _____.

    A. sie sind nur bis Bonn mitgefahren   **B. der Kapitän hat sie eingeladen**
                C. es waren ihre letzten Ferientage

6. Auf dem Rhein fahren viele Frachter. Auf kleinen Frachtern gibt es manchmal keinen Steuermann.

    Auf einem kleinen Frachter ist der Kapitän manchmal auch _____.

    A. der Matrose   B. der Seebär   **C. der Steuermann**

Now check your answers. *Repeat each item once and give the correct answer. For example:*

    1. Ausser dem Kapitän und seiner Frau waren noch zwei junge Matrosen an Bord, beide mit ihren Frauen, und jede Familie hatte eine kleine Wohnung.

    Die Matrosen und ihre Frauen haben eine kleine Wohnung, weil sie auf dem Frachter **wohnen.**   **B**

EXERCISE 12. LISTENING–READING

You will hear a series of questions followed by an incomplete statement. For each statement you have a choice of three completions—A, B, and C. Select the most appropriate completion and circle the corresponding letter.

EXAMPLE   You hear   Wie heisst eine Frau, die im Fernsehen oder im Theater singt? Sie ist eine _____.
             You see   A. Begleiterin   B. Sängerin   C. Ärztin

You circle the letter B because B. **Sängerin,** is the only word that appropriately completes the statement. We will begin now. *Read each item once.*

1. Was sagt man, wenn man etwas immer wieder tut?—Man sagt, man tut es
_____.
[A. selten   **B. regelmässig**   C. eigentlich]

2. Wie heisst das Haus, wo Kinder aufwachsen, wenn sie nicht bei ihren Eltern
wohnen können?—Es heisst _____.
[A. Jugendherberge   B. Gasthaus   **C. Kinderheim**]

3. Was sagt man, wenn jemand etwas tut, was er nicht tun soll?—Man sagt, er
kann nicht _____.
[A. vorbeigehen   **B. widerstehen**   C. entfernen]

4. Wenn jemand an Sagen und unheimliche Sachen glaubt, so sagt man, er
ist _____.
[**A. abergläubisch**   B. unheimlich   C. regelmässig]

5. Wer ist der Mann, der ein Flugzeug durch die Lüfte steuert?—Der Mann
ist ein _____.
[A. Steuermann   **B. Pilot**   C. Schiffer]

6. Was kann man auch sagen, wenn jemand für das Fernsehen arbeitet?—Man
kann sagen, er ist beim Fernsehen _____.
[A. besichtigt   B. gestürzt   **C. beschäftigt**]

7. Was kann man auch sagen, wenn jemand die Steine aus dem Fluss wegge-
nommen hat?—Man kann sagen, er hat die Steine _____.
[A. ertrunken   **B. entfernt**   C. verlassen]

8. Was ist jemand, der Lieder schreibt?—Er ist _____.
[A. Sängerin   B. Lehrer   **C. Komponist**]

9. Wer sind die Leute, die in einer Stadt wohnen?—Es sind _____.
[**A. Einwohner**   B. Fischer   C. Fahrer]

10. Was haben Schüler im Sommer, wenn sie nicht in die Schule gehen?—Sie
haben _____.
[A. Gesang   **B. Ferien**   C. Augenblick]

Now check your answers. *Repeat each item once and give the correct answer.*
For example:

1. Was sagt man, wenn man etwas immer wieder tut?—Man sagt, man tut es
regelmässig.   B

UNIT 17—SECTION D

EXERCISE 13. LISTENING–WRITING

You will hear a series of incomplete sentences. For each one you hear write an
appropriate completion in the pause provided.

EXAMPLE   You hear   Mein Freund Klaus und ich machten mit einem Kohlenfrachter eine Fahrt auf dem _____.

You write   **Rhein** because the word **Rhein** appropriately completes
the sentence. We will begin now. *Read each item once,
omitting the boldfaced word.*

1. Die Rheinschiffer sehen ihre Kinder selten, weil sie in Kinderheimen **aufwachsen.**

2. Die Lorelei hat oben auf dem Felsen gesessen und ihr langes, blondes Haar **gekämmt**.

3. Die Lorelei hat auch gesungen, und die Schiffer konnten ihrem schönen Gesang nicht **widerstehen**.

4. Der Kapitän auf einem Frachter ist meistens auch der **Steuermann**.

5. Auf dem Frachter wohnten Klaus und ich in einer leeren **Koje**.

6. Wenn auf einem Schiff die Fahrt nicht ruhig ist, werden viele Leute **seekrank**.

7. In Bonn gibt es viele Regierungsgebäude, denn Bonn ist die **Bundeshauptstadt**.

8. Wenn Leute Bonn besuchen, können sie das Beethovenhaus **besichtigen**.

9. Beethoven ist 1770 geboren und 1827 **gestorben**.

10. Die Schüler haben wenig Geld und übernachten deshalb in der **Jugendherberge**.

11. Beim Anblick der Lorelei haben die Schiffer ihr Schiff vergessen und mussten im Fluss **ertrinken**.

12. Ein Mann, der ein Flugzeug durch die Lüfte steuert, ist ein **Pilot**.

Now check your answers. *Repeat each sentence once and give the correct answer. For example:*

1. Die Rheinschiffer sehen ihre Kinder selten, weil sie in Kinderheimen **aufwachsen**.

EXERCISE 14. LISTENING

For the dialogs to be used for listening practice, see page 116; for the poem, „**Die Lorelei**", see page 119.

UNIT 18—SECTION A

EXERCISE 15. LISTENING

You will hear a series of sentences which may be either in the present or in the past. For each one you hear, place a check mark in the appropriate row: either the row labeled Present or the row labeled Past.

EXAMPLE You hear   Wir wohnten bei meiner Tante in Bonn.

You place your check mark in the row labeled Past, because the sentence you heard referred to the past. We will begin now. *Read each sentence once.*

1. Der berühmte Kunstkritiker besucht eine Ausstellung in New York.   *present*
2. Die Schauspieler übernachteten in einem Hotel ganz in der Nähe vom Bahnhof.   *past*
3. Am Abend stelle ich meine schmutzigen Schuhe auf den Korridor.   *present*
4. Am nächsten Morgen öffneten sie die Tür.   *past*
5. Was entdeckte er aber sofort?   *past*
6. Der Schauspieler telefoniert mit dem Hotelmanager.   *present*
7. Die Angestellten in diesem Hotel putzen keine Schuhe.   *present*
8. Auf seinen Reisen erlebte mein Onkel viel.   *past*
9. Mit ihren Bildern verdienten die Künstler eine Menge Geld.   *past*
10. Viele Leute kaufen teure Gemälde gern.   *present*

Now check your answers. *Repeat each sentence once and give the correct answer. For example:*

    1. Der berühmte Kunstkritiker besucht eine Ausstellung in New York. *present*

UNIT 18—SECTION B

EXERCISE 16. LISTENING

You will hear a series of short monologs, each one being followed by an incomplete statement related to the monolog and three completions—A, B, and C. Choose the one that appropriately completes the statement.

EXAMPLE   You hear   Mein Onkel stellte seine schmutzigen Schuhe in den Korridor. Als er am nächsten Morgen die Tür öffnete, bemerkte er, dass seine Schuhe nicht da waren.

                            Jemand hat die Schuhe vom Onkel bestimmt _____.
                            A. geputzt   **B. gestohlen**   C. in den Korridor gestellt

You circle the letter B, because B. **gestohlen,** most appropriately completes the sentence. We will begin now. *Read each item once.*

1. Günters Onkel ist ein berühmter Mann, und die Leute geben eine Menge Geld für seine Gemälde aus. Mir gefallen sie ja gar nicht!
   Günters Onkel ist bestimmt _____.
   A. Schauspieler   **B. Maler**   C. Schriftsteller

2. Unsere Wohnung ist noch ganz leer. Man kann fast glauben, dass Diebe hier gewesen sind oder dass Einbrecher alles fortgeschafft haben.
   Die Wohnung ist ganz leer, weil _____.
   A. Diebe hier gewesen sind   B. Einbrecher alles fortgeschafft haben
   C. noch niemand hier wohnt

3. Die teuren Teppiche und die wertvollen Gemälde haben die Diebe zurückgelassen, und sie haben nur ein paar wertlose Sachen mitgenommen.
   Die Diebe werden für diese Sachen _____.
   A. eine Menge Geld bekommen   **B. wenig Geld bekommen**
   C. wertvolle Gemälde kaufen

4. Die Polizei entdeckte den Dieb, als er mit einem grossen Fernseher das Geschäft betreten wollte. Das Gerät gehörte einem bekannten Künstler. Er hatte den Verlust noch nicht bemerkt, weil er nach Süddeutschland verreist war.
   Der Dieb wollte ganz bestimmt _____.
   A. nach Süddeutschland verreisen   **B. das Gerät verkaufen**
   C. den Fernseher stehlen

5. Ich besitze ein Alarmsystem, und die Polizei kommt sofort, wenn Einbrecher das Haus betreten. Als ich vergangene Woche verreiste, bemerkte ich aber nicht, dass das Alarmsystem nicht funktionierte.
   Als Einbrecher vergangene Woche im Haus waren, _____.
   A. hörte es die Polizei sofort   **B. funktionierte das Alarmsystem nicht**
   C. verreiste ich

6. Mein Onkel hat einen guten Beruf. Er ist selten zu Hause, übernachtet heute in München, morgen in Hamburg, übermorgen vielleicht in New York. Er erlebt viel und geniesst das Leben, und ich glaube nicht, dass er es einmal langweilig findet.

In diesem Beruf muss er viel _____.
A. fortschaffen   **B. reisen**   C. besitzen

Now check your answers. *Repeat each paragraph once and give the correct answer. For example:*

1. Günters Onkel ist ein berühmter Mann, und die Leute geben eine Menge Geld für seine Gemälde aus. Mir gefallen sie ja gar nicht!
Günters Onkel ist bestimmt **Maler. B**

UNIT 18–SECTION C

EXERCISE **17.** LISTENING–READING–SPEAKING

For the passage to be used for oral reading practice, see page 138.

EXERCISE **18.** LISTENING

You will hear a series of short monologs which are based upon the reading selection in this unit. Each monolog is then followed by an incomplete statement and three completions—A, B, and C. You are to choose the one that appropriately completes the statement and circle the corresponding letter.

EXAMPLE   You hear   Einbrecher haben während der letzten Woche einen unglaublich frechen Einbruch ausgeführt. Der Verlust war hoch, und die Polizei hat die Einbrecher noch nicht gefunden.
Die Einbrecher haben _____.
A. viele wertvolle Sachen fortgeschafft
B. nichts Wertvolles mitgenommen
C. die Polizei gerufen

You circle the letter A because A appropriately completes the statement. We will begin now. *Read each item once.*

1. An einem freien Nachmittag führte Günter seine Schulfreundin Brigitte in die Orangerie des Schlosses Charlottenburg.
Die Orangerie ist _____.
A. ein wertvolles Gemälde   **B. ein berühmtes Museum**
C. ein gutes Hotel

2. Günters Onkel, der oft nach München, Rom und sogar nach New York reist, hat eine schöne Wohnung am Kurfürstendamm.
Der Kurfürstendamm ist eine lange, breite Strasse in _____.
A. München   B. New York   **C. Berlin**

3. Der Onkel hat viele Gemälde gesammelt, Klee, Marc, Baumeister, Nolde. Er

hat mit den Bildern viel Geld verdient, weil zu jener Zeit diese Maler noch fast unbekannt waren.

Der Onkel hat mit den Gemälden viel Geld verdient, weil er _____.
A. nicht bekannt war   **B. etwas von Kunst verstanden hat**
C. ein bekannter Maler war

4. Als der Onkel wieder einmal verreisen wollte, waren Günters Eltern entsetzt, weil er seine berühmten Bilder nicht zu ihnen gebracht hat. Die Wohnungsschlüssel hat er dem Hausbesitzer überreicht.

Günters Eltern waren entsetzt, weil der Onkel _____.
A. die Gemälde in der Wohnung gelassen hat
B. keinen Wohnungsschlüssel hatte   C. verreisen wollte

5. Das Telegramm von Günters Eltern erreichte den Onkel in New York, und er hörte, dass in seiner Wohnung ein Einbruch stattgefunden hat. Sofort schickte der Onkel einen Luftpostbrief zurück, denn er wollte wissen, was die Diebe alles aus seiner Wohnung fortgeschafft haben.

Als der Onkel von dem Einbruch hörte, _____.
A. schickte er ein Telegramm   B. wusste er, was die Diebe gestohlen haben
C. schickte er einen Brief an Günters Eltern

6. Der Onkel hörte bald, dass die Einbrecher nur den Fernseher und den Radioapparat aus der Wohnung mitgenommen haben, weil sie diese Geräte irgendwo verkaufen konnten. Die Gemälde berührten sie nicht; sie waren ihnen zu wertvoll.

Die Einbrecher haben nur die Dinge fortgeschafft, die sie _____.
A. für wertlos halten   **B. schnell wieder verkaufen können**
C. aus der Wohnung tragen können

Now check your answers. *Repeat each item once and give the correct answer. For example:*

1. An einem freien Nachmittag führte Günter seine Schulfreundin Brigitte in die Orangerie des Schlosses Charlottenburg.
Die Orangerie ist **ein berühmtes Museum.   B**

EXERCISE **19.** LISTENING—READING

You will hear a series of statements. After each one, part of the statement will be repeated. From the three choices given, you are to select one that could be substituted for the repeated part. Circle the corresponding letter.

EXAMPLE   You hear   Klaus und ich wollen nach Bonn fahren. Wir haben wenig Geld und werden in der Jugendherberge schlafen. Wir werden in der Jugendherberge schlafen . . .
You see   A. singen   B. fahren   **C. übernachten**

You circle the letter C because **C. übernachten,** in this context means the same as **schlafen.** We will begin now. *Read each item once.*

1. Meine Eltern haben vor, morgen in eine Kunstausstellung zu gehen. Meine Eltern haben vor . . .
[A. entdecken   **B. beabsichtigen**   C. bemerken]

2. Zu jener Zeit verdienten die Künstler nicht viel Geld, weil sie noch unbekannt waren. Zu jener Zeit . . .

   [A. dann   **B. damals**   C. dafür]

3. Mein Onkel lachte nur, als er die Geschichte von den Einbrechern hörte. Mein Onkel lachte nur . . .

   [**A. bloss**   B. bleich   C. wohl]

4. Die Einbrecher haben nur den Fernseher und den Radioapparat mitgenommen. Die wertvollen Gemälde berührten sie nicht. Die Einbrecher haben nur den Fernseher mitgenommen . . .

   [A. zurückgelassen   B. zurückgekehrt   **C. fortgeschafft**]

5. In einer Grossstadt passieren viele Einbrüche. In einer Grossstadt passieren. . .

   [**A. kommen vor**   B. kommen zurück   C. kommen weg]

6. Der Onkel gibt dem Hausbesitzer den Schlüssel zu seiner Wohnung. Der Onkel gibt dem Hausbesitzer . . .

   [A. überholt   **B. überreicht**   C. übertreibt]

7. Dem Onkel gehören mehrere wertvolle Teppiche, viele antike Vasen und beide berühmten Gemälde. Dem Onkel gehören . . .

   [**A. der Onkel besitzt**   B. der Onkel vergisst   C. der Onkel verkauft]

8. Die Diebe bekommen viel für die wertvollen Geräte. Die Diebe bekommen viel . . .

   [A. berühren   **B. kriegen**   C. erreichen]

Now check your answers. *Repeat each sentence once and give the correct answer. For example:*

1. Meine Eltern haben vor, morgen in eine Kunstausstellung zu gehen. Meine Eltern beabsichtigen, morgen in eine Kunstausstellung zu gehen. **be-absichtigen. B**

UNIT 18–SECTION D

EXERCISE 20. LISTENING–WRITING

You will hear a series of incomplete sentences. Listen carefully and write an appropriate completion in the pause provided.

EXAMPLE   You hear   Doktor Weiss hilft den Leuten, wenn sie krank sind. Er ist _____.

             You write   **Arzt** because it appropriately completes the sentence. We will begin now. *Read each item once, omitting the bold-faced word.*

1. Mein Onkel malt Bilder und Gemälde. Er ist ein berühmter **Maler.**
2. Mein Onkel besitzt einige grosse Häuser in Berlin. Er ist **Hausbesitzer.**
3. Diese Frau hat die Lieder so schön gesungen. Ich glaube, sie ist **Sängerin.**
4. Dieser Mann putzt Schuhe in einem Hotel in der Stadt. Er ist **Schuhputzer.**
5. Dieser Mann schreibt Bücher. Sie sind sehr berühmt. Dieser Mann ist **Schrift-steller.**
6. Dieser Mann hat meinem Bruder die Haare geschnitten. Er ist **Frisör.**
7. Dieser Mann spielt nicht nur in Filmen, sondern auch im Theater. Dieser Mann ist **Schauspieler.**

8. Dieser Mann ist schon oft in fremde Häuser eingebrochen. Letzte Woche führte er einen unglaublich frechen Einbruch aus; er ist ein **Einbrecher.**

9. Dieser Mann steuert grosse Frachter den Rhein hinunter. Sein Beruf ist **Steuermann.**

10. Herr Müller ist immer draussen, wenn er arbeitet. Er trägt die Post von Haus zu Haus. Er ist **Briefträger.**

Now check your answers. *Repeat each item once and give the correct answer. For example:*

1. Mein Onkel malt Bilder und Gemälde. Er ist ein berühmter **Maler.**

EXERCISE 21. LISTENING

For the dialogs to be used for listening practice, see pages 143 and 144.

UNIT 19—SECTION A

EXERCISE 22. LISTENING

You will hear a series of sentences which may be either in the present or in the past. For each one you hear, place a check mark in the appropriate row.

EXAMPLE You hear Meine Eltern schrieben einen Brief aus dem Schwarzwald.

You place your check mark in the row labeled Past, because the sentence you heard referred to the past. We will begin now. *Read each sentence once.*

1. Tagsüber halfen wir den Bauern auf dem Acker. *past*
2. Die Kinder von den Schiffern blieben in Kinderheimen. *past*
3. Die Jungen und Mädchen nehmen andere Beschäftigungen an. *present*
4. Die alten Höfe mit den dicken Strohdächern liegen in der Nähe vom Wald. *present*
5. Im Sommer essen wir immer frische Himbeeren gern. *present*
6. Die müden Arbeiter sassen an dem langen Tisch zusammen. *past*
7. Übertrieb der alte Bauer diese langweilige Geschichte schon wieder? *past*
8. Der bekannte Künstler besitzt wertvolle Gemälde. *present*
9. Der englische Frachter versank langsam im Rhein. *past*
10. Die Landschaft bestand aus dunklen Hügeln und Tannen. *past*

Now check your answers. *Repeat each sentence once and give the correct answer. For example:*

1. Tagsüber halfen wir den Bauern auf dem Acker. *past*

UNIT 19—SECTION B

EXERCISE 23. LISTENING

You will hear a series of incomplete sentences, each one followed by three completions—A, B, and C. Choose the most appropriate completion and circle the corresponding letter.

T51

EXAMPLE You hear Möbel, Tische und Stühle bestehen gewöhnlich aus _____.
A. Erde B. Wolle **C. Holz**

You circle the letter C, because C. **Holz,** most appropriately completes the sentence. We will begin now. *Read each item once.*

1. Fleischer, Bäcker, Schuster und Frisöre sind _____.
   A. Bauern B. Künstler **C. Handwerker**

2. Äpfel und Birnen sind _____.
   A. Gemüse **B. Obst** C. Beeren

3. Schauspieler, Maler, Komponisten und Sänger sind _____.
   A. Künstler B. Lehrer C. Handwerker

4. Die Dächer von den Bauernhöfen im Schwarzwald bestehen oft aus _____.
   A. Stein **B. Stroh** C. Holz

5. Nur eins von diesen Tieren gibt Wolle. Es ist _____.
   A. eine Ziege B. eine Ente **C. ein Schaf**

6. Auf einem Bauernhof sind die Tiere nachts gewöhnlich im _____.
   A. Stall B. Garten C. Hof

7. Im Bach finden Sie _____.
   A. Truthähne **B. Forellen** C. Kühe

8. England, Deutschland und Frankreich sind _____.
   A. Flüsse B. Städte **C. Länder**

9. Schöne Möbel, einen Teppich und ein Fernsehgerät finden Sie in _____.
   A. einem Wohnzimmer B. einer Küche C. einer Garage

10. Mercedes, Volkswagen und Opel sind Marken von _____.
    A. Motoren B. Künstlern **C. Wagen**

11. Kartoffelsuppe, Bachforellen und Pilzgerichte essen Sie zum _____.
    A. Frühstück **B. Abendessen** C. Kaffee

12. Regierungsgebäude und das Beethovenhaus sehen Sie in _____.
    A. München B. Hamburg **C. Bonn**

Now check your answers. *Repeat each item once and give the correct answer. For example:*
   1. Fleischer, Bäcker, Schuster und Frisöre sind **Handwerker.** C

UNIT 19–SECTION C

EXERCISE 24. LISTENING–READING–SPEAKING

For the passage to be used for oral reading practice, see page 166.

EXERCISE 25. LISTENING

You will hear a series of short statements based upon the reading selection. You are to identify whether each statement you hear was most likely made by a farmer or a city dweller. Place your check mark in one of the two rows, **Bauer** or **Städter.**

EXAMPLE You hear Ich hab' mir ein schönes Haus fürs Wochenende gekauft, einen Bauernhof, im Schwarzwald.

T52

You place your check mark in the row labeled **Städter** because this statement was most likely made by a city dweller. We will begin now. *Read each item once.*

1. Ich kann mit meinem Hof kein Geld mehr verdienen und werde ihn wohl bald verkaufen. *Bauer*
2. Ich lebe mit meiner Familie schlecht und recht vom Vieh. Unser Obst und Gemüse verkaufen wir in der Stadt. *Bauer*
3. Sie kennen den alten Hof nicht wieder. Wir haben das Dach repariert und eine neue Küche eingebaut. *Städter*
4. Ich hab' nie geglaubt, dass es mir mal grossen Spass macht, einen Gemüse-garten zu kultivieren und Himbeeren und Erdbeeren zu sammeln. *Städter*
5. Jeden Morgen fahr' ich mit dem Rad ins Tal. Ich arbeite in einer Weberei. *Bauer*
6. Was meiner Frau grossen Spass macht ist, dass sie jetzt ihr eigenes Brot backen kann. *Städter*
7. Wenn ich am Abend zurückkehre, muss ich noch die Kühe melken und die Arbeit auf dem Acker erledigen. *Bauer*
8. Ja, ich musste meinen Hof verkaufen, aber das war nicht zu ändern. *Bauer*
9. Jetzt ist es wieder Frühling. Das Strohdach ist ganz verfault, aber wie kann ich es reparieren—ich habe einfach nicht genug Geld. *Bauer*
10. Glauben Sie mir, mit den Waldgeistern können Sie mir nicht drohen. Ich habe bis jetzt noch keine gesehen. *Städter*
11. Meine Kinder können jetzt die höhere Schule besuchen. Das konnten sie auf dem Dorf nicht. *Bauer*
12. Uns gefällt es auf dem Lande. Manchmal bleibt meine Familie die ganze Woche hier. *Städter*

Now check your answers. *Repeat each item once and give the correct answer. For example:*

1. Ich kann mit meinem Hof kein Geld mehr verdienen und werde ihn wohl bald verkaufen. *Bauer*

EXERCISE 26. LISTENING

You will hear a series of incomplete sentences, each one followed by three com-pletions—A, B, and C. Select the most appropriate completion and circle the corresponding letter.

EXAMPLE You hear Bauern, die ihr Mittagessen in einem Rucksack auf dem Rücken tragen, nennt man _____.
A. Rucksackbauern B. Bauernhof C. Handwerker

You circle the letter A, because A. **Rucksackbauern,** most appropriately completes the sentence. We will begin now. *Read each item once.*

1. Menschen, die Geschichten von Gespenstern und unheimlichen Dingen glauben, nennt man _____.
A. unheimlich B. unglücklich **C. abergläubisch**
2. Die Gegend, wo jemand herkommt oder geboren ist, nennt man _____.
A. Landschaft **B. Heimat** C. Hof

3. Die Stelle, wo die Bauern ihr Wasser herbekommen, nennt man _____.
   A. Gasthof   **B. Quelle**   C. Komfort

4. Leute, die immer in der Stadt wohnen, nennt man _____.
   A. Dorfbewohner   B. Bauern   **C. Städter**

5. Leute, die Acker und Vieh besitzen, nennt man _____.
   A. Handwerker   B. Angestellte   **C. Bauern**

6. Die Stelle, wo Kartoffeln und andere Dinge wachsen, nennt man _____.
   A. einen Acker   B. eine Quelle   C. einen Stall

7. Was nicht weit entfernt liegt, liegt _____.
   A. klein   B. früh   **C. nah**

8. Die Gegend, wo man Felder, Wiesen und Bauernhöfe findet, nennt man _____.
   A. die Stadt   **B. das Land**   C. die Heimat

9. Wenn etwas sehr, sehr gross ist, sagt man, es ist _____.
   A. riesig   B. nah   C. dunkel

10. Wenn Kinder regelmässig in eine Schule gehen, sagt man, dass sie die Schule _____.
    A. wohnen   B. sehen   **C. besuchen**

Now check your answers. *Repeat each sentence once and give the correct answer. For example:*

1. Menschen, die Geschichten von Gespenstern und unheimlichen Dingen glauben, nennt man **abergläubisch.**   **C**

UNIT 19–SECTION D

EXERCISE 27. LISTENING

You will hear a series of incomplete sentences, each one followed by three completions—A, B, and C. Select the most appropriate completion and circle the corresponding letter.

EXAMPLE   You hear   Wenn jemand etwas regelmässig tut, so sagt man, das ist seine _____.
          A. Heimat   B. Freizeit   **C. Gewohnheit**

You circle the letter C, because C. **Gewohnheit,** most appropriately completes the sentence. We will begin now. *Read each item once.*

1. Wenn die Bauern in die Stadt ziehen und kein eigenes Haus mehr haben, so müssen sie eine Wohnung _____.
   A. nähen   B. zeichnen   **C. mieten**

2. Wenn jemand sagt, was ein anderer tun soll, so sagt man, er gibt ihm einen _____.
   A. Arbeiter   **B. Ratschlag**   C. Rucksack

3. Wenn ein Junge, zum Beispiel, in der Schule gut lernt, so sagt man, er macht guten _____.
   A. Fortschritt   B. Ratschlag   C. Besuch

4. Die Tiere, Kühe, Schafe, Schweine usw., die auf einem Bauernhof leben, nennt man _____.
   A. den Stall   **B. das Vieh**   C. die Wiese

5. Wenn jemand gern arbeiten möchte, aber nicht gleich eine Arbeit findet, so kann man auch sagen, er sucht _____.
   A. einen Ratschlag   B. einen Arbeiter   **C. eine Beschäftigung**

6. Wenn etwas so bleibt, wie es immer gewesen ist, so kann man sagen, es bleibt _____.
   A. unverändert   B. unheimlich   C. allmählich

7. Wenn Leute spazierengehen, wandern oder auch nur faulenzen, so tun sie das nicht, wenn sie arbeiten, sondern in ihrer _____.
   A. Beschäftigung   B. Gewohnheit   **C. Freizeit**

8. Wenn jemand sagt, dass er ein eigenes Auto hat, so meint er, dass ihm das Auto _____.
   A. gehorcht   **B. gehört**   C. gefällt

9. Wenn jemand das getan hat, was er tun sollte, so kann man auch sagen, er hat seine Arbeit _____.
   A. erlebt   **B. erledigt**   C. angenommen

10. Wenn Strohdächer alt und immer wieder nass werden, so werden sie bestimmt einmal _____.
    A. verfaulen   B. erneuern   C. bestehen

Now check your answers. *Repeat each sentence once and give the correct answer. For example:*

1. Wenn die Bauern in die Stadt ziehen und kein eigenes Haus mehr haben, so müssen sie eine Wohnung **mieten.**   **C**

EXERCISE 28. LISTENING

For the dialogs to be used for listening practice, see page 171.

UNIT 20—SECTION A

EXERCISE 29. LISTENING

You will hear a series of sentences which express either location or direction. For each sentence you hear, place your check mark in either the row labeled **wo?** when the sentence indicates location, or **wohin?** when the sentence indicates direction.

EXAMPLE   You hear   Ich habe die Serviette neben den Teller gelegt.

You place your check mark in the row labeled **wohin?** because the sentence indicates direction. We will begin now. *Read each sentence once.*

1. Die Thermosflasche hat auf dem Ofen gestanden.   *wo?*
2. Ich hab' den Kartoffelsalat in die Schüssel getan.   *wohin?*
3. Das nasse Handtuch hab' ich über den Stuhl gehängt.   *wohin?*
4. Unser Geschirrschrank hat schon immer an der Wand gestanden.   *wo?*
5. Die Gabeln haben unter der Tischdecke gelegen.   *wo?*
6. Hast du den Topf in den Kühlschrank gestellt?   *wohin?*
7. Ich bin schmutzig, weil ich auf der Erde gesessen habe.   *wo?*

8. Das schmutzige Besteck hab' ich in die Spülmaschine gelegt. *wohin?*
9. Stell doch den Stuhl zwischen den Wäscheschrank und den Kleiderschrank! *wohin?*
10. Der Picknickkorb hat unter dem Tisch gestanden. *wo?*
11. Hast du die kleine Lampe an die Wand gehängt? *wohin?*
12. Die Korken haben in der Schublade gelegen. *wo?*

Now check your answers. *Repeat each sentence once and give the correct answer. Also repeat the prepositional phrase. For example:*

    1. Die Thermosflasche hat auf dem Ofen gestanden. *wo? auf dem Ofen*

UNIT 20—SECTION B

EXERCISE 30. LISTENING—WRITING

You will hear a number of sentences in which the noun phrase following the preposition may refer to either a person or a thing. Then you will hear only the beginning of the same sentence and you are to complete it by writing either the preposition plus the appropriate pronoun or a **da**-compound, depending upon whether the noun phrase you make reference to refers to a person or a thing.

EXAMPLE You hear Der Vater sitzt neben seinen Kindern. Der Vater sitzt _____.
           You write **neben ihnen,** because it makes reference to a noun referring to a person.

  or You hear Der Vater spricht über den Krieg. Der Vater spricht _____.
           You write **darüber,** because it makes reference to a noun phrase referring to a thing.

We will begin now. *Read each item once, omitting the boldfaced word or words.*

1. Mein Bruder denkt oft an den schönen Winter. Mein Bruder denkt oft **daran.**
2. Wir warten schon zwei Stunden auf die Handwerker. Wir warten schon zwei Stunden **auf sie.**
3. Viele abergläubische Menschen glauben an die Sage von der Lorelei. Viele abergläubische Menschen glauben **daran.**
4. Zum ersten Mal hast du etwas gegen den Ratschlag. Zum ersten Mal hast du etwas **dagegen.**
5. Hören Sie manchmal etwas von den Städtern? Hören Sie manchmal etwas **von ihnen?**
6. Wenn wir müde sind, fahren wir oft mit der Seilbahn. Wenn wir müde sind, fahren wir oft **damit.**
7. Viele Leute leben von Obst und Gemüse. Viele Leute leben **davon.**
8. Wir sprechen noch oft über Ihren Bruder. Wir sprechen noch oft **über ihn.**
9. Die Pflanzen wachsen auch gut unter dem Kastanienbaum. Die Pflanzen wachsen auch gut **darunter.**
10. Wir warten lange auf unsere Lehrerin. Wir warten lange **auf sie.**

Now check your answers. *Read each item once and give the correct answer. For example:*

    1. Mein Bruder denkt oft an den schönen Winter. Mein Bruder denkt oft **daran.**

EXERCISE 31. LISTENING–READING–SPEAKING

For the passage to be used for oral reading practice, see page 197.

EXERCISE 32. LISTENING

You will hear a series of statements, each one followed by two questions—A and B. You are to determine which is the more appropriate question to the statement and circle the corresponding letter.

EXAMPLE   You hear   Den Berliner Trümmerberg nennt man auch Teufelsberg oder Winterberg.
A. Hat er denn keinen Radarspiegel?
B. Hat er denn keinen offiziellen Namen?

You circle the letter B, the more appropriate question. We will begin now. *Read each item once.*

1. Als der Krieg zu Ende war und die Berliner ihre zerstörte Stadt neu erbauten, wusste man nicht, wohin mit den Trümmern.
   A. Warum erbauten die Berliner ihre Stadt?
   B. Was hat man dann mit den Trümmern gemacht?

2. 1950 beschloss die Berliner Stadtregierung, die Trümmer Berlins in die Gegend zwischen Charlottenburg und den Teufelssee in Wilmersdorf zu transportieren.
   A. Warum denn in diese Gegend?
   B. Charlottenburg liegt in Berlin, nicht?

3. Vor und hinter dem Trümmerberg sind neue Häuser und Parkanlagen, Bäume und Sträucher. Auf den Trümmerberg führen Wanderwege zwischen Gras und Bäumen.
   A. Gibt es viele Parkanlagen in Berlin?
   B. Kann man dort auch spazierengehen?

4. An den Hängen blühen im Sommer Blumen; Schmetterlinge fliegen umher, und oben, neben dem amerikanischen Radarspiegel, beginnt ein Slalomhang für die Freunde des Wintersports.
   A. Warum kann man hier eigentlich nicht Schi laufen?
   B. Ist dieser Berg hoch genug zum Schilaufen?

5. 1961 fuhren Schifahrer zum ersten Mal den Berg hinab. Wenn kein echter Schnee fällt, dann macht eine Maschine künstlichen Schnee.
   A. Wie hoch ist denn dieser Trümmerberg?
   B. Was passiert, wenn kein Schnee fällt?

6. Auf dem Gipfel gibt es auch ein Restaurant, und dort wählt man jedes Jahr eine Miss Teufelsberg. Sie muss aber nicht nur mit den Schiern Kurven fahren können, sie muss auch hübsch sein.
   A. Haben Sie schon einmal oben gegessen?
   B. Warum kann die Miss Teufelsberg nicht Schi fahren?

7. Im Frühjahr erscheinen die ersten Wanderer. Viele bringen einen Picknickkorb

mit und essen ihr Mittag- oder Abendessen in der frischen Luft am Rande von der ehemaligen Haupstadt—im Grünen.

A. Ist es nicht schade, dass niemand zum Teufelsberg kommen mag?

B. Ist es nicht herrlich, dass man mitten in Berlin im Grünen sitzen kann?

8. Und noch immer bringen Lastwagen jeden Tag 5 000 Kubikmeter Schutt zum Trümmerberg, um eine Million und hunderttausend Quadratmeter Boden im Grunewald zu bedecken. Ja, er ist nicht so hoch wie die Zugspitze, aber ein Paradies für Berliner!

A. Ist der Trümmerberg so hoch wie die Zugspitze?

B. Wann wird denn der Berg einmal fertig sein?

Now check your answers. *Repeat each item once and give the correct answer. For example:*

1. Als der Krieg zu Ende war und die Berliner ihre zerstörte Stadt neu erbauten, wusste man nicht, wohin mit den Trümmern.
Was hat man dann mit den Trümmern gemacht? B

EXERCISE 33. LISTENING—WRITING

You will hear a series of incomplete sentences. Listen carefully and write an appropriate completion in the pause provided.

EXAMPLE You hear   Der Trümmerberg oder Winterberg genannt, ist ein künstlicher Berg in _____.

You write   **Berlin** because it appropriately completes the sentence.

We will begin now. *Read each item once, omitting the boldfaced word.*

1. Mein Geschirr wasche ich nicht mit der Hand; ich habe eine **Spülmaschine.**
2. Messer, Gabel und Löffel nennt man ein **Besteck.**
3. In Deutschland hängt man seine Jacken und Mäntel in einen **Kleiderschrank.**
4. Wenn man die Rodelbahn hinunterfahren will, braucht man einen **Schlitten.**
5. Wenn das Essen kalt bleiben soll, stellt man es in einen **Kühlschrank.**
6. Eichen, Weiden, Pappeln und Birken sind **Bäume.**
7. Die Löffel und Messer liegen schon auf dem Tisch. Es fehlen nur noch die **Gabeln.**
8. An diesem Hang gibt es viele Bäume und Sträucher, und die Vögel bauen hier ihre **Nester.**
9. Wenn es nicht schneit und die Leute Schi fahren wollen, so macht eine Maschine künstlichen **Schnee.**
10. Der Teufelsberg ist nicht sehr hoch. Ein amerikanischer Radarspiegel kreist oben auf dem **Gipfel.**

Now check your answers. *Repeat each sentence once and give the correct answer. For example:*

1. Mein Geschirr wasche ich nicht mit der Hand; ich habe eine **Spülmaschine.**

EXERCISE 34. LISTENING–READING

You will hear a series of incomplete sentences. For each one you have a choice of three completions—A, B, and C. Select the most appropriate completion and circle the corresponding letter.

EXAMPLE   You hear   Leute, die Schifahrern zusehen, nennt man _____.
           You see   A. Touristen   B. Zuschauer   C. Wanderer

You circle the letter B, **Zuschauer,** because **Zuschauer** most appropriately completes the sentence. We will begin now. *Read each item once.*

1. Wenn jemand eine Tasse oder einen Teller kaputtmacht, kann man auch sagen, er hat die Tasse oder den Teller _____.
   [A. zerstört   **B. zerbrochen**   C. erneuert]

2. Schaufeln und Besen, Schläuche und Mäher sind _____.
   [A. Maschinen   **B. Gartengeräte**   C. Küchengeräte]

3. Wenn jemand sein Haus für eine bestimmte Zeit vermietet, kann man auch sagen, er hat das Haus _____.
   [A. verkauft   **B. verpachtet**   C. verbracht]

4. Wenn jemand plötzlich kommt, kann man auch sagen, er _____.
   [**A. erscheint**   B. erblickt   C. erledigt]

5. Wenn etwas nicht echt ist, kann man auch sagen, es ist _____.
   [A. mutig   B. schnittig   **C. künstlich**]

6. Wenn eine Maschine sehr alt aber noch nicht kaputt ist, sagt man, sie ist noch _____.
   [A. furchtbar   **B. brauchbar**   C. künstlich]

7. Wenn ein Mädchen sehr schön aussieht, kann man auch sagen, sie ist sehr

   _____.
   [A. künstlich   **B. hübsch**   C. mutig]

8. Wenn ein Schifahrer den Slalomhang hinabfährt und ans Ende kommt, so fährt er durchs _____.
   [A. Gerät   B. Geschirr   **C. Ziel**]

9. Zerstörte und zerbrochene Dinge sind Trümmer. Man nennt sie auch _____.
   [**A. Schutt**   B. Schüssel   C. Schlüssel]

10. Wenn jemand krank ist und nicht in die Schule kommt, sagt man, dass er heute _____.
    [A. fällt   B. frisst   **C. fehlt**]

Now check your answers. *Repeat each sentence once and give the correct answer. For example:*

1. Wenn jemand eine Tasse oder einen Teller kaputtmacht, kann man auch sagen, er hat die Tasse oder den Teller **zerbrochen.   B**

EXERCISE 35. LISTENING

For the dialog to be used for listening practice, see page 201.

EXERCISE 36. LISTENING

You will hear a series of sentences, some of which contain the reflexive construction and some of which do not. Put your check mark in the appropriate row.

EXAMPLE You hear   Ich habe mich doch schon gewaschen.

You place your check mark in the row labeled Reflexive, because the sentence you heard contained a reflexive construction. We will begin now. *Read each sentence once.*

1. Der Frisör hat dich nicht gut raisert. *not reflexive*
2. Wolfgang hat mich den ganzen Abend geärgert. *not reflexive*
3. Warum hast du dich nicht auf die Erde gelegt? *reflexive*
4. Ich habe mich vor dem Frühstück schnell gekämmt. *reflexive*
5. Ich habe dich schon einmal danach gefragt. *not reflexive*
6. Warum hast du dich denn noch nicht angezogen? *reflexive*
7. Ich habe mich sehr über das Zeugnis geärgert. *reflexive*
8. Wir haben uns gestern bei Siemens vorgestellt. *reflexive*
9. Kann ich dich nicht für das Spiel interessieren? *not reflexive*
10. Interessiert ihr euch nicht für Tischtennis? *reflexive*
11. Er hat mich mit einem Freund getroffen. *not reflexive*
12. Hast du dich mit deinem Freund getroffen? *reflexive*

Now check your answers. *Repeat each sentence once and give the correct answer. For example:*
   1. Der Frisör hat dich nicht gut rasiert. *not reflexive*

UNIT 21—SECTION B

EXERCISE 37. LISTENING

You will hear a series of statements, each one followed by three completions—A, B, and C. Choose the one that most appropriately completes the sentence.

EXAMPLE You hear   Das ist ein schönes Geschenk, und ich glaube, dass sich Wolfgang sehr darüber _____.
   A. entscheidet   B. streitet   **C. freut**

You circle the letter C, because C. **freut**, most appropriately completes the sentence. We will begin now. *Read each item once.*

1. Ich kann mir gar nicht vorstellen, dass du dich für diese Stellung _____.
   A. gewöhnst   B. freust   **C. interessierst**
2. Wenn ich nicht zum Abendessen zu spät kommen will, muss ich mich jetzt aber _____.
   A. beeilen   B. bewerben   C. bemerken
3. Wenn du diesen Job hier bei Siemens haben willst, musst du dich aber erst darum _____.
   A. freuen   **B. bewerben**   C. interessieren

4. Meine Ferien am Rhein vor ein paar Jahren waren einfach herrlich. Ich kann mich noch gut daran _____.

    A. freuen   B. gewöhnen   **C. erinnern**

5. Wolfgang kann fast nicht mehr warten, bis er aus der Schule kommt. Ich denke, dass er sich schon jetzt darauf _____.

    A. gewöhnt   **B. freut**   C. erinnert

6. Mein Freund ist schon Geselle, und er hat sich von seinem letzten Gehalt ein tolles Rad _____.

    A. angeschafft   B. gefahren   C. beworben

7. Die Bilder sind beide schön. Ich kann mich für ein Bild nicht _____.

    A. erinnern   B. gewöhnen   **C. entscheiden**

8. Der Film beginnt in fünfzehn Minuten. Ich muss mich _____.

    A. beeilen   B. bewerben   C. freuen

9. Mein Bruder wollte in die Berge fahren, ich wollte an den See, und deshalb haben wir uns _____.

    A. gewaschen   **B. gestritten**   C. vorgestellt

10. Das Wetter ist furchtbar kalt. Wir müssen uns aber daran _____.

    A. entscheiden   B. interessieren   **C. gewöhnen**

11. Du willst also zur Bundeswehr. Du in Uniform! Das kann ich mir aber nicht _____!

    A. erinnern   **B. vorstellen**   C. gewöhnen

12. Wann hast du deinen Geburtstag? Ich kann mich nicht mehr daran _____.

    A. streiten   B. vorstellen   **C. erinnern**

Now check your answers. *Repeat each item once and give the correct answer. For example:*

    1. Ich kann mir gar nicht vorstellen, dass du dich für diese Stellung **interessierst.** **C**

UNIT 21—SECTION C

EXERCISE 38. LISTENING—READING—SPEAKING

For the passage to be used for oral reading practice, see page 221.

EXERCISE 39. LISTENING

You will hear a series of short monologs, each one being followed by an incomplete statement related to the monolog, and two or three completions—A, B, and sometimes C. You are to choose the one that appropriately completes the statement and circle the corresponding letter.

EXAMPLE You hear Früher war Deutschland ein sehr patriarchalisches Land. Der Mann spielte die Hauptrolle in der Familie. Die Frau, so sagte man, durfte dreimal den Buchstaben K für sich beanspruchen.

    Die drei Ks stehen für: _____.

    A. Kinder, Kirche, Krieg   B. Kinder, Küche, Kirche

    C. Kinder, Kirche, Kaiser

You circle the letter B, the most appropriate completion. We will begin now. *Read each item once.*

1. Eines Tages fand jemand in München, dass die Jugend so etwas wie ein Informationsbüro haben sollte, wo sie Fragen—auch über sich selbst—stellen kann, ohne sich lächerlich zu machen.

   Die Jugend braucht ein Informationsbüro, weil sie _____.
   A. sich lächerlich machen will   B. in München wohnt
   C. viele Fragen hat

2. Die Stellung der Frau veränderte sich nach dem zweiten Weltkrieg, als Millionen von Frauen sich und ihre Kinder selbst erhalten mussten.

   Die Frauen mussten sich selber erhalten, weil _____.
   A. sie Kinder hatten   **B. ihre Männer im Krieg geblieben sind**
   C. die Stellung der Frau sich veränderte

3. Die Jugend beansprucht heute mehr Freiheit als früher. Das ist ganz gut und richtig, denn zu Hause wie auch in der Schule durften die Jungendlichen bis jetzt fast nie ihre eigene Meinung aussprechen.

   Früher durfte die Jugend _____.
   A. in die Schule gehen   B. mehr Freiheit beanspruchen
   C. selten das tun, was sie wollte

4. Da die Jugend mehr Rechte verlangt, damit aber auch selber mehr Pflichten hat, braucht und verlangt sie auch mehr Information.

   Die Jugend verlangt heute mehr Rechte; sie hat damit aber auch _____.
   A. mehr Pflichten   B. mehr Information   C. mehr Zeit

5. Dieses Informationszentrum gibt es in München, im Gasthaus „Paul Heyse", das seine Besitzerin für die Jugend zur Verfügung gestellt hat.

   Die Jugend kann in das Gasthaus kommen, _____.
   A. denn die Besitzerin hat es für sie gekauft
   B. und braucht nichts dafür zu zahlen

6. Jeden Tag kommen dorthin rund 70 Jugendliche und fragen um Rat, etwa 50 erkundigen sich telefonisch, aber diese Zahlen steigen Woche für Woche.

   Die meisten Jugendlichen _____.
   A. kommen selbst zum Informationszentrum
   B. rufen im Informationszentrum an

7. Es ist nicht schwer, viele Fragen zu beantworten, doch für einige Fragen gibt es keine leichte Antwort.

   Die meisten Fragen sind _____.
   A. schwer zu beantworten   **B. leicht zu beantworten**

8. Jede Woche gibt es dort Diskussionsabende. Sie beschäftigen sich mit allen Fragen der Existenz. Prominente Leute aus dem öffentlichen und kulturellen Leben stellen sich zur Verfügung.

   Prominente Leute kommen zum Informationszentrum, um dort _____.
   A. zu sprechen   B. Fragen zu stellen

Now check your answers. *Repeat each item once and give the correct answer. For example:*

1. Eines Tages fand jemand in München, dass die Jugend so etwas wie ein Informationsbüro haben sollte, wo sie Fragen—auch über sich selbst—stellen kann, ohne sich lächerlich zu machen.

Die Jugend braucht ein Informationsbüro, weil sie **viele Fragen hat.** C

EXERCISE 40. LISTENING–READING

You will hear a series of incomplete sentences. For each one you have a choice of three completions—A, B, and C. Select the most appropriate completion and circle the corresponding letter.

EXAMPLE   You hear   Was kann man sagen, wenn jemand etwas tut, was er nicht tun muss? —Man kann sagen, er tut es _____.
You see   A. wichtig   B. freiwillig   C. richtig

You circle the letter B because B. **freiwillig,** is the only word that appropriately completes the sentence. We will begin now. *Read each item once.*

1. Was sagt man, wenn jemand nicht genug Geld hat, um sich etwas zu kaufen? —Man sagt, er kann sich das nicht _____,
   [A. aussuchen   **B. leisten**   C. verkaufen]

2. Was sagt man, wenn sich jemand etwas Neues gekauft hat? —Man sagt, er hat sich etwas Neues _____.
   [A. gewünscht   B. vorgestellt   **C. angeschafft]**

3. Was sagt man, wenn etwas anders wird, als man vorher gedacht hat? —Man sagt, man hat es sich nicht so _____.
   [**A. vorgestellt**   B. versprochen   C. versucht]

4. Was sagt man, wenn ein Mädchen klein und schlank ist? —Man sagt, sie ist _____.
   [A. reizend   **B. zierlich**   C. eitel]

5. Was sagt man, wenn jemand ein gutes Zeugnis bekommt und deshalb sehr froh ist? —Man sagt, er _____.
   [**A. freut sich**   B. bewirbt sich   C. erinnert sich]

6. Was sagt man, wenn jemand sehr viel von sich selbst hält? —Man sagt, er ist _____.
   [A. fesch   B. zierlich   **C. eingebildet]**

7. Wie nennt man das Geld, das jemand verdient, wenn er arbeitet? —Man nennt es _____.
   [A. Geschmack   **B. Gehalt**   C. Gegend]

8. Was sagt man, wenn jemand etwas tut, was ein bisschen verrückt ist? —Man sagt, er _____.
   [A. streitet   B. sucht   **C. spinnt]**

9. Was sagt man, wenn zwei Leute ein Gespräch führen? —Man sagt, sie _____.
   [**A. unterhalten sich**   B. treffen sich   C. beeilen sich]

10. Was sagt man, wenn jemand nicht mutig ist und immer Angst hat? —Man sagt, er ist ein _____.
    [A. Vorbild   **B. Feigling**   C. Jugendlicher]

11. Was sagt man, wenn jemand etwas wissen will und darüber fragt? —Man sagt, er _____.

[**A. erkundigt sich**   B. verändert sich   C. erinnert sich]

12. Was sagt man, wenn ein Mann Geld verdient, um Kleider und Essen für seine Familie zu kaufen? —Man sagt, dass er seine Familie _____.

[**A. erhält**   B. erkundigt   C. ausstellt]

Now check your answers. *Repeat each item once and give the correct answer. For example:*

1. Was sagt man, wenn jemand nicht genug Geld hat, um sich etwas zu kaufen? —Man sagt, er kann sich das nicht **leisten**.   **B**

UNIT 21—SECTION D

EXERCISE 41. LISTENING–WRITING

You will hear a series of incomplete sentences. For each one you hear, write an appropriate completion in the pause provided.

EXAMPLE   You hear   Im Sommer, wenn Sie keine Schule haben, haben Sie _____.
You write   **Ferien,** because the word **Ferien** appropriately completes the sentence. We will begin now. *Read each incomplete sentence once, omitting the boldfaced word.*

1. Einen jungen Mann, der einen Beruf gelernt hat, und jetzt noch in seinem Beruf weiterarbeitet, nennt man einen **Gesellen.**
2. Man nennt einen Jungen, der nicht gern aus dem Hause geht und lieber den ganzen Tag zu Hause bleibt, einen **Stubenhocker.**
3. Wenn Sie eine Stellung haben und einmal im Monat Geld bekommen, so nennt man dieses Geld das **Gehalt.**
4. A, b, c, d und so weiter, nennt man **Buchstaben.**
5. Das kleine Land, das auf der andern Seite von Deutschland am Bodensee liegt, heisst die **Schweiz.**
6. Man nennt einen Menschen, der nicht mutig ist, einen **Feigling.**
7. Eine Sprache, die man nicht als Kind gelernt hat, nennt man eine **Fremdsprache.**
8. Etwas Schlechtes, wie Krieg zum Beispiel, nennt man ein **Übel.**
9. Wenn zwei Leute zwei Meinungen über eine Sache haben, werden sie sich wahrscheinlich **streiten.**
10. Wenn jemand eine Stelle haben möchte, muss er sich darum **bewerben.**
11. Wenn Sie zwei Platten kaufen möchten aber nur genug Geld für eine haben, müssen Sie sich für eine Platte **entscheiden.**
12. Eine Karte, die man braucht, wenn man irgendwohin fliegen will, nennt man eine **Flugkarte.**

Now check your answers. *Repeat each sentence once and give the correct answer. For example:*

1. Einen jungen Mann, der einen Beruf gelernt hat, und jetzt noch in seinem Beruf weiterarbeitet, nennt man einen **Gesellen.**

EXERCISE **42.** LISTENING

For the dialog to be used for listening practice, see page 226.

UNIT 22—SECTION A

EXERCISE **43.** LISTENING–WRITING

You will hear a series of incomplete statements. In each one an adjective is mentioned. You are to write the comparative form of the adjective opposite in meaning to the one you hear.

EXAMPLE   You hear   Die Stossstangen vom Mercedes sind gar nicht so breit.
Ich glaube aber, die Stossstangen vom VW sind _____.

You write the word **schmaler,** the comparative form of the adjective opposite in meaning to **breit.** We will begin now. *Read each item once, omitting the bold-faced word.*

1. In diesem Lokal sind die Portionen sehr klein. Gehen wir lieber in das Lokal am Marktplatz; dort sind die Portionen **grösser.**
2. Die Gerichte auf dieser Speisekarte sind sehr billig. Ich esse in einem Gasthaus, und dort ist alles viel **teurer.**
3. Meine Kartoffeln sind furchtbar kalt. Ich glaube aber, dein Reis ist **wärmer.**
4. Das Essen in diesem Lokal ist schlecht. Geh mal mit mir in den Gasthof neben der Kirche; dort ist das Essen viel **besser!**
5. Ich gebe meine Klösse dem Ober wieder zurück; sie sind mir zu weich. Schau mal, deine Klösse sind **härter.**
6. Günters Schwester, die Helga, ist gar nicht mehr so jung. Seine andere Schwester, die Ursel, ist aber **älter.**
7. Im November sind die Tage nicht mehr so lang, und im Dezember sind sie noch viel **kürzer.**
8. Der Bruder von meinem Schulfreund ist gar nicht so schwach, aber mein Bruder ist **stärker.**
9. Die Häuser hier in Bonn sind nicht so niedrig. Aber die Häuser in New York sind viel **höher.**
10. In Italien ist es im Sommer sehr heiss. Ich fahre dann lieber nach Norddeutschland; dort ist es **kälter.**

Now check your answers. *Repeat each sentence once and give the correct answer. For example:*

1. In diesem Lokal sind die Portionen sehr klein. Gehen wir lieber in das Lokal am Marktplatz; dort sind die Portionen **grösser.**

UNIT 22—SECTION B

EXERCISE **44.** LISTENING–READING

You will hear a series of short monologs. In each one, something or someone is referred to but not named. For each monolog you have before you three words

—A, B, and C. Using all the cues present in the monolog, you are to determine what was being talked about. Circle the corresponding letter.

EXAMPLE You hear Ich weiss nicht, was ich mir aussuchen soll. Hier steht überhaupt nicht viel drauf, was ich mir leisten kann. Alles ist so teuer.

You see A. Flugkarte B. Speisekarte C. Kinokarte

You circle the letter B, because B. **Speisekarte,** is the only one of the three words the sentence could be referring to. We will begin now. *Read each item once.*

1. Nimm dir eine grosse Portion drauf! Die Beeren auf der Torte sind so sauer. —Ich hab' sie deshalb auch ein bisschen süsser gemacht.
   [A. Leckerbissen **B. Schlagsahne** C. Pudding]

2. Sie sehen gut aus, schön braun. Und sie schmecken auch ausgezeichnet. Bringen Sie mir bitte noch ein Paar!
   [**A. Bratwürste** B. Kalbsbraten C. Bratkartoffeln]

3. Ich esse ihn am liebsten, wenn er so frisch ist wie dieser hier. Gib mir doch bitte noch ein Stück!
   [A. Torte **B. Schinken** C. Schnitzel]

4. Du kannst dir nicht vorstellen, wie gut sie sind, wenn sie ein bisschen weicher sind.
   [A. Reis B. Apfelmus **C. Klösse**]

5. Vielleicht bestell' ich mir noch eine. Sie war nicht sehr gross, und ich bin sehr hungrig.
   [**A. Portion** B. Speisekarte C. Konditorei]

6. Ich verstehe nicht, warum er nicht kommt. Ich möchte jetzt bestellen. —Hat er uns nicht gesehen?
   [A. Mensa **B. Ober** C. Portion]

7. Ich kenne eine an der Ecke vom Marktplatz, neben dem Kino. Dort gibt es die besten Torten, und es ist so gemütlich dort.
   [**A. Konditorei** B. Kino C. Marktplatz]

8. Ja, wir brauchen einen, denn im Sommer ist es hier sehr warm. Das Essen wird dann nicht so schnell schlecht, und wir haben immer etwas Kaltes zu trinken.
   [A. Wetter **B. Kühlschrank** C. Limonade]

9. Sie ist wirklich sehr tüchtig und höflich. Sie muss schon lange in dieser Konditorei arbeiten, denn ich habe sie schon vor Jahren bemerkt, als ich zum ersten Mal hergekommen bin.
   [**A. Verkäuferin** B. Café C. Ober]

10. Du musst rübergehen und dir dort selbst ein Stück Kuchen aussuchen.
    [A. Speisekarte B. Verkäuferin **C. Büffet**]

Now check your answers. *Repeat each item once and give the correct answer. For example:*

1. Nimm dir eine grosse Portion drauf! Die Beeren auf der Torte sind so sauer. —Ich hab' sie deshalb auch ein bisschen süsser gemacht. **Schlagsahne. B**

EXERCISE **45.** LISTENING–READING–SPEAKING

For the passage to be used for oral reading practice, see page 247.

EXERCISE **46.** LISTENING

You will hear a series of statements based upon the reading selection in this unit. For each statement you hear you are to decide whether it was most likely made by the garage owner or the mechanic. Place your check mark in one of the two rows, **Garagenbesitzer** or **Mechaniker.**

EXAMPLE   You hear   Ich habe beste und gründlichste Arbeit für Sie getan. Es war Ihnen aber immer egal.

You place your check mark in the row labeled **Mechaniker** because this statement was most likely made by the mechanic. We will begin now. *Read each item once.*

1. Zehn Jahre lang habe ich fleissig und voll Energie gearbeitet, bin jeden Morgen pünktlich erschienen und habe fast immer eine Stunde länger gearbeitet. *Mechaniker*
2. Ich weiss, dass Sie fleissiger und pünktlicher sind als die anderen Mechaniker, und ich weiss, dass meine Kunden die Gründlichkeit ihrer Arbeit loben. *Garagenbesitzer*
3. Was wollen Sie mehr? Ich bezahle Ihnen den gewöhnlichen Lohn, schon seit zehn Jahren. *Garagenbesitzer*
4. Ich bekam zwar Trinkgelder von den reicheren Kunden, doch von Ihnen hörte ich nie den kleinsten Dank. *Mechaniker*
5. Es ist mir egal, dass Sie nicht ein einziges Mal krank waren und immer pünktlich in die Arbeit gekommen sind. *Garagenbesitzer*
6. Ich habe es satt, länger für Sie zu arbeiten. Nächsten Monat trete ich eine andere Stelle an. *Mechaniker*
7. Auch wenn Sie mir einen höheren Lohn versprechen, bleibe ich nicht mehr bei Ihnen. *Mechaniker*
8. Ich mache Ihnen einen neuen Vorschlag und verspreche Ihnen einen höheren Lohn, ja den allerhöchsten Lohn. *Garagenbesitzer*
9. Mit Ihrer Arbeit bin ich immer zufrieden gewesen, und ich bitte um Entschuldigung, wenn ich das nicht gezeigt habe. *Garagenbesitzer*
10. Der Dummkopf—er ist wohl geizig, aber seine Dummheit ist noch grösser als sein Geiz. *Mechaniker*

Now check your answers. *Repeat each sentence once and give the correct answer. For example:*

1. Zehn Jahre lang habe ich fleissig und voll Energie gearbeitet, bin jeden Morgen pünktlich erschienen und habe fast immer eine Stunde länger gearbeitet. *Mechaniker*

EXERCISE **47.** LISTENING

You will hear a series of incomplete statements based on the reading selection in this unit. Each statement will be followed by three possible completions—

A, B, and C. Select the one that most appropriately completes the statement and circle the corresponding letter.

EXAMPLE You hear Der Garagenbesitzer führt den Mechaniker in ein Restaurant, das _____.
A. keineswegs das beste ist   B. zu teuer ist
C. nicht sehr gut ist

You circle the letter A because A most appropriately completes the statement. We will begin now. *Read each item once.*

1. Der Garagenbesitzer möchte seinen Mechaniker nicht verlieren, weil er _____.
   A. oft krank ist   **B. sehr fleissig ist**   C. nie pünktlich ist
2. Die Kunden loben diesen Mechaniker, weil er _____.
   A. gründlich ist   B. pünktlich zur Arbeit kommt
   C. eine halbe Stunde länger arbeitet
3. Der Mechaniker jedoch hat es satt, denn sein Meister _____.
   A. gibt ihm oft ein Trinkgeld.   **B. gibt ihm nie ein Extrageld**
   C. gibt ihm mehr als den gewöhnlichen Lohn
4. Als der Garagenbesitzer hört, dass sein Mechaniker eine neue Stellung antreten will, _____.
   A. hat er es satt   **B. erschrickt er sehr**
   C. bekommt er mehr Trinkgelder
5. Der Garagenbesitzer lädt seinen Mechaniker zum Abendessen ein, weil er _____.
   A. mit ihm noch einmal reden will   B. ein berühmtes Lokal kennt
   C. grossen Hunger hat
6. Dem Mechaniker ist es egal, ob ihn der Garagenbesitzer in ein teures Lokal führt. Die Hauptsache ist, dass _____.
   A. er einen höheren Lohn bekommt   B. er weiterarbeiten kann
   C. das Essen gut ist
7. Der Garagenbesitzer bestellt den Wein, denn er hält sich für _____.
   A. zivilisierter   B. reicher   C. intelligenter
8. Der Kellner bringt den Wein, füllt die Weingläser, und die beiden _____.
   A. verlassen das Restaurant   B. machen Vorschläge
   C. stossen an
9. Der Kellner bringt dann zwei Forellen, eine grosse und eine kleinere, und der Garagenbesitzer sagt: _____
   A. Beeilen Sie sich!   **B. Bedienen Sie sich!**   C. Beschäftigen Sie sich!
10. Der Garagenbesitzer denkt, dass der Mechaniker nicht gerade höflich ist, weil er _____.
    A. so schnell isst   B. sein eigenes Essen nicht bezahlt
    C. sich die grössere Forelle nimmt

NOTE: *In recorded program, exercise ends here →*

Now check your answers. *Repeat each incomplete sentence once, adding the* **appropriate completion. For example:**

1. Der Garagenbesitzer möchte seinen Mechaniker nicht verlieren, weil er **sehr fleissig ist.   B**

T68

EXERCISE **48.** LISTENING—READING

You will hear a series of statements. After each one, part of the statement will be repeated. From the three choices given, you are to select the one that could be substituted for the repeated part. Circle the corresponding letter.

EXAMPLE You hear Meine Forelle ist etwas kleiner als Ihre Forelle. . . . etwas kleiner

You see A. ein bisschen kleiner B. viel kleiner
C. gar nicht kleiner

You circle the letter A because A. **ein bisschen kleiner,** could be subsituted here for **etwas kleiner.** We will begin now. *Read each item once.*

1. Der Mechaniker sagte nichts, als der Meister ihm einen höheren Lohn geben wollte. —Der Mechaniker sagte nichts . . .
[A. bewies   **B. schwieg**   C. erschrak]

2. Mein Vetter hat sich eine neue Arbeit gesucht, und ich glaube, dass er die Stellung nächste Woche beginnt. . . . dass er die Stellung nächste Woche beginnt.
[**A. antritt**   B. empfiehlt   C. erschrickt]

3. Als der Garagenbesitzer hörte, dass sein tüchtigster Mechaniker ihn verlassen wollte, begam er Angst. . . . bekam er Angst.
[A. ertrank er   **B. erschrak er**   C. schwieg er]

4. Der Mechaniker kommt immer zur rechten Zeit zur Arbeit, und am Abend arbeitet er gewöhnlich eine halbe Stunde länger. —Der Mechaniker kommt immer zur rechten Zeit . . .
[A. allerhöchst   B. zufrieden   **C. pünktlich**]

5. Die beiden fahren zusammen in ein schönes Restaurant, wo sie ein langes Gespräch führen. . . . wo sie ein langes Gespräch führen.
[A. sich bedienen   B. sich vorstellen   **C. sich unterhalten**]

6. Der Garagenbesitzer fragt, wo der Mechaniker mehr Lohn bekommt als bei ihm. —Der Garagenbesitzer fragt . . .
[**A. erkundigt sich**   B. freut sich   C. bewirbt sich]

7. Mir ist es egal, in was für ein Lokal Sie mit mir gehen. Die Hauptsache ist, dass das Essen gut ist. —Mir ist es egal . . .
[A. laut   **B. gleich**   C. gerade]

8. Der Arbeiter verlangt jetzt einen höheren Lohn. . . . einen höheren Lohn
[A. mehr Freizeit   **B. mehr Geld**   C. mehr Ferien]

9. „Bedienen Sie sich", sagt der Meister zu dem Mechaniker. —Bedienen Sie sich . . .
[**A. Nehmen Sie sich etwas!**   B. Bestellen Sie sich   C. Kaufen Sie sich
etwas!   etwas!]

10. In all den Jahren war der Mechaniker nicht ein einziges Mal krank. . . . nicht ein einziges Mal
[A. nicht oft   B. nicht immer   **C. nie**]

Now check your answers. *Repeat each item once and give the correct answer. For example:*

1. Der Mechaniker sagte nichts, als der Meister ihm einen höheren Lohn geben wollte. —Der Mechaniker schwieg, als der Meister ihm einen höheren Lohn geben wollte. **schwieg B**

EXERCISE 49. LISTENING

For the dialog to be used for listening practice, see page 252 .

UNIT 23–SECTION A

EXERCISE 50. LISTENING–READING

You will hear a series of incomplete sentences. For each one you have a choice of three completions—A, B, and C. Select the most appropriate completion to the sentence and circle the corresponding letter.

EXAMPLE   You hear   Er ist nicht eingebildet, sondern ziemlich _____.
You see   A. bescheiden   B. bekannt   C. betrunken

You circle the letter A, because A. **bescheiden,** is the only word that appropriately completes the sentence. We will begin now. *Read each item once.*

1. Komm schnell! Das ist für dich. Ein Klassenkamerad von dir ist am _____.
   [A. Hang   B. Büffet   **C. Apparat**]
2. Hör mal zu, wie dein Kollege wieder einmal übertreibt! Ich kann ihn deshalb nicht leiden; er ist ein furchtbarer _____.
   [A. Schwager   **B. Angeber**   C. Bräutigam]
3. Und nachher stellst du mich mal deiner zukünftigen Schwägerin vor, nicht? —Übrigens, wann ist denn die _____?
   [A. Speisekarte   **B. Hochzeit**   C. Heimat]
4. Seine Schwiegermutter ist eine törichte Frau. Sie hat Kurt schon seit drei Wochen nicht mehr angerufen; sie spricht gar nicht mehr mit ihm. Ich glaube wirklich, sie ist auf ihn sehr _____.
   [**A. böse**   B. neidisch   C. stolz]
5. Hör nur zu, wie schön Jürgen über seine zukünftige Braut spricht. Sie ist aber auch ein wirklich reizendes Mädchen und sehr klug. Jürgen ist auf sie sehr _____.
   [A. neidisch   B. böse   **C. stolz**]
6. Ich kann ihr nicht mehr zuhören, wenn sie mit jemandem am Apparat spricht. So ein dummes _____.
   [A. Angeber   B. Telefon   **C. Geplapper**]
7. Was ist denn los mit dir? Dein Gesicht ist so rot wie ein Krebs. —Warum bist du denn so _____?
   [A. zierlich   **B. aufgeregt**   C. neidisch]
8. Ich bin ganz neidisch auf meine Schwester. Schau mal, wie schlank sie ist. Sie kann essen, so viel sie will. Sie muss nie auf ihre schlanke Linie _____.
   [A. probieren   B. abnehmen   **C. achten}**

9. Wenn Ursel mal am Apparat ist, dann redet sie, und sie kann mit ihrem törichten Geplapper nicht mehr _____.

    [A. anhören   **B. aufhören**   C. aufgeben]

10. Zu Weihnachten lädt mein Vater die Grosseltern ein, Onkel und Tanten, Brüder, Schwager und alle anderen _____.

    [A. Kollegen   B. Besucher   **C. Verwandten**]

Now check your answers. *Repeat each item once and give the correct answer. For example:*

    1. Komm schnell! Das ist für dich. Ein Klassenkamerad von dir ist am **Apparat. C**

UNIT 23—SECTION B

EXERCISE 51. LISTENING

You will hear a series of statements in which one of the following attitudes is expressed: silliness, envy, or stinginess. If you think the statement you hear is silly, place your check mark in the row labeled **töricht;** if you think the statement expresses envy, mark the row labeled **neidisch;** and if you think the statement expresses stinginess, place your check mark in the row labeled **geizig.**

EXAMPLE   You hear   Warum soll ich in die Schule gehen? Ich weiss schon alles, was ich wissen muss!

You place your check mark in the row labeled **töricht** because this is a silly statement. We will begin now. *Read each item once.*

1. Kannst du nicht mit deinem Klassenkameraden fahren? —Vater erschrickt jedes Mal, wenn er sieht, wieviel wir wieder in der Woche für Benzin ausgegeben haben. *geizig*
2. Knut hat in Latein schon wieder eine Eins bekommen. Ich weiss nicht, wie er das macht, denn er hat für die Prüfung wirklich nicht gelernt. *neidisch*
3. Oskar geht mit Renate ins Theater. Ich verstehe nicht, warum er sie mag. Sie ist schick, und auch ziemlich klug, aber sie ist doch so eingebildet. *neidisch*
4. Ich bin froh, dass ich eine Fünf gekriegt habe. Jetzt kann ich es meinen Eltern beweisen, dass ich in Mathe dumm bin und keinen Sinn für praktische Dinge habe. *töricht*
5. Ich kann mein blaues Kleid noch selber ein wenig tragen. Leih dir doch das blaue Kleid von Helga! *geizig*
6. Ich habe gehört, dass er alles von seinem Urgrossvater geerbt hat. Aber ich, ich arbeite lieber hart and verdiene mir mein Geld selber. *neidisch*
7. Jürgens Ehrgeiz ist übertrieben! Er arbeitet hart, denn er will der beste in der Klasse sein. Was für ein Leben! Kein Kino, kein Tanz, nur seine Bücher. *neidisch*
8. Ich bleibe lieber zu Hause. Wenn es donnert, habe ich Angst, unter den Bäumen spazierenzugehen. *töricht*

Now check your answers. *Repeat each item once and give the correct answer. For example:*

    1. Kannst du nicht mit deinem Klassenkameraden fahren? —Vater erschrickt

jedes Mal, wenn er sieht, wieviel wir wieder in der Woche für Benzin ausgegeben haben. *geizig*

UNIT 23—SECTION C

EXERCISE 52. LISTENING–READING–SPEAKING

For the passage to be used for oral reading practice, see page 271.

EXERCISE 53. LISTENING

You will hear three short selections based upon the reading in this unit. After each selection you will hear three incomplete statements, each one followed by three possible completions A, B, and C. You are to choose the most appropriate completion and circle the corresponding letter.

EXAMPLE   You hear   Meine Zensuren in Englisch und Französisch sind jetzt viel besser als früher, nur Latein lieb' ich noch immer nicht. Wir übersetzen jetzt Cäsars „De Bello Gallico." Julius Cäsar ist meiner Meinung nach auch ein Angeber. Er spricht von seiner Person immer in der dritten Person Einzahl.

And now you hear one of the three incomplete sentences.

    1. Obwohl Peters Noten jetzt viel besser sind, _____.
        A. liebt er Latein immer noch nicht
        B. übersetzt er Julius Cäsar sehr gern
        C. ist er ein Angeber

You circle the letter A because A corresponds to the appropriate completion. Now listen to the first selection. *Read each paragraph and the items following it once.*

    Da ich dir gerade von meiner Familie berichte: Meine Schwester Brigitte, die du ja gut kanntest, heiratet Anfang des nächsten Jahres, wahrscheinlich im Februar, einen Zahnarzt. Mein zukünftiger Schwager—er ist neun Jahre älter als ich, übrigens stolzer Besitzer eines Gebrauchtwagens, denn er hat sein Studium eben erst beendet—will zuerst für zwei Jahre in die Schweiz gehen, weil man dort die Wichtigkeit seines Könnens mehr schätzt.

Now listen to the first set of incomplete sentences.

1. Peter schreibt seinem Freund Kurt von seiner Schwester, _____.
    A. weil er sie wahrscheinlich heiratet
    B. weil er sie kannte, als er hier wohnte
    C. weil er sie gern ärgern möchte
2. Peter schreibt, dass Brigittes Bräutigam _____.
    A. neun Jahre älter ist als sie   B. noch studiert
    C. sich eben einen Wagen angeschafft hat
3. Peters zukünftiger Schwager wird Deutschland für zwei Jahre verlassen und in der Schweiz _____.
    A. seinen Beruf ausüben   B. studieren
    C. einen Gebrauchtwagen kaufen

Now listen to the second selection.

Erinnerst du dich noch an jenen Burschen, der das erste Jahr mit uns aufs Gymnasium ging, dann aber rausflog? Horst Bäumler hiess er. Du kannst dich bestimmt an ihn erinnern. Er war ein furchtbarer Angeber, und wir nannten ihn deswegen Baron Münchhausen! Er gibt noch mehr an als früher. (Du erkennst ihn aber nicht mehr—er trägt jetzt einen Bart.)

„Wozu willst du das Abitur machen?" fragte er mich. „Sprachen lernen, dem Gerede der Lehrer zuhören, Hunderte von Büchern lesen." Ich antwortete, dass ich einst Arzt werden will.

„Arzt?" sagte er. „Was geht dich die Gesundheit anderer Leute an?" Dann lachte er. Natürlich war diese Bemerkung keiner Antwort wert.

Now listen to the second set of incomplete sentences.

4. Peter fragt seinen Freund Kurt, ob er sich _____.
   A. an den Arzt erinnert   B. an Baron Münchhausen erinnert
   C. an einen ehemaligen Schulfreund erinnert

5. Kurt wird Horst Bäumler heute nicht mehr erkennen, weil er _____.
   A. ein furchtbarer Angeber ist   **B. einen Bart trägt**
   C. aufs Gymnasium geht

6. Peter will das Abitur machen, weil er _____.
   A. Hunderte von Büchern liest   B. dem Gerede der Lehrer zuhört
   C. Arzt werden will

Now listen to the third selection.

Morgen, Sonntag, muss ich den ganzen Tag auf den Hund unserer Nachbarn aufpassen. Herr Meier, der Besitzer des lieben Tieres, versprach mir drei Mark, doch mein Vater hat das verboten. Eine Mark ist genug, erklärte er mir und Herrn Meier. Herr Meier lachte und zwinkerte mir zu. Eigentlich genügt ein Pfennig, sagte mein Vater, der das Zwinkern wohl gesehen hatte. Aber mein Vater ist wirklich von der alten Generation, die immer mit dem altmodischen Sprichwort „Wer den Pfennig nicht ehrt, ist des Talers nicht wert" daherkommt.

Now listen to the third set of incomplete sentences.

7. Herr Meier hat Peter drei Mark versprochen, weil Peter _____.
   A. den Pfennig nicht ehrt   B. der Besitzer des lieben Tieres ist
   C. auf seinen Hund aufpassen soll

8. Peters Vater hat gesagt, dass eine Mark genug ist, aber Herr Meier wird ihm bestimmt drei Mark geben, denn _____.
   A. er ist von der alten Generation   **B. er hat ihm zugezwinkert**
   C. er kennt ein altmodisches Sprichwort

9. Peter schreibt, dass sein Vater von der alten Generation ist, weil er möchte, dass Peter _____.
   A. ein altmodisches Sprichwort kennt   **B. mit weniger Geld zufrieden ist**
   C. mit einem Taler daherkommt

Now check your answers. *Repeat each sentence once and give the correct answer. For example:*

1. Peter schreibt seinem Freund Kurt von seiner Schwester, **weil er sie kannte, als er hier wohnte.   B**

T73

You will hear a series of incomplete statements. Listen carefully to each one and write an appropriate completion in the pause provided.

EXAMPLE You hear In Englisch und Französisch sind meine Zensuren jetzt besser, und ich habe dir doch schon geschrieben, dass wir in Latein jetzt Cäsars „De Bello Gallico" _____.

You write the word **übersetzen** because it appropriately completes the statement. We will begin now. *Read each item once, omitting the boldfaced word.*

1. Peters Schwester, Brigitte, geht mit einem jungen Zahnarzt, und Peter schreibt, dass die beiden Anfang nächsten Jahres **heiraten.**
2. Peter erzählt seinem Freund Kurt, dass auch der Vater seines zukünftigen Schwagers den Beruf eines Zahnarztes **ausübte.**
3. Der junge Zahnarzt hat sein Studium eben erst beendet. Er braucht Geld, und er will für zwei Jahre in die Schweiz gehen, weil er dort einfach mehr **verdient.**
4. Hamburgs Umgebung soll sehr schön sein, behauptet Peters Vater, und er sagt, dass Hamburg ihn ab und zu an London **erinnert.**
5. Es ist herrlich, in Hamburgs Hafengegend spazierenzugehen. Man kann so viele Schiffe sehen; sie kommen aus aller Herren **Ländern.**
6. Horst Bäumler, der mit uns aufs Gymnasium ging und dann aber rausflog, war ein furchtbarer Angeber; wir nannten ihn deshalb Baron **Münchhausen.**
7. Ich lachte nur, denn diese Bemerkung war keiner Antwort **wert.**
8. Morgen, Sonntag, muss ich leider zu Hause bleiben, denn ich muss auf den Hund unserer Nachbarn **aufpassen.**
9. Herr Meier, der Besitzer des lieben Tieres, will mir drei Mark geben. Mein Vater jedoch hat das verboten. Es sagt, eine Mark ist **genug.**
10. Mein Vater ist wirklich von der alten Generation, die immer mit dem alten Sprichwort daherkommt: Wer den Pfennig nicht ehrt, ist **des Talers nicht wert.**

Now check your answers. *Repeat each incomplete sentence once, adding the appropriate completion. For example:*

1. Peters Schwester, Brigitte, geht mit einem jungen Zahnarzt, und Peter schreibt, dass die beiden Anfang nächsten Jahres **heiraten.**

UNIT 23–SECTION D

You will hear a series of statements. After each one, part of the statement will be repeated. From the three choices given, you are to select the one that could be substituted for the repeated part. Circle the corresponding letter.

EXAMPLE You hear Der nette Bursche dort drüben hat mich gefragt. —Der nette Bursche . . .

  You see A. Junge   B. Mann   C. Angestellte

You circle the letter A because A. **Junge,** could be substituted here for **Bursche.** We will begin now. *Read each item once.*

1. Mein zukünftiger Schwager behauptet, dass man die Wichtigkeit seines Könnens in der Schweiz mehr schätzt. —Mein zukünftiger Schwager behauptet, . . .
   [A. hofft   **B. meint**   C. erkennt]

2. Latein mag Peter noch immer nicht. Seine Zensuren in Französisch sind jetzt besser. —Latein mag Peter noch immer nicht. . . .
   [A. leidet   B. leiht   **C. liebt**]

3. Hamburg erinnert mich ab und zu an London: die frische Luft, die schöne Umgebung. —Hamburg erinnert mich ab und zu . . .
   [**A. manchmal**   B. regelmässig   C. immer]

4. Meine Eltern wollen unbedingt das Haus meines Onkels sehen. Deshalb fahren sie nach Hamburg. —Meine Eltern wollen unbedingt . . .
   [**A. ganz bestimmt**   B. wahrscheinlich   C. vielleicht]

5. Ich muss auf das liebe Tier aufpassen, weil unsere Nachbarn diesen Sonntag wegfahren. —Ich muss auf das liebe Tier aufpassen . . .
   [A. annehmen   **B. achten**   C. aufhören]

6. Ich habe dich seit Wochen nicht mehr gesehen, und es gibt viel zu berichten. . . . es gibt viel zu berichten
   [A. fragen   B. wissen   **C. erzählen**]

7. Peters Zensuren in Französisch und Englisch sind jetzt viel besser geworden. Peters Zensuren . . .
   [A. Antworten   **B. Noten**   C. Aufgaben]

8. Peter ist schon wieder am Apparat! Wann macht er eigentlich seine Aufgaben? Er ist am Apparat . . .
   [A. Er fährt mit seinem Rad.   B. Er repariert den   **C. Er telefoniert.**]
                                            Plattenspieler.

Now check your answers. *Repeat each item once adding the appropriate completion. For example:*

   1. Mein zukünftiger Schwager behauptet, dass man die Wichtigkeit seines Könnens in der Schweiz mehr schätzt. —Mein zukünftiger Schwager meint, dass man die Wichtigkeit seines Könnens in der Schweiz mehr schätzt.
   meint   B

EXERCISE 56. LISTENING

For the dialog to be used for listening practice, see page 276; for the poem, „**Der Lattenzaun**," see page 278; for the poem „**Es sitzt ein Vogel auf dem Leim**," and for the sayings, see page 279.

UNIT 24—SECTION A

EXERCISE 57. LISTENING—WRITING

You will hear a series of incomplete statements. For each one you hear, write an appropriate completion in the pause provided.

EXAMPLE   You hear   Die Tiere im Zirkus leben nicht schlecht. Sie bekommen viel und gut zu fressen, und die wilden Tiere haben sogar einen eigenen _____.

You write the word **Wärter** because it is an appropriate completion to the sentence. We will begin now. *Read each item once, omitting the boldfaced word.*

1. Wenn du noch in den Zirkus gehen willst, musst du dich beeilen, sonst ist er wieder weg. Vater behauptet nämlich, dass er schon seit zwei Wochen hier **gastiert.**
2. Mir gefallen die wilden Tiere am besten, die Löwen und die Tiger. Komm, gehen wir mal hinters Zelt. Dort siehst du sie im **Käfig.**
3. Du kannst jetzt nichts zu essen haben, und die Pause ist erst nach dem fünften **Auftritt.**
4. Ich glaube, di ganze Bevölkerung von Aalen ist hier. Das Zelt ist ja gefüllt bis auf den letzten **Platz!**
5. Der Wärter der Löwen und Tiger hat sofort entdeckt, dass eine Tür des Käfigs nicht ganz geschlossen war. Er hat damit vielleicht ein grosses Unglück **verhütet.**
6. Die Zuschauer im Zelt lachten über die Clowns, und sie wussten nicht, dass grosse Gefahr für sie **herrschte.**
7. Die Aufregung der Zuschauer im Zelt war gross, und als sie die beiden Löwen erblickten, gerieten sie in **Panik.**
8. Die beiden Burschen, die den Käfig geöffnet hatten, verliessen das Zelt unbemerkt durch den **Ausgang.**
9. Eine junge Löwin war aus ihrem Zelt ausgebrochen und in der kleinen Stadt verschwunden. Polizeihunde haben die Bestie in den Anlagen innerhalb der Stadt **aufgespürt.**
10. Der starke Wind hat das Zelt zerstört und grossen Schaden **angerichtet.**

Now check your answers. *Repeat each item once and give the correct answer. For example:*

1. Wenn du noch in den Zirkus gehen willst, musst du dich beeilen, sonst ist er wieder weg. Vater behauptet nämlich, dass er schon seit zwei Wochen hier **gastiert.**

UNIT 24—SECTION B

EXERCISE 58. LISTENING–READING

You will hear a series of short monologs. In each one, something or someone is referred to but not named. For each monolog you see four words—A, B, C, and D. Using all the cues given, you are to determine which of these words identifies what is referred to in the monolog. Circle the corresponding letter.

EXAMPLE   You hear   Hast du mit ihm gesprochen? Vielleicht verschiebt er die Klassenarbeit auf nächste Woche?

You see   A. Klassensprecher   B. Klassenkamerad
   C. Studienrat   D. Lehrerin

You circle the letter C because C. **Studienrat,** is the only word the sentence could be referring to. We will begin now. *Read each item once.*

1. Was, du kennst sie nicht? Du, dann hab' ich eine Idee! Zu deinem Geburtstag kaufe ich zwei Karten, und wir hören sie uns zusammen an.
   [A. Theater   B. Zirkus   C. Kino   **D. Oper**]

2. Können Sie sie nicht auf nächsten Montag verschieben? Wir können dann übers Wochenende noch ein bisschen dafür lernen, und unsere Noten werden dann bestimmt besser sein.
   [A. Musikstunde   B. Abitur   **C. Klassenarbeit**   D. Schulausflug]

3. Ich muss ihn wirklich noch einmal öffnen, denn ich kann mich nicht mehr daran erinnern, ob ich die Opernkarte mit reingelegt habe.
   [A. Gefahr   **B. Umschlag**   C. Zeitung   D. Geld]

4. Ich hab' eben in den Nachrichten darüber gehört. Es ist nur gut, dass sie nur leichte Verletzungen haben. Wie so etwas nur geschehen kann?
   [A. Ansichtskarte   **B. Unglück**   C. Auftritt   D. Ausflug]

5. Der arme Wärter kann offensichtlich nichts dafür. Er wird doch hoffentlich nicht dafür zahlen müssen?
   [A. Platz   B. Zelt   C. Aufregung   **D. Schaden**]

6. Zähl doch mal, wie viele es davon hier im Zelt gibt! Bei so vielen Zuschauern— sie müssen schnell rauskönnen, wenn wirklich mal etwas passiert.
   [A. Bestien   **B. Ausgänge**   C. Wärter   D. Plätze]

7. Du kannst dir nicht vorstellen, wie gut sie waren. Die Zuschauer fanden sie so lustig, dass sie oft nicht wussten, ob sie über sie lachen oder weinen sollten.
   [**A. Clowns**   B. Wärter   C. Löwen   D. Bevölkerung]

8. Hast du ihn zufällig dabei? Ich möchte wissen, wer singt.
   [**A. Opernplan**   B. Theaterkarte   C. Fernglas   D. Umschlag]

9. Wenn du dich nicht beeilst, bekommst du keine mehr für diese Vorstellung. Ich habe zwei gute, aber ich habe sie schon letzte Woche gekauft.
   [A. Ausgänge   B. Zelte   **C. Plätze**   D. Unglücke]

10. Ja, sie fand in einer Kirche statt. Sie war sehr schön! Die Braut sah reizend aus.
    [A. Oper   B. Vorstellung   C. Frau   **D. Hochzeit**]

Now check your answers. *Repeat each item once and give the correct answer. For example:*

   1. Was, du kennst sie nicht? Du, dann hab' ich eine Idee! Zu deinem Geburtstag kaufe ich zwei Karten, und wir hören sie uns zusammen an.   **Oper D**

UNIT 24—SECTION C

EXERCISE 59. LISTENING—READING—SPEAKING

For the passage to be used for oral reading practice, see page 298.

EXERCISE 60. LISTENING

You will hear three passages taken from the reading selection in this unit. After each passage you will hear three incomplete statements, each one followed by the possible completions—A, B, and C. You are to choose the most appropriate completion and circle the corresponding letter.

You hear   In einem Städtchen der Lüneburger Heide gastierte während dieses Tages der Circus Krone, der schon unsern Grossvätern und Urgrossvätern bekannt war. In der Nacht, die der Notlandung des Flugzeugs vorausging, entkamen zufällig zwei der zwölf Tiger und drei der zehn Löwen. Es herrschte eine schreckliche Aufregung in der Gegend, und die Besitzer des Zirkus waren voller Angst. (Wer will schon in der Lüneburger Heide statt eines Schmetterlings plötzlich einem Tiger oder einem Löwen begegnen?)

In dem Städtchen herrschte grosse Aufregung, weil _____.
A. das Flugzeug notlanden musste
B. die Besitzer des Zirkus Angst hatten
C. die wilden Bestien entkommen sind

You circle the letter C because C corresponds to the most appropriate completion. Now listen to the first passage. *Read each passage and the items following it once.*

Eines Tages, der für viele Leute unvergesslich bleibt, musste ein Flugzeug, dessen Chefpilot lange Erfahrung hatte, auf einer Strasse mitten in der Lüneburger Heide notlanden. Die Lüneburger Heide ist weltberühmt für ihre Schönheit, vor allem wegen ihrer lila Blume, Erika oder Heidekraut genannt, und auch wegen der Blaubeeren. Die Lüneburger Heide also, die besonders im Herbst in allen Farben schimmert war Schauplatz eines Ereignisses, das die Bewohner der Gegend trotz des schrecklichen Augenblicks, noch heute belustigt.

Now listen to the first set of incomplete sentences.

1. Für die Leute, die im Flugzeug sassen, wird dieser Tag unvergesslich bleiben, weil _____.
   A. die Heide für ihre Schönheit berühmt ist
   B. der Chefpilot lange Erfahrung hatte
   C. das Flugzeug notlanden musste

2. Die Lüneburger Heide, die besonders im Herbst in allen Farben schimmert, _____.
   A. ist weltberühmt für ihre Schönheit
   B. belustigt die Bewohner der Heide
   C. hat eine Strasse, wo Flugzeuge immer notlanden

3. Die Heide war Schauplatz eines Ereignisses, worüber die Einwohner _____.
   A. entsetzt sind   **B. noch heute lachen**   C. sehr schimpfen

Now listen to the second passage.

Nun, ein besonders ängstlicher Geiger, der alles im Flugzeug zurückliess, Hut, Mantel und Koffer, geriet in Panik, packte seine Geige und verschwand, trotz der Rufe seiner Kollegen, in der Weite der Lüneburger Heide.

Erschöpft stand er schliesslich still. Und als er um sich sah, was erblickte er? Löwen und Tiger!

Der Geiger erschrak zu Tode, doch dann dachte er: Wenn das mein **Ende** sein muss, so kann ich es nicht ändern, doch ich will als der grosse Künstler sterben, der ich immer war.

Now listen to the second set of incomplete sentences.

4. Ein ängstlicher Geiger verschwand in der Weite der Lüneburger Heide, weil er _____.
   A. die wilden Tiere sah   B. alles im Flugzeug zurückliess
   C. in Panik geriet

5. Er lief durch die Heide und stand schliesslich still, weil er _____.
   A. ganz erschöpft war   B. Geige spielen wollte
   C. seine Kollegen rufen hörte

6. Als der arme Geiger die vielen wilden Tiere erblickte, _____.
   A. holte er seine Geige aus dem Flugzeug   B. verschwand er in der Heide
   C. erschrak er zu Tode

Now listen to the third passage.

Plötzlich sprang ein sehr alter Löwe auf—gerade während einer wundervollen Sonate—und verschlang den armen Geiger.

Die andern Tiere, die Löwen und die Tiger, deren Ohren offensichtlich musikalischer waren, schimpften und riefen: „Du dummes Tier! Wie kannst du so unmenschlich sein? Endlich haben wir etwas Kultur, etwas Musik, die ein grosser Künstler vortrug und obwohl dessen Kunst uns gefiel, frisst du den Mann!"

„Was?" fragte der Löwe und hielt seine Pfote hinter das Ohr.

„Wie! sagt man in Deutschland, nicht was", bemerkte ein gebildeter Tiger.

„Was?" wiederholte der Löwe, und da fiel den Kollegen plötzlich ein, dass die alte Bestie taub war. Er war so alt, dass er überhaupt nichts hörte, und sie hatten das ganz vergessen!

Now listen to the third set of incomplete sentences.

7. Während einer wundervollen Sonate sprang ein alter Löwe auf und _____.
   A. schimpfte den Geiger   **B. frass den Geiger**   C. packte den Geiger

8. Die andern Tiere, deren Ohren offensichtlich musikalischer waren, schimpften den alten Löwen, weil _____.
   A. seine Kunst ihnen nicht gefiel   B. er seine Pfote hinter das Ohr hielt
   C. er so unmenschlich war

9. Als der Löwe „was?" wiederholte, fiel es den Kollegen ein, dass die alte Bestie
   _____.
   A. nicht hören konnte   B. sehr dumm war   C. unmusikalisch war

Now check your answers. *Repeat each incomplete sentence once adding the appropriate completion. For example:*

1. Für die Leute, die im Flugzeug sassen, wird dieser Tag unvergesslich bleiben, weil **das Flugzeug notlanden musste.   C**

EXERCISE 61. LISTENING–WRITING

You will hear a series of incomplete statements. Listen carefully and write an appropriate completion in the pause provided.

EXAMPLE   You hear   Das Flugzeug konnte nicht weiterfliegen und musste in der Heide _____.

You write **notlanden** because it appropriately completes the statement. We will begin now. *Read each item once, omitting the boldfaced word.*

1. In der Nacht, die der Notlandung vorausging, entkamen Löwen und Tiger, und die Besitzer des Zirkus waren voller **Angst**.
2. In der Gegend, wo die Löwen und Tiger ausgebrochen waren, herrschte eine schreckliche **Aufregung**.
3. Der ängstliche Geiger geriet in Panik und lief immer weiter in die Heide. Schliesslich musste er einmal stehenbleiben, denn er war ganz **erschöpft**.
4. Dann erblickte er offensichtlich die wilden Tiere, und man kann sich vorstellen, dass er zu Tode **erschrak**.

NOTE: *In recorded program, exercise ends here →*

5. Er dachte, wenn dies das Ende sein muss, so kann ich es nicht **ändern**.
6. Der angsterfüllte und doch mutige Künstler packte seine Geige aus und begann, für die Tiere zu **spielen**.
7. Wie in einem Konzertsaal sassen die Löwen und Tiger in einer Reihe da, und man konnte glauben, dass sie ihm aufmerksam **zuhörten**.
8. Plötzlich sprang ein alter Löwe auf und verschlang den armen **Geiger**.
9. Der alte Löwe hielt seine Pfote hinter das Ohr, denn er hörte überhaupt nichts. Er war offensichtlich **taub**.
10. Die Zirkuswärter kamen, und die Löwen gehorchten und sprangen in ihre **Käfige**.

Now check your answers. *Repeat each incomplete sentence once adding the appropriate completion. For example:*

1. In der Nacht, die der Notlandung vorausging, entkamen Löwen und Tiger, und die Besitzer des Zirkus waren voller **Angst**.

UNIT 24—SECTION D

EXERCISE 62. LISTENING—READING

You will hear a series of incomplete statements. For each one you have a choice of four completions—A, B, C, and D. Select the most appropriate completion and circle the corresponding letter.

EXAMPLE   You hear   Wenn jemand in einem Orchester regelmässig mitspielt, ist er wahrscheinlich _____.

You see   A. Mitglied   B. Dirigent   C. Sänger   D. Chef

You circle the letter A because A. **Mitglied** most appropriately completes the statement. *Read each item once.*

1. Ein Künstler, der gut Geige oder Klavier spielt oder Musik überhaupt gut vorträgt, muss _____.
   [A. unmenschlich sein   **B. musikalisch sein**   C. aufmerksam sein   D. unvergesslich sein]
2. Wenn jemand etwas sagt und man es überhaupt nicht verstehen kann, so muss er es _____.
   [A. vorausgehen   B. auspacken   **C. wiederholen**   D. zurückkommen]

3. Wenn ein Künstler eine musikalische Vorstellung gibt, so kann man sagen, dass er ein Musikstück _____.
   [A. hört   **B. vorträgt**   C. gerät
   D. kennt]

4. Wenn Tiere, die immer in einem Käfig sein müssen, ausgebrochen sind, so kann man auch sagen, sie sind aus dem Käfig _____.
   [A. mitgekommen   B. abgenommen   C. angekommen
   D. entkommen]

5. Wenn jemand plötzlich angekommen ist, so kann man auch sagen, er ist plötzlich _____.
   [**A. erschienen**   B. vergangen   C. aufgespürt
   D. verhütet]

6. Wenn ein Künstler etwas vorträgt, was nicht gut klingt, so kann man wohl glauben, dass er sich darüber _____.
   [A. streitet   B. freut   C. erinnert
   D. schämt]

7. Wenn ein Tier das tut, was sein Wärter von ihm verlangt, so sagt man, dass das Tier seinem Wärter _____.
   [A. gehört   B. begegnet   **C. gehorcht**
   D. zusieht]

8. Wenn Kinder etwas kaputtgemacht haben und der Vater auf sie böse ist, wird er bestimmt _____.
   [A. gastieren   **B. schimpfen**   C. zuhören
   D. schweigen]

9. Wenn ein Unglück oder etwas anderes passiert ist, so kann man auch sagen, etwas ist _____.
   [A. vergangen   B. geraten   **C. geschehen**
   D. verschwunden]

10. Wenn jemand etwas gegessen hat, so kann man auch sagen, er hat es _____.
    [**A. verspeist**   B. verlangt   C. vergessen
    D. verboten]

Now check your answers. *Repeat each incomplete sentence once adding the appropriate completion. For example:*

1. Ein Künstler, der gut Geige oder Klavier spielt oder Musik überhaupt gut vorträgt, muss **musikalisch sein. B**

EXERCISE 63. LISTENING

For the dialog to be used for listening practice, see page 302.

UNIT 25—SECTION A

EXERCISE 64. LISTENING

You will hear a series of statements. Listen carefully and decide whether each statement could have been made by an employee of a travel agency, **Angestellter,** or by a customer, **Kunde.** Place your check mark in the appropriate row.

T81

EXAMPLE   You hear   Ich möchte eigentlich nicht ins Ausland fahren. Dann muss ich mir einen Pass besorgen, und das dauert zu lange.

You place your check mark in the row labeled **Kunde** because this statement was most probably made by a customer. We will begin now. *Read each item once.*

1. Ich warne Sie! Sie müssen mir das Geld zurückgeben, wenn Sie für mich an der Nordsee nichts besorgen können.   *Kunde*
2. Ich warne Sie! In der Hochsaison werde ich Ihnen an der Nordsee schwer etwas besorgen können.   *Angestellter*
3. Versuchen Sie's doch, ob Sie Ihren Urlaub verschieben können. Anfang September können Sie bekommen, was Sie wollen.   *Angestellter*
4. Ich schlage vor, dass Sie mich sofort anrufen, wenn Sie noch einen Platz für mich in dieser Gesellschaftsreise finden können.   *Kunde*
5. Fliegen will ich nicht. Das geht mir zu schnell. Ich fahre lieber mit der Bahn. Ich kann dann auch viel mehr von der Gegend sehen.   *Kunde*
6. Ich schlage Ihnen vor, die Reise nach Italien zu machen. Sie brauchen kein Visum, nicht mal einen Pass. Nur einen Ausweis.   *Angestellter*
7. Und wenn Sie nicht so viel ausgeben wollen, so empfehle ich Ihnen eine Reise nach Österreich.   *Angestellter*
8. Ich kann mir vorstellen, wie schön es am Schwarzen Meer ist, aber ich möchte meinen Urlaub dieses Jahr lieber im Gebirge verbringen.   *Kunde*
9. Ich habe eben Bescheid bekommen, dass Sie dort für zweitausend Schillinge pro Person wohnen können. Das ist Vollpension, also wirklich preiswert. *Angestellter*
10. Es ist natürlich besser, wenn Sie eine Fremdsprache sprechen, wenn Sie ins Ausland fahren. Sonst schlage ich Ihnen vor, dass Sie mit einer Gesellschaftsreise fahren.   *Angestellter*

Now check your answers. *Repeat each item once and give the correct answer. For example:*

1. Ich warne Sie! Sie müssen mir das Geld zurückgeben, wenn Sie für mich an der Nordsee nichts besorgen können.   *Kunde*

UNIT 25—SECTION B

EXERCISE 65. LISTENING—WRITING

You will hear a series of incomplete sentences. Listen carefully and write an appropriate completion in the pause provided.

EXAMPLE   You hear   Wenn zwei Leute sich am Telefon unterhalten, nennt man das ein _____.

You write **Telefongespräch** because it appropriately completes the sentence. We will begin now. *Read each item once, omitting the boldfaced word.*

1. Die Strasse in Deutschland, auf der es keine Geschwindigkeitsbegrenzung gibt, ist die **Autobahn.**
2. Die langen, breiten Strassen in einer Stadt sind die **Hauptstrassen.**

3. Wenn Sie mit dem Auto von einem Land in ein anderes, fremdes Land fahren, dann fahren Sie über die **Grenze.**
4. Wo wir wohnen gibt es wenig Verkehr, denn unser Haus liegt nicht an einer Hauptstrasse, sondern an einer **Nebenstrasse.**
5. Die Strasse, auf der man von der Autobahn runterfährt, nennt man eine **Ausfahrt.**
6. Wenn man mit dem Auto von Deutschland über den Brenner nach Italien fährt, so fährt man in Richtung **Süden.**
7. Die Mosers kommen auf der Autobahn nur langsam voran, denn sie ist **verstopft.**
8. Die Eltern wollen an die Nordsee fahren, und Herr Dörfler vom Reisebüro versucht, Zimmer für sie zu **besorgen.**
9. Meinen Urlaub muss ich im Sommer nehmen, im Juli. Ich kann ihn leider nicht bis August **verschieben.**
10. Frau Moser kann nicht verstehen, warum die Autobahn zu dieser Zeit so verstopft ist, und ihr Mann kann ihr auch nicht sagen, woran es **liegt.**

Now check your answers. *Repeat each item once and give the correct answer. For example:*

1. Die Strasse in Deutschland, auf der es keine Geschwindigkeitsbegrenzung gibt, ist die **Autobahn.**

UNIT 25—SECTION C

EXERCISE **66.** LISTENING–READING–SPEAKING

For the passage to be used for oral reading practice, see page 320.

EXERCISE **67.** LISTENING

You will hear a series of short statements based upon the reading selection in this unit. Listen carefully and decide whether the statement was made by the father, the mother, Gerd, or his older sister Vera. Place your check mark in the appropriate row.

EXAMPLE   You hear   Schon am Neujahr muss man sich gefallen lassen, dass sich die Kinder streiten, wohin man im Sommer in die Ferien geht.

You place your check mark in the row labeled **Vater** because this statement was made by the father. We will begin now. *Read each item once.*

1. Er hat heute eigentlich helfen sollen. An Samstagen ist er immer an der Reihe. *Vera*
2. Ich hab' ja helfen wollen, und da habt ihr schon mit dem Abräumen begonnen. *Gerd*
3. Du hast noch nie freiwillig geholfen; du versuchst, dich immer zu drücken. *Vera*
4. Ich habe eben in der Zeitung gelesen, dass es im Sommer billige Flüge nach Island gibt. *Vater*

5. Dort ist es mir zu kalt; da friert man sich direkt die Schnauze zu. *Gerd*

6. Hör auf! Ärgere sie nicht schon wieder. Se meint natürlich Eis, das man essen kann. *Mutter*

7. Nein, in den Süden. Die Deutschen zieht es immer in den Süden. Das ist das Wetter. *Mutter*

8. Vergiss nicht, dass es die Römer einst in den Norden zog. Schliesslich haben sie ja Köln gegründet. *Vater*

9. Lass jetzt deine historischen Erklärungen und sag lieber, warum du nicht nach Italien willst! *Vera*

10. Ihr habt doch sonst immer gern ins Tessin gewollt. Ein Zelt kostet auch weniger Geld. *Vater*

11. Ich hab' das Zelten nie wirklich gemocht. Das sind keine richtigen Ferien für mich. *Mutter*

12. Ich kann mir nicht helfen; ich bin fünfzehn und komme mir manchmal fast rückständig vor. *Gerd*

Now check your answers. *Repeat each item once and give the correct answer. For example:*

1. Er hat heute eigentlich helfen sollen. An Samstagen ist er immer an der Reihe. *Vera*

EXERCISE 68. LISTENING—READING

You will hear a series of incomplete statements. For each one you have a choice of three completions—A, B, and C. Select the most appropriate completion and circle the corresponding letter.

EXAMPLE You hear Die Familie ist mit dem Essen fertig. Jetzt werden die Mutter und Vera _____.

You see A. wegkommen B. wegbringen C. wegräumen

You circle the letter C because C. **wegräumen,** most appropriately completes the statement. We will begin now. *Read each item once.*

1. Die Kinder streiten sich mit dem Vater über ihre Ferienpläne, aber der Vater lässt sich das nicht _____.
   [A. gehören **B. gefallen** C. begreifen]

2. Die Kinder haben nur Spass machen wollen; sie wollten ihren Vater nicht

   _____.
   [**A. ärgern** B. antreffen C. begreifen]

3. Gerd will nie beim Abräumen helfen; er versucht, sich immer zu _____.
   [A. drohen B. bemerken **C. drücken**]

4. Als der Vater wissen wollte, warum sein Sohn so frech ist, sagt Gerd: In der Schule lerne ich diese _____.
   [A. Auftritte **B. Ausdrücke** C. Ausbrüche]

5. Der Vater erzählte seinen Kindern, dass vor vielen Jahren die Römer die Stadt Köln _____.
   [**A. gründeten** B. genügten C. gerieten]

6. Vera satg ihrem Vater, er soll jetzt seine historischen Erklärungen _____.
   [A. loben B. lieben **C. lassen**]

7. Die Mutter hat dem Vater sonst immer geholfen, wenn er das Tessin _____.
   [A. vorstellte   B. vortrug   **C. vorschlug**]

8. Die Mutter will nicht schon wieder ins Tessin zum Zelten fahren, weil sie dort immer nur Landsleute _____.
   [**A. antrifft**   B. angibt   C. annimmt]

9. Vera machte dann noch eine hässliche Bemerkung über die geldgierigen Schweizer. Das konnte sie nicht _____.
   [A. übriglassen   B. überschauen   **C. unterlassen**]

10. Die Mutter mag das Zelten eigentlich nicht, denn für eine Hausfrau sind das keine richtigen _____.
    [A. Verluste   **B. Ferien**   C. Verletzungen]

Now check your answers. *Repeat each incomplete sentence once adding the appropriate completion. For example:*

1. Die Kinder streiten sich mit dem Vater über ihre Ferienpläne, aber der Vater lässt sich das nicht **gefallen.   B**

UNIT 25–SECTION D

EXERCISE 69. LISTENING–WRITING

You will hear a series of incomplete sentences. Listen carefully and write an appropriate completion in the pause provided.

EXAMPLE   You hear   Wenn die Familie an die Nordsee fahren will, muss der Vater bald zum Reisebüro gehen and Zimmer bestellen, denn sonst ist alles _____.

You write the word **belegt** because **belegt** most appropriately completes the sentence. We will begin now. *Read each item once omitting the boldfaced word.*

1. Die ganze Familie streitet sich über die nächsten Sommerferien, und der Vater schimpft und sagt, dass er sich das nicht gefallen **lässt.**
2. Die siebenjährige Elizabeth glaubt, dass sich alle wirklich streiten. Sie begreift nicht, dass ihr Vater nur Spass **macht.**
3. Gerd soll eigentlich das Geschirr abräumen und in die Küche tragen, denn samstags ist er immer an der **Reihe.**
4. Gerd hilft überhaupt nicht gern, und seine Mutter weiss, dass er sich gern vor der Arbeit **drückt.**
5. Gerd will auch nicht nach Island fliegen. Es ist ihm dort zu kalt—wie er sagt: Man kann sich dort direkt die Schnauze **zufrieren.**
6. Die Mutter will in den Süden, wo es warm ist. Die Deutschen, meint sie, zieht es immer in den **Süden.**
7. Vergiss nicht, sagt der Vater, dass es die Römer einst in den Norden zog. Sie haben im Norden viele Städte **gegründet.**
8. Die Mutter will nicht ins Tessin. Sie sagt, sie hat das Zelten nie wirklich **gemocht.**
9. Ascona ist doch so schön, sagte der Vater. Der See, die Palmen . . . Es ist nur schade, dass man immer dieselben Landsleute **antrifft.**

10. Als der Vater sagte, dass das Zelt weniger kostet, konnte Vera die Bemerkung über die Schweizer nicht **unterlassen**.

Now check your answers. *Repeat each incomplete sentence once adding the appropriate completion. For example:*

1. Die ganze Familie streitet sich über die nächsten Sommerferien, und der Vater schimpft und sagt, dass er sich das nicht gefallen **lässt**.

EXERCISE 70. LISTENING

For the dialog to be used for listening practice, see page 326.

UNIT 26—SECTION A

EXERCISE 71. LISTENING–READING

You will hear a series of incomplete sentences. For each one you have a choice of four completions—A, B, C, and D. Select the most appropriate completion and circle the corresponding letter.

EXAMPLE You hear Die vier Bankiers fliegen nach Genf, denn sie müssen dringend zu _____.

You see A. einem Geheimnis   B. einem Bankwesen
C. einem Absprung   D. einer Sitzung

You circle the letter D because D. **einer Sitzung**, most appropriately completes the sentence. We will begin now. *Read each item once.*

1. Erzählst du denn schon wieder diese alte Geschichte, die von den vier Schweizer Bankiers _____?
[A. wagt   B. hält   **C. handelt**   D. bedeutet]

2. Die vier Bankiers, der Basler, der Berner, der Zürcher und der Lausanner hatten sich während des Flugs viel zu _____.
[A. bedrohen   **B. berichten**   C. bedienen   D. begreifen]

3. Den vier Bankiers blieb wenig Zeit, das Gespräch richtig in Gang zu _____.
[**A. bringen**   B. gehen   C. sprechen   D. bleiben]

4. Der Motor fing an zu knattern, und ich glaube, dass er nach ein paar Minuten ganz _____.
[A. annahm   B. feststellte   **C. aussetzte**   D. anfing]

5. Ich nehme an, dass sich der Pilot sehr um das Schicksal der Bankiers _____.
[A. knatterte   B. feststellte   C. vereinbarte   **D. kümmerte**]

6. Er durfte die Schlagkraft der Armee nicht schwächen. Das konnte er mit seinem Gewissen nicht _____.
[A. verlangen   **B. vereinbaren**   C. verschwinden   D. verordnen]

7. Der Offizier der Schweizer Armee bekam den nächsten Fallschirm. Darüber bestand kein _____.
[A. Verwaltungsrat   B. Absprung   **C. Zweifel**   D. Gewissen]

8. Der Zürcher ist Direktor der grössten Schweizer Bank, und er ist unentbehrlich für das schweizerische _____.
[A. Bankgeheimnis   **B. Bankwesen**   C. Bankgespräch   D. Bankgewissen]

9. Es besteht kein Zweifel darüber, dass der Offizier den nächsten Fallschirm bekommen muss, denn die Schlagkraft der Schweizer Armee darf man nicht _____.
   [A. schweigen   B. schicken   **C. schwächen**   D. schlafen]

10. Man sagt, dass die Bewohner von Bern sehr langsam sind. Ihre Langsamkeit ist _____.
    [A. unentbehrlich   B. sprachlos   C. rückständig   **D. sprichwörtlich**]

Now check your answers. *Repeat each item once and give the correct answer. For example:*

1. Erzählst du denn schon wieder diese alte Geschichte, die von den vier Schweizer Bankiers **handelt?**   **C**

NIT 26—SECTION B

EXERCISE 72. LISTENING

You will hear two brief selections read to you, each one being followed by three incomplete sentences for which there are two completions, A and B. Select the most appropriate completion and circle the corresponding letter.

EXAMPLE   You hear   Als man endlich auf das schweizerische Bankgeheimnis zu sprechen kam, begann einer der Flugzeugmotoren zu knattern und schliesslich auszusetzen. Die Herren begannen, vor Angst zu zittern.

And now you hear one of the three incomplete sentences. Als man endlich auf das schweizerische Bankgeheimnis zu sprechen kam, _____.
A. begannen die Männer zu zittern.
B. begannen die Motoren zu knattern.

You circle the letter B, the appropriate completion to the sentence. Now listen to the selection. *Read each paragraph and the following items once.*

Eiger, Mönch, Jungfrau und das Matterhorn sind die berühmtesten Berge der Schweiz. Die ersten Touristen, die die Schweiz besuchten, kamen vor allem, um diese Bergriesen zu besteigen. Einheimische Bergführer, die die Berge wie ihre Hosentaschen kannten, begleiteten die Touristen auf ihren Touren. Allerdings war es diesen Bergführern fremd, das Bergsteigen als sportliches Abenteuer zu betrachten.

Now listen to the incomplete sentences.

1. Die ersten Touristen kamen in die Schweiz, um _____.
   A. die Bergführer zu begleiten   **B. die hohen Berge zu besteigen**
2. Die Touristen nahmen sich einheimische Bergführer, weil diese _____.
   A. die Berge gut kannten   B. die Schweiz besuchten
3. Die Bergführer betrachteten das Bergsteigen als _____.
   A. sportliches Abenteuer   **B. ihren Beruf**

Now listen to the second selection.

Wie man weiss, waren die Bergdörfer gewöhnlich sehr arm, und da nur einer der Söhne den väterlichen Bauernhof übernehmen konnte, waren die andern gezwungen, auszuwandern oder in fremden Heeren zu dienen. Mit dem Aufschwung des Fremdenverkehrs im 19. Jahrhundert vermochte die Bergbevölkerung ihre wirtschaftliche Situation zu verbessern. Luxuriöse Hotels schossen buchstäblich aus dem Boden. Die Fremden entdeckten das Schilaufen und bestiegen im Sommer die Berggipfel. Viele der männlichen Dorfbewohner heuerten sich im Winter als Schilehrer an und im Sommer oft als Bergführer.

Now listen to the second set of incomplete sentences.

4. Die Söhne der Bauern waren gezwungen auszuwandern, weil _____.
   A. sie in fremden Heeren dienten   **B. sie zu Hause keinen Platz fanden**
5. Die Bergbevölkerung vermochte ihre wirtschaftliche Situation zu verbessern, weil _____.
   A. der Fremdenverkehr blühte   B. die Bergdörfer sehr arm waren
6. Viele der männlichen Dorfbewohner _____.
   A. arbeiteten als Schilehrer und als Bergsteiger
   B. entdeckten das Schilaufen

Now check your answers. *Repeat each paragraph once and give the correct answer. For example:*

1. Die ersten Touristen kamen in die Schweiz, um **die hohen Berge zu besteigen. B**

UNIT 26—SECTION C

EXERCISE 73. LISTENING–READING–SPEAKING

For the passage to be used for oral reading practice, see page 346.

EXERCISE 74. LISTENING

You will hear a series of short paragraphs. Each one will be followed by three statements based upon the paragraph. Determine whether each statement is true (**richtig**) or false (**falsch**) and place your check mark in the appropriate row.

EXAMPLE You hear Es ist übrigens erstaunlich, dass die Schweiz trotz der vier Landessprachen und der drei verschiedenen Kulturkreise, noch existiert. Heute ist die Schweiz freilich in Gefahr, in ihren Traditionen zu versteinern. Statt sich als europäisches und von Europa abhängiges Land zu sehen, liebt sie es, sich als europäischen Einzelfall zu verstehen.

Then you hear the statement: In der Schweiz spricht man nur Deutsch.

You place your check in the row labeled **falsch** because this statement is false. Now listen to the first paragraph. *Read each paragraph and the items following it once.*

Die kleine Schweiz mit ihren sechs Millionen Einwohnern ist, genau wie die grosse amerikanische Union mit ihren 200 Millionen Einwohnern, ein Bundesstaat. Es ist wichtig, hier noch festzustellen, dass die 25 Staaten, die sich Kantone nennen, weitgehende Autonomie geniessen.

Now listen to the first set of statements.

1. Die Schweiz ist ein Bundesstaat, der so gross wie die amerikanische Union ist. *falsch*
2. Die 25 einzelnen Staaten der Schweiz heissen Kantone. *richtig*
3. Die Kantone geniessen keine Autonomie. *falsch*

Now listen to the second paragraph.

Ein Engländer, der ein Buch über die Schweiz geschrieben hat, geht soweit zu behaupten, dass die Einigkeit der Schweizer darin liegt, dass sich die Bewohner der verschiedenen Kantone gegenseitig nicht leiden mögen. Man darf soweit gehen zu sagen, dass die Schweiz, historisch gesehen, eine Interessengemeinschaft ist, die einst gezwungen war, sich gegen die umliegenden deutschen, französischen, italienischen und österreichischen Mächte zusammenzuschliessen.

Now listen to the second set of statements.

4. Der englische Schriftsteller sagt, dass die Schweizer einander gut leiden mögen. *falsch*
5. Die Schweizer haben sich, historisch gesehen, immer mit den Österreichern zusammengeschlossen. *falsch*
6. Die Einigkeit der Schweizer liegt darin, dass sie gezwungen waren, vor den umliegenden fremden Mächten Schutz zu suchen. *richtig*

Now listen to the third paragraph.

Freilich, die Schweiz, deren Volkseinkommen vom Fremdenverkehr abhängig ist, gibt sich grosse Mühe, dieses überholte Bild zu erhalten. Die Situation ist paradox. Einerseits ist die Schweiz auf Touristen angewiesen, die dieses sentimentale unwirkliche Bergbauernleben zu verehren wünschen, andererseits ist die Bauernidylle die man mit Staatsgeldern erhält, eine grosse Belastung, denn die Agrarsituation verbessert sich dadurch überhaupt nicht.

Now listen to the third set of statements.

7. Die Schweiz versucht, das folkloristische Bild zu erhalten, weil sie auf den Fremdenverkehr angewiesen ist. *richtig*
8. Die Touristen sind nicht bereit, die Bauernidylle zu erhalten. *falsch*
9. Die Agrarsituation wird nicht besser, und die Bauernidylle, die man mit Staatsgeldern erhält, ist eine grosse wirtschaftliche Belastung. *richtig*

NOTE: *In recorded program, exercise ends here* →

Now listen to the fourth paragraph.

Doch ist es besser von etwas Erfreulicherem zu erzählen. Vielleicht von der Schweizer Stadt Basel. Basel findet man auf der Landkarte am Rhein, dort wo die Schweiz an Frankreich und Deutschland grenzt. Basel ist eine der ältesten Universitätsstädte Europas und damit der Welt. Kein Reiseführer vergisst es, dem Reisenden in Erinnerung zu rufen, dass Paracelsus, Erasmus von Rotterdam, Holbein, die Mathematikerfamilie Bernoulli und der Mathematiker Euler, Friedrich Nietzsche, der Theologe Karl Barth und—nicht zu vergessen—der Pionier der Strathosphärenforschung August Piccard hier gelebt haben.

Now listen to the fourth set of statements.

10. Die Stadt Basel liegt über der Grenze in Deutschland. *falsch*
11. Basel ist eine der ältesten Universitätsstädte in Europa und damit in der der Welt. *richtig*
12. In Basel haben viele berühmte Männer gelebt. *richtig*

Now listen to the fifth paragraph.

Obwohl die Basler sich gern für konservativ halten, ist es nicht ohne Ironie, dass sie politisch fortschrittlicher sind als die übrigen Deutschschweizer. So haben sie es zum Beispiel als erste deutschschweizerische Stadt fertiggebracht, in den Sechzigerjahren dieses Jahrhunderts endlich den Frauen das Stimm- und Wahlrecht zu geben. Es ist allerdings fraglich, ob die Basler Männer ihren Frauen dieses Recht nur gegeben haben, weil sie Angst hatten, sich vor der Welt lächerlich zu machen.

Now listen to the fifth set of statements.

13. Die Basler sind politisch konservativer als die übrigen Deutschschweizer. *falsch*
14. In der Schweiz haben Basler Frauen in den Sechzigerjahren das Stimm- und Wahlrecht erhalten. *richtig*
15. Die Basler Männer haben den Frauen das Stimm- und Wahlrecht wahrscheinlich gegeben, weil sie vor der Meinung der Bewohner anderer Länder Angst hatten. *richtig*

Now check your answers. *Repeat each passage and the statements following it once giving the correct answer. For example:*

1. Die Schweiz ist ein Bundesstaat, der so gross wie die amerikanische Union ist. *falsch*

EXERCISE 75. LISTENING—WRITING

You will hear a series of incomplete sentences. Listen carefully and write an appropriate completion in the pause provided.

EXAMPLE You hear Die Elsässer sprechen Deutsch und Französisch. Sie sind _____.

You write the word **doppelsprachig** because it most appropriately completes the sentence. We will begin now. *Read each item once omitting the boldfaced word.*

1. Die kleine Schweiz ist ein Bundesstaat mit etwa sechs Millionen **Einwohnern.**
2. Die 25 Staaten, aus denen die Schweiz besteht, nennt man **Kantone.**
3. Die Schweiz besteht aus drei Kulturkreisen, und es gibt in der Schweiz offiziell vier **Landessprachen.**
4. Die Touristen kommen in die Schweiz, um die schöne Landschaft zu bewundern: die Seen, aber vor allem die hohen **Berge.**
5. Sie schauen sich Interlaken an, bewundern Gstaad, oder sie fahren nach Zermatt und besteigen von dort aus das **Matterhorn.**

6. Die meisten Leute aber tragen ein vergangenes, folkloristiches Bild nach Hause: Ewiger Schnee, Gletscher, Trachten, Alphörner, Käse und das unberührte Bild des einfachen **Bauernlebens.**

7. Die Schweizer Stadt, die dort liegt, wo die Schweiz an Frankreich und an Deutschland grenzt, heisst **Basel.**

8. In Basel haben viele berühmte Männer gelebt, denn Basel ist eine der ältesten **Universitätsstädte.**

9. Basel ist eine grosse Industriestadt und liegt auf einem erloschenen **Vulkan.**

10. Die Basler halten sich gern für konservativ. Mehr als die übrigen Deutschschweizer sind sie jedoch politisch **fortschrittlicher.**

11. Ein wenig kann man die Basler in ihrer Denkweise mit den süddeutschen Protestanten und den amerikanischen Puritanern **vergleichen.**

12. Ein Charakteristikum der Basler ist es, das Gegenteil dessen zu sagen, was man eigentlich **meint.**

NOTE: *In recorded program, exercise ends here* →

Now check your answers. *Repeat each incomplete sentence once adding the appropriate completion. For example:*

1. Die kleine Schweiz ist ein Bundesstaat mit etwa sechs Millionen **Einwohnern.**

UNIT 26—SECTION D

EXERCISE 76. LISTENING—READING

You will hear a series of incomplete statements. For each one you have a choice of four completions—A, B, C, and D. Select the most appropriate completion and circle the corresponding letter.

EXAMPLE You hear Die Basler und die süddeutschen Protestanten sind einander etwas ähnlich. Man kann sie in ihrer Denkweise _____.

You see A. feststellen   B. vergleichen   C. einklagen
D. anheuern

You circle the letter B because B. **vergleichen,** most appropriately completes the statement. We will begin now. *Read each item once.*

1. Wenn jemand, zum Beispiel, zu seinem Freund sagt: Du bist ein dummer Affe, so hat er ihn _____.
[A. beachtet   B. begriffen   **C. beleidigt**   D. begleitet]

2. Wenn jemand einen anderen Menschen beleidigt hat, so kann der Beleidigte ihn beim Gericht _____.
[A. abholen   **B. einklagen**   C. begleiten   D. feststellen]

3. Man kann sagen, dass die Schweizer Regierung sich grosse Mühe gibt, das überholte Bild des einfachen Bauernlebens für die Touristen zu erhalten, denn sie ist auf den Reiseverkehr _____.
[A. ausgesetzt   B. verschieden   C. abgefunden   **D. angewiesen**]

4. Die Schweiz, zum Beispiel, ist auf den Fremdenverkehr angewiesen. Man

kann sogar soweit gehen und sagen, die Schweiz ist vom Fremdenverkehr _____.

[A. unbehaglich   **B. abhängig**   C. unentbehrlich   D. ähnlich]

5. Wenn die einheimischen Bergführer die Touristen in die Berge führen, so kann man auch sagen, dass sie die Touristen auf ihren Touren _____.
[**A. begleiten**   B. bewundern   C. beleidigen   D. begegnen]

6. Wenn, zum Beispiel, junge Männer als Schilehrer in St. Moritz arbeiten, so kann man auch sagen, dass sie sich als Schilehrer _____.
[A. aussetzen   B. vereinbaren   **C. anheuern**   D. annehmen]

7. Wenn sich ein Hausbesitzer, zum Beispiel, nicht dafür interessiert, was mit seinem Haus passiert, so kann man sagen, er hat sich um das Haus nicht _____.
[A. beworben   **B. gekümmert**   C. beschäftigt   D. versichert]

8. Da vor vielen Jahren die grossen umliegenden Staaten die kleine Schweiz bedrohten, so waren die Schweizer gezwungen, sich _____.
[A. auszuweichen   B. zurückzuziehen   **C. zusammenzuschliessen**   D. abzufinden]

9. Die Stadt Basel hat den Frauen das Stimm- und Wahlrecht gegeben. Sie hat das als erste Schweizer Stadt _____.
[A. festgestellt   B. betrachtet   C. verbessert   **D. fertiggebracht**]

10. Wenn es sehr stark regnet, so sagt man, dass es in Strömen _____
[**A. giesst**   B. glitzert   C. geniesst   D. gastiert]

Now check your answers. *Repeat each incomplete sentence once giving the appropriate completion. For example:*

1. Wenn jemand, zum Beispiel, zu seinem Freund sagt: Du bist ein dummer Affe, so hat er ihn **beleidigt.   C**

EXERCISE 77. LISTENING

For the dialog to be used for listening practice, see page 352.

UNIT 27–SECTION A

EXERCISE 78. LISTENING

You will hear a series of incomplete sentences, each one being followed by three possible completions—A, B, and C. Choose the most appropriate completion and circle the corresponding letter.

EXAMPLE   You hear   Das Oktoberfest, das grösste Volksfest, findet _____.
A. in einem grossen Zelt statt
B. auf der Theresienwiese in München statt
C. nur bei schönem Wetter statt

You circle the letter B because B most appropriately completes the sentence. We will begin now. *Read each item once.*

1. Zum Oktoberfest, das einmal im Jahr stattfindet, kommen die Leute _____.
A. aus München   B. aus den Zelten   **C. aus aller Welt**

2. Wenn die Festfreudigen aufs Oktoberfest gehen, _____.
    A. fahren die Achterbahnen nicht   **B. amüsieren sie sich gut**
    C. erhalten sie so viel Trinkgelder

3. Wenn die Besucher auf diesem Fest Hunger bekommen, _____.
    A. trinken sie einige Millionen Mass Bier
    B. braten sie die Ochsen am Spiess
    C. verzehren sie viele Brathendl

4. Das Oktoberfest ist ein richtiges, schönes Volksfest, obwohl _____.
    A. es einige Unannehmlichkeiten gibt
    B. es auf der Theresienwiese stattfindet
    C. viele Besucher zu diesem Fest kommen

5. Wenn das Herbstwetter während des Oktoberfestes schön ist, _____.
    A. setzen sich die Leute in die Zelte
    B. sind Schlägereien nachts nicht selten
    C. haben die Besucher besonders grossen Spass

6. Wenn sich die Leute gut amüsieren wollen, _____.
    A. erhalten sie Trinkgelder   B. haben sie grosse Unannehmlichkeiten
    C. fahren sie mit der Schleuderbahn

7. Auf diesem Volksfest gibt es auch einige Unannehmlichkeiten, wie zum Beispiel _____.
    A. die Dame mit den zwei Köpfen   **B. kleine Schlägereien**
    C. Blechmusik, die zum Tanz aufspielt

8. Die Kellnerinnen auf dem Oktoberfest brauchen während der übrigen 50 Wochen des Jahres nicht mehr zu arbeiten, weil sie _____.
    A. Millionen Mass Bier trinken   **B. so viel Trinkgelder bekommen**
    C. Rekorde für etwas Wichtiges halten

9. Dutzende von Kindern gehen jeden Tag auf dem Oktoberfest verloren, weil es dort _____.
    A. so viele Leute gibt   B. so viele Taschendiebe gibt
    C. so viele Schlägereien gibt

10. Auf dem Fest gibt es eine Bude, in der _____.
    A. Blechmusik zum Tanz spielt   B. wilde Achterbahnen fahren
    C. die Dame mit den zwei Köpfen ausgestellt ist

Now check your answers. *Repeat each item once and give the correct answer. For example:*

1. Zum Oktoberfest, das einmal im Jahr stattfindet, kommen die Leute aus aller Welt. **C**

UNIT 27—SECTION B

EXERCISE 79. LISTENING–READING

You will hear a series of statements. After each one, part of the statement will be repeated. From the four choices given, you are to select one that could be substituted for the repeated part. Circle the corresponding letter.

EXAMPLE   You hear In den riesigen Zelten essen und trinken Millionen von Menschen. —In den riesigen Zelten . . .

You see A. kalten   B. hellen   C. schönen   D. grossen

You circle the letter D because D. **grossen**, in this context means the same as **riesigen.** We will begin now. *Read each item once.*

1. Mein Freund Josef hat nicht gesagt, wann und mit wem er aufs Oktoberfest gegangen ist. —Mein Freund Josef hat nicht gesagt . . .
   [A. hat verlangt   **B. hat verheimlicht**   C. hat verzehrt
   D. hat versprochen]

2. Ich hab' es nicht geschafft, die ganze Zeit für dich den Daumen zu drücken. —Ich hab' es nicht geschafft . . .
   [**A. fertiggebracht**   B. aufgefordert   C. fortgeschafft   D. festgestellt]

3. Die Polizei hat erwähnt, dass auf dem Oktoberfest Schlägereien nachts nicht selten sind. —Die Polizei hat erwähnt, . . .
   [A. gehört   B. gebeten   C. gesucht   **D. gesagt**]

4. Millionen von Besuchern sind zum Oktoberfest gekommen und haben im Laufe der zwei Wochen Dutzende von Ochsen verzehrt. —Sie haben Dutzende von Ochsen verzehrt . . .
   [A. gesehen   **B. gegessen**   C. verdient   D. gekauft]

5. Die Zelte auf dem Oktoberfest wären gar nicht nötig, denn das Wetter in diesen Wochen ist gewöhnlich strahlend. —Das Wetter ist gewöhnlich strahlend . . .
   [A. furchtbar windig   B. kalt und regnerisch   **C. sonnig und schön**
   D. heiss und nass]

6. Die Kellnerinnen erhalten so viel Trinkgelder, dass sie während der übrigen 50 Wochen nicht arbeiten müssen. —Die Kellnerinnen erhalten . . .
   [A. bestehen   B. bewundern   **C. bekommen**   D. bemerken]

7. Niemand ist gezwungen, Trinkgelder zu geben, aber die Kellnerinnen berichten, dass sie trotzdem sehr viel Geld erhalten. —Niemand ist gezwungen . . .
   [A. niemand soll   B. niemand kann   C. niemand will
   D. niemand muss]

8. Wenn ich Monika begegnet wäre, hätte ich auch mit ihr getanzt. —Wenn ich Monika begegnet wäre . . .
   [**A. getroffen hätte**   B. gebeten hätte   C. gekannt hätte
   D. aufgefordert hätte]

9. Ich hätte sie zum Tanz aufgefordert, wenn ich sie auf dem Oktoberfest gesehen hätte. —Ich hätte sie zum Tanz aufgefordert . . .
   [A. an einen Tanz erinnert   **B. um einen Tanz gebeten**
   C. von einem Tanz gesprochen   D. auf einen Tanz gewartet]

10. Wenn du das wissen würdest, würdest du vor Neid bleich werden. —Bleich werden . . .
    [A. neidisch werden   B. aufgeregt werden   **C. blass werden**
    D. böse werden]

Now check your answers. *Repeat each item once and give the correct answer. For example:*

1. Mein Freund Josef hat nicht gesagt, wann und mit wem er aufs Oktoberfest gegangen ist. Mein Freund Josef hat verheimlicht, wann und mit wem er aufs Oktoberfest gegangen ist. **hat verheimlicht. B**

UNIT 27—SECTION C

EXERCISE 80. LISTENING—READING—SPEAKING

For the passage to be used for oral reading practice, see page 371.

EXERCISE 81. LISTENING

You will hear two brief selections. After each one you will hear three incomplete sentences, each one followed by three possible completions—A, B, and C. You are to choose the most appropriate completion and circle the corresponding letter.

EXAMPLE   You hear   Wenn ich die Olympischen Spiele besuchen würde, würde ich mir bestimmt den Englischen Garten anschauen und das Hofbräuhaus; ich würde auch ein paar Abende in Schwabing verbringen, wo die meisten jungen Künstler und Schriftsteller wohnen, weshalb man wohl sagt, Schwabing ist kein Quartier, sondern ein Zustand.

Die meisten jungen Künstler und Schriftsteller _____.
A. besuchen die Olympischen Spiele
B. wohnen in Schwabing
C. schauen sich den Englischen Garten an

You circle the letter B because B most appropriately completes the sentence. Now listen to the first paragraph. *Read each paragraph and the items following it once.*

Viele Deutsche betrachten München, das sich gern „Weltstadt mit Herz" nennt, als heimliche Hauptstadt. München ist eine Stadt, die mit jedem Tag grösser und grösser wird, mit viel zu wenig Wohnungen und mit ständig wachsendem Strassenverkehr. (Man erzählt sich, zum Beispiel, dass auf dem Stachus Dackel wegen der Autoabgase nach drei Minuten bewusstlos werden.) Wenn sich die Münchner nicht schon vor einigen Jahren entschieden hätten, eine Untergrundbahn zu bauen, so wäre eine Verkehrskatastrophe in naher Zukunft gar nicht zu vermeiden gewesen.

Now listen to the first set of incomplete sentences.

1. München ist eine Grossstadt, die _____.
   A. zuviel Wohnungen hat   B. schon Jahre lang eine Untergrundbahn hat
   C. von Tag zu Tag wächst

2. Man sagt, dass kleine Hunde auf dem Stachus bewusstlos werden, weil _____.
   A. es keine Untergrundbahn gibt   **B. die Luft zu schlecht ist**
   C. der Verkehr schwach ist

3. Um eine Verkehrskatastrophe zu vermeiden, _____.
   A. wird der Strassenverkehr immer grösser

B. bauen die Münchner jetzt eine Untergrundbahn

C. baut man viele neue Häuser

Now listen to the second paragraph.

Karl Valentin war ein Sänger, ein Dichter und ein Schauspieler. Viele Menschen hielten ihn für ein bisschen verrückt, aber einige bedeutende Essayisten vergleichen ihn sogar mit James Joyce. Valentin, 1882 in dem Münchner Stadtteil Au geboren, hiess eigentlich Valentin Ludwig Fey. Man erzählt sich, dass Valentin München so sehr liebte, dass er schon nach einem Tag in einer andern Stadt Heimweh bekam.

Now listen to the second set of incomplete sentences.

4. Karl Valentin war ein _____.
   A. bekannter Maler   B. bedeutender Essayist
   C. berühmter Schauspieler

5. Wenn er München einmal verlassen musste, _____.
   A. fuhr er in die Au   **B. bekam er sofort Heimweh**   C. blieb er lange fort

6. Es gab aber auch viele Menschen, die Valentin _____.
   A. mit einem bedeutenden Essayisten vergleichen   B. Ludwig Fey nennen
   C. für ein bisschen verrückt halten

NOTE: *In recorded program, exercise ends here* →

Now listen to the third paragraph.

Die Au, berichtet ein Kenner Valentins, war berühmt für ihre Originale. Da war zum Beispiel der berühmte Wirt Styrer Hans, der damals als der stärkste Mensch der Welt galt und dessen Spazierstock 25 Pfund wog. Oft konnte man in der Au auch den Maler Tiefenbach sehen, der eine Mönchskutte und schulterlanges, lockiges Haar trug. Das grösste Auer Original war einer, der sich 1895 selbst ein Fahrrad gebastelt hatte, und damit im Fünfkilometertempo durch Münchens Strassen fuhr. Ein normales Fahrrad hätte ihm wenig genutzt, denn er war ständig betrunken.

Now listen to the third set of incomplete sentences.

7. In dem Münchner Stadtteil Au wohnte der damals berühmte Styrer Wirt, der

   _____.
   A. schulterlanges, lockiges Haar trug   B. ständig betrunken war
   C. als der stärkste Mann galt

8. Der Maler Tiefenbach, mit seinem langen Haar, _____.
   A. trug gewöhnlich eine Mönchskutte   B. war das grösste Original
   C. hatte sich ein Fahrrad gebastelt

9. Das grösste Auer Original war ein Mann, der _____.
   A. einen schweren Spazierstock hatte   B. ein Kenner Valentins war
   C. gern betrunken durch Münchens Strassen fuhr

Now check your answers. *Repeat each paragraph and the statements following it once giving the correct answer. For example:*

1. München ist eine Grossstadt, die von Tag zu Tag **wächst. C**

You will hear a series of incomplete sentences. For each one you have a choice of four completions—A, B, C, and D. Select the most appropriate completion and circle the corresponding letter.

EXAMPLE   You hear   Valentin war auch ein Philosoph. Man versteht das, wenn
man hört, wie er über den Krieg _____.
You see   A. feststellte   B. nähte   C. plante   D. nachdachte

You circle the letter D because D. **nachdachte,** most appropriately completes the sentence. We will begin now. *Read each item once.*

1. Es gibt viele Menschen, die München, das sich gern „Weltstadt mit Herz"
nennt, als heimliche Hauptstadt _____.
[A. beachten   B. begegnen   **C. betrachten**   D. beschreiben]

2. München ist eine Stadt, die mit jedem Tag grösser wird, und deren Strassenverkehr ständig _____.
[A. wagt   **B. wächst**   C. wählt   D. wiegt]

3. Ohne eine Untergrundbahn, die München jetzt baut, kann die Stadt eine
Verkehrskatastrophe nicht _____.
[A. verheimlichen   **B. vermeiden**   C. verlangen   D. verzweifeln]

4. Es ist bekannt, dass Leute, die sich München ansehen, auch ein paar Abende
in Schwabing _____.
[A. verbinden   B. vergleichen   C. verehren   **D. verbringen**]

5. Die zehn oberbayrischen Seen kann man von München aus innerhalb einer
Stunde _____.
[**A. erreichen**   B. erledigen   C. erscheinen   D. ergreifen]

6. Karl Valentin, der eigentlich Valentin Ludwig Fey hiess, war ein Schauspieler,
den viele Leute für ein bisschen verrückt _____.
[A. machten   B. hiessen   C. hörten   **D. hielten**]

7. Nach einem Kurs an einer Münchner Varietéschule ist Valentin auch als
Komiker _____.
[A. aufgewachsen   B. aufgefordert   **C. aufgetreten**   D. aufgespürt]

8. Der Verkäufer, von dem Valentin eine Leica kaufen will, kann nicht garantieren, wann neue Leicas _____.
[A. abholen   **B. eintreffen**   C. entkommen   D. empfehlen]

9. „Erst warte ich langsam, dann immer schneller und schneller." So hat Valentin
einmal das Warten _____.
[A. begleitet   B. gewartet   C. beendet   **D. beschrieben**]

10. Für Valentin ist nicht alles leicht gewesen, und er musste oft mit den Wörtern,
ja mit der Sprache _____.
[A. kochen   **B. kämpfen**   C. knattern   D. kämmen]

Now check your answers. *Repeat each incomplete sentence once adding the appropriate completions. For example:*

1. Es gibt viele Menschen, die München, das sich gern „Weltstadt mit Herz"
nennt, als heimliche Hauptstadt **betrachten.**   **C**

EXERCISE 83. LISTENING—WRITING

You will hear a series of incomplete sentences. Listen carefully and write an appropriate completion in the pause provided.

EXAMPLE You hear Valentin wollte sich eine gute deutsche Kamera kaufen, eine ———.

You write the word **Leica** because it most appropriately completes the sentence. We will begin now. *Read each item once omitting the boldfaced word.*

1. München, die heimliche Hauptstadt der Bundesrepublik, nennt sich gern **Weltstadt mit Herz.**
2. Das Verkehrszentrum Münchens, wo angeblich Dackel wegen der Autoabgase nach drei Minuten bewusstlos werden, heisst **Stachus.**
3. Das Gebäude, das sich fast alle Touristen ansehen, die nach München kommen, und wo sie gewöhnlich eine oder mehrere Mass Bier trinken, ist das **Hofbräuhaus.**
4. Der Stadtteil Münchens, in dem die meisten Künstler und Schriftsteller wohnen, heisst **Schwabing.**
5. Ein anderer Stadtteil, aus dem Münchens berühmtester Komiker, Valentin, kommt, heisst die **Au.**
6. Der Maler mit den langen, lockigen Haaren, der gewöhnlich eine Mönchskutte trug, hiess **Tiefenbach.**
7. Der Mann, der als der stärkste Mann der Welt galt und dessen Spazierstock 25 Pfund wog, hiess **Styrer Hans.**
8. Leute wie Valentin und der Styrer Hans, Leute, die jeder kennt, weil sie anders als die übrigen Einwohner sind, nennt man **Originale.**
9. Da Karl Valentin auch als Komiker auftreten wollte, besuchte er 1902 eine **Varietéschule.**
10. In der Szene mit dem Verkäufer hören wir, dass Valentin 15 Kilometer von München entfernt wohnte, in der Stadt **Planegg.**

NOTE: *In recorded program, exercise ends here →*

Now check your answers. *Repeat each item once and give the correct answer. For example:*

1. München, die heimliche Hauptstadt der Bundesrepublik, nennt sich gern **Weltstadt mit Herz.**

EXERCISE 84. LISTENING

For the dialog to be used for listening practice, see page 375.

Teacher Presentations of Structure

(Units 13 to 15 only)

This section contains suggested presentations for the introduction of each new structure. The procedure used in the presentations is as follows:

1. Sentences containing examples of the structure are presented to the students.
2. Questions based on these sentences lead the students to discover the grammatical point involved.
3. Simple exercises are provided to check the students' comprehension of the point before the Structure Drills are introduced.

All presentations should move quite rapidly, and questions should be answered quickly. You may choose to write the relevant part of some sentences on the board as you proceed through a presentation. However, it is usually preferable to introduce new structure in its spoken form.

As each grammatical point is established, a reference is made in the Presentation to the Structure Drills which may be done at that point. After covering an adequate number of drills in class, you can assign the Presentation, the Generalization, and the Structure Drills for study at home. Tell your students that the presentation in their book is a review of what they have done in class. They should try to answer all the questions in the presentation before going on to the Generalization and the drills. Be sure that they understand that learning the spelling of grammatical forms is part of their homework assignment.

Note: The symbol Ⓡ indicates that a sentence is to be repeated by the students.

First and Second Person Pronouns: Dative Case

Ⓡ **Der Mäher ist für mich.**   Ⓡ **Peter zeigt mir den Mäher.**

Identify the pronoun in the first sentence. [**mich**] What case is **mich** in? [accusative] Name the pronoun in the second sentence. [**mir**] What is its function? [indirect object] What case is it in? [dative]

T99

Proceed in a similar manner for:

mir
dir
euch
Ihnen

Ⓡ Das Auto ist für uns.
Ⓡ Die Blumen sind für dich.
Ⓡ Das Buch ist für euch.
Ⓡ Das Armband ist für Sie.

Ⓡ Peter zeigt uns das Auto.
Ⓡ Peter schenkt dir die Blumen.
Ⓡ Peter leiht euch das Buch.
Ⓡ Peter gibt Ihnen das Armband.

SUGGESTED EXERCISE

(dich)

(uns)

(Sie, Herr Braun)

(mich)

(euch)

Peter ruft dich. Er will dir etwas sagen.

Peter ruft uns. Er will uns etwas sagen.

Peter ruft Sie, Herr Braun. Er will Ihnen etwas sagen.

Peter ruft mich. Er will mir etwas sagen.

Peter ruft euch. Er will euch etwas sagen.

▶ DRILLS 5–11, pp. 5–7

Verbs with a Direct Object in the Dative Case

Ⓡ **Der Schüler antwortet dem Lehrer.**

Name the subject. [der Schüler] The direct object. [dem Lehrer] What case is this noun phrase in? [dative]

Present the following sentences in a similar fashion.

Ⓡ **Ich helfe dir heute.**
Ⓡ **Der Mäher gehört meinem Onkel.**
Ⓡ **Wir sehen den Kindern zu.**
Ⓡ **Diese Blumen gefallen mir.**

Recapitulation

What case form is used for the direct objects in the sentences you have just practiced? [dative] *Now tell your students that there is a relatively small number of verbs which require the use of an object in the dative case. Some of these verbs are: antworten, danken, folgen, gehorchen, gehören, gefallen, helfen, passen, raten, and all verbs with the prefix zu-, such as zuhören and zuschauen.*

▶ DRILLS 12–21, pp. 8–10

The Prepositions
aus, bei, mit, nach, von, zu, gegenüber

aus

Ⓡ **Er holt den Mäher aus dem Schuppen.**

What case is used after the preposition **aus**? [dative]

▶ DRILL 22.1, p. 12

bei

Ⓡ **Er steht bei der Tür.**

What case is used after the preposition **bei**? [dative]

beim

Ⓡ **Das Rad steht beim Schuppen.**

What does **bei dem** contract to? [**beim**]

SUGGESTED EXERCISE

Wo liegt der Lappen? (Besen) Beim Besen.
                      (Messer) Beim Messer.
                      (Eimer)   Beim Eimer.
                      (Radio)   Beim Radio.
                      (Rad)   Beim Rad.

▶ DRILL 22.2, p. 12

mit

Ⓡ **Sie fährt mit ihrer Freundin dorthin.**

What case is used after the preposition **mit**? [dative]

▶ DRILL 22.3, p. 12

nach

Ⓡ **Was machst du nach der Schule?**

What case is used after the preposition **nach**? [dative]

▶ DRILL 22.4, p. 12

von

Ⓡ **Das ist ein Lehrer von mir.**

What case is used after the preposition **von**? [dative]

▶ DRILL 22.5, p. 12

vom

Ⓡ **Der Brief ist vom Lehrer.**

What does **von dem** contract to? [**vom**]

SUGGESTED EXERCISE *Repeat the question before each cue.*

Von wem ist das Geschenk? (Vater)   Vom Vater ist es.
                           (Onkel)   Vom Onkel ist es.
                           (Nachbar) Vom Nachbarn ist es.
                           (Kollege) Vom Kollegen ist es.

zu

Ⓡ **Uwe geht zu seinem Freund.**

What case is used after the preposition **zu**? [dative]

zum, zur

Ⓡ **Gehen wir jetzt zur Post oder zum Bahnhof?**

What does **zu der** contract to? [**zur**] And **zu dem**? [**zum**]

▶ DRILL 22.6, p. 12

gegenüber *preceding
noun phrase*

Ⓡ **Er wohnt gegenüber der Schule.**

What case is used with the preposition **gegenüber**? [dative]

T101

SUGGESTED EXERCISE   Do drill 22.7, p. 12, but have **gegenüber** precede the noun phrase rather than follow it.

gegenüber following noun phrase

Ⓡ **Er wohnt der Schule gegenüber.**

Does the preposition **gegenüber** have to precede the noun phrase it is used with? [no] Where can it come? [directly after the noun phrase] *Tell your students that* *gegenüber can either precede or follow a noun phrase, but it always follows a pronoun:* **Er wohnt uns gegenüber.**

▶DRILL 22.7, p. 12

For practice with all the dative prepositions:

▶ DRILL 23–28, pp. 13–14

wem *after Prepositions*

Ⓡ **Zu wem gehen sie jetzt?**

What case is **wem?** [dative] What prepositions does the pronoun **wem** follow? [aus, bei, mit, nach, von, zu, gegenüber]

▶ DRILLS 29–30, pp. 15–16

Order of Objects

Indirect object precedes direct object if d.o. is a noun phrase

Ⓡ **Sie leiht ihrem Freund das Sonnenöl.**

What is the indirect object? [**ihrem Freund**] And the direct object? [**das Sonnenöl**] Which one comes first, direct object or indirect object? [indirect object] Is the direct object, **das Sonnenöl,** a noun phrase or a pronoun? [noun phrase]

Ⓡ **Sie leiht ihm das Sonnenöl.**

What is the indirect object [**ihm**] And the direct object? [**das Sonnenöl**] Which comes first, direct object or indirect object? [indirect object] Is this the same order as in **Sie liht ihrem Freund das Sonnenöl?** [yes] In both sentences is the direct object a noun phrase? [yes] Is the indirect object a noun phrase in both sentences? [no, in the first it is a noun phrase]

Tell your students that if in a sentence the direct object is a noun phrase, the order is indirect object–direct object, no matter what the indirect object is.

▶ DRILL 7, p. 26

Direct object precedes indirect object if d.o. is a pronoun

Ⓡ **Hans gibt seiner Freundin das Handtuch.**

Is the direct object a noun phrase? [yes] Where does it come? [after the indirect object]

T102

Ⓡ **Hans gibt es seiner Freundin.**

Is the direct object a noun phrase? [no] What is it? [a pronoun] What is the order of objects? [direct object precedes indirect object]

Ⓡ **Hans gibt es seiner Freundin.**　　Ⓡ **Hans gibt es ihr.**

In both sentences is the direct object a pronoun? [yes] What is the order of objects in the first sentence?[direct–indirect] And in the second? [same, direct–indirect]

Tell your students that if in a sentence the direct object is a pronoun, the order is direct object–indirect object, no matter what the indirect object is.

▶ DRILLS 8–14, pp. 26–28

es mir→mir's
es dir→dir's

Ⓡ **Er sagt es mir.**　　Ⓡ **Es sagt mir's.**

In the first sentence, which word is the direct object? [**es**] Which is the indirect object? [**mir**] The second sentence means the same as the first. Is the word **mir** still present? [yes] What happened to es? [it follows **mir** with the e dropped: **mir's**] *Tell your students that **es mir** and **es dir** can be contracted to **mir's** and **dir's**.*

SUGGESTED EXERCISE

Ich gebe es dir.　　　Ich gebe dir's.
Er leiht es mir.　　　Er leiht mir's.
Sie zeigt es mir.　　　Sie zeigt mir's.
Wir bringen es dir.　　Wir bringen dir's.
Sie erklärt es mir.　　Sie erklärt mir's.

Meanings of Objects

Ⓡ **Ich bringe es meinem Vater.**

What does this sentence mean [*I'll bring it to my father.*]

Ⓡ **Ich kaufe sie meiner Mutter.**

What does this sentence mean? [*I'll buy it for my mother.*]

Ⓡ **Ich glaube es meinem Bruder.**

What does this sentence mean? [*I believe my brother (concerning this point).*]

Ⓡ **Ich reibe es meinem Bruder auf den Rücken.**

What does this sentence mean? [*I'll rub it on my brother's back.*]

Tell your students that in terms of meaning, the relationship between a direct object and indirect object in German can vary greatly depending on the choice of verb. The combination of a direct and indirect object is very common in German, and when they see or hear this construction—no matter what the verb—the meaning should be clear, even though a word-for-word translation is sometimes impossible.

▶ DRILLS 15–17, p. 30

T103

The Indirect Object in First Position
"Anticipating What's Ahead"

Non-subject element in first position

Ⓡ **Diesen Anzug kaufe ich nicht.**
Ⓡ **Ihn kenne ich nicht.**
Ⓡ **Heute kann ich nicht kommen.**

What do these sentences have in common? [they begin with some element other than the subject] What can a German sentence begin with? [almost any kind of element] If it doesn't begin with the subject, what is the second position? [verb] And in third position? [subject]

Back in Unit 5, when you were first introduced to direct objects in first position, you were told something about how a German understands a sentence that begins with a non-subject noun phrase, like **Diesen Anzug kaufe ich nicht.** You were told that he doesn't first try to "find the subject" or, if he hears the sentence, to wait until he hears the subject so he can somehow rearrange the words in his mind to make more sense. What he does is pick up clues in the order in which they occur. Let's take this sentence word by word and try to see what kind of clues come up.

Analysis of sentence beginning with direct object

Diesen

What may be the case, number, and gender of the noun following this determiner? [a masculine singular noun in the accusative, or a dative plural of any gender] Already you have a great deal of information about the next word.

Diesen Anzug

What case must this noun phrase be in? [accusative] What must its function be? [direct object] What do you know will follow it? [verb]

Diesen Anzug kaufe

What new clue does the verb give you? [the subject must be **ich**] What must the next word be? [**ich**, the subject]

Diesen Anzug kaufe ich

If you heard this much of the sentence, how would the speaker's voice give you a clue that the sentence wasn't finished? [the voice wouldn't drop at the end]

Diesen Anzug kaufe ich nicht.

You see that as the sentence builds up, each word gives you a clue as to how it will fit into the sentence and what will follow it. The meaning of the sentence builds up as the sentence is spoken or read. If you listen carefully to the clues you have a pretty good idea of what comes next in the sentence. Naturally, the instant before a sentence is spoken, you can't have any idea how the sentence will begin. You have to be ready for anything.

It is very common for a German sentence to begin with an indirect object. You will see and hear many sentences of this type. You should get used to understanding them the way you understand any German sentence—as it is being built up.

Den

You hear this word at the beginning of a sentence. What do you expect to follow it? [a noun] What might the case, number and gender of the noun be? [a masculine singular noun in the accusative, or a dative plural noun]

Den Kindern

Is **den Kindern** singular or plural? [plural] What case is it? [dative] How do you know? [**den** used with a plural noun signals dative; also the final **-n** on **Kindern** signals dative] What is most probably the function of **den Kindern**? [indirect object] What kind of word do you expect next in the sentence? [verb]

Den Kindern will

What word do you expect now? [subject] What might the subject be? [**ich, er, sie, es,** or any third person singular noun phrase] What do you expect the last word in this sentence to be? [an infinitive]

Den Kindern will ich die Bälle

What case is **die Bälle**? [accusative] How do you know? [**die** with a plural noun is either nominative or accusative, but nominative **ich** is the subject, so **die Bälle** must be accusative] What function does **die Bälle** have? [direct object]

Den Kindern will ich die Bälle schenken.

Does an infinitive at the end of the sentence surprise you? [no] Why? [because the modal **will** is in second position and an infinitive in final position is to be expected]

       Ⓡ **Ihm gebe ich die Zeitung nicht.**
       Ⓡ **Der Katze musst du Milch geben.**

If a sentence begins with an indirect object, what comes in second position? [verb] And then? [subject] What can you expect to follow the subject? [direct object]

▶ DRILLS 18–23, pp. 32–33

Non-Subject Elements Preceding the Subject

*Pronoun preceding
subject in verb-first or
verb-second order*

In spoken German and informal writing, unstressed object pronouns and expressions of time often appear before the subject, if the subject is not a pronoun. Since this occurs so frequently, this topic has been included in Level One.

       Ⓡ **Vielleicht leiht der Vater ihm kein Geld.**
       Ⓡ **Vielleicht leiht ihm der Vater kein Geld.**

How do these sentences differ from each other? [in the second sentence **ihm** precedes **der Vater**]

Ⓡ **Vielleicht leiht ihm der Vater kein Geld.**

Name the subject. [**der Vater**] Does **der Vater** directly follow the verb as it should? [no] What word comes between the verb and **der Vater**? [**ihm**] Is **ihm** a pronoun? [yes] Is the subject, **der Vater**, a pronoun or a noun phrase? [noun phrase] Does **ihm** sound as though it is particularly emphasized? [no]

Ⓡ **Trifft dein Bruder ihn im Theater?**
Ⓡ **Trifft ihn dein Bruder im Theater?**

How do these two sentences differ from each other? [in the second sentence **ihn** precedes **dein Bruder**]

Ⓡ **Trifft ihn dein Bruder im Theater?**

Name the subject. [**dein Bruder**] Does it come right after the verb as it should? [no] What word comes between the verb and **dein Bruder**? [**ihn**] Is **ihn** a pronoun? [yes] Is the subject, **dein Bruder**, a noun phrase or a pronoun? [noun phrase] Does **ihn** sound as though it is particularly emphasized? [no]

Ⓡ **Vielleicht leiht ihm der Vater kein Geld.**
Ⓡ **Trifft ihn dein Bruder im Theater?**

If the subject of a sentence is a noun phrase that is not in first position, must it always be in third position directly after the verb? [no] What can come in third position between verb and subject? [a pronoun] Just a dative pronoun, just an accusative pronoun, or either? [either a dative or accusative pronoun] *Tell your students that an object pronoun can also precede the subject if the subject is a proper noun: Trifft ihn Peter im Theater?*

SUGGESTED EXERCISE

Meine Schwester folgt mir manchmal. (manchmal)	Manchmal folgt mir meine Schwester.
Dieter sucht dich jetzt. (jetzt)	Jetzt sucht dich Dieter.
Die Schüler hören ihm immer zu. (immer)	Immer hören ihm die Schüler zu.
Der Vater holt ihn mit dem Auto ab. (mit dem Auto)	Mit dem Auto holt ihn der Vater ab.
Eva and Karl besuchen uns morgen. (morgen)	Morgen besuchen uns Eva und Karl.
Der Junge lernt es in der Schule. (in der Schule)	In der Schule lernt es der Junge.

Pronoun preceding subject in verb-last order

Ⓡ **Sie sagt, dass der Sonnenbrand ihr weh tut.**
Ⓡ **Sie sagt, dass ihr der Sonnenbrand weh tut.**

In a clause with verb-last word order, does the subject have to come right after the clause introducer? [no] What word precedes the subject in the second sentence? [**ihr**] What kind of word is **ihr**? [pronoun]

Kennt ihn meine Schwester?	Ich weiss nicht, ob ihn meine Schwester kennt.
Rufen uns die beiden an?	Ich weiss nicht, ob uns die beiden anrufen.
Sehen euch die Kinder?	Ich weiss nicht, ob euch die Kinder sehen.
Weckt ihn seine Mutter?	Ich weiss nicht, ob ihn seine Mutter weckt.
Antwortet Ihnen Hans?	Ich weiss nicht, ob Ihnen Hans antwortet.

Object pronoun does not precede subject pronoun

Ⓡ **Vielleicht leiht ihm der Vater kein Geld.**
Ⓡ **Vielleicht leiht er ihm kein Geld.**

In the first sentence, is the subject a noun phrase or pronoun? [noun phrase] Does it come immediately after the verb? [no] What precedes it? [**ihm**, a pronoun] Is the subject in the second sentence a noun phrase or pronoun? [pronoun] Does it come immediately after the verb? [yes]

SUGGESTED EXERCISE

Oft folgt mir meine Schwester.	Oft folgt sie mir.
Jetzt sucht dich dein Bruder.	Jetzt sucht er dich.
Immer hören ihm die Schüler zu.	Immer hören sie ihm zu.
Mit dem Auto holt ihn Elke ab.	Mit dem Auto holt sie ihn ab.
Morgen besuchen uns unsere Eltern.	Morgen besuchen sie uns.

Expressions of time preceding subject

Ⓡ **An den Strand geht jetzt mein Bruder.**

What is the subject? [**mein Bruder**] Does it come immediately after the verb? [no] What precedes the subject? [**jetzt**]

Ⓡ **Wohin fährt morgen ihre Schwester?**

What word precedes the subject? [**morgen**] What word preceded the subject in the previous sentence? [**jetzt**] What do **morgen** and **jetzt** have in common? [they are both expressions of time] *Tell your students that like an unemphasized object pronoun, an unemphasized expression of time can precede the subject, if the subject is a noun phrase or proper noun.*

SUGGESTED EXERCISE

Spielen sie jetzt Schach? (die beiden)	Spielen jetzt die beiden Schach?
Giesst er heute die Blumen? (Peter)	Giesst heute Peter die Blumen?
Kommt sie morgen? (deine Schwester)	Kommt morgen deine Schwester?
Geht er nachher rüber? (dein Vater)	Geht nachher dein Vater rüber?
Spielt sie jetzt? (die Kapelle)	Spielt jetzt die Kapelle?

▶ DRILLS 24–31, pp. 34–37

Past Time: The Conversational Past Tense
of Weak Verbs

*Formation of
conversational past:
unprefixed weak verbs*

Ⓡ **Inge deckt jetzt den Tisch.**   Ⓡ **Inge hat den Tisch gedeckt.**

What time is expressed in the first sentence? [present] And in the second? [past]
How many verbs are in the second sentence? [two] Name them. [**hat** and **gedeckt**]
What form is **deckt**? [third person singular, present tense] How does **gedeckt**
differ from **deckt**? [prefix **ge-**]

Ⓡ **Inge hat den Tisch gedeckt.**   Ⓡ **Wir haben den Tisch gedeckt.**

What time is expressed in these sentences? [past] How many verbs are in each
sentence? [two] Which verb changes with a change in subject? [**hat/haben**]
Which verb stays the same? [**gedeckt**] What is the position of the verb that stays
the same? [last]

Ⓡ **Se holt den Kuchen.**   Ⓡ **Sie hat den Kuchen geholt.**

How does **geholt** differ from **holt**? [prefix **ge-**]

*Tell your students that they have been practicing sentences in the conversa-
tional past tense. This tense is used in normal conversation and in writing.
Mention that there is also a narrative past tense also used frequently in writing
and in longer oral accounts.*

Ⓡ **Er hat seinen Bruder gesucht.**

In the conversational past tense, what verb is inflected? [**haben**] The verb that
doesn't change with a change in the person and number of the subject is called
the *past participle*. What is the past participle in this sentence? [**gesucht**] Where
does the past participle come? [at the end of the sentence] *Tell your students
that they are learning about the conversational past tense of weak verbs.*
A weak verb has very regular forms, like English *play–played–has played* or *paint–
painted–has painted*. In German, if you know the infinitive of a weak verb you
can immediately form the past participle. **Gedeckt, geholt, gesucht:** How are
these past participles formed? [**ge** + third person singular form of the present
tense]

SUGGESTED EXERCISE

Er glaubt es mir.	Er hat es mir geglaubt.
Sie lernt es schnell.	Sie hat es schnell gelernt.
Er weckt mich.	Er hat mich geweckt.
Das taugt nichts.	Das hat nichts getaugt.
Es donnert.	Es hat gedonnert.

SUGGESTED EXERCISE

Antworten Sie nicht?	Haben Sie nicht geantwortet?
Kehrt ihr die Terrasse?	Habt ihr die Terrasse gekehrt?

Kaufst du ein Auto? | Hast du ein Auto gekauft?
Plant er einen Ausflug? | Hat er einen Ausflug geplant?
Lernen wir genug? | Haben wir genug gelernt?

Weak verbs with a separable prefix

Ⓡ **Rolf holt Inge ab.**   Ⓡ **Rolf hat Inge abgeholt.**

Which of these sentences is in the conversational past? [second] Identify the past participle. [abgeholt] What is the first sound you recognize in this word? [ab] What is this? [separable prefix] The second sound? [ge] And the last? [holt] What is the past participle of **holen**? [geholt] Of **abholen**? [abgeholt] Of **schicken**? [geschickt] Of **mitschicken**? [mitgeschickt]

SUGGESTED EXERCISE

Er stimmt mir zu. | Er hat mir zugestimmt.
Sie tanzt nicht mit. | Sie hat nicht mitgetanzt.
Er stellt die Kamera ein. | Er hat die Kamera eingestellt.
Sie legt eine Platte auf. | Sie hat eine Platte aufgelegt.
Er sucht einen Roman aus. | Er hat einen Roman ausgesucht.
Sie hört ihm nicht zu. | Sie hat ihm nicht zugehört.

SUGGESTED EXERCISE

Wann holst du ihn ab? | Wann hast du ihn abgeholt?
Warum schickt ihr das zurück? | Warum habt ihr das zurückgeschickt?
Wem stellst du ihn vor? | Wem hast du ihn vorgestellt?
Warum schauen Sie mir zu? | Warum haben Sie mir zugeschaut?
Wer legt die Tonbänder auf? | Wer hat die Tonbänder aufgelegt?

Weak verbs with an inseparable prefix

Ⓡ **Ursel besucht mich heute.**   Ⓡ **Ursel hat mich gestern besucht.**

Identify the past participle in the second sentence. [besucht] Does it have the prefix **ge-**? [no] What present tense form is this past participle identical to? [third person singular]

Tell your students that several of the weak verbs they've had begin with an inseparable prefix. **Be- (besuchen), er- (erzählen), ge- (gehören) and ver- (verkaufen)** *are inseparable prefixes; they are never separated from the verb.*

Ⓡ **Er verkauft das Auto.**   Ⓡ **Er hat das Auto verkauft.**

What kind of prefix is **ver-**? [inseparable] What is the present tense **er-form** of **verkaufen**? [verkauft] What is the past participle of **verkaufen**? [verkauft] Is there any difference between these two forms? [no] *Tell your students here that like verbs with a separable prefix, verbs ending in* -ieren *have a past participle identical to the* er-form *of the present tense:* **Er fotografiert uns. Er hat uns fotografiert.**

SUGGESTED EXERCISE

Gehorcht sie dir? | Hat sie dir gehorcht?
Gehört es dir? | Hat es dir gehört?

T109

Erzählt er dir etwas?	Hat er dir etwas erzählt?
Erklärt ihr ihm die Antwort?	Habt ihr ihm die Antwort erklärt?
Verkaufen wir diese Sachen?	Haben wir diese Sachen verkauft?
Besuchst du ihn?	Hast du ihn besucht?
Fotografieren Sie mich?	Haben Sie mich fotografiert?

sein as auxiliary

Ⓡ **Was hast du gemacht? Bist du durch die Stadt gebummelt?**

In what tense are these sentences? [conversational past] What forms are **gemacht** and **gebummelt**? [past participles] What verb is used with **gebummelt** to form the past tense? [**bist**] *Tell your students that some verbs, mostly verbs of motion, form the conversational past tense with the present tense forms of* **sein** *as the auxiliary. (The only two weak verbs they have had that do this are* **folgen** *and* **bummeln**.)

SUGGESTED EXERCISE

Bist du durchs Dorf gebummelt?	Ja, ich bin durchs Dorf gebummelt.
Ist dir deine Schwester gefolgt?	Ja, meine Schwester ist mir gefolgt.
Sind die beiden nach Hause gebummelt?	Ja, die beiden sind nach Hause gebummelt.
Bist du ihnen gefolgt?	Ja, ich bin ihnen gefolgt.

▶ DRILLS 5–8, pp. 49–50

Past Time: The Conversational Past Tense of Strong Verbs

Remind your students that they have learned how to form the past participle of weak verbs, verbs with very regular forms, like English play–played–has played. Strong verbs, on the other hand, do not exhibit this regularity. In this respect they are comparable to English go–went–gone.

Some strong verbs with no prefix: participle = ge + infinitive

Ⓡ **Inge will die Ansichtskarten sehen.**

What form is **sehen**? [infinitive]

Ⓡ **Inge hat die Ansichtskarten gesehen.**

In what tense is this sentence? [conversational past] What form is **gesehen**? [past participle] How does **gesehen** differ from the infinitive **sehen**? [prefix **ge-**]

Ⓡ **Inge hat ihr einen Kuchen gegeben.**

Identify the past participle. [**gegeben**] What is the infinitive of this verb? [**geben**] How is the past participle of some strong verbs formed? [**ge** + infinitive]

SUGGESTED EXERCISE

| Die Busse halten am Zoo. | Die Busse haben am Zoo gehalten. |

T110

Die Kinder schlafen gut.   Die Kinder haben gut geschlafen.
Sie lesen viele Bücher.   Sie haben viele Bücher gelesen.

*(Tell your students that **fahren, kommen** and **laufen** use **sein** rather than **haben** in the conversational past tense)*

Wir fahren nach Hamburg.   Wir sind nach Hamburg gefahren.
Sie kommen spät.   Sie sind spät gekommen.
Die Schüler laufen dorthin.   Die Schüler sind dorthin gelaufen.

Some strong verbs with separable prefix: past participle = prefix + ge + infinitive

⊠ **Ich habe unsere Nachbarn eingeladen.**

What form is **eingeladen?** [past participle] What is the infinitive of this verb? [**einladen**] What is **ein-?** [separable prefix] How does **eingeladen** differ from the infinitive **einladen?** [insertion of **ge** between prefix and verb]

SUGGESTED EXERCISE

Sie geben die Dias zurück.   Sie haben die Dias zurückgegeben.
Ich rufe sie an.   Ich habe sie angerufen.
Wir laden ihn ein.   Wir haben ihn eingeladen.
Sie fahren weg.   Sie sind weggefahren.
Wir kommen mit.   Wir sind mitgekommen.
Sie sehen mir zu.   Sie haben mir zugesehen.

Some strong verbs with inseparable prefix: past participle = infinitive

⊠ **Ich habe die Bilder nicht vergessen.**

What form is **vergessen** in this sentence? [past participle] What is the infinitive of this verb? [**vergessen**] What kind of prefix is **ver-?** [inseparable]

⊠ **Ich habe die Dias heute bekommen.**

What form is **bekommen** in this sentence? [past participle] Is the **be-** in **bekommen** an inseparable prefix? [yes] The past participle of a strong verb with an inseparable prefix can be identical to what other form? [infinitive]

SUGGESTED EXERCISE

Was bekommen Sie zum Geburtstag?   Was haben Sie zum Geburtstag be-
                                           kommen?

Warum gefallen euch diese Filme?   Warum haben euch diese Filme gefal-
                                           len?

Was vergessen wir?   Was haben wir vergessen?
Was gefällt dir hier?   Was hat dir hier gefallen?
Warum vergisst er alles?   Warum hat er alles vergessen?

Strong verbs with an unpredictable past participle

*Tell your students that the strong verbs they have been practicing in the past tense all have a past participle that is very closely related to the infinitive. But most strong verbs have a past participle not so closely based on the infinitive. Some have a different stem vowel (**reiben, hat gerieben; beginnen, hat begonnen**); some have a consonant change in addition to a vowel change (**stehen,***

T111

hat gestanden); some have both a vowel and consonant change and end in -t (bringen, hat gebracht; denken, hat gedacht). Since there is no sure way to tell from the infinitive of a strong verb what the past participle is, past participles of strong verbs must be committed to memory.

Your students should study the Generalization at home before any of the structure drills in the text book are practiced in class. For initial practice with strong verbs whose past participle has a stem vowel or consonant change, it is suggested that you go through the verbs listed on page 279 in the following manner:

Ⓡ bleiben—ist geblieben

Ich bleibe heute zu Hause.　　　　　Ich bin heute zu Hause geblieben.

Ⓡ leihen—geliehen

Leiht er dir die Schier?　　　　　Hat er dir die Schier geliehen?

▶ DRILLS 10–18, pp. 56–58

Past Participles in Dependent Clauses

Ⓡ Rolf fragt, ob Inge die Bilder sehen will.

In the dependent clause, the **ob**-clause, which verb is inflected to show number and person? [**will**] In what position is this verb? [last] Which verb is not inflected? [**sehen**] What position is it in? [next to last]

Ⓡ Rolf fragt, ob Inge die Bilder gesehen hat.

Which verb is inflected in the dependent clause? [**hat**] What position is it in? [last] Which verb is uninflected? [**gesehen**] Its position? [next to last] In a dependent clause, what position is the inflected verb always in? [last] If there is also an uninflected verb, such as an infinitive or past participle, where does it come? [next to last]

▶ DRILLS 19–23, pp. 59–61

There is no separate Teacher Presentation for the introduction of a new grammatical point in Level Two. The Presentations printed in the student textbook are sufficiently detailed to be used in class.

Additional Structure Drills

Unit 13
Section C

CUED RESPONSE

Wer gehorcht Ihnen nicht? (Katze) ⊗   Die Katze gehorcht mir nicht.
Wer hilft Ihnen nachher? (Lehrer)   Der Lehrer hilft mir nachher.
Was passt Ihnen nicht gut? (Jacke)   Die Jacke passt mir nicht gut.
Wer stimmt Ihnen nie zu? (Hans–   Hans-Dieter stimmt mir nie zu.
Dieter)
Was gefällt Ihnen hier? (Anlage)   Die Anlage gefällt mir hier.
Wer schaut Ihnen immer zu? (Hund)   Der Hund schaut mir immer zu.

Unit 14
Section B

PATTERNED RESPONSE

Ich habe dein Haaröl. ⊗   Gib es mir doch!
Ich habe deine Sonnencreme.   Gib sie mir doch!
Ich habe deine Magazine.   Gib sie mir doch!
Ich habe deinen Ring.   Gib ihn mir doch!
Ich habe dein Deutschheft.   Gib es mir doch!
Ich habe deinen Bleistift.   Gib ihn mir doch!

Unit 15
Section A

DIRECTED DRILL

Sagen Sie, Sie haben den Tisch gesäubert! ⊗   Ich habe den Tisch gesäubert.
Sagen Sie, Sie haben das Gemüse geholt!   Ich habe das Gemüse geholt.
Sagen Sie, Sie haben Otto kennengelernt!   Ich habe Otto kennengelernt.
Sagen Sie, Sie haben ihn angerufen!   Ich habe ihn angerufen.
Sagen Sie, Sie haben ihn zum Kaffee eingeladen!   Ich habe ihn zum Kaffee eingeladen.
Sagen Sie, Sie haben ein paar Dias mitgebracht!   Ich habe ein paar Dias mitgebracht.

Unit 15
Section B

PRESENT → CONVERSATIONAL PAST

Sie putzt mein Zimmer. ⊗   Sie hat mein Zimmer geputzt.
Er glaubt mir nicht.   Er hat mir nicht geglaubt.

Sie kaufen euch ein Geschenk.   Sie haben euch ein Geschenk gekauft.
Wir wecken seine Brüder.   Wir haben seine Brüder geweckt.
Er ärgert den Lehrer.   Er hat den Lehrer geärgert.

PRESENT → CONVERSATIONAL PAST

Warum besucht er sie? ⊗	Warum hat er sie besucht?
Wann fragt ihr die anderen?	Wann habt ihr die anderen gefragt?
Warum schicken sie ihm einen Brief?	Warum haben sie ihm einen Brief geschickt?
Wo verkaufst du die Bilder?	Wo hast du die Bilder verkauft?
Warum erzählen Sie ihnen nichts?	Warum haben Sie ihnen nichts erzählt?

**Unit 16
Section D**

SENTENCE TRANSFORMATION

Der Wagen kommt aus Italien. ⊗	Das ist ein italienischer Wagen.
Das Modell kommt aus Schweden.	Das ist ein schwedisches Modell.
Die Butter kommt aus Belgien.	Das ist belgische Butter.
Das Bier kommt aus Deutschland.	Das ist deutsches Bier.
Der Käse kommt aus Frankreich.	Das ist französischer Käse.
Die Platte kommt aus Amerika.	Das ist eine amerikanische Platte.

**Unit 17
Section C**

PATTERNED RESPONSE

Kommt der Kapitän aus Italien? ⊗	Ja, er ist Italiener.
Kommt die Sängerin aus Frankreich?	Ja, sie ist Französin.
Kommt der Pilot aus Amerika?	Ja, er ist Amerikaner.
Kommt der Fahrer aus Deutschland?	Ja, er ist Deutscher.
Kommt die Frau aus Spanien?	Ja, sie ist Spanierin.
Kommt der Matrose aus Russland?	Ja, er ist Russe.

CUED RESPONSE—I

Wie lange ist er schon in Bonn? (1 Tag) ⊗	Seit einem Tag.
Wie lange wohnt er schon in Hamburg? (1 Monat)	Seit einem Monat.
Wie lange arbeitet er schon dort? (1 Woche)	Seit einer Woche.
Wie lange lernt er schon Deutsch? (1 Jahr)	Seit einem Jahr.
Wie lange wartet er schon? (1 Stunde)	Seit einer Stunde.

CUED RESPONSE—II

Wen wollten Sie kennenlernen? (der Matrose) ⊗	Ich wollte den Matrosen kennenlernen.
Was durften Sie halten? (das Steuerrad)	Ich durfte das Steuerrad halten.

Was konnten Sie nicht hören? (der Befehl)	Ich konnte den Befehl nicht hören.
Wem mussten Sie helfen? (die Frau)	Ich musste der Frau helfen.
Was konnten Sie sehen? (der Loreleifelsen)	Ich konnte den Loreleifelsen sehen.

**Unit 18
Section D**

DIRECTED DRILL

1. Sagen Sie, dass Sie Ihre Freundin in ein Kunstmuseum führten! ⊗	Ich führte meine Freundin in ein Kunstmuseum.
Sagen Sie, dass Sie ihr auf dem Weg eine Geschichte erzählten!	Ich erzählte ihr auf dem Weg eine Geschichte.
Sagen Sie, dass Ihr Onkel immer viel reiste!	Mein Onkel reiste immer viel.
Sagen Sie, dass er die moderne Malerei populär machen wollte!	Er wollte die moderne Malerei populär machen.
Sagen Sie, dass er selbst viele Gemälde sammelte!	Er sammelte selbst viele Gemälde.
Sagen Sie, dass er nach dem Krieg mit den Bildern viel Geld verdiente!	Nach dem Krieg verdiente er mit den Bildern viel Geld.
2. Sagen Sie, dass Ihr Onkel wieder einmal verreiste! ⊗	Mein Onkel verreiste wieder einmal.
Sagen Sie, dass er seine Wohnung mit zwei starken Schlössern verriegelte!	Er verriegelte seine Wohnung mit zwei starken Schlössern.
Sagen Sie, dass er die Schlüssel dem Hausbesitzer überreichte!	Er überreichte die Schlüssel dem Hausbesitzer.
Sagen Sie, dass Ihr Onkel ein paar Tage in New York verbrachte!	Mein Onkel verbrachte ein paar Tage in New York.
Sagen Sie, dass ihn dort ein Telegramm erreichte!	Ein Telegramm erreichte ihn dort.
Sagen Sie, dass er von einem Einbruch in seiner Wohnung hörte!	Er hörte von einem Einbruch in seiner Wohnung.

ITEM SUBSTITUTION

Kennen Sie keine guten Maler? ⊗	
_____ einige _____?	Kennen Sie einige gute Maler?
_____ alle _____?	Kennen Sie alle guten Maler?
_____ mehrere _____?	Kennen Sie mehrere gute Maler?
_____ die beiden _____?	Kennen Sie die beiden guten Maler?
_____ viele _____?	Kennen Sie viele gute Maler?

**Unit 19
Section C**

PATTERNED RESPONSE

Haben Sie ein Haus? ⊗	Ja, ich habe mein eigenes Haus.
Haben Sie einen Schlüssel?	Ja, ich habe meinen eigenen Schlüssel.

Haben Sie eine Wohnung? Ja, ich habe meine eigene Wohnung.
Haben Sie einen Wagen? Ja, ich habe meinen eigenen Wagen.
Haben Sie ein Boot? Ja, ich habe mein eigenes Boot.

NARRATIVE PAST → PRESENT

Im Schwarzwald gab es Gespenster. ⊗ Im Schwarzwald gibt es Gespenster.

Die Bauern besassen eine eigene Quelle. Die Bauern besitzen eine eigene Quelle.

In den Tälern enstanden kleine Fabriken. In den Tälern entstehen kleine Fabriken.

Der Bauer verliess morgens den Hof. Der Bauer verlässt morgens den Hof.

Er fuhr mit dem Fahrrad in die Fabrik. Er fährt mit dem Fahrrad in die Fabrik.

Er trug einen Rucksack auf dem Rücken. Er trägt einen Rucksack auf dem Rücken.

Unit 19
Section D

PRESENT → NARRATIVE PAST

Die Bauern ziehen in die Täler. ⊗ Die Bauern zogen in die Täler.
Die Städter kommen aufs Land. Die Städter kamen aufs Land.
Sie geniessen die frische Luft. Sie genossen die frische Luft.
Sie fangen grosse Bachforellen. Sie fingen grosse Bachforellen.
Es gefällt ihnen, ihr eigenes Brot zu backen. Es gefiel ihnen, ihr eigenes Brot zu backen.

NARRATIVE PAST → CONVERSATIONAL PAST

Die Bauernhöfe sahen sehr arm aus. ⊗ Die Bauernhöfe haben sehr arm ausgesehen.

Die Bauern verkauften sie an reiche Leute. Die Bauern haben sie an reiche Leute verkauft.

Die Bauern mieteten Wohnungen in der Stadt. Die Bauern haben Wohnungen in der Stadt gemietet.

Ihre Kinder besuchten höhere Schulen. Ihre Kinder haben höhere Schulen besucht.

Sie nahmen die Gewohnheiten von Städtern an. Sie haben die Gewohnheiten von Städtern angenommen.

Viele studierten an Universitäten. Viele haben an Universitäten studiert.

ITEM SUBSTITUTION

Der Bauer fuhr oft hin. (anrufen) ⊗ Der Bauer rief oft an.
(zusehen) Der Bauer sah oft zu.
(einkaufen gehen) Der Bauer ging oft einkaufen.
(zu Hause bleiben) Der Bauer blieb oft zu Hause.
(mithelfen) Der Bauer half oft mit.

QUESTION FORMATION: Wo or Wohin?

Auf dem Berg kreist ein Radarspiegel. ⊗	Wo kreist ein Radarspiegel?
Hinter dem Trümmerberg gibt es Parkanlagen.	Wo gibt es Parkanlagen?
Auf den Berg führen Wanderwege.	Wohin führen Wanderwege?
An den Hängen blühen Blumen.	Wo blühen Blumen?
Am Ziel stehen viele Zuschauer.	Wo stehen viele Zuschauer?
An den Stadtrand fahren sie den Schutt.	Wohin fahren sie den Schutt?
In die Stadt Berlin ziehen viele Künstler.	Wohin ziehen viele Künstler?

DIRECTED DRILL

Fragen Sie, wie der Trümmerberg entstanden ist! ⊗	Wie ist der Trümmerberg entstanden?
Sagen Sie, dass in dem Berg das zerstörte Berlin liegt!	In dem Berg liegt das zerstörte Berlin.
Fragen Sie, was die Berliner im Winter auf dem Berg tun!	Was tun die Berliner im Winter auf dem Berg?
Sagen Sie, dass sie Schi und Schlittschuh fahren!	Sie fahren Schi und Schlittschuh.
Fragen Sie, was passiert, wenn kein Schnee fällt!	Was passiert, wenn kein Schnee fällt?
Sagen Sie, dass dann eine Maschine künstlichen Schnee macht!	Dann macht eine Maschine künstlichen Schnee.

CUED RESPONSE

Liegen die Gabeln auf dem Tisch? (Schublade) ⊗	Nein, in der Schublade.
Steht die Schüssel im Kühlschrank? (Gasherd)	Nein, auf dem Gasherd.
Hängt die Lampe über dem Tisch? (Wand)	Nein, an der Wand.
Steht der Korb auf der Erde? (Stuhl)	Nein, auf dem Stuhl.
Liegt die Tischdecke im Wäscheschrank? (Tisch)	Nein, auf dem Tisch.

QUESTION FORMATION (PRONOUN OR WO-COMPOUND)

Die Berliner denken noch oft an den Krieg. ⊗	Woran denken die Berliner noch oft?
Die Zuschauer sprechen über „Miss Teufelsberg".	Über wen sprechen die Zuschauer?
Die Touristen warten auf Schnee.	Worauf warten die Touristen?
Die Leute warten auf den berühmten Schauspieler.	Auf wen warten die Leute?
Der Dichter schreibt über Berlin.	Worüber schreibt der Dichter?
Die Jungen fahren mit dem Schlitten die Rodelbahn hinunter.	Womit fahren die Jungen die Rodelbahn hinunter?

DIRECTED DRILL

Sagen Sie, dass Sie sich eine Jacke anziehen müssen! ⊗	Ich muss mir eine Jacke anziehen.
Sagen Sie, dass Sie sich die Haare noch nicht gekämmt haben!	Ich habe mir die Haare noch nicht gekämmt.
Sagen Sie, dass Sie sich oft mit Ihrem Bruder streiten!	Ich streite mich oft mit meinem Bruder.
Sagen Sie, dass Sie sich auf die Reise freuen!	Ich freue mich auf die Reise.
Sagen Sie, dass Sie sich das nicht vorstellen können!	Ich kann mir das nicht vorstellen.

QUESTION FORMATION

Die Jungen bewerben sich um eine Stellung. ⊗	Worum bewerben sich die Jungen?
Sie erinnern sich an das Informationszentrum.	Woran erinnern sie sich?
Sie erkundigen sich nach der Adresse.	Wonach erkundigen sie sich?
Sie unterhalten sich mit einem Herrn.	Mit wem unterhalten sie sich?
Sie entscheiden sich für eine leichte Arbeit.	Wofür entscheiden sie sich?
Sie freuen sich auf ihren neuen Job.	Worauf freuen sie sich?

PATTERNED RESPONSE—I

Erscheint der Mechaniker pünktlich? ⊗	Er erscheint pünktlicher als seine Kollegen.
Arbeitet er gründlich?	Er arbeitet gründlicher als seine Kollegen.
Ist er höflich?	Er ist höflicher als seine Kollegen.
Spricht er laut?	Er spricht lauter als seine Kollegen.
Ist er schlau?	Er ist schlauer als seine Kollegen.
Hält er sich für zivilisiert?	Er hält sich für zivilisierter als seine Kollegen.

PATTERNED RESPONSE—II

Bestellen Sie sich einen guten Wein? ⊗	Ich bestelle mir den besten Wein.
Suchen Sie sich eine neue Platte aus?	Ich suche mir die neueste Platte aus.
Bewerben Sie sich um eine gute Stellung?	Ich bewerbe mich um die beste Stellung.
Entscheiden Sie sich für eine grosse Universität?	Ich entscheide mich für die grösste Universität.
Erinnern Sie sich an einen kalten Winter?	Ich erinnere mich an den kältesten Winter.
Sehen Sie sich einen schönen Film an?	Ich sehe mir den schönsten Film an.

PROGRESSIVE SUBSTITUTION

Ich warte auf meinen älteren Bruder. ⊗

_____ Schwester. Ich warte auf meine ältere Schwester.

_____ jung _____. Ich warte auf meine jüngere
Schwester.

_____ bei _____. Ich warte bei meiner jüngeren
Schwester.

_____ Vetter. Ich warte bei meinem jüngeren
Vetter.

_____ Kusine. Ich warte bei meiner jüngeren Kusine.

_____ auf _____. Ich warte auf meine jüngere Kusine.

CUED RESPONSE

Welchen Mechaniker loben die Kun-
den? (tüchtig) ⊗ Den tüchtigsten Mechaniker.

Welches Schnitzel möchten Sie?
(gross) Das grösste Schnitzel.

Welche Forelle bestellen Sie? (zart) Die zarteste Forelle.

Welchen Wein trinken Sie? (alt) Den ältesten Wein.

Welche Arbeit wollen Sie? (leicht) Die leichteste Arbeit.

Welches Restaurant kennen Sie? (berühmt) Das berühmteste Restaurant.

CUED RESPONSE

Wem gehört das Haus? (Ihrem Schwager) Das ist das Haus meines Schwagers.

Wem gehört die Flasche? (Ihrem Kollegen) Das ist die Flasche meines Kollegen.

Wem gehört das Zeugnis? (Ihrer
Schwester) Das ist das Zeugnis meiner Schwester.

Wem gehört der Wagen? (Ihrem Vetter) Dast is der Wagen meines Vetters.

Wem gehört die Jacke? (Ihrem Lehrer) Das ist die Jacke meines Lehrers.

Wem gehört der Schlitten? (Ihrer
Kusine) Das ist der Schlitten meiner Kusine.

PATTERNED RESPONSE

Wie war denn der Film? Ich habe während des Films geschlafen.

Wie war denn die Oper? Ich habe während der Oper geschlafen.

Wie war denn das Gewitter? Ich habe während des Gewitters geschlafen.

Wie war denn die Diskussion?	Ich habe während der Diskussion geschlafen.
Wie war denn das Gespräch?	Ich habe während des Gesprächs geschlafen.
Wie war denn die Reise?	Ich habe während der Reise geschlafen.

**Unit 23
Section D**

PLURAL → SINGULAR

Er erkennt das Auto meiner Kollegen. ⊗	Er erkennt das Auto meines Kollegen.
Sie heiratet den Freund seiner Brüder.	Sie heiratet den Freund seines Bruders.
Sie mag die Mutter ihrer Freundinnen.	Sie mag die Mutter ihrer Freundin.
Er erneuert den Hof seiner Söhne.	Er erneuert den Hof seines Sohnes.
Er liebt die Kinder seiner Schwestern.	Er liebt die Kinder seiner Schwester.
Sie übersetzt das Buch ihrer Lehrer.	Sie übersetzt das Buch ihres Lehrers.

SENTENCE TRANSFORMATION

Die Tür von diesen Wagen is kaputt. ⊗	Die Tür dieses Wagens ist kaputt.
Der Korken von dieser Flasche ist kaputt.	Der Korken dieser Flasche ist kaputt.
Das Rad von diesem Mäher ist kaputt.	Das Rad dieses Mähers ist kaputt.
Das Steuer von diesem Boot ist kaputt.	Das Steuer dieses Boots ist kaputt.
Das Dach von diesem Schuppen ist kaputt.	Das Dach dieses Schuppens ist kaputt.
Das Schloss von dieser Tür ist kaputt.	Das Schloss dieser Tür ist kaputt.

**Unit 24
Section D**

ITEM SUBSTITUTION

Kannten Sie den Studienrat, von dem er gesprochen hatte? ⊗	
_____ Braut _____.	Kannten Sie die Braut, von der er gesprochen hatte?
_____ Wärter _____.	Kannten Sie den Wärter, von dem er gesprochen hatte?
_____ Pilot _____.	Kannten Sie den Piloten, von dem er gesprochen hatte?
_____ Mitglieder _____.	Kannten Sie die Mitglieder, von denen er gesprochen hatte?
_____ Mädchen _____.	Kannten Sie das Mädchen, von dem er gesprochen hatte?

SENTENCE COMBINATION

Ich kenne eine Geschichte. Sie handelt von einem alten Löwen. ⊗	Ich kenne eine Geschichte, die von einem alten Löwen handelt.

Er war ein alter Löwe. Die andern Tiere schämten sich über ihn.

Er war ein alter Löwe, über den sich die andern Tiere schämten.

Er verspeiste den Geiger. Seine Musik gefiel den andern Löwen.

Er verspeiste den Geiger, dessen Musik den andern Löwen gefiel.

Er spielte auf seiner Geige. Er hatte sie aus dem Flugzeug gerettet.

Er spielte auf seiner Geige, die er aus dem Flugzeug gerettet hatte.

Er kam mit einem Flugzeug. Es musste in der Heide notlanden.

Er kam mit einem Flugzeug, das in der Heide notlanden musste.

SENTENCE TRANSFORMATION

Ein gut bekannter Zirkus kam in die Stadt. ⊗

Ein Zirkus, der gut bekannt war, kam in die Stadt.

Eine ganz junge Löwin brach aus dem Käfig aus.

Eine Löwin, die ganz jung war, brach aus dem Käfig aus.

Ein sehr aufgeregter Wärter erschien im Zelt.

Ein Wärter, der sehr aufgeregt war, erschien im Zelt.

Ein ganz erschöpfter Geiger erblickte die Tiere.

Ein Geiger, der ganz erschöpft war, erblickte die Tiere.

Ein ganz unmusikalischer Löwe verspeiste ihn.

Ein Löwe, der ganz unmusikalisch war, verspeiste ihn.

**Unit 25
Section D**

PRESENT → CONVERSATIONAL PAST

Sie lässt sich das nicht gefallen. ⊗

Sie hat sich das nicht gefallen lassen.

Sie muss das Geschirr wegräumen.

Sie hat das Geschirr wegräumen müssen.

Sie will es so.

Sie hat es so gewollt.

Sie möchte am liebsten nach Island.

Sie hat am liebsten nach Island gemocht.

Sie kann die Bemerkung nicht unterlassen.

Sie hat die Bemerkung nicht unterlassen können.

Sie darf ins Konzert.

Sie hat ins Konzert gedurft.

**Unit 26
Section D**

PRESENT INFINITIVE SUBSTITUTION

Ich bin bereit, mich darüber zu äussern. ⊗

(s. erkundigen nach)

Ich bin bereit, mich danach zu erkundigen.

(s. interessieren für)

Ich bin bereit, mich dafür zu interessieren.

(s. beschäftigen mit)

Ich bin bereit, mich damit zu beschäftigen.

(s. bewerben um)

Ich bin bereit, mich darum zu bewerben.

(s. abfinden mit)

Ich bin bereit, mich damit abzufinden.

dass-CLAUSE TO INFINITIVE PHRASE

Sie behaupten, dass sie ihn beleidigt haben. ⊗

Sie behaupten, ihn beleidigt zu haben.

Sie behaupten, dass sie sich zusammengeschlossen haben.

Sie behaupten, sich zusammengeschlossen zu haben.

Sie behaupten, dass sie sich Mühe gegeben haben.

Sie behaupten, sich Mühe gegeben zu haben.

Sie behaupten, dass sie das einfache Bauernleben verehrt haben.

Sie behaupten, das einfache Bauernleben verehrt zu haben.

Sie behaupten, dass sie die Agrarsituation verbessert haben.

Sie behaupten, die Agrarsituation verbessert zu haben.

SENTENCE TRANSFORMATION

Ich habe mir eine Schweizer Uhr gekauft. ⊗

Er behauptet, sich eine Schweizer Uhr gekauft zu haben.

Ich habe mir grosse Mühe gegeben.

Er behauptet, sich grosse Mühe gegeben zu haben.

Ich habe mich mit den süddeutschen Protestanten verglichen.

Er behauptet, sich mit den süddeutschen Protestanten verglichen zu haben.

Ich habe mich lächerlich gemacht.

Er behauptet, sich lächerlich gemacht zu haben.

Ich habe mich damit abgefunden.

Er behauptet, sich damit abgefunden zu haben.

Ich habe mich unbehaglich gefühlt.

Er behauptet, sich unbehaglich gefühlt zu haben.

**Unit 27
Section C**

REAL CONDITION → UNREAL CONDITION—I

Wenn ich meine Ferien bekomme, fahre ich nach Österreich. ⊗

Wenn ich meine Ferien bekommen würde, würde ich nach Österreich fahren.

Wenn ich mit dem Auto fahre, nehme ich die Autobahn.

Wenn ich mit dem Auto fahren würde, würde ich die Autobahn nehmen.

Wenn ich auf der Autobahn fahre, sehe ich nicht viel.

Wenn ich auf der Autobahn fahren würde, würde ich nicht viel sehen.

Wenn ich an die Grenze komme, brauche ich einen Pass.

Wenn ich an die Grenze kommen würde, würde ich einen Pass brauchen.

Wenn ich keinen Pass habe, schickt man mich wieder zurück.

Wenn ich keinen Pass hätte, würde man mich wieder zurückschicken.

REAL CONDITION → UNREAL CONDITION—II

Wenn wir die Schweiz besuchen, sehen wir uns die hohen Alpen an. ⊗

Wenn wir die Schweiz besuchen würden, würden wir uns die hohen Alpen ansehen.

Wenn wir eine Bergtour machen, heuern wir uns einen Bergführer an.

Wenn wir bessere Bergsteiger sind, besteigen wir das Matterhorn.

Wenn wir noch Zeit haben, besuchen wir das regnerische Luzern.

Wenn wir genug Geld haben, kaufen wir uns eine Schweizer Uhr.

Wenn wir eine Bergtour machen würden, würden wir uns einen Bergführer anheuern.

Wenn wir bessere Bergsteiger wären, würden wir das Matterhorn besteigen.

Wenn wir noch Zeit hätten, würden wir das regnerische Luzern besuchen.

Wenn wir genug Geld hätten, würden wir uns eine Schweizer Uhr kaufen.

CUED RESPONSE—I

Was würden Sie tun, wenn Sie Zeit hätten? (s. um die Fremden kümmern)

Was würden Sie tun, wenn Sie Geld hätten? (s. ein Rad anschaffen)

Was würden Sie tun, wenn Sie kein Einkommen hätten? (s. um eine Stellung bewerben)

Was würden Sie tun, wenn Sie schlechte Zensuren hätten? (s. grössere Mühe geben)

Was würden Sie tun, wenn Sie morgen nichts vorhätten? (s. die Oper anhören)

Wenn ich Zeit hätte, würde ich mich um die Fremden kümmern.

Wenn ich Geld hätte, würde ich mir ein Rad anschaffen.

Wenn ich kein Einkommen hätte, würde ich mich um eine Stellung bewerben.

Wenn ich schlechte Zensuren hätte, würde ich mir grössere Mühe geben.

Wenn ich morgen nichts vorhätte, würde ich mir die Oper anhören.

CUED RESPONSE—II

Was hätten Sie getan, wenn Sie Ihr Geld verloren hätten? (nicht ins Kino gehen)

Was hätten Sie getan, wenn Sie den Unfall gesehen hätten? (zur Polizei gehen)

Was hätten Sie getan, wenn Sie nach Zermatt gefahren wären? (das Matterhorn besteigen)

Was hätten Sie getan, wenn Sie Ihre Ferien nicht bekommen hätten? (die Reise verschieben)

Was hätten Sie getan, wenn Sie Ihrer Freundin begegnet wären? (sie zum Essen einladen)

Wenn ich mein Geld verloren hätte, wäre ich nicht ins Kino gegangen.

Wenn ich den Unfall gesehen hätte, wäre ich zur Polizei gegangen.

Wenn ich nach Zermatt gefahren wäre, hätte ich das Matterhorn bestiegen.

Wenn ich meine Ferien nicht bekommen hätte, hätte ich die Reise verschoben.

Wenn ich meiner Freundin begegnet wäre, hätte ich sie zum Essen eingeladen.

REAL CONDITION → UNREAL CONDITION

Wenn ich meine Ferien bekomme, so sehe ich mir München an. ⊗

Wenn ich meine Ferien bekommen würde, so würde ich mir München ansehen.

Wenn ich genug Zeit habe, so gehe ich in den Englischen Garten.

Wenn ich genug Zeit hätte, so würde ich in den Englischen Garten gehen.

Wenn ich genug Geld habe, so kaufe ich mir eine Leica.

Wenn ich genug Geld hätte, so würde ich mir eine Leica kaufen.

Wenn die Leicas heute eintreffen, so fahre ich in die Stadt.

Wenn die Leicas heute eintreffen würden, so würde ich in die Stadt fahren.

Wenn es nicht weit ist, so komme ich in vierzehn Tagen wieder.

Wenn es nicht weit wäre, so würde ich in vierzehn Tagen wiederkommen.

UNREAL CONDITIONS: PRESENT → PAST

Wenn wir ein Picknick hätten, so würden wir ein Huhn am Spiess braten. ⊗

Wenn wir ein Picknick gehabt hätten, so hätten wir ein Huhn am Spiess gebraten.

Wenn es regnen würde, so würden wir uns trotzdem amüsieren.

Wenn es geregnet hätte, so hätten wir uns trotzdem amüsiert.

Wenn wir nicht pünktlich aufstehen würden, so würden wir den Zug versäumen.

Wenn wir nicht pünktlich aufgestanden wären, so hätten wir den Zug versäumt.

Wenn wir am Wochenende wegfahren würden, so würden wir die Autobahn vermeiden.

Wenn wir am Wochenende weggefahren wären, so hätten wir die Autobahn vermieden.

Wenn die Hauptstrasse verstopft wäre, so würden wir auf der Nebenstrasse fahren.

Wenn die Hauptstrasse verstopft gewesen wäre, so wären wir auf der Nebenstrasse gefahren.

CUED RESPONSE–I

Was würden Sie sich basteln, wenn Sie viel Holz hätten? (ein Boot) ⊗

Wenn ich viel Holz hätte, würde ich mir ein Boot basteln.

Was würden Sie sich wünschen, wenn Sie jetzt Geburtstag hätten? (eine Kamera)

Wenn ich jetzt Geburtstag hätte würde ich mir eine Kamera wünschen.

Was würden Sie sich bestellen, wenn Sie jetzt in einem Gasthaus wären? (ein Schnitzel)

Wenn ich jetzt in einem Gasthaus wäre, würde ich mir ein Schnitzel bestellen.

Was würden Sie sich kaufen, wenn Sie grossen Durst hätten? (ein Fruchteis)

Wenn ich grossen Durst hätte, würde ich mir ein Fruchteis kaufen.

Was würden Sie sich anhören, wenn Sie in Berlin wären? (eine Oper)

Wenn ich in Berlin wäre, würde ich mir eine Oper anhören.

Was hätten Sie getan, wenn die Leicas noch nicht da gewesen wären? (wiederkommen) ⊗

Wenn die Leicas noch nicht da gewesen wären, wäre ich wiedergekommen.

Wohin wären Sie gegangen, wenn Sie mehr Zeit gehabt hätten? (ins Hofbräuhaus)

Wenn ich mehr Zeit gehabt hätte, wäre ich ins Hofbräuhaus gegangen.

Was hätten Sie sich angesehen, wenn Sie länger geblieben wären? (die vielen Museen)

Wenn ich länger geblieben wäre, hätte ich mir die vielen Museen angesehen.

Was hätten Sie nicht versäumt, wenn Sie nicht krank geworden wären? (die Reise in die Alpen)

Wenn ich nicht krank geworden wäre, hätte ich die Reise in die Alpen nicht versäumt.

Was hätten Sie sich gekauft, wenn Sie mehr Geld mitgehabt hätten? (eine Leica)

Wenn ich mehr Geld mitgehabt hätte, hätte ich mir eine Leica gekauft.

Suggestions for Presentation of Buntes Allerlei

UNIT 16 (p. 92) **I.** Read „Unser Spiel im Auto" with your students.

QUESTIONS

1. Wer sitzt im Auto? Wo sitzen die Eltern? Die Kinder?
2. Warum beginnt Inge ein Spiel im Auto?
3. Wie spielen die Kinder dieses Ratespiel?
4. Warum glaubt Inge, dass der grüne Porsche aus Essen kommt?
5. Woher kommt er wirklich?
6. Woher weiss der Vater sofort, dass der Porsche aus einer grossen Stadt kommt?
7. Wie hilft die Mutter, wenn niemand weiss, woher ein Auto kommt?
8. Warum ist der schwarze Opel mit dem M auf dem Nummernschild uninteressant?
9. Was ist das Kennzeichen für Augsburg? Berlin? Düsseldorf? Frankfurt? Stuttgart? Hannover? Hamburg?
10. Was für ein Schild hat Inge noch nie gesehen?
11. Was bedeutet ein ovales Schild?
12. Wann brauchen Autos ein Nationalitätszeichen?

II. Review the German alphabet with your students.

III. Have your students read the license plates and then the international identifying signs.

IV. Have your students guess what the traffic signs on page 93 mean.

    a. man darf nicht schneller als 30 Kilometer pro Stunde fahren (a little less than 20 miles an hour)

    b. aufpassen, bald kommt eine Verkehrsampel

    c. an diesem Schild muss jedes Auto halten

    d. aufpassen, hier kreuzen Züge die Strasse

    e. man darf jetzt nicht überholen

V. For the following exercise use the map on page 121.

    1. a. Woher kommt das Auto mit dem S auf dem Nummernschild? (aus Stuttgart)

b. Suchen Sie Stuttgart auf der Karte. *(Help your students if they cannot find Stuttgart on the map. For example:* Stuttgart liegt in Süddeutschland . . . am Neckar, etc.)

2. *Repeat this exercise with other letters, such as HH, K, F, A, M, B, WÜ, D, BS, KA, N*

VI. Free Response
1. a. Woher kommt der Wagen mit dem A auf dem ovalen Schild? (Er kommt aus Österreich.) Es ist ein (österreichischer Wagen).
   b. Repeat the same question for: I, B, E, F, GB.
2. Was für ein Schild brauchen Sie für Ihren Wagen, wenn Sie in Deutschland wohnen? (Ich brauche ein D-Schild). In Italien? In der Schweiz? etc.
3. Wo spricht man Dänisch? (In Dänemark.) Englisch? Italienisch? Deutsch? etc.

UNIT 17 (p. 119)

I. *Read the poem, „Die Lorelei," to your students before they read it themselves. (On tape; Reel 8, Unit 17—Section D; on record; Disk 4, Side 2).*

II. *Read „Wasserstrassen Deutschlands" with your students.*

QUESTIONS
1. Was für einen Film hat man im Fernsehen gezeigt?
2. Wie hat dieser Film geheissen?
3. Wie sieht der Rhein im Ruhrgebiet aus?
4. Was hat dieser Film gezeigt?
5. Wo hat die Fahrt begonnen?
6. Welche Flüsse und Kanäle haben die beiden genommen, um in den Rhein zu kommen? *(Students should follow the route on the map.)*
7. Warum sah die Fahrt auf dem Rhein sogar gefährlich aus?
8. Was für Schiffe kann man auf dem Rhein sehen?
9. Warum kann man sagen, dass Wasserstrassen die Nordsee mit dem Mittelmeer verbinden?

III. *Look at the map on page 121 with your students and have them look for the rivers on page 120.*
QUESTIONS
1. Wie lang ist der Rhein in Deutschland? *(If your students do not know how long a kilometer is, tell them that a mile is 1.6 kilometers long.)*
2. Wie lang ist die Elbe? Wie lang ist sie in der Tschechoslowakei?

IV. Map Questions
1. Welche grossen deutschen Flüsse fliessen von Süden nach Norden?
2. Welche fliessen von Osten nach Westen?
3. Und welche fliessen von Westen nach Osten?
4. Welche Flüsse münden in die Nordsee?
5. Wie heissen einige Hafenstädte an der Nordsee? (An der Ostsee?)
6. Der Rhein fliesst durch drei Länder. Wie heissen sie?
7. Der Rhein ist auch die Grenze von zwei Ländern. Wie heissen sie?
8. Wie heissen die rechten Nebenflüsse vom Rhein?
9. Wo beginnt die Weser?
10. Welche Flüsse fliessen in die Donau?

11. Woher kommt die Donau? (der Rhein? der Main? die Weser? die Lippe?)
12. Wie heissen einige Städte am Rhein? (an der Donau? am Main? an der Weser? an der Elbe?)
13. Wie heisst der Kanal, der die Nordsee mit der Ostsee verbindet? (die Elbe mit der Havel? die Elbe mit der Ems? den Main mit der Donau?) *Note: The last stretch of the canal leading to the Danube is under construction and not finished.*
14. Welche beiden Flüsse verbindet der Küsten-Kanal? (der Ems-Dortmund-Kanal?)
15. Wie können Sie mit einem Boot von Stuttgart nach Lübeck fahren?
16. Welche Wasserstrassen müssen Sie nehmen, wenn Sie mit einem Boot von Hannover nach Bamberg fahren wollen?
17. An welchen Gebirgen fliesst die Weser vorbei?
18. Welche Gebirge findet man bei Köln und Bonn?
19. Welche Gebirge liegen in der Deutschen Demokratischen Republik?
20. Welche Gebirge liegen an der Grenze von den beiden Deutschlands?
21. Welches Gebirge liegt nördlich von Frankfurt? Südlich? Östlich? Westlich?
22. Welches Gebirge liegt zwischen der Ruhr und der Sieg?
23. Welche Gebirge liegen in Südwestdeutschland?—Welche Städte liegen in diesem Gebiet?
24. Wo liegt die Fränkische Alb?
25. Welches Gebirge liegt östlich von Regensburg?

UNIT 18 (p. 146) I. *Read „Ausstellungen in München" with your students. For each exhibition ask the following questions:*
1. Wo ist (die Sammlung Holzinger)?
2. Was zeigt man jetzt dort?
3. Wann ist (die Sammlung Holzinger) geöffnet?

Note: *If your students are not familiar with the 24-hour system of telling time, explain it to them before reading the announcements.*

II. *Class Project: Have students do reports on the life and works of Marc, Klee, Baumeister, and Nolde.*

UNIT 19 (p. 174) *Before you read the movie ads with your class, tell them something about the German film industry (which is not very big). Tell them that many films shown in Germany are foreign. Almost all are dubbed. The recommended age group is usually indicated.*

QUESTIONS
1. Was für Filme spielen am Goetheplatz?
   a. Was für ein Film ist *Eisstation Zebra?* (ein erregender Abenteuerfilm)
   b. Ist *Eisstation Zebra* ein deutscher Film?
   c. Welchen von diesen drei Filmen haben Sie schon gesehen?
   d. Welchen Film möchten Sie sehen?
   e. Welcher Film hat Ihnen (nicht) gefallen?
   Use these questions for other movies.

2. Was glauben Sie, was ein Autokino ist?
   a. Warum beginnt die Vorstellung erst um 21 Uhr?
   b. Was für ein Film ist *Grand Prix?*

3. Was für einen Film möchten Sie sehen?
   a. Wo spielt dieser Film?
   b. Wo ist dieses Kino?—Telefonnummer?
   c. Dürfen Sie in diesen Film gehen?
   d. In welche Vorstellung gehen Sie?

4. Was können Sie über die Kinoreklame sagen? Spielen nur deutsche Filme?

UNIT 20 (p. 204) I. Read „Warum ich in Berlin bleibe" *with your students.*

QUESTIONS
1. Wo liegt Berlin?
2. Was für eine Stadt ist Berlin? Wie gross ist die Stadt?
3. Was produziert Berlin alles?
4. Warum kann man sagen, dass Berlin ein Kulturzentrum ist?
5. Aus welchem Grund ist Berlin aber auch eine traurige Stadt?
6. Was für Menschen sind die Berliner?

II. *Have your students describe the pictures on pages 176, 204, and 205.*

III. *Class Project: Assign students to do reports about Berlin. Information may be obtained free of charge from the German Consulate in your area, or from the German Information Center, 410 Park Avenue, New York, N.Y.*

UNIT 21 (p. 229) *At this point you may want to tell your students something about the employment situation in Germany—that in the past 10 years there have been more jobs available than people to fill them, and that many foreigners, especially from Southern Europe, were hired to fill some of these jobs. Point out the importance of knowing a foreign language for possible employment abroad.*

Then have your students read the job offers and for some ads ask them the following questions:

1. Was sucht man durch diese Anzeige?
2. Was tut (eine Obstverkäuferin)?
3. Wann kann sie in dieser Stellung anfangen?
4. Für welche Angebote interessieren Sie sich?

UNIT 22 (p. 255) I. *Have the students read the menu.*

II. QUESTIONS
1. Was für Suppe essen Sie am liebsten ?
2. Was für Fisch bestellen Sie im Lokal?
3. Was für Würstchen essen Sie gern?
4. Was möchten Sie von dieser Speisekarte bestellen?
5. Warum bestellen Sie kein Pfannengericht?
6. Haben Sie Appetit auf etwas vom Grill?
7. Was für eine kalte Speise bestellen Sie?

8. Warum bestellen Sie keine Birnen als Kompott?

9. Was bestellen Sie nach dem Essen?

III. SITUATION 1

Nehmen Sie an, dass Sie in einem Lokal sitzen und dass Ihnen der Ober eben die Speisekarte gebracht hat. Sie lesen sie zuerst, und dann bestellen Sie folgendes Essen beim Kellner. Wie bestellen Sie das Essen? Was sagen Sie dem Ober?

10. Sie möchten: Suppe, ein Paar Würste und als Kompott Pflaumen

11. Sie möchten: Suppe, eine Mehlspeise, Kompott

12. Sie möchten etwas von der Tageskarte, nachher Kaffee und Kuchen

13. Sie möchten: ein Pfannengericht, Käse und Kompott

14. Sie möchten etwas vom Grill, Kaffee und Kuchen

15. Sie möchten: Suppe und eine kalte Speise

IV. SITUATION 2

Nehmen Sie an, dass Sie mit Ihren Eltern und Geschwistern in dem Gasthaus zur Post sitzen. Jeder bestellt sein Essen.

16. Worauf hat Ihr Vater Appetit?

17. Was bestellt sich Ihre Mutter?

18. Was isst Ihr Bruder? Und Ihre Schwester?

19. Worauf haben Sie Appetit? Was bestellen Sie sich?

V. SITUATION 3

Sie haben nun gegessen und möchten zahlen. Sie rufen den Ober; er kommt, er zählt auf, was Sie gegessen haben und schreibt es auf einen Zettel:

(er sagt:)	(er schreibt:)
eine Goulaschsuppe, achtzig	DM –.80
ein Paar Pfälzer, eins achtzig	1.80
Kompott—Pflaumen, nicht? auch achtzig	–.80
das macht zusammen: null, acht-sechzehn-vierund-zwanzig. . . zwei und eins sind drei: drei Mark 40	3.40
plus fünfzehn Prozent * sind einundfünfzig: drei	.51
Mark einundneunzig.	3.91

20. Sagen Sie, wie der Ober die Preise von 11–15 oben ausrechnet.

* The fifteen percent for service is automatically included in the check. The waiter also expects to keep the small change in addition, and in this case, the customer would give the waiter an even four marks.

UNIT 23 (p. 278)   I. *Read the two poems and the sayings to the students, and then have the students read them. You may want to have your students learn one of the two poems by heart.*

If you have an edition of the works of Wilhelm Busch you might want to acquaint your students with some of the stories. However, be careful in selecting appropriate stories since some of them are completely unsuitable for today's classroom.

II. *Have your students find equivalents for the German sayings.*

UNIT 24 (p. 305)   Have your students take turns reading the circus program as a ringmaster would announce the individual acts.

UNIT 25 (p. 329)   I. Have your students read the vacation ads and ask the following questions:

GRAND HOTEL

1. In welcher Stadt liegt dieses Hotel?
2. Wie liegt es?
3. Ist es nur in der Hochsaison offen?
4. Was hat dieses Hotel alles?

HOTEL MONTEFIORE

1. Liegt dieses Hotel im Zentrum von Lugano?
2. Warum kann man sagen, dass dieses Hotel gut gelegen ist?
3. Glauben Sie, dass das Essen dort gut ist?
4. Woher weiss man, dass es ein grosses Hotel ist?

VILLA RONCHINI

1. Wo liegt diese Villa?
2. Was bietet diese Villa alles?

HOTEL MORO

Was bietet das Hotel Moro?

BRISSAGO

1. Wo liegt Brissago?
2. Aus welchem Grund ist es ein beliebtes Reiseziel?

HOTEL ASCONA

Was bietet das Hotel Ascona?

II. Have your students look at the map on page 345 and have them find Ascona and Lugano.

UNIT 26 (p. 355)   I. Have your students look at the photographs on page 355 and have them describe what they see.

II. Have your students take a closer look at the map on page 345 and ask the following questions:
1. Wo liegt die Schweiz?
2. Wer sind ihre Nachbarn?
3. Was für Sprachen spricht man in der Schweiz?
4. Wo spricht man Deutsch? Französisch? Italienisch? Rätoromanisch? *(Have the students look at the inset map)*
5. Nennen Sie die Flüsse, die Sie auf dieser Karte finden.
6. Wie heissen einige Seen?
7. Welche Städte liegen am Bodensee?
8. Von welchen hohen Bergen haben Sie gehört und gelesen?
9. Wo liegt Zürich?
10. Wie heisst die Hauptstadt der Schweiz?
11. An welchem Fluss liegt Bern?
12. Wie heisst die Hauptstadt von Liechtenstein?

Audio Index

Unit		Full-Track Tape	Two-Track Tape		12" Records	
16	Section A	Reel 1	Reel 1	Track 1	Record 1	Side 1
	Section B	Reel 2	Reel 1	Track 2	Record 1	Side 2
	Section C	Reel 3	Reel 2	Track 1	Record 2	Side 1
	Section D	Reel 4	Reel 2	Track 2	Record 2	Side 2
17	Section A	Reel 5	Reel 3	Track 1	Record 3	Side 1
	Section B	Reel 6	Reel 3	Track 2	Record 3	Side 2
	Section C	Reel 7	Reel 4	Track 1	Record 4	Side 1
	Section D	Reel 8	Reel 4	Track 2	Record 4	Side 2
18	Section A	Reel 9	Reel 5	Track 1	Record 5	Side 1
	Section B	Reel 10	Reel 5	Track 2	Record 5	Side 2
	Section C	Reel 11	Reel 6	Track 1	Record 6	Side 1
	Section D	Reel 12	Reel 6	Track 2	Record 6	Side 2
19	Section A	Reel 13	Reel 7	Track 1	Record 7	Side 1
	Section B	Reel 14	Reel 7	Track 2	Record 7	Side 2
	Section C	Reel 15	Reel 8	Track 1	Record 8	Side 1
	Section D	Reel 16	Reel 8	Track 2	Record 8	Side 2
20	Section A	Reel 17	Reel 9	Track 1	Record 9	Side 1
	Section B	Reel 18	Reel 9	Track 2	Record 9	Side 2
	Section C	Reel 19	Reel 10	Track 1	Record 10	Side 1
	Section D	Reel 20	Reel 10	Track 2	Record 10	Side 2
21	Section A	Reel 21	Reel 11	Track 1	Record 11	Side 1
	Section B	Reel 22	Reel 11	Track 2	Record 11	Side 2
	Section C	Reel 23	Reel 12	Track 1	Record 12	Side 1
	Section D	Reel 24	Reel 12	Track 2	Record 12	Side 2
22	Section A	Reel 25	Reel 13	Track 1	Record 13	Side 1
	Section B	Reel 26	Reel 13	Track 2	Record 13	Side 2
	Section C	Reel 27	Reel 14	Track 1	Record 14	Side 1
	Section D	Reel 28	Reel 14	Track 2	Record 14	Side 2
23	Section A	Reel 29	Reel 15	Track 1	Record 15	Side 1
	Section B	Reel 30	Reel 15	Track 2	Record 15	Side 2
	Section C	Reel 31	Reel 16	Track 1	Record 16	Side 1
	Section D	Reel 32	Reel 16	Track 2	Record 16	Side 2

Unit		Full-Track Tape	Two-Track Tape		12" Records	
24	Section A	Reel 33	Reel 17	Track 1	Record 17	Side 1
	Section B	Reel 34	Reel 17	Track 2	Record 17	Side 2
	Section C	Reel 35	Reel 18	Track 1	Record 18	Side 1
	Section D	Reel 36	Reel 18	Track 2	Record 18	Side 2
25	Section A	Reel 37	Reel 19	Track 1	Record 19	Side 1
	Section B	Reel 38	Reel 19	Track 2	Record 19	Side 2
	Section C	Reel 39	Reel 20	Track 1	Record 20	Side 1
	Section D	Reel 40	Reel 20	Track 2	Record 20	Side 2
26	Section A	Reel 41	Reel 21	Track 1	Record 21	Side 1
	Section B	Reel 42	Reel 21	Track 2	Record 21	Side 2
	Section C	Reel 43	Reel 22	Track 1	Record 22	Side 1
	Section D	Reel 44	Reel 22	Track 2	Record 22	Side 2
27	Section A	Reel 45	Reel 23	Track 1	Record 23	Side 1
	Section B	Reel 46	Reel 23	Track 2	Record 23	Side 2
	Section C	Reel 47	Reel 24	Track 1	Record 24	Side 1
	Section D	Reel 48	Reel 24	Track 2	Record 24	Side 2

SECOND EDITION

A·LM ®

GERMAN

LEVEL TWO

HARCOURT BRACE JOVANOVICH, INC.

New York   Chicago   San Francisco

Atlanta   Dallas

WRITING AND CONSULTING STAFF

WRITER: **George Winkler**

CONSULTING LINGUIST: **Alfred S. Hayes,** *Center for Applied Linguistics, Washington D.C.*

TEACHER CONSULTANT: **Betty A. Robertson,** *Northport Senior High School, New York*

RECORDING SPECIALIST: **Pierre J. Capretz,** *Yale University*

GENERAL CONSULTANT: **Nelson Brooks,** *Yale University*

The Reading Selections in Units 16 through 27 as well as the Basic Material in Units 26 and 27 were written by **Jürg Federspiel**. Mr. Federspiel is a well-known Swiss author of short stories, novels, and plays.

TEXT PHOTOGRAPHS: viii, 14 Harbrace; 20 Lehnartz, FPG; 29 H. Arnold, Bavaria-Verlag; 42 Harbrace; 54 Henry G. Jordan, Photo Researchers; 64 Vance Henry, Photo Researchers; 66, 77, 94 Wolf von dem Bussche; 110 Sabine Weiss, Rapho-Guillumette; 122 Harbrace, courtesy of Morton D. May Collection and Marlborough-Gerson Gallery; 130 Wolf von dem Bussche; 147 *top and bottom* Stadt Galerie, München; 148 Fritz Henle, Photo Researchers; 174 Wolf von dem Bussche; 176 SHOSTAL Associates; 204, 205 *top left, top right, bottom right* German Information Center; 205 *bottom left* Roy Blumenthal, International Associates, Inc.; 206 Harbrace; 230, 256 Wolf von dem Bussche; 280 SHOSTAL Associates; 306 Dr. Glauboch, Photo Researchers; 320, 330, 355 *all photos* Swiss National Tourist Office; 356 SHOSTAL Associates

CIRCUS PROGRAM with permission of Circus Krone München

MAPS: 121, 345 Harbrace

The first edition of this work was produced pursuant to a contract between the Glastonbury Public Schools and the United States Office of Education, Department of Health, Education, and Welfare.

ISBN 0-15-383925-2

PRINTED IN THE UNITED STATES OF AMERICA

® *Registered Trademark, Harcourt Brace Jovanovich, Inc.*

AUDIO-LINGUAL MATERIALS
LISTENING · SPEAKING · READING · WRITING

A four-level secondary-school program
of text, audio, and visual materials in
French, German, Russian, and Spanish

LEVEL TWO PROGRAM: *Second Edition*

Student Materials:

STUDENT TEXTBOOK

EXERCISE BOOK

PRACTICE RECORD SET

STUDENT TEST ANSWER FORM BOOKLET

Teacher Materials:

TEACHER'S EDITION

CUE CARDS

TEACHER'S TEST MANUAL

Classroom / Laboratory Recorded Materials:

7½ ips FULL-TRACK TAPE SET

7½ ips TWO-TRACK TAPE SET

7½ ips FULL-TRACK TESTING TAPE SET

33⅓ rpm RECORD SET

CONTENTS

BASIC DIALOG

Wer hilft wem?

KURT   Hast du nach der Schule etwas vor?
UWE   Ich muss den Rasen mähen. `13-1`
KURT   Ja, das Gras ist bei euch schon hoch. Soll ich dir helfen?
UWE   Nur, wenn es dir Spass macht. Komm gleich nach dem Essen zu mir! `13-2`

UWE   Holst du den Rasenmäher aus dem Schuppen? Er steht bei der Tür. `13-3`
KURT   Hm! Er sieht neu aus. Der Nachbar uns gegenüber hat auch so einen Mäher. `13-4`
UWE   Er gehört meinem Onkel. Sei deshalb vorsichtig! `13-5`
KURT   Hab keine Angst! Ich mach'[1] ihn nicht kaputt.—Und was machst du? Schaust du
      mir zu? `13-6`

Who's Helping Whom?

KURT   Are you doing anything after school?
UWE   I have to mow the lawn.
KURT   Yes, the grass is already high at your place. Do you want me to help you?
UWE   Only if you'd like to. Come over to my place right after you eat.

UWE   Would you get the lawnmower out of the shed? It's (it stands) by the door.
KURT   Hm, it looks new. The neighbor across from us has one just like it.
UWE   It belongs to my uncle. So (therefore) be careful!
KURT   Don't worry, I won't break it.—And what are you going to do, watch me?

---

[1] The omission of the final **-e** from the first person present tense verb form is very common in spoken German. This omission is indicated in writing with an apostrophe.

◀ *Germans take great pride in their lawns and gardens*

1

Ich muss den Rasen giessen.   I have to water the lawn.
     die Terrasse kehren.   to sweep the terrace.
     die Blumen schneiden. 13-3   to cut the flowers.

Das Gras ist niedrig.   The grass is short (low).
     nass.   wet.
     trocken.   dry.
     grün.   green.

Soll ich dir folgen?   Am I supposed to follow you?
     antworten?   to answer
     danken?   to thank
     gehorchen?   to obey
     raten?   to advise

Kurt spricht mit seinem Lehrer.   Kurt is talking to his teacher.

Kurt geht zu seinem Freund.   Kurt's going to his friend's.

———————————

Hol den Eimer aus dem Schuppen! 13-4   Get the pail from the shed.
     den Besen   13-5   the broom
     den Schlauch   13-6   the hose

Er hängt bei der Tür.   13-7   It's hanging by the door.
     bei der Treppe. 13-8   by the staircase.

Ist dieser Motor neu?   13-9   Is this motor new?
    diese Schaufel   13-10   this shovel
    dieses Messer   13-11   this knife
    diese Schere   13-12   Are these scissors new?

Dieser Mäher gefällt meinem Onkel.   My uncle likes this mower. (This mower is
     pleasing to my uncle.)

Der Mäher ist von meinem Onkel.   The mower is my uncle's.

Der Brief ist von meinem Onkel.   The letter is from my uncle.

Siehst du mir zu?   Are you watching me?
Hörst du mir zu?   Are you listening to me?
Stimmst du mir zu?   Are you agreeing with me?

Listening and Speaking Exercises 157*, 158, 159 ⊗

Noun Gender and Plurals

der Besen, –	der Schuppen, –	die Treppe, –n
der Eimer, –	der Spass, ¨e	die Tür, –en
der Mäher, –		
der Motor, –en	die Blume, –n	das Essen
der Rasen, –	die Schaufel, –n	das Gras
der Rasenmäher, –	die Schere, –n	das Messer, –
der Schlauch, ¨e	die Terrasse, –n	

Verbs

aussehen:	er sieht . . . aus	sprechen:	du sprichst
zuhören:	er hört . . . zu		er spricht
zuschauen:	er schaut . . . zu	gefallen:	du gefällst
zusehen:	er sieht . . . zu		er gefällt
zustimmen:	er stimmt . . . zu		

Vocabulary Exercises

1. SENTENCE COMPLETION

1. Hast du nach der Schule etwas _____?
2. Ich muss den Rasen _____.
3. Das Gras ist schon sehr _____.
4. Kehrst du jetzt die _____?
5. Nein, ich muss die Blumen _____.

2. QUESTIONS

1. Was hat Uwe nach der Schule vor?
2. Warum muss er den Rasen mähen?
3. Mähen Sie manchmal den Rasen?
4. Will Kurt nicht helfen?
5. Wann soll Kurt zu Uwe kommen?

3. SENTENCE COMPLETION

1. Kurt holt den Mäher aus dem _____.
2. Der Rasenmäher steht bei der _____.
3. Kurts Nachbar hat auch so einen _____.
4. Der Mäher gehört _____.
5. Kurt soll deshalb vorsichtig _____.
6. Uwe hilft nicht. Er schaut nur _____.

4. QUESTIONS

1. Holt Kurt den Mäher aus der Garage?
2. Steht der Mäher bei der Treppe?
3. Ist der Mäher schon alt und kaputt?
4. Wer hat auch so einen Rasenmäher?
5. Warum soll Kurt besonders vorsichtig sein?

GRAMMAR

First and Second Person Pronouns:
Dative Case

PRESENTATION *TEACHER PRESENTATION* Teacher Presentations for Units 13 to 15 may be found in the Teacher Presentation section of the blue pages.

Der Mäher ist für **mich.**　　　Peter gibt **mir** den Mäher.
Das Auto ist für **uns.**　　　　Peter zeigt **uns** das Auto.

Die Blumen sind für **dich.**　　Peter schenkt **dir** die Blumen.
Das Buch ist für **euch.**　　　Peter leiht **euch** das Buch.
Das Armband ist für **Sie.**　　Peter gibt **Ihnen** das Armband.

Identify the pronouns in the left-hand column. What case are they in? Identify the pronouns in the right-hand column. What is the function of these pronouns? What case are these pronouns in?

GENERALIZATION

In Unit 7 you learned that **mich, uns, dich, euch,** and **Sie** are the accusative forms of the first and second person pronouns **ich, wir, du, ihr,** and **Sie.** The dative forms of the first and second person pronouns are given in the following chart.

Accusative Forms of First and Second Person Pronouns	*Dative Forms of First and Second Person Pronouns*
FIRST PERSON	
Der Mäher ist für **mich.**	Peter gibt **mir** den Mäher.
Das Auto ist für **uns.**	Peter zeigt **uns** das Auto.
SECOND PERSON	
Die Blumen sind für **dich.**	Peter schenkt **dir** die Blumen.
Das Buch ist für **euch.**	Peter leiht **euch** das Buch.
Der Armband ist für **Sie.**	Peter gibt **Ihnen** das Armband.

The following chart shows the nominative, dative, and accusative case forms of all the personal pronouns.

		Nominative	Dative	Accusative
SINGULAR				
1st person		ich	mir	mich
2nd person		du	dir	dich
3rd person	m.	er	ihm	ihn
	f.	sie	ihr	sie
	n.	es	ihm	es
PLURAL				
1st person		wir	uns	uns
2nd person		ihr	euch	euch
3rd person		sie	ihnen	sie
FORMAL ADDRESS		Sie	Ihnen	Sie

Listening and Speaking Exercises 160*, 161 ⊗

SECTION B

STRUCTURE DRILLS

5. TRANSFORMATION DRILL

Die Schere ist für dich. ⊗   Uwe leiht dir die Schere.
Die Schere ist für uns.   Uwe leiht uns die Schere.
Die Schere ist für mich.   Uwe leiht mir die Schere.
Die Schere ist für Sie.   Uwe leiht Ihnen die Schere.
Die Schere ist für euch.   Uwe leiht euch die Schere.

6. PATTERNED RESPONSE

1. Zeigt er Ihnen die Terrasse? ⊗   Ja, er zeigt mir die Terrasse.
   Gibt er Ihnen den Mäher?   Ja, er gibt mir den Mäher.
   Schenkt er Ihnen die Blumen?   Ja, er schenkt mir die Blumen.
   Leiht er Ihnen den Schlauch?   Ja, er leiht mir den Schlauch.
   Schuldet er Ihnen zwei Mark?   Ja, er schuldet mir zwei Mark.

2. Zeigen Sie mir den Schuppen? ⊗   Gut, ich zeige Ihnen den Schuppen.
Schicken Sie mir das Paket?   *Gut, ich schicke Ihnen das Paket.*
Erzählen Sie mir die Geschichte?   *Gut, ich erzähle Ihnen die Geschichte.*
Erklären Sie mir den Motor?   *Gut, ich erkläre Ihnen den Motor.*
Kaufen Sie mir den Schmuck?   *Gut, ich kaufe Ihnen den Schmuck.*

7. DIRECTED DRILL

Sagen Sie *Kurt*, dass er Ihnen seine Kamera zeigen soll!   Zeig mir bitte deine Kamera!

Sagen Sie *Ulla*, dass sie Ihnen ihr Tonband geben soll!   Gib mir bitte dein Tonband!

Sagen Sie *Uwe*, dass er Ihnen seinen Rasenmäher leihen soll!   Leih mir bitte deinen Rasenmäher!

Sagen Sie *Renate*, dass sie Ihnen ihren Brief erklären soll!   Erklär mir bitte deinen Brief!

Sagen Sie *Achim*, dass er Ihnen seine Schier mitbringen soll!   Bring mir bitte deine Schier mit!

Sagen Sie *Eva*, dass sie Ihnen ihr Buch schicken soll!   Schick mir bitte dein Buch!

VARIATION

Sagen Sie mir, dass ich Ihnen meine Kamera zeigen soll!   *Zeigen Sie mir bitte Ihre Kamera!*

8. FREE SUBSTITUTION

Ich leihe <u>dir</u> die <u>Schere</u> nicht.   *ihm, ihnen, ihr / Messer, Schaufel, Schlauch*
<u>Gibt</u> er <u>euch</u> die <u>Blumen</u>?   *zeigt, schickt / dir, ihr / Kamera, Platten, Geld*

9. WRITING EXERCISE

Cover the right-hand column and write the responses to Drill 5. Write the responses to Drill 6.2.

EXERCISE BOOK: EXERCISE 1

10. CUED RESPONSE

Was fragen Sie Ihren Bruder, wenn er Ihnen

    fünf Mark leihen soll?   Leihst du mir bitte fünf Mark?
    die Stadt zeigen soll?   Zeigst du mir bitte die Stadt?
    das Messer geben soll?   *Gibst du mir bitte das Messer?*
    die Geschichte erzählen soll?   *Erzählst du mir bitte die Geschichte?*
    eine Halskette schenken soll?   *Schenkst du mir bitte eine Halskette?*
    eine Karte schreiben soll?   *Schreibst du mir bitte eine Karte?*
    ein Paket schicken soll?   *Schickst du mir bitte ein Paket?*

VARIATION

Was fragen Sie mich, wenn ich Ihnen fünf Mark leihen soll?   *Leihen Sie mir bitte fünf Mark!*

11. REJOINDERS

Ich weiss nicht, was ich dir zum Geburtstag schenken soll. Ich brauche Ohrringe (ein Hemd, eine Bluse).
Ich weiss nicht, wem Peter den Motor zeigt. Seinen Freunden. / Meinem Bruder. / Läuft der Motor wieder nicht?

Verbs with a Direct Object in the Dative Case

PRESENTATION *TEACHER PRESENTATION*

Der Schüler antwortet **dem Lehrer.**
Ich helfe **dir** heute.
Der Mäher gehört **meinem Onkel.**
Wir sehen **den Kindern** zu.
Diese Blumen gefallen **mir.**

In each of these sentences, identify the noun phrase or pronoun that functions as direct object. What case is each of these objects in?

GENERALIZATION

You have learned that the direct object function of a noun phrase or pronoun is usually signalled by the accusative case: **Er fragt den Freund; Er fragt ihn.** A limited number of verbs take a direct object in the dative case. Among these verbs are the following:

antworten	**gehorchen**	**helfen**
danken	**gehören**	**passen**
folgen	**gefallen**	**raten**

Wem hilft Uwe?
Er antwortet den Eltern.
Der Mäher gehört meinem Onkel.

In addition, verbs with the separable prefix **zu-** take an object in the dative case. Here are the ones you have learned:

zuhören	**zusehen**
zuschauen	**zustimmen**

Schaust du mir zu?
Stimmt er dir zu?

STRUCTURE DRILLS

12. ITEM SUBSTITUTION

1. Kurt hilft seinem Freund. ⊗   Kurt hilft seinem Freund.
   _____ Mutter.   Kurt hilft seiner Mutter.
   _____ Freundin.   Kurt hilft seiner Freundin.
   _____ Brüder.   Kurt hilft seinen Brüdern.
   _____ Kusine.   Kurt hilft seiner Kusine.
   _____ Vater.   Kurt hilft seinem Vater.

2. Der Hund gehorcht nur meinem Onkel. ⊗   *meiner Tante–meinem Vetter–*
   (Tante–Vetter–Grossvater–Kusine–Nachbar)   *meinem Grossvater–meiner Kusine–*
                                              meinem Nachbarn

13. PATTERNED RESPONSE

1. Hilfst du mir nicht? ⊗   Doch, ich helfe dir.
   Siehst du mir nicht zu?   Doch, ich sehe dir zu.
   Antwortest du mir nicht?   Doch, ich antworte dir.
   Folgst du mir nicht?   Doch, ich folge dir.
   Hörst du mir nicht zu?   Doch, ich höre dir zu.
   Stimmst du mir nicht zu?   Doch, ich stimme dir zu.
   Helfen Sie mir nicht?   **VARIATION**   *Doch, ich helfe Ihnen.*

2. Gehört der Mäher deinem Onkel?   Ja, er gehört meinem Onkel.
   Gehört die Jacke deiner Mutter?   *Ja, sie gehört meiner Mutter.*
   Gehört das Haus deinen Eltern?   *Ja, es gehört meinen Eltern.*
   Gehört das Messer deinem Bruder?   *Ja, es gehört meinem Bruder.*
   Gehört die Schere deiner Schwester? *Ja, sie gehört meiner Schwester.*
   Gehört die Platte deinen Geschwistern? *Ja, sie gehört meinen Geschwistern.*

Listening and Speaking Exercises 162*, 163 ⊗   SECTION C

14. TRANSFORMATION DRILL

Das ist sein Mäher. ⊗   Er gehört ihm.
Das ist meine Schere.   Sie gehört mir.
Das ist unser Schuppen.   Er gehört uns.
Das ist dein Messer.   Es gehört dir.
Das ist euer Besen.   Er gehört euch.
Das ist ihre Schaufel.   Sie gehört ihr.

15. WRITING EXERCISE

Write the responses to Drills 12.2 and 13.2.
EXERCISE BOOK: EXERCISE 2

16. ENGLISH CUE DRILLS

Sentences with **gefallen** of the type: **Der Mantel gefällt ihm** are equivalent to English sentences of the type: *He likes the coat.* Note that in German the person involved is the dative object of the verb **gefallen;** the thing (or person) that is liked is the subject.

1. Dieser Schlager gefällt meinem Onkel. ⊗
   My aunt likes this song.
   My brother likes this song.
   My parents like this song.
   My mother likes this song.
   My uncle likes this song.

   Dieser Schlager gefällt meinem Onkel.
   Dieser Schlager gefällt meiner Tante.
   Dieser Schlager gefällt meinem Bruder.
   Dieser Schlager gefällt meinen Eltern.
   Dieser Schlager gefällt meiner Mutter.
   Dieser Schlager gefällt meinem Onkel.

2. Mir gefällt der Mantel nicht. ⊗
   She doesn't like the coat.
   We don't like the coat.
   He doesn't like the coat.
   They don't like the coat.
   I don't like the coat.

   Mir gefällt der Mantel nicht.
   Ihr gefällt der Mantel nicht.
   Uns gefällt der Mantel nicht.
   Ihm gefällt der Mantel nicht.
   Ihnen gefällt der Mantel nicht.
   Mir gefällt der Mantel nicht.

In sentences with the verb phrase **Spass machen,** the pronoun **es** can be the subject of the sentence. The person involved is in the dative case.

3. Es macht meinem Bruder Spass.
   It's fun for my sister.
   It's fun for them.
   It's fun for us.
   It's no fun for us.
   It's fun for my brother.

   Es macht meinem Bruder Spass.
   Es macht meiner Schwester Spass.
   Es macht ihnen Spass.
   Es macht uns Spass.
   Es macht uns keinen Spass.
   Es macht meinem Bruder Spass.

17. CUED RESPONSE

Wer gehorcht Ihnen nicht?   (Ihr Hund)

Mein Hund gehorcht mir nicht.

Wer antwortet Ihnen nie?   (Ihre Schwester)

Meine Schwester antwortet mir nie.

Wer stimmt Ihnen nie zu?   (Ihr Bruder)

Mein Bruder stimmt mir nie zu.

Wer hilft Ihnen oft?   (Ihr Freund)

Mein Freund hilft mir oft.

Wer folgt Ihnen nach Hause?   (Ihre Katze)

Meine Katze folgt mir nach Hause.

Wer hört Ihnen immer zu?   (Ihre Mutter)

Meine Mutter hört mir immer zu.

Wer dankt Ihnen nie für Geschenke? (Ihre Tante)

Meine Tante dankt mir nie für Geschenke.

18. DOUBLE ITEM SUBSTITUTION

		VARIATION	
Ich wecke meinen Bruder. ⊗		Tante	Ich wecke meinen Bruder.
___ helfe _____.			Ich helfe meinem Bruder.
_____ Schwester.		Onkel	Ich helfe meiner Schwester.
___ rufe _____.			Ich rufe meine Schwester.
___ gehorche _____.			Ich gehorche meiner Schwester.
_____ Vater.		Mutter	Ich gehorche meinem Vater.
___ hole _____.			Ich hole meinen Vater.
___ danke _____.			Ich danke meinem Vater.

ADDITIONAL STRUCTURE DRILL ⊗   The text for all Additional Structure Drills is arranged by unit and section and appears in Additional Structure Drill Section of blue pages.

19. FREE SUBSTITUTION

Kurt <u>hilft</u> seinem Freund.   *gehorcht, holt, dankt / Kusine, Kollege, Tante*

<u>Mir</u> gefällt die <u>Modenschau</u> nicht.   *ihm, Hilde, uns / Blumen, Schmuck, Kette, Radio*

20. DIRECTED DIALOG

Fragen Sie *Uwe,* ob er Ihnen den Rasenmäher leiht!

Leihst du mir den Rasenmäher?

Sagen Sie ihm, dass Sie ihm den Rasenmäher nicht leihen können; er gehört Ihrem Onkel!

Ich kann dir den Rasenmäher nicht leihen; er gehört meinem Onkel.

Fragen Sie *Ursel,* ob sie Ihnen die Jacke gibt!

Gibst du mir die Jacke?

Sagen Sie ihr, dass Sie ihr die Jacke gern geben; sie passt Ihnen nicht mehr!

Ich gebe dir die Jacke gern; sie passt mir nicht mehr.

Fragen Sie *Fritz,* ob er Ihnen die Platte verkauft!

Verkaufst du mir die Platte?

Sagen Sie ihm, dass Sie ihm die Platte gern verkaufen; sie gefällt Ihnen nicht!

Ich verkaufe dir die Platte gern; sie gefällt mir nicht.

Fragen Sie *Inge,* ob sie Ihnen manchmal schreiben wird!

Wirst du mir manchmal schreiben?

Sagen Sie ihr, dass Sie ihr nicht schreiben werden; sie antwortet Ihnen nie!

Ich werde dir nicht schreiben; du antwortest mir nie.

21. WRITING EXERCISE

Cover the right-hand column and write the responses to Drill 18.

EXERCISE BOOK: EXERCISE 3

The Prepositions
aus, bei, mit, nach, von, zu, gegenüber

PRESENTATION *TEACHER PRESENTATION*

Er holt den Mäher **aus dem Schuppen.**
Er steht **bei der Tür.**
Sie fährt **mit ihrer Freundin** dorthin.
Was machst du **nach der Schule?**
Das ist ein Lehrer **von mir.**
Uwe geht **zu seinem Freund.**
Er wohnt **gegenüber der Schule.**

In each of these sentences, identify the noun phrase or pronoun that follows the preposition. What case is each of these noun phrases or pronouns in?

GENERALIZATION

You know that the dative case is used to signal the indirect object function of a noun phrase or pronoun:

Max kauft seiner Freundin ein Armband.
Ich gebe dir das Buch nicht.

You also know that certain verbs require a direct object in the dative case:

Uwe hilft seinem Freund.
Sie antwortet ihm nicht.

The dative case forms of noun phrases and pronouns must also be used after the prepositions **aus, bei, mit, nach, von, zu,** and **gegenüber.**

Er holt den Mäher aus dem Schuppen.
Er steht bei der Tür.
Sie fährt mit ihrer Freundin dorthin.
Was machst du nach der Schule?
Das ist ein Lehrer von mir.
Uwe geht zu seinem Freund.
Er wohnt gegenüber der Schule.

Note that **gegenüber** may precede or follow a noun phrase; it always follows a pronoun.

Er wohnt gegenüber der Schule.
or **Er wohnt der Schule gegenüber.**
but **Er wohnt uns gegenüber.**

When the definite article **dem** follows the prepositions **bei, von,** or **zu,** the two words are usually contracted to **beim, vom,** or **zum,** respectively. When **der** follows **zu,** these two words are usually contracted to **zur.**

bei + dem	=	**beim**
von + dem	=	**vom**
zu + dem	=	**zum**
zu + der	=	**zur**

Listening and Speaking Exercises 164*, 165 ⊗

SECTION D

STRUCTURE DRILLS

22. ITEM SUBSTITUTION

1. Hol mal den Besen aus dem Schuppen! ⊗   Hol mal den Besen aus dem Schuppen!
   _____ Garage!   Hol mal den Besen aus der Garage!
   _____ Küche!   Hol mal den Besen aus der Küche!
   _____ Keller!   Hol mal den Besen aus dem Keller!
   _____ Stube!   Hol mal den Besen aus der Stube!

2. Er steht dort bei der Tür. ⊗   Er steht dort bei der Tür.
   _____ Fenster.   Er steht dort beim Fenster.
   _____ Treppe.   Er steht dort bei der Treppe.
   _____ Auto.   Er steht dort beim Auto.
   _____ Schaufel.   Er steht dort bei der Schaufel.

3. Sie geht mit ihrer Freundin weg. ⊗   Sie geht mit ihrer Freundin weg.
   _____ Vater _____.   Sie geht mit ihrem Vater weg.
   _____ Schwester ___.   Sie geht mit ihrer Schwester weg.
   _____ Kusine _____.   Sie geht mit ihrer Kusine weg.
   _____ Bruder _____.   Sie geht mit ihrem Bruder weg.

4. Hast du nach der Schule etwas vor? ⊗
   (Konzert–Oper–Theater–Vorstellung)

   dem Konzert–der Oper
   dem Theater–der Vorstellung

5. Die Blumen sind von meinem Onkel. ⊗
   (Tante–Freund–Mutter–Freundin)

   meiner Tante–meinem Freund
   meiner Mutter–meiner Freundin

6. Wir fahren jetzt zur Schule.
   (Hafen–Tierpark–Kirche–Museum)

   zum Hafen–zum Tierpark
   zur Kirche–zum Museum

7. Kurt wohnt dem Gasthaus gegenüber.
   (Schule–Kaufhaus–Bahnhof–Post)

   der Schule–dem Kaufhaus
   dem Bahnhof–der Post

23. CUED RESPONSE

Holst du den Mäher aus dem Schuppen? (Garage)

Nein, ich hole den Mäher aus der Garage.

Steht die Schaufel bei der Treppe? (Fenster)

Nein, die Schaufel steht beim Fenster.

Spielst du mit deiner Schwester Schach? (Onkel)

Nein, ich spiele mit meinem Onkel Schach.

Kommst du gleich nach dem Essen? (Schule)

Nein, ich komme gleich nach der Schule.

Ist der Brief von euern Grosseltern? (Kusine)

Nein, der Brief ist von unsrer Kusine.

Fährst du jetzt zur Schule? (Bahnhof)

Nein, ich fahre jetzt zum Bahnhof.

Wohnt Uwe gegenüber dem Zoo? (Kino)

Nein, Uwe wohnt gegenüber dem Kino.

Bringst du das Paket zum Kaufhaus? (Post)

Nein, ich bringe das Paket zur Post.

24. WRITING EXERCISE

Write the responses to Drills 22.4 and 22.5.

EXERCISE BOOK: EXERCISES 4 AND 5

25. COMPLETIONS

Wir mähen unsern Rasen mit (einem Rasenmäher).

Die Blumen schneide ich mit _____. *(einer Schere; einem Messer)*

Inge kehrt die Terrasse mit _____. *(einem Besen)*

Der Vater giesst die Blumen mit _____. *(einem Schlauch; einem Eimer)*

Papier schneide ich immer mit _____. *(einer Schere)*

Briefe schreibe ich immer mit _____. *(einem Füller; einem Bleistift)*

Kurt putzt sein Rad mit _____. *(einem Lappen)*

26. ENGLISH CUE DRILLS

The preposition **bei** can have the meaning *at the house of:* **bei seinem Vetter,** *at his cousin's.*

1. Wo mähst du das Gras?

   Bei euch?

   At your uncle's place?

   At his place?

   At my aunt's house?

   At her place?

   At our house?

   At my place?

Wo mähst du das Gras?

Bei euch?

Bei deinem Onkel?

Bei ihm?

Bei meiner Tante?

Bei ihr?

Bei uns?

Bei mir?

Note: Use the phrases bei dir, bei euch, etc. and zu dir, zu euch etc. quite freely, since they occur with high frequency in spoken German.

Garden tools and flower pots are sometimes stored in a special basement room

The preposition **zu** can have the meaning *to the house of:* **zu seinem Vetter,** *to his cousin's, to his cousin's house* (*place*).

2. Kommst du zu mir?

   Are you coming to our house?

   Are you coming to my brother's?

   Are you coming to his place?

   Are you coming to my grandparents' place?

   Are you coming to their house?

   Are you coming to my place?

Kommst du zu mir?

Kommst du zu uns?

Kommst du zu meinem Bruder?

Kommst du zu ihm?

Kommst du zu meinen Grosseltern?

Kommst du zu ihnen?

Kommst du zu mir?

27. CUED RESPONSE

Woher kommen Sie? (Schuppen)

Und wo kommt Peter her? (Garage)

Wo kommen Sie her, Hans? (Küche)

Woher kommen die Mädchen? (Kino)

Und ihr beiden, wo kommt ihr her?
   (Stadt)

Ich komme aus dem Schuppen.

Peter kommt aus der Garage.

Ich komme aus der Küche.

Die Mädchen kommen aus dem Kino.

Wir kommen aus der Stadt.

28. FAMILIAR VS. FORMAL

Ask each of the following questions of the persons indicated by the cues.

1. Leiht er Ihnen das Rad?

2. Helfen Sie Ihrem Lehrer?

3. Wohnen Sie bei Ihrer Tante?

4. Gefällt er Ihnen nicht?

5. Schauen Sie Ihrer Katze zu?

cues: (Fragen Sie Ihren Freund!)

      (Fragen Sie Ihre Schulfreunde!)

      (Fragen Sie Ihren Lehrer!)

wem *after Prepositions*

TEACHER PRESENTATION
GENERALIZATION

In asking questions about one or more persons, the dative form **wem** must be used after the prepositions **aus, bei, mit, nach, von, zu,** and **gegenüber.**

Statement	*Question with* **wem**
Der Brief ist **von meinem Onkel.**	**Von wem** ist der Brief? *Who is the letter from?*
Sie gehen jetzt **zu ihr.**	**Zu wem** gehen sie jetzt? *To whose house are they going now?*

STRUCTURE DRILLS

29. QUESTION FORMATION

Ask questions to which the underlined part of the statement provides the answer.

1. Achim geht <u>mit seinem Freund</u> weg. ⊗ — Mit wem geht Achim weg?
   Er fährt <u>zu seinem Vater.</u> — Zu wem fährt er?
   Inge bleibt <u>bei ihrer Mutter.</u> — Bei wem bleibt Inge?
   Sie hat das Kleid <u>von Ihrer Kusine.</u> — Von wem hat sie das Kleid?
   Uwe spielt Tennis <u>mit den beiden.</u> — Mit wem spielt Uwe Tennis?

2. Der Schlauch ist <u>für deinen Vater.</u> ⊗ — Für wen ist der Schlauch?
   Der Eimer ist <u>von meinem Nachbarn.</u> — *Von wem ist der Eimer?*
   Inge fährt <u>zu ihrer Freundin.</u> — *Zu wem fährt Inge?*
   Sie hat nichts <u>gegen seine Mutter.</u> — *Gegen wen hat sie nichts?*
   Peter geht <u>zu seinem Kollegen.</u> — *Zu wem geht Peter?*
   Er kennt ihn <u>durch seinen Vater.</u> — *Durch wen kennt er ihn?*

Listening and Speaking Exercise 166* ⊗

30. FREE RESPONSE

Wem helfen Sie heute nach der Schule?
Ist bei Ihnen das Gras schon hoch?
Mähen Sie den Rasen vor dem Frühstück?
Darf ich Ihnen helfen?

(continued)

(*continued*)

Helfen Sie Ihrem Vater im Garten gern, oder sehen Sie ihm lieber zu?

Wem gehört dieser Rasenmäher?

Wo steht der Mäher gewöhnlich?

Mit wem gehen Sie heute abend ins Kino?

Wie heisst der Nachbar Ihnen gegenüber?

Wer ist hier ein Freund von Ihnen?

Warum sind Sie so vorsichtig mit dem Füller?

Writing

SENTENCE REWRITE

Rewrite each of the following sentences, substituting the word in parentheses for the one underlined in the sentence. Make any other necessary changes.

1. Warum <u>rufst</u> du deine Schwester nicht?   (gehorchen)   *. . . gehorchst du deiner Schwester . . .*
2. Er fährt <u>für</u> seinen Bruder nach Hamburg. (zu)   *. . . zu seinem Bruder . . .*
3. Walter <u>holt</u> seine Freundin immer <u>ab</u>. (zustimmen)   *. . . stimmt seiner F. immer zu.*
4. Wir gehen <u>ohne</u> unsere Brüder ins <u>Kino</u>. (mit)   *. . . mit unseren Brüdern . . .*
5. Wann kann ich dich und deine Geschwister <u>wecken</u>? (danken)   *. . . dir und deinen*
    Geschwistern danken?

EXERCISE BOOK: EXERCISES 6 AND 7

RECOMBINATION MATERIAL

Dialogs

I

HERMANN   Was machst du mit dem Besen?

REINHARD   Ich soll die Terrasse kehren.

HERMANN   Nimm mal lieber den Schlauch, wenn du die Terrasse
    sauber haben willst!

REINHARD   Wo ist er denn? In der Garage ist er bestimmt nicht.

HERMANN   Er muss im Schuppen hängen, gleich bei der Treppe.

QUESTIONS

1. Was macht Reinhard mit dem Besen?
2. Was rät Hermann ihm?

3. Wo ist der Schlauch bestimmt nicht?
4. Wo hängt er vielleicht?

REJOINDERS

Die Garage ist sehr schmutzig.

Soll ich sie kehren?

Sie ist immer schmutzig.

Ich kehre sie nach dem Abendessen.

II

		VARIATION
WOLF	Gehst du heute abend mit deiner Schwester ins Kino?	*gehen Sie / mit Ihrer*
JOCHEN	Ja. Und du kannst mitkommen. Ich lade dich ein.	*Sie können / Sie*
WOLF	Das ist sehr nett von dir. Wann soll ich bei dir sein?	*von Ihnen / bei Ihnen*
JOCHEN	Komm gleich nach dem Abendessen zu mir. Wir können erst ein bisschen durch die Stadt bummeln.	*Kommen Sie*

QUESTIONS

1. Geht Jochen mit seinem Bruder ins Kino?
2. Wann geht er ins Kino?
3. Wen lädt er ein?
4. Wann soll Wolf bei seinem Freund sein?

DIALOG VARIATION

Wolf and Jochen use the formal form of address.

III

		VARIATION 1
MARGOT	Von wem ist dieser Hund? Gehört er vielleicht dir?	*Ihnen*
URSEL	Ja. Gefällt er dir nicht?	*Ihnen*
MARGOT	Doch. Aber er ist so gross! Gehorcht er dir?	*Ihnen*
URSEL	Natürlich! Ruf ihn mal! Du wirst sehen, dass er nicht zu dir kommt. Er gehorcht nur mir.	*Rufen Sie / Sie werden sehen / zu Ihnen*

QUESTIONS

1. Wem gehört der Hund?
2. Gefällt der Hund der Margot?
3. Ist der Hund noch klein?
4. Gehorcht er der Ursel?
5. Was soll Margot tun?
6. Warum geht der Hund nicht zu ihr?

VARIATION 2

sind diese Hunde / Gehören sie

Gefallen sie

sie sind / Gehorchen sie

sie / sie . . . kommen / Sie gehorchen

DIALOG VARIATION

1. Margot and Ursel use the formal form of address.
2. Ursel has two dogs.

Conversation Stimulus

1. Kurt und Martin brauchen Geld für ihren Ausflug. Sie helfen deshalb heute ihrem Vater im Haus und im Garten.

> KURT   Mein Taschengeld ist schon wieder weg. Und übermorgen ist der Ausflug!
>
> MARTIN   *Glaubst du, dass der Vater uns noch Geld gibt?* . . . .

2. Ulrike ruft Helga an. Sie fragt ihre Freundin, ob sie zur Modenschau mitgeht. Helga will erst nicht gehen. Sie glaubt, Modenschauen sind albern.

> ULRIKE   Hast du morgen nach der Schule etwas vor?
>
> HELGA   *Nein. Hast du schon etwas vor?* . . . .
>
> ULRIKE   *Ich möchte gern zur Modenschau gehen.*

Narrative

Was Helmut im Sommer macht

Im Sommer, wenn es so heiss ist, fährt Helmut gewöhnlich zu seinen Verwandten nach Neukirch. Onkel Walter und Tante Anna laden ihn jedes Jahr ein, und Helmut fährt, wenn er keine Schule mehr hat[2].

5   Neukirch ist ein Bauerndorf°. Das Dorf selbst ist nicht sehr gross. Hier wohnen vielleicht nur achthundert Leute, meistens Bauern. Aber es ist sehr schön in Neukirch, und Helmut kommt gern her. Helmut hat hier drei Vettern und zwei Kusinen; seinen Vetter Paul hat er besonders gern. Er ist auch vierzehn, und die

10 beiden sind immer zusammen°.

  Onkel Walter ist nicht nur Bauer; ihm gehört auch das Gasthaus in Neukirch. Hier hilft eins von den Kindern dem Vater, besonders immer am Abend. Nach dem Abendessen kommen die Bauern und trinken hier ihr Bier* und spielen Karten.

15   Auch Helmut hilft seinem Onkel gern, denn es macht ihm Spass. Am Morgen weckt seine Tante ihn schon um halb sechs. Er steht auf°, und noch vor dem Frühstück muss er die Tiere füttern und ihnen Wasser geben.

  Das Frühstück schmeckt dann immer besonders gut. Es gibt

20 Eier, Brot, Butter, Käse und so viel Milch! Helmut kann nicht

der Bauer, –n: *farmer*

zusammen: *together*

aufstehen: *to get up*
Um welche Zeit stehen Sie immer auf? Und am Wochenende?

---

[2] Summer vacations last about five or six weeks, usually from the beginning of July to the middle of August.

so viel essen, aber Tante Anna sagt immer, dass ein Junge zum Frühstück viel und gut essen muss, wenn er mit den Bauern arbeiten° soll.

arbeiten: *to work*
Arbeiten Sie im Sommer? Nach der Schule?

25   Heute fahren die beiden Vettern nach dem Frühstück mit Onkel Walter in den Wald. Sie holen mit dem Traktor* Holz für den Winter. Das wird Spass machen!

    Meistens aber helfen die beiden Jungen nach dem Frühstück der Tante im Haus und im Garten. Sie kehren zusammen den Hof, putzen das Auto, giessen die Blumen oder mähen das Gras
30 im Garten. Helmut versteht nicht, warum sie das Gras so oft mähen müssen, und Paul erklärt ihm, dass sie im Sommer das Gras nicht so niedrig schneiden. Sie mähen es immer nur ein bisschen. Aus diesem Grund° bleibt der Rasen grün, und er sieht immer gut aus.

aus diesem Grund: *for this reason*

35   Am Nachmittag, wenn die Sonne nicht mehr so heiss scheint und die beiden nicht arbeiten müssen, spielen sie mit den Jungen im Dorf Fussball. Helmut kann gut Fussball spielen; er spielt auch zu Hause. Die Dorfjungen sind immer nett und freundlich zu ihm, und oft hören sie ihm zu, wenn er ihnen von seiner
40 Schule und von seinen Freunden in der Stadt erzählt.

    Am Abend gehen die beiden Vettern schon früh schlafen°, denn sie müssen ja am Morgen schon wieder um halb sechs aufstehen.

schlafen gehen: *to go to bed*
Wann gehen Sie gewöhnlich schlafen?

QUESTIONS

1. Wohin fährt Helmut im Sommer?   *1*
2. Wer sind seine Verwandten?   *2*
3. Wo wohnen sie?   *2*
4. Warum fährt Helmut im Sommer zu ihnen?   *4*
5. Was ist Neukirch?   *5*
6. Wie gross ist das Bauerndorf?   *5*
7. Wen hat er hier besonders gern? Warum?   *8*
8. Ist Onkel Walter nur Bauer in Neukirch?   *11*
9. Wer hilft ihm am Abend im Gasthaus?   *12*
10. Was tun die Bauern im Gasthaus?   *14*
11. Warum hilft Helmut seinem Onkel gern?   *15*
12. Um wieviel Uhr muss Helmut aufstehen?   *16*
13. Wer weckt ihn?   *16*
14. Was muss Helmut vor dem Frühstück tun?   *17*
15. Was gibt es zum Frühstück?   *19*
16. Was sagt Tante Anni immer, wenn Helmut nicht so viel isst?   *21*
17. Wohin fahren die beiden Vettern heute?   *24*
18. Was machen sie dort?   *25*
19. Was tun die beiden aber gewöhnlich nach dem Frühstück?   *27*
20. Was versteht Helmut nicht?   *30*
21. Was erklärt Paul seinem Vetter?   *31*
22. Was tun die Jungen am Nachmittag?   *35*
23. Spielen sie jeden Nachmittag Fussball?   *35*
24. Wie sind die Dorfjungen zu Helmut?   *38*
25. Wann gehen die beiden Vettern schlafen?   *41*
26. Aus welchem Grund gehen sie nicht spät schlafen?   *42*

BASIC DIALOG

Was für ein Sonnenbrand!

ERNST   Du siehst lustig aus, du mit deiner Sonnenbrille! 14-1

RIA   Lach nicht! Ich muss eine Brille tragen. Mir tun sonst die Augen weh. 14-2

ERNST   Geh doch ganz aus der Sonne! Du bist so rot wie ein Krebs. 14-3

RIA   Red nicht so viel! Reich mir lieber das Sonnenöl!

ERNST   Ich sag dir's immer wieder: dieses Öl taugt nichts. 14-4

RIA   Dann gib mir eben deine Sonnencreme!

ERNST   Ich hol' dir lieber einen Sonnenschirm; dann kannst du im Schatten liegen. 14-5

RIA   Wie kann ich da braun werden? Ach, du bist wie mein Vater! 14-6

What a Sunburn!

ERNST   You look funny, you and your sunglasses!

RIA   Don't laugh. I've got to wear glasses, otherwise my eyes hurt.

ERNST   Why don't you get out of the sun altogether. You're as red as a lobster (crab).

RIA   Don't talk so much. Just hand me the suntan lotion.

ERNST   I keep telling you: this lotion is worthless.

RIA   Well, in that case give me your suntan cream.

ERNST   I'd better get you a beach umbrella instead; then you can lie in the shade.

RIA   How can I get a tan there? Oh, you're like my father!

◀ *"Sand fortresses" and wicker beach chairs protect against the cool North Sea winds*

Supplement

Brille
Sonnenbrille } 14-1

Was für ein Strand!	What a beach!
Was für ein Verkehr!	What traffic!
Schrei nicht!	Don't scream!
Wein nicht!	Don't cry (weep)!
Pfeif nicht!	Don't whistle!

Sie trägt einen Badeanzug. 14-2 She's wearing a bathing suit.
   eine Bademütze. 14-3   a bathing cap.

Er hat eine Badehose an. 14-4 He has bathing trunks on.

Mir tut der Kopf weh. 14-5 My head hurts.
   der Zahn 14-6   tooth
   das Bein 14-7   leg
   das Gesicht 14-8   face

Du bist ganz braun. You are quite tanned (brown).
   weiss.   pale (white).
   blass.   pale.
   blau.   blue.

Sonnenöl
Sonnencreme } 14-9 —————————————

Ich reibe dir Sonnenöl auf die Nase[1]. 14-10 I'll rub suntan lotion on your nose.
   die Stirn. 14-11   forehead.
   die Schultern. 14-12   shoulders.
   den Rücken. 14-13   back.

Die Salbe taugt nichts. The salve is worthless.
Die Seife 14-14 The soap
Das Haaröl 14-15 The hair oil

Gib mir deinen Spiegel! 14-16 Give me your mirror.
   deinen Kamm! } 14-17   your comb.
   deinen Lippenstift!   your lipstick.

Ich hol' dir einen Liegestuhl. 14-18 I'll get you a reclining chair.
   einen Stuhl.   a chair.
   eine Decke.   a blanket.
   ein Handtuch.   a towel.

Listening and Speaking Exercises 167*, 168 ⊗

---

[1] The preposition **auf** with the meaning of *on* (in the sense of *onto*) is used with the accusative case.

Noun Gender and Plurals

der Badeanzug, ̈e	der Verkehr	die Schulter, –n
der Kamm, ̈e	der Zahn, ̈e	die Seife, –n
der Kopf, ̈e		die Sonnenbrille, –n
der Krebs, –e	die Badehose, –n	die Sonnencreme, –s
der Liegestuhl, ̈e	die Bademütze, –n	die Stirn, –en
der Lippenstift, –e	die Brille, –n	
der Rücken, –	die Creme, –s	das Auge, –n
der Schatten, –	die Decke, –n	das Bein, –e
der Sonnenbrand, ̈e	die Lippe, –n	das Haar, –e
der Spiegel, –	die Mütze, –n	das Handtuch, ̈er
der Strand, ̈e	die Nase, –n	das Öl, –e
der Stuhl, ̈e	die Salbe, –n	das Sonnenöl, –e

Verbs

anhaben: er hat . . . an   tragen: du trägst
                                        er trägt

Vocabulary Exercises

1. SENTENCE COMPLETION

1. Ria hat einen _____.
2. Sie sieht lustig _____.
3. Sie muss eine Sonnenbrille _____.
4. Die Augen tun ihr sonst _____.
5. Ria ist so rot wie _____.
6. Ernst soll nicht so viel _____.
7. Er soll Ria lieber das Sonnenöl _____.

2. QUESTIONS

1. Wie sieht Ria aus?
2. Warum muss sie eine Sonnenbrille tragen?
3. Was rät Ernst ihr?
4. Ist Ria noch weiss?
5. Wie oft fahren Sie zum Strand?
6. Was nehmen Sie zum Strand mit?

3. SENTENCE COMPLETION

1. Ernst denkt, dass das Öl _____.
2. Er will Ria einen Sonnenschirm _____.
3. Dann kann sie im Schatten _____.
4. Ria will aber braun _____.
5. Sie sagt zu Ernst: „Ach, du _____.“

4. QUESTIONS

1. Wie findet Ernst Rias Sonnenöl?
2. Was soll Ernst ihr geben?
3. Was will er holen?
4. Wo soll Ria lieber liegen?
5. Warum möchte Ria nicht im Schatten liegen?

5. FREE COMPLETION

1. Wenn ich traurig bin, (weine ich, gehe ich ins Kino, etc.)
2. Wenn ich Angst habe, ———.   *pfeife ich*
3. Wenn ich krank bin, ———.   *schreie ich*
4. Wenn ich Hunger habe, ———.   *esse ich*
5. Wenn ich durstig bin, ———.   *trinke ich*
6. Wenn ich müde bin, ———.   *schlafe ich*
7. Wenn ich Zeit habe, ———.   *lese ich*
8. Wenn ich etwas nicht weiss, ———.   *frage ich*
9. Wenn ich nicht gewinne, ———.   *spiele ich wieder*

6. ENGLISH CUE DRILLS

Was für ein, when used as an exclamation, corresponds to English *What a . . . !,* and is followed by a noun phrase in the nominative case.

1. Was für ein Sonnenbrand!
   What a fashion show!
   What a game!
   What traffic!
   What a thunderstorm!
   What a performance!
   What a sunburn!

   Was für ein Sonnenbrand!
   Was für eine Modenschau!
   Was für ein Spiel!
   Was für ein Verkehr!
   Was für ein Gewitter!
   Was für eine Vorstellung!
   Was für ein Sonnenbrand!

In comparisons, the phrase **so . . . wie** is equivalent to English *as . . . as.* The following expressions are German sayings.

2. Du bist so rot wie ein Krebs.
   You're as pretty as a flower.
   You're as ugly as the night.
   You're as hungry as a dog.
   You're as wild as a tiger.
   You're as red as a lobster.

   Du bist so rot wie ein Krebs.
   Du bist so schön wie eine Blume.
   Du bist so hässlich wie die Nacht.
   Du bist so hungrig wie ein Hund.
   Du bist so wild wie ein Tiger.
   Du bist so rot wie ein Krebs.

GRAMMAR

Order of Objects

PRESENTATION   *TEACHER PRESENTATION*

Inge schenkt **ihrer Kusine** die Bademütze.
Inge schenkt **ihr** die Bademütze.

Sie leiht **ihrem Freund** das Sonnenöl.
Sie leiht **ihm** das Sonnenöl.

Sie gibt **ihren Freundinnen** den Liegestuhl.
Sie gibt **ihnen** den Liegestuhl.

In each of the sentences, identify the indirect object. What is the position of the indirect object with respect to the direct object? Are the indirect objects noun phrases, or pronouns? Are the direct objects noun phrases, or pronouns?

Hans gibt **seiner Freundin** das Handtuch.
Hans gibt es **seiner Freundin.**
Hans gibt es **ihr.**

Hans zeigt **seinem Bruder** die Salbe.
Hans zeigt sie **seinem Bruder.**
Hans zeigt sie **ihm.**

Hans bringt **seiner Kusine** den Sonnenschirm.
Hans bringt ihn **seiner Kusine.**
Hans bringt ihn **ihr.**

In these sentences, what is the order of indirect object and direct object if the direct object is a noun phrase? if the direct object is a pronoun?

GENERALIZATION

1. In a sentence containing a direct object and an indirect object the usual order is indirect–direct, if the direct object is a noun phrase.

	Indirect Object	Direct Object
Inge leiht	ihrem Freund ihm	das Sonnenöl.

When there are two noun-phrase objects, this order may be reversed for emphasis:

Inge leiht das Sonnenöl ihrem Freund (nicht ihrer Mutter).

2. When the direct object is a pronoun, the usual order is direct–indirect.

	Direct Object	Indirect Object
Inge leiht	es	{ ihrer Mutter. { ihr.

3. If **es** is the direct object and the indirect object is **dir** or **mir**, **es** can follow **dir** or **mir**. When this happens, the **e** of **es** is dropped and indicated in writing by an apostrophe.

Er sagt es mir.   *or*   **Er sagt mir's.**

Er gibt es dir.   *or*   **Er gibt dir's.**

Listening and Speaking Exercises 169*, 170 ⊗

STRUCTURE DRILLS

SECTION B

7. NOUN PHRASE → PRONOUN

Inge leiht ihrem Vater die Decke. ⊗	Inge leiht ihm die Decke.
Inge gibt ihrer Freundin die Bademütze.	Inge gibt ihr die Bademütze.
Inge schenkt ihrem Vater das Haaröl.	Inge schenkt ihm das Haaröl.
Inge zeigt ihrer Kusine den Strand.	Inge zeigt ihr den Strand.
Inge erklärt ihrer Mutter das Spiel.	Inge erklärt ihr das Spiel.
Inge glaubt ihrem Onkel die Geschichte.	Inge glaubt ihm die Geschichte.

VARIATION: Use right-hand column as stimulus; student responds by replacing pronoun with any appropriate noun phrase.

8. NOUN PHRASE → PRONOUN

1.
Ich schenke meiner Kusine das Radio. ⊗	Ich schenke es meiner Kusine.
Ich schenke meiner Kusine die Blumen.	Ich schenke sie meiner Kusine.
Ich schenke meiner Kusine den Lippen-stift.	Ich schenke ihn meiner Kusine.
Ich schenke meiner Kusine die Bluse.	Ich schenke sie meiner Kusine.
Ich schenke meiner Kusine das Kleid.	Ich schenke es meiner Kusine.
Ich schenke meiner Kusine den Pullover.	Ich schenke ihn meiner Kusine.

2.
Er gibt seinem Vater den Liegestuhl. ⊗	Er gibt ihn seinem Vater.
Er leiht seinem Freund die Decke.	*Er leiht sie seinem Freund.*
Er zeigt seiner Schwester das Sonnenöl.	*Er zeigt es seiner Schwester.*
Er bringt seiner Freundin die Bademütze.	*Er bringt sie seiner Freundin.*
Er schenkt seinem Vater die Sonnenbrille.	*Er schenkt sie seinem Vater.*
Er erklärt seinen Kollegen den Motor.	*Er erklärt ihn seinen Kollegen.*

VARIATION: Use right-hand column as stimulus; student responds by replacing the direct object pronoun with any appropriate noun phrase.

9. CUED RESPONSE

1. Schenken Sie den Ring Ihrer Freundin? (Schwester)

   Nein, ich schenke ihn meiner Schwester.

   Schulden Sie das Geld Ihrer Mutter? (Vater)

   Nein, ich schulde es meinem Vater.

   Leihen Sie die Kamera Ihrem Freund? (Freundin)

   Nein, ich leihe sie meiner Freundin.

   Nehmen Sie die Bücher Ihrer Schwester mit? (Bruder)

   Nein, ich nehme sie meinem Bruder mit.

   Zeigen Sie den Hafen Ihrer Kusine? (Tante)

   Nein, ich zeige ihn meiner Tante.

2. Wem soll ich das Sonnenöl geben? (Freundin)

   Geben Sie es Ihrer Freundin!

   Wem soll ich den Badeanzug leihen? (Bruder)

   Leihen Sie ihn Ihrem Bruder!

   Wem soll ich den Liegestuhl geben? (Mutter)

   Geben Sie ihn Ihrer Mutter!

   Wem soll ich die Sonnenbrille reichen? (Vater)

   Reichen Sie sie Ihrem Vater!

   Wem soll ich den Wetterbericht erklären? (Kusine)

   Erklären Sie ihn Ihrer Kusine!

   Wem soll ich die Geschichte erzählen? (Kollege)

   Erzählen Sie sie Ihrem Kollegen!

10. NOUN PHRASE → PRONOUN

1. Zeigst du deiner Mutter die Sonnenbrille? ✖

   Zeigst du sie ihr?

   Zeigst du deinem Vetter die Sonnenbrille?

   Zeigst du sie ihm?

   Zeigst du Ursula die Sonnenbrille?

   Zeigst du sie ihr?

   Zeigst du dem Arzt die Sonnenbrille?

   Zeigst du sie ihm?

   Zeigst du den beiden die Sonnenbrille?

   Zeigst du sie ihnen?

   Zeigst du deiner Kusine die Sonnenbrille?

   Zeigst du sie ihr?

2. Wir leihen dem Lehrer das Tonband. ✖

   Wir leihen es ihm.

   Wir leihen der Mutter die Handtücher.

   Wir leihen sie ihr.

   Wir leihen dem Onkel den Rasenmäher.

   Wir leihen ihn ihm.

   Wir leihen dem Nachbarn die Schaufel.

   Wir leihen sie ihm.

   Wir leihen den Kindern die Bälle.

   Wir leihen sie ihnen.

   Wir leihen der Grossmutter den Regenschirm.

   Wir leihen ihn ihr.

ADDITIONAL STRUCTURE DRILL ✖

11. WRITING EXERCISE

Write the responses to Drills 9.2 and 10.2.
EXERCISE BOOK: EXERCISE 1

12. CUED RESPONSE

What would you say to Peter in the following situations?

Peter will seiner Freundin die Sonnen-brille nicht geben.	Gib sie ihr doch!
Peter will seinem Bruder das Sonnenöl nicht reichen.	Reich es ihm doch!
Peter will seiner Mutter den Sonnen-brand nicht zeigen.	Zeig ihn ihr doch!
Peter will seiner Tante das Spiel nicht erklären.	Erklär es ihr doch!
Peter will seinem Vetter die Decke nicht schenken.	Schenk sie ihm doch!

13. PATTERNED RESPONSE

Zeigen Sie Ihrem Vater die Brille nicht?	Doch, ich zeige sie ihm.
Geben Sie Ihrer Mutter das Öl nicht?	*Doch, ich gebe es ihr.*
Leihen Sie Ihrem Bruder den Kamm nicht?	*Doch, ich leihe ihn ihm.*
Schenken Sie Ihrer Schwester den Wecker nicht?	*Doch, ich schenke ihn ihr.*
Geben Sie Ihrer Tante die Salbe nicht?	*Doch, ich gebe sie ihr.*
Bringen Sie Ihrem Onkel das Tonband nicht mit?	*Doch, ich bringe es ihm mit.*

14. WRITING EXERCISE

Rewrite the following six sentences, replacing all three noun phrases with pronouns. Follow the model.

MODEL   Der Schüler gibt seinem Lehrer die Bücher nicht.
Er gibt sie ihm nicht.

1. Die Lehrerin gibt meiner Schwester das Heft nicht.	*Sie gibt es ihr nicht.*
2. Der Arzt gibt meinem Bruder die Salbe nicht.	*Er gibt sie ihm nicht.*
3. Der Briefträger gibt meiner Kusine den Brief nicht.	*Er gibt ihn ihr nicht.*
4. Der Onkel gibt meinem Vater die Fische nicht.	*Er gibt sie ihm nicht.*
5. Die Tante gibt meinen Eltern die Katze nicht.	*Sie gibt sie ihnen nicht.*
6. Die Nachbarin gibt meiner Mutter den Eimer nicht.	*Sie gibt ihn ihr nicht.*

Small lakes, rather than beaches, are sought out by those who prefer quiet and solitude

Meanings of Objects

PRESENTATION *TEACHER PRESENTATION*

> Ich bringe **es meinem Vater.**
> Ich kaufe **es meinem Vater.**
> Ich glaube **es meinem Vater.**
> Ich reibe **es meinem Vater** auf den Rücken.

What English words does the German **es meinem Vater** correspond to in the first sentence? in the second? in the third? in the fourth?

GENERALIZATION

Sentences in one language do not often correspond word for word with sentences in another language. In the following sentences you can see how a single German sequence of direct and indirect object, **es meinem Vater,** can correspond to several different English constructions.

Ich bringe es meinem Vater.	*I'll bring it to my father.*
Ich kaufe es meinem Vater.	*I'll buy it for my father.*
Ich glaube es meinem Vater.	*I believe my father (concerning this point).*
Ich reibe es meinem Vater auf den Rücken.	*I'll rub it on my father's back.*

Notice and keep in mind that the relationship in meaning between a direct object and an indirect object in German can vary greatly, depending upon the choice of verb.

SECTION C

STRUCTURE DRILLS

15. NOUN PHRASE → PRONOUN

Ich kaufe dir das Buch. ⊗   Ich kaufe es dir.
Ich mähe Ihnen das Gras.   Ich mähe es Ihnen.
Ich putze Ihnen die Schuhe.   Ich putze sie Ihnen.
Ich giesse dir die Blumen.   Ich giesse sie dir.
Ich kaufe dir den Stuhl.   Ich kaufe ihn dir.
Ich bringe ihr den Besen.   Ich bringe ihn ihr.

16. PATTERNED RESPONSE

1. Schenken Sie mir die Decke? ⊗   Gut, ich schenke sie Ihnen.
   Leihen Sie mir das Haaröl?   Gut, ich leihe es Ihnen.
   Kaufen Sie mir den Liegestuhl?   Gut, ich kaufe ihn Ihnen.
   Geben Sie mir die Creme?   Gut, ich gebe sie Ihnen.
   Zeigen Sie mir den Sonnenbrand?   Gut, ich zeige ihn Ihnen.
   Versprechen Sie mir das Geschenk? Gut, ich verspreche es Ihnen.

2. Kaufst du mir die Badehose? ⊗   Ja, ich kaufe sie dir.
   Putzt du mir die Schuhe?   *Ja, ich putze sie dir.*
   Schreibst du mir den Brief?   *Ja, ich schreibe ihn dir.*
   Bestellst du mir den Katalog?   *Ja, ich bestelle ihn dir.*
   Glaubst du mir die Geschichte?   *Ja, ich glaube sie dir.*
   Holst du mir den Liegestuhl?   *Ja, ich hole ihn dir.*

17. FREE RESPONSE

Wann zeigen Sie mir den Strand?
Wann bringen Sie mir die Schier?
Wann kaufen Sie mir die Uhr?
Wann holen Sie mir die Handtücher?
Wann giessen Sie mir die Blumen?
Darf ich Ihnen das Haar schneiden?
Kann ich Ihnen den Hafen zeigen?
Muss ich Ihnen die Schuhe putzen?
Darf ich Ihnen jetzt den Sonnenschirm bringen?
Soll ich Ihnen heute das Auto waschen?
Reichen Sie mir die Decke oder das Handtuch?
Zeigen Sie mir heute die Stadt oder den Strand?
Antworten Sie mir heute oder erst morgen?
Sagen Sie mir oder meinem Bruder, wieviel Geld Sie schulden?
Geben Sie mir einen Apfel aus diesem Korb?

The Indirect Object in First Position
"Anticipating What's Ahead"

PRESENTATION *TEACHER PRESENTATION*

> **Meinem Bruder** leihe ich kein Geld mehr.
> **Ihm** gebe ich die Zeitung nicht.
> **Den Kindern** gefallen die Spiele nicht.
> **Ihnen** kann ich das nicht zeigen.
> **Der Katze** musst du Milch geben.
> **Ihr** gehört das Sonnenöl nicht.

Identify the subject in each of these sentences. How can you tell it is the subject? What position is it in? What is the function of the element in first position?

GENERALIZATION

You have learned that for reasons of style or emphasis, sentences may be begun with elements other than the subject.

> **Diesen Anzug** kaufe ich nicht.
> **Ihn** kenne ich schon.
> **Heute** kann er nicht kommen.

An indirect object noun phrase or pronoun may also be used in first position. It is in the dative case, a non-subject signal. If you fail to recognize this non-subject signal you are likely to misunderstand the sentence. Study the following sentences carefully.

Meinem Bruder leihe ich kein Geld mehr.

The moment you hear or see the **-em** ending of **meinem** you can be positive that the sentence begins not with the subject, but with the indirect object; and that the inflected verb and subject will follow.

Der Katze muss sie die Milch geben.

The determiner **der** used with the feminine noun tells you immediately that the noun phrase **der Katze** is an indirect object, not a subject (as **der Vater,** for instance); and that the inflected verb and subject will follow.

Den Kindern will ich die Bälle schenken.

The determiner **den** used with the noun plural ending in **-n** tells you that the noun phrase **den Kindern** is not a direct object (as **den Vater,** for instance); but that it is an indirect object, and that the inflected verb and subject will follow.

STRUCTURE DRILLS

18. WORD ORDER DRILLS

Begin each of the following sentences with the indirect object.

1. Er bringt seiner Freundin einen Sonnen-   Seiner Freundin bringt er einen Sonnen-
schirm. ⊗   schirm.
Sie zeigt ihrer Ärztin den Sonnenbrand.   Ihrer Ärztin zeigt sie den Sonnenbrand.
Wir geben dem Briefträger die Karte mit.   *Dem Briefträger geben wir die Karte mit.*
Sie hören der Lehrerin immer zu.   *Der Lehrerin hören sie immer zu.*
Ich kaufe meinem Vater Blumen zum   *Meinem Vater kaufe ich Blumen zum*
Geburtstag.   *Geburtstag.*
Peter erzählt seiner Schwester nichts   *Seiner Schwester erzählt Peter nichts*
mehr.   *mehr.*

2. Die Augen tun mir sonst weh. ⊗   Mir tun sonst die Augen weh.
Sie reibt mir kein Sonnenöl auf den   Mir reibt sie kein Sonnenöl auf den Rücken.
Rücken.
Sie zeigt uns ihren Badeanzug nicht.   *Uns zeigt sie ihren Badeanzug nicht.*
Ich bringe dir keinen Sonnenschirm.   *Dir bringe ich keinen Regenschirm.*
Ich kaufe dir wieder eine Limo.   *Dir kaufe ich wieder eine Limo.*
Er schuldet ihm nichts mehr.   *Ihm schuldet er nichts mehr.*

19. FREE RESPONSE

Begin your responses with anything but the subject form **ich.**

Wem können Sie das nicht sagen?
Wem müssen Sie den Sonnenbrand zeigen?
Wem wollen Sie gefallen?
Wem sehen Sie gern zu?
Wem gehorchen Sie immer?

20. FREE SUBSTITUTION

Meiner Mutter kaufe ich das Buch.   *seinem Vater / schenke, erkläre / das Motorrad*
Euch zeige ich nichts mehr.   *dir, Ihnen / glaube, leihe / er, wir*

21. ENGLISH CUE DRILL

The verb phrase **weh tun** requires the person involved to be in the dative case.

Mir tun die Augen weh. ⊗   Mir tun die Augen weh.
My legs hurt.   Mir tun die Beine weh.
His shoulders hurt.   Ihm tun die Schultern weh.

Her feet hurt.	Ihr tun die Füsse weh.
Our ears hurt.	Uns tun die Ohren weh.
My eyes hurt.	Mir tun die Augen weh.

22. FREE RESPONSE

VARIATION: Use the nouns in the right-hand column as cues in a Cued Response drill:

Was tut Ihnen weh?	(die Augen)	*Die Augen tun mir weh.*
	(die Beine)	*Die Beine tun mir weh.*

Wem tut der Kopf weh?
Was tut Ihnen weh?
Wem gehört der Rasenmäher?
Was gehört Ihrem Onkel?
Wem gefällt der Liegestuhl?
Was gefällt Ihnen?
Wem antworten Sie nie?
Wer antwortet Ihnen nicht?
Mit wem sprechen Sie?
Wer spricht mit Ihnen?

23. WRITING EXERCISE

Write the responses to Drills 18.1 and 18.2.

EXERCISE BOOK: EXERCISE 2

Non-Subject Elements Preceding the Subject

PRESENTATION *TEACHER PRESENTATION*

Vielleicht leiht **der Vater ihm** kein Geld.
Vielleicht leiht **ihm der Vater** kein Geld.

Trifft **dein Bruder ihn** im Theater?
Trifft **ihn dein Bruder** im Theater?

Sie sagt, dass **der Sonnenbrand ihr** weh tut.
Sie sagt, dass **ihr der Sonnenbrand** weh tut.

In the first sentence of each pair, what is the position of the non-subject pronoun with respect to the subject noun phrase? In the second sentence of each pair?

An den Strand geht **mein Bruder jetzt.**
An den Strand geht **jetzt mein Bruder.**

Wohin fährt **ihre Schwester morgen?**
Wohin fährt **morgen ihre Schwester?**

In the first sentence of each pair, what is the position of the expression of time with respect to the subject noun phrase? In the second sentence of each pair?

GENERALIZATION

1. An unemphasized direct or indirect object pronoun may precede the subject if the subject is a noun phrase or a proper noun. This can occur in:

   a. a verb-second sentence that begins with a non-subject element:

   > **Dort kann es meine Mutter nicht kaufen.**
   > **Zu Hause gibt mir Jochen das Geschenk.**

   b. a verb-first or verb-second question:

   > **Schreiben Ihnen Ihre Kinder oft?**
   > **Warum weckt dich Helga nicht?**

   c. a verb-last clause:

   > **Sie sagt, dass mich der Lehrer ruft.**
   > **Er fragt, ob ihm sein Freund das Rad leiht.**

2. Similarly, unemphasized expressions of time may precede the subject if the subject is a noun phrase or a proper noun. This can occur in:

   a. a verb-second sentence that begins with a non-subject element:

   > **Im Hof spielen jetzt die Kinder.**

   b. a verb-first or verb-second question:

   > **Kommen morgen Ihre Eltern zu Ihnen?**
   > **Um wieviel Uhr fährt heute Ihr Bruder nach Hamburg?**

   c. a verb-last clause:

   > **Er fragt, ob heute die Post kommt.**

Note: Unemphasized pronouns and expressions of time can precede the subject only if the subject is a noun phrase or proper noun. They cannot precede the subject if the subject is a pronoun:

> **Dort kann es meine Mutter nicht kaufen.**
> *but* **Dort kann sie es nicht kaufen.**

Listening and Speaking Exercises 173*, 174 ⊗   SECTION D

STRUCTURE DRILLS

24. WORD ORDER DRILL

Form sentences beginning with the underlined element.

Meine Brüder holen mich plötzlich ab. ⊗

Die Kinder hören mir gewöhnlich zu.

Deine Schwester ruft ihn manchmal an.

Meine Geschwister sehen ihnen schon wieder zu.

Die beiden laden uns hoffentlich ein.

Unser Nachbar stimmt ihm deshalb zu.

Plötzlich holen mich meine Brüder ab.

Gewöhnlich hören mir die Kinder zu.

Manchmal ruft ihn deine Schwester an.

Schon wieder sehen ihnen meine Geschwister zu.

Hoffentlich laden uns die beiden ein.

Deshalb stimmt ihm unser Nachbar zu.

25. STATEMENT → QUESTION

Deine Mutter giesst sie oft. ⊗

Meine Kollegen zeigen Ihnen nichts.

Dein Bruder schuldet dir etwas.

Die Bademütze gefällt ihr nicht.

Mein Vater fotografiert dich jetzt.

Die Mutter bringt euch nichts mit.

Giesst sie deine Mutter oft?

Zeigen Ihnen meine Kollegen nichts?

Schuldet dir dein Bruder etwas?

Gefällt ihr die Bademütze nicht?

Fotografiert dich mein Vater jetzt?

Bringt euch die Mutter nichts mit?

26. TRANSFORMATION DRILL

Sein Vater ruft ihn nicht an. ⊗

Seine Kusine sieht ihm nicht zu.

Seine Geschwister laden uns nicht ein.

Seine Kollegen stimmen mir nicht zu.

Sein Arzt holt ihn nicht ab.

Seine Frau hört ihm nicht zu.

Ich weiss, dass ihn sein Vater nicht anruft.

Ich weiss, dass ihm seine Kusine nicht zusieht.

Ich weiss, dass uns seine Geschwister nicht einladen.

Ich weiss, dass mir seine Kollegen nicht zustimmen.

Ich weiss, dass ihn sein Arzt nicht abholt.

Ich weiss, dass ihm seine Frau nicht zuhört.

27. NOUN PHRASE → PRONOUN

In each of the following sentences change the subject noun phrase to a pronoun.

1. Jetzt leiht ihm die Mutter nichts mehr. ⊗

Nie bringt sie dein Bruder nach Hause.

Heute kauft ihm Inge Sonnenöl.

Nachher rufen ihn die Kinder an.

Morgen fährt ihn Peter nach Hamburg.

Deshalb gibt ihnen der Lehrer eine Prüfung.

Jetzt leiht sie ihm nichts mehr.

Nie bringt er sie nach Hause.

Heute kauft sie ihm Sonnenöl.

Nachher rufen sie ihn an.

Morgen fährt er ihn nach Hamburg.

Deshalb gibt er ihnen eine Prüfung.

2. Tut ihm der Rücken weh? ⊗   Tut er ihm weh?
Tut ihr die Schulter weh?   Tut sie ihr weh?
Tun Ihnen die Beine weh?   Tun sie Ihnen weh?
Tut dir der Hals weh?   Tut er dir weh?
Tut ihm die Stirn weh?   Tut sie ihm weh?
Tut ihr das Ohr weh?   Tut es ihr weh?

Listening and Speaking Exercise 175* ⊗

28. DIRECTED DRILL

Fragen Sie *Kurt,* ob ihm sein Vater zustimmt!	Stimmt dir dein Vater zu?
Fragen Sie *Uwe,* ob ihn sein Freund einlädt!	Lädt dich dein Freund ein?
Fragen Sie *Rolf,* ob ihm sein Lehrer manchmal hilft!	Hilft dir dein Lehrer manchmal?
Fragen Sie *Horst,* ob ihn seine Mutter abholt!	Holt dich deine Mutter ab?
Fragen Sie *Jochen,* ob ihm das Gesicht weh tut!	Tut dir das Gesicht weh?
Fragen Sie *Klaus,* ob ihm die Jazzplatte gefällt!	Gefällt dir die Jazzplatte?

EXERCISE BOOK: EXERCISES 3 AND 4

29. DIRECTED DIALOG

Fragen Sie *Rolf,* ob er Ihnen das Handtuch und die Seife reicht!	Reichst du mir das Handtuch und die Seife?
Sagen Sie, dass Sie nicht wissen, wo die Seife liegt! Sie können sie nicht finden.	Ich weiss nicht, wo die Seife liegt. Ich kann sie nicht finden.
Fragen Sie *Renate,* ob sie Ihnen Sonnencreme auf den Rücken reibt!	Reibst du mir Sonnencreme auf den Rücken?
Sagen Sie, dass die Creme nichts taugt; Sie nehmen lieber das Öl!	Die Creme taugt nichts. Ich nehme lieber das Öl.
Fragen Sie *Egon,* ob er vielleicht einen Sonnenbrand bekommen möchte!	*Möchtest du vielleicht einen Sonnenbrand bekommen?*
Antworten Sie nein, Sie möchten nur braun werden!	*Nein, ich möchte nur braun werden.*
Sagen Sie, dass er so rot wie ein Krebs ist, und raten Sie ihm, dass er ganz aus der Sonne gehen soll!	*Du bist so rot wie ein Krebs. Du sollst ganz aus der Sonne gehen!*
Antworten Sie, dass Sie nicht gern im Schatten liegen, wenn die Sonne scheint!	*Ich liege nicht gern im Schatten, wenn die Sonne scheint.*

Fragen Sie *Karin*, warum sie weint!

Antworten Sie, dass Sie nicht weinen;
   Ihre Augen sind nur rot!

Fragen Sie, ob ihr die Augen weh tun!

Sagen Sie, dass Ihnen die Augen immer
   weh tun, wenn Sie keine Brille tragen!

Warum weinst du?

Ich weine nicht. Meine Augen sind
   nur rot.

Tun dir die Augen weh?

Mir tun die Augen immer weh, wenn ich
   keine Brille trage.

30. REJOINDERS

Du siehst lustig aus.

Ich kann mein Sonnenöl nicht finden.

Bin ich so rot von der Sonne? / Du auch, mein Freund!

Rolf hat es. / Du brauchst jetzt kein Sonnenöl.

31. FREE RESPONSE

Fahren Sie oft zum Strand?

Schwimmen Sie gern?

Warum haben Sie einen Sonnenbrand?

Warum bekommen Sie keinen Sonnenbrand?

Warum tragen Sie eine Sonnenbrille?

Was nehmen Sie mit, wenn Sie zum Strand fahren?

Kann ich Ihnen etwas leihen, wenn Sie zum Strand fahren?

Warum liegen Sie nicht gern im Schatten?

Warum wollen Sie heute zum Arzt gehen?

Sie sehen plötzlich so blass aus. Sind Sie krank?

Writing

SENTENCE REWRITE

Rewrite each of the following sentences, replacing the two noun phrases with pronouns. Follow the model.

> MODEL   Manchmal leiht ihm sein Vater das Boot.
>   <u>Manchmal leiht er es ihm.</u>

1. Heute zeigt ihnen die Lehrerin die Tiere.
2. Für zwanzig Mark verkauft ihm mein Freund das Rad.
3. Nachher zeigt ihr meine Schwester den Badeanzug.
4. Heute abend gibt ihm mein Bruder die Platte.
5. Dann erzählt ihr die Mutter die Geschichte.
6. Meistens erklärt ihnen der Lehrer die Oper.

Heute zeigt sie sie ihnen.

Für 20 Mark verkauft er es ihm.

Nachher zeigt sie ihn ihr.

Heute abend gibt er sie ihm.

Dann erzählt sie sie ihr.

Meistens erklärt er sie ihnen.

EXERCISE BOOK: EXERCISES 5, 6, AND 7

RECOMBINATION MATERIAL

Dialogs

I

RUTH   O la la! Wie siehst du denn aus! Gehst du weg?

GERDA   Rat mal, wo ich heute nachmittag hinfahre!

RUTH   Sag mir's doch!

GERDA   Ich fahre mit, oh, du weisst schon mit wem, an den Strand.

RUTH   Hat Jürgen sein Motorrad wieder?

GERDA   Sein Bruder leiht ihm die Vespa.

QUESTIONS

1. Glauben Sie, dass Gerda heute besonders schön aussieht?
2. Mit wem fährt sie an den Strand?
3. Wie kommen die beiden dorthin?

II

		VARIATION
FRED	Kennst du das Mädchen dort im Liegestuhl?	*den Jungen*
MAX	Das ist doch die Elke. Sieht sie nicht gut aus?	*der Horst / er*
FRED	Keine Brigitte Bardot.	*Kein* Rock Hudson
MAX	Mir gefällt sie, sie ist furchtbar nett.	*er / er*
FRED	Ja, nett, aber ein bisschen zu ernst.	
MAX	Was hast du nur gegen sie? Dass sie nicht so albern wie ihre Freundinnen ist?	ihn / er seine Freunde

QUESTIONS

1. Wer ist das Mädchen im Liegestuhl?
2. Gefällt sie dem Fred?
3. Was hat Fred gegen das Mädchen?
4. Hat Max die Elke gern?

DIALOG VARIATION

Inge asks Gretchen if she knows the boy in the reclining chair. It's Horst.

III

		VARIATION
MUTTER	Du siehst krank aus. Was hast du?	*Sie sehen / haben Sie*
JOCHEN	Ach, mir tut nur der Kopf weh.	

MUTTER   Du bekommst bestimmt die Grippe. Bleib mal lieber heute
                 zu Hause!   *Sie bekommen / Bleiben Sie*

JOCHEN   Du hast recht. Rufst du dann bitte Herrn Müller für mich
                 an? Sag ihm, dass ich heute nicht komme! *Sagen Sie*   *Sie haben / Rufen Sie*

QUESTIONS

1. Was tut dem Jochen weh?
2. Was bekommt er bestimmt?
3. Was rät ihm die Mutter?
4. Was soll die Mutter für Jochen tun?

DIALOG VARIATION

The conversation is between two adults who use the formal form of address with each other.

Conversation Stimulus

1. Christa sieht nicht gut aus. Ihre Lehrerin glaubt, dass sie eine Erkältung hat. Christa sagt, ihr tut nur der Kopf weh.

LEHRERIN   Ich glaube, du sollst jetzt nach Hause gehen!
CHRISTA   *Warum denn?* . . . .

2. Hermann hat einen Sonnenbrand. Seine Mutter fragt, warum er das Sonnenöl nie zum Strand mitnimmt. Hermann sagt, es taugt nichts. Dann fragt er, ob er zum Arzt gehen soll. Seine Mutter will ihm lieber eine Salbe für den Sonnenbrand geben.

MUTTER   Aber Hermann! Dein Rücken! Du bist so rot wie ein
                 Krebs!
HERMANN   *Das glaube ich. Er tut mir furchtbar weh.* . . . .

Narrative

Jeden Freitag abend

Jeden Freitag abend, nach dem Abendessen, bekomme ich mein Taschengeld. Fünf Mark sind es jetzt. Ich bin fünfzehn. Vielleicht bekomme ich sechs Mark, wenn ich sechzehn bin. Mit dem Geld kann ich machen was ich will.

5   Jeden Freitag abend, nach dem Abendessen, ruft mich mein Vater ins Wohnzimmer: „Du kannst kommen, Kurt. Die Bank* ist jetzt offen!"

Vater, mit der Brille auf der Nase, den Bleistift in der Hand, sieht auf Kunde° Nummer* eins: mich. Vater lächelt. Ich stehe
10 da und sage nichts. Dann schreibt Vater in sein Buch, —ich kann es lesen—: Kurt, 5 Mark. Dann reicht er mit der Hand in seine Bank, in die Metallkasse mit dem Geld, und er legt fünf Markstücke° auf den Tisch.

der Kunde, –n:
customer

Ich danke meinem Vater für das Taschengeld. Manchmal
15 nehme ich es schnell und gehe aus dem Zimmer, aber heute bleibe ich: ich brauche mehr Geld.

das Markstück, –e:
a one-mark coin

Und wie fast jeden Freitag abend, wenn ich im Zimmer bleibe, fragt mich mein Vater: „Nun, Kurt, wieviel Geld hast du denn schon auf der Bank?" Und ich antworte, wie immer: „Vati,
20 wenn du mir fünf Mark mehr gibst, vielleicht kann ich dann etwas sparen°." Und dann sagt Vater, —wie immer—: „Und wenn ich dir noch zehn Mark mehr gebe, du sparst doch keinen Pfennig."

sparen: *to save*
Wieviel sparen Sie jede Woche von Ihrem Taschengeld?

Vater hat natürlich recht. Die fünf Mark gebe ich am Wochen-
25 ende immer aus. Manchmal ist das Geld schon weg, bevor ich es von ihm bekomme. Mutti muss mir oft etwas geben. Fünf Mark sind auch nicht sehr viel. Ich gehe bestimmt einmal die Woche ins Kino, esse irgendwo in einer Milchbar oder in einem Café ein Eis*[2], und manchmal gehe ich mit meinen Freunden
30 ins Fussballstadion*.

Und dann erzähle ich meinem Vater, wieviel Geld ich noch extra* haben muss. Mein Vater zahlt° gern für jeden Sport*: im Winter für Schi- und Schlittschuhlaufen, im Sommer für Schwimmen. Vater zahlt auch für die Ausflüge mit der Schule.
35 „Ich brauche zehn Mark für den Schwimmklub*", sage ich heute. „Und dann kannst du mir noch drei Mark geben; ich brauche einige Sachen für die Schule. Papier, Bleistifte, Hefte." Ich bekomme 13 Mark, Vater addiert* die 13 Mark zu den fünf, ich sage danke und gehe aus dem Zimmer.

zahlen: Geld geben
Was zahlen Sie für ein Paperback?

40 Und jeden Freitag abend ruft mein Vater meine Schwester ins Wohnzimmer: Kunde Nummer zwei! Erika bekommt kein Geld von Vater mehr, sie bringt Geld. Vater ist ihre Bank! Meine Schwester ist siebzehn. Sie arbeitet schon. Irgendwo, ich glaube, in einem Buchgeschäft. Und sie verdient° schon 50 Mark die

verdienen: Geld machen
Verdienen Sie schon Geld?
Wie verdienen Sie Ihr Geld?

---

[2]Ice cream served in a cafe or in an ice cream parlor may cost anywhere between one and four marks.

45 Woche³. Aber jeden Freitag, nach dem Abendessen, gibt sie Vater diese 50 Mark, und er gibt ihr wieder 15 Mark zurück. Sie braucht so viel Taschengeld: sie ist ja ein Mädchen. Sie muss auch ihr Mittagessen selber° kaufen. Auch fährt sie manchmal mit der Strassenbahn ins Geschäft, wenn sie am Morgen zu 50 spät aufsteht.

selber: selbst

Was Erika sonst mit ihrem Geld macht, weiss ich nicht. Ich denke, sie geht oft ins Kino und ins Theater. Sie ist auch in einem Tennisklub, und Tennisspielen kostet viel Geld. Meine Schwester kauft auch immer viele Bücher im Geschäft, wo sie 55 arbeitet (Erika ist ein Bücherwurm*), und Bücher sind nicht billig.

Und jeden Freitag abend ruft Vater Kunde Nummer drei ins Wohnzimmer: das ist die Mutter. Sie bleibt immer lange beim Vater. Wieviel Geld sie bekommt, weiss ich nicht. Es ist bestimmt 60 viel. Mutter muss aber auch alles für uns kaufen; alle Sachen zum Anziehen und zum Essen. Ich möchte gern mal wissen, ob die Mutter auch Taschengeld bekommt . . . Oder ist Taschengeld nur für Kinder?

QUESTIONS

1. Wie alt ist Kurt? *2*
2. Wieviel Geld bekommt er? *2*
3. Wann bekommt er immer sein Taschengeld? *1*
4. Wo bekommt er das Geld? *6*
5. Wer gibt es ihm? *5*
6. Bekommt er Papiergeld? *12*
7. Warum bleibt Kurt heute im Wohnzimmer? *16*
8. Was sagt sein Vater immer zu ihm? *18*
9. Spart Kurt von seinem Taschengeld? *19*
10. Wann, sagt er, kann er vielleicht Geld sparen? *19*
11. Glaubt der Vater, dass Kurt sparen wird, wenn er ihm mehr Geld gibt? *21*
12. Was macht Kurt mit dem Taschengeld? *27*
13. Warum braucht er heute zehn Mark? *35*
14. Was muss er für drei Mark kaufen? *36*

15. Für welchen Sport bekommt Kurt im Winter Geld? Im Sommer? *33*
16. Wer ist Kunde Nummer zwei? *40*
17. Warum bekommt Erika kein Taschengeld mehr? *43*
18. Wo arbeitet Erika? *43*
19. Wieviel Geld verdient sie schon? *44*
20. Was tut sie jeden Freitag abend mit ihrem Geld? *45*
21. Wieviel Geld bekommt sie vom Vater zurück? *46*
22. Warum braucht Erika so viel Geld? *47*
23. Was tut sie meistens mit dem Geld? *47*
24. Wer ist Kunde Nummer drei? *57*
25. Wieviel Geld bekommt die Mutter? *59*
26. Warum glaubt Kurt, dass die Mutter viel Geld bekommt? *60*

---

³Erika is most likely an apprentice in the bookstore. She has probably finished six years of high school and is in her second year of apprenticeship.

BASIC DIALOG

Besuch zum Kaffee

MUTTER	Inge, du hast den Tisch noch nicht gedeckt! `15-1`
INGE	Sofort, Mutti! Ich hab' zuerst den Kuchen beim Bäcker geholt. `15-2`
MUTTER	Rolf hat eben angerufen.
INGE	Was?! Er ist schon zurückgekommen?
MUTTER	Ja, und ich hab' ihn gleich zum Kaffee eingeladen. `15-3`

INGE	Nun sag doch, wie es dir in Bayern[1] gefallen hat.
ROLF	Einfach herrlich! Die vielen Schlösser! Und diese Berge! `15-4`
INGE	Bist du auch raufgestiegen? `15-5`
ROLF	Klar! Ich hab' dir ein paar Bilder mitgebracht. Hier! `15-6`

Company for Coffee

MOTHER	Inge, you haven't set the table yet.
INGE	Right away, Mom. I picked up the cake at the baker's first.
MOTHER	Rolf just called.
INGE	What? He's come back already?
MOTHER	Yes, and I invited him for coffee.

INGE	Now tell me, how did you like it in Bavaria?
ROLF	Simply magnificent! All those castles! And those mountains!
INGE	Did you do any climbing (climbing up)?
ROLF	Of course! I brought you a few pictures. Here.

---

[1] **Bayern** (*Bavaria*) is the largest of the eleven states of the Federal Republic of Germany.

◀ *Shopping for sweets and pastry for the traditional afternoon coffee hour*

Supplement

Sie hat den Tisch gesäubert.	She cleaned the table.
Kuchen 15-1	
Ich habe das Fleisch geholt. 15-2	I got the meat.
das Gemüse 15-3	the vegetables.
das Obst 15-4	the fruit.
Bäcker 15-5	
Ich hab' sie beim Fleischer geholt. 15-6	I got them at the butcher's.
beim Schuster 15-7	at the shoemaker's.
beim Gemüsehändler 15-8	at the greengrocer's.
beim Tengelmann[2]	at Tengelmann's.

Rolf hat gestern angerufen.	Rolf called yesterday.
vorgestern	the day before yesterday.
gestern abend	last night.

Ich habe ihn kennengelernt.	I met (got acquainted with) him.
vorgestellt.	introduced

Wie hat es dir in Deutschland gefallen?	How did you like it in Germany?
Frankreich	France?
Österreich	Austria?
Berg / Schloss 15-9	
Die vielen Felder!	All those fields!
Wege!	paths!
Steine!	rocks (stones)!
Flüsse! ⎫	rivers!
Brücken! ⎬ 15-10	bridges!

Und dieser Himmel!	And that sky (heaven)!
diese Luft!	that air!
diese Wolken!	those clouds!
diese Täler! 15-11	those valleys!

Wie bist du runtergekommen?	How did you get down?
Mit der Bergbahn. ⎫	By mountain railway.
Mit der Seilbahn. ⎬ 15-12	By cable car.
Bild ⎫	
Ich hab' dir ein paar Dias mitgebracht. ⎬ 15-13	I've brought you a few slides.
Ansichtskarten ⎫	picture post cards.
Briefmarken ⎬ 15-14	stamps.

Listening and Speaking Exercises 176*, 177, 178 ⊗

---

[2] As in the United States, stores in Germany are often referred to by the name of the proprietor or by the name of the chain. **Tengelmann** is the name of a chain of food stores.

ADDITIONAL STRUCTURE DRILL ⊗

Noun Gender and Plurals

der Bäcker, –	die Ansichtskarte, –n	das Bild, –er
der Berg, –e	die Bahn, –en	das Dia, –s
der Besuch	die Bergbahn, –en	das Feld, –er
der Fleischer, –	die Briefmarke, –n	das Fleisch
der Fluss, ⁼e	die Brücke, –n	das Gemüse
der Gemüsehändler, –	die Luft	das Obst
der Himmel	die Marke, –n	das Schloss, ⁼er
der Kuchen, –	die Seilbahn, –en	das Seil, –e
der Schuster, –	die Wolke, –n	das Tal, ⁼er
der Stein, –e		
der Weg, –e		

Verbs

kennenlernen:	ich lerne . . . kennen
raufsteigen:	ich steige . . . rauf
runterkommen:	ich komme . . . runter
vorstellen:	ich stelle . . . vor

Vocabulary Exercises

1. SENTENCE COMPLETION

1. Inge hat heute Besuch zum _____.
2. Sie deckt jetzt _____.
3. Sie kauft einen Kuchen beim _____.
4. Das Gemüse kauft sie beim _____.
5. Fleisch gibt es beim _____.
6. Wenn Ihre Schuhe kaputt sind, bringen Sie sie zum _____.

2. QUESTIONS

1. Wer kommt zum Kaffee?
2. Wer, glauben Sie, ist Rolf?
3. Was tut Inge, bevor sie den Tisch deckt?
4. Wo holt sie den Kuchen?
5. Wo kauft Ihre Mutter das Fleisch?

3. SENTENCE COMPLETION

1. Dem Rolf gefällt _____.
2. In Bayern gibt es viele _____.
3. Rolf zeigt Inge _____.
4. Ich fahre gern mit der _____.
5. Du schickst diesen Brief nach Frankreich? Dann brauchst du noch eine _____.

4. QUESTIONS

1. Wie gefällt es Rolf in Bayern?
2. Gibt es Berge in Bayern?
3. Wie ist wahrscheinlich die Luft dort?
4. Fotografieren Sie gern?
5. Machen Sie Bilder oder Dias?
6. Sammeln Sie Briefmarken?

GRAMMAR

Past Time: The Conversational Past Tense of Weak Verbs

PRESENTATION *TEACHER PRESENTATION*

Inge **deckt** den Tisch.
Inge **hat** den Tisch **gedeckt.**

Sie **holt** den Kuchen.
Sie **hat** den Kuchen **geholt.**

Is the time expressed in the first sentence of each pair present or past? What tense is used? Is the time expressed in the second sentence of each pair present or past? What two words are verbs? How do **gedeckt** and **geholt** differ from **deckt** and **holt?** What is the position of **gedeckt** and **geholt?** How is the past tense of **decken** and **holen** formed in these sentences?

Rolf **holt** jetzt seine Freundin **ab.**
Rolf **hat** seine Freundin **abgeholt.**

Stellt Rolf seine Freundin **vor?**
Hat Rolf seine Freundin **vorgestellt?**

Is the time expressed in the first sentence of each pair present or past? What tense is used? Is the time expressed in the second sentence of each pair present or past? What tense is used? How does **abgeholt** differ from **holt . . . ab?** How does **vorgestellt** differ from **stellt . . . vor?** How is the past tense of **abholen** and **vorstellen** formed in these sentences?

Ursel **besucht** mich heute.
Ursel **hat** mich heute **besucht.**

Verkauft sie die Kamera?
Hat sie die Kamera **verkauft?**

Is the time expressed in the first sentence of each pair present or past? What tense is used? Is the time expressed in the second sentence of each pair present or past? What tense is used? Are the verb forms at the end of the second sentences different from the verb forms in the first sentences? How is the past tense of **besuchen** and **verkaufen** formed in these sentences?

GENERALIZATION

It is convenient to categorize German verbs into two groups: <u>weak verbs</u> and <u>strong verbs</u>. Weak verbs form their past tenses in a highly regular manner, as regular as English *play— played—has played,* or *paint—painted—has painted.* Strong verbs form their past tenses in a less predictable manner, comparable to English *sing—sang—has sung,* or *eat—ate—has eaten.*

In the first fourteen units you have had both weak and strong verbs, but only their present tense forms. In this unit you have been introduced to the conversational past tense of weak and strong verbs. This tense is used a great deal both in conversation and in writing. Later you will learn to use the narrative past tense, used frequently in writing and in longer oral accounts of events, as in telling a story.

In the conversational past, two verb forms are used: the present tense forms of the verb **haben** (sometimes **sein**) to indicate person and number, and a past participle, which is usually in last position in verb-first and verb-second clauses.

	Inflected Verb		*Past Participle*
Du	**hast**	ihn nicht	**gehört.**
Wir	**haben**	gestern	**gespielt.**

1. The past participle of most weak verbs is formed by prefixing **ge-** to the third person singular present tense verb form, which ends in **-t.** The ending **-t** in the past participle is a distinguishing feature of weak verbs.

Third Person Singular Present Tense	*Past Participle*	*Conversational Past*
(er) **hör**<u>t</u>	**ge**<u>hört</u>	Hast du **gehört?** *Did you hear?*
(sie) **kauf**<u>t</u>	**ge**<u>kauft</u>	Sie hat es **gekauft.** *She bought it.*

2. Weak verbs with a separable prefix form their past participle by inserting **-ge-** between the verb prefix and the third person singular present tense verb form.

Third Person Singular Present Tense	Past Participle	Conversational Past
(sie) **stimmt zu**	**zugestimmt**	Sie haben ihm **zugestimmt.**
		They agreed with him.
(er) **legt auf**	**aufgelegt**	Er hat die Platte **aufgelegt.**
		He put the record on.

3. The verb prefixes **be-, er-, ge-, ver-,** and a few others, are called inseparable prefixes because they are never separated from the verb. Verbs with inseparable prefixes do not add **ge-** in the past participle form. The past participle of weak verbs with inseparable prefixes is therefore identical with the third person singular form of the present tense.

Third Person Singular Present Tense	Past Participle	Conversational Past
(er) **besucht**	**besucht**	Er hat mich **besucht.**
		He came to see me.
(sie) **erzählt**	**erzählt**	Habt ihr viel **erzählt?**
		Did you tell a lot?
(es) **gehört**	**gehört**	Es hat ihm **gehört.**
		It belonged to him.
(sie) **verkauft**	**verkauft**	Sie hat nichts **verkauft.**
		She didn't sell anything.

4. The past participle of verbs ending in **-ieren,** which are always weak, is also identical to the third person singular form of the present tense.

Third Person Singular Present Tense	Past Participle	Conversational Past
(er) **fotografiert**	**fotografiert**	Er hat uns **fotografiert.**
		He took a picture of us.

Listening and Speaking Exercises 179*, 180 ⊗

STRUCTURE DRILLS

5. PRESENT → CONVERSATIONAL PAST

1. Uwe säubert die Garage. ⊗
Dann kehrt er den Hof.
Er putzt auch das Auto.
Dann mäht er noch den Rasen.
Am Abend füttert er den Hund.

Uwe hat die Garage gesäubert.
Dann hat er den Hof gekehrt.
Er hat auch das Auto geputzt.
Dann hat er noch den Rasen gemäht.
Am Abend hat er den Hund gefüttert.

2. Inge sucht eine Tanzplatte aus. ⊗
Dann legt sie sie auf.
Uschi erklärt mir den Tanz.
Die andern tanzen mit.
Der Tanz macht Spass.

Inge hat eine Tanzplatte ausgesucht.
Dann hat sie sie aufgelegt.
Uschi hat mir den Tanz erklärt.
Die andern haben mitgetanzt.
Der Tanz hat Spass gemacht.

3. Kaufst du einen Anzug? ⊗
Bestellst du ihn vorher?
Passt er dir nicht?
Wann holst du ihn ab?
Wieviel kostet er?

Hast du einen Anzug gekauft?
Hast du ihn vorher bestellt?
Hat er dir nicht gepasst?
Wann hast du ihn abgeholt?
Wieviel hat er gekostet?

4. Wann lernst du Herrn Müller kennen? ⊗
Wann stellst du ihn mir vor?
Warum besucht er mich nicht?
Warum braucht er so lange?
Warum schickt er keine Karte?

Wann hast du Herrn Müller kennengelernt?
Wann hast du ihn mir vorgestellt?
Warum hat er mich nicht besucht?
Warum hat er so lange gebraucht?
Warum hat er keine Karte geschickt?

ADDITIONAL STRUCTURE DRILLS ⊗

6. DIRECTED DRILL

Sagen Sie, dass Sie den Tisch gedeckt
haben!

Ich habe den Tisch gedeckt.

Sagen Sie, dass Sie mit Ursel getanzt
haben!

Ich habe mit Ursel getanzt.

Sagen Sie, dass Sie den Kuchen gekauft
haben!

Ich habe den Kuchen gekauft.

Sagen Sie, dass Sie das nicht so gemeint
haben!

Ich habe das nicht so gemeint.

Sagen Sie, dass Sie durch den Hafen
gebummelt sind[3]!

Ich bin durch den Hafen gebummelt.

Sagen Sie, dass Sie dem Tiger gefolgt
sind[3]!

Ich bin dem Tiger gefolgt.

---

[3] Of all the weak verbs you have had so far, only **bummeln** and **folgen** use the present tense of the verb **sein** (not
haben) in the conversational past to indicate person and number.

7. CUED RESPONSE

Was haben Sie heute gemacht?

    (Fussball spielen)   Ich habe Fussball gespielt.

    (Ziehharmonika üben)   *Ich habe Ziehharmonika geübt.*

    (durch die Stadt bummeln)   *Ich bin durch die Stadt gebummelt.*

    (das Auto verkaufen)   *Ich habe das Auto verkauft.*

    (das Rad putzen)   *Ich habe das Rad geputzt.*

8. FREE RESPONSE

Wann haben Sie den Rasen gemäht?

Wann haben Sie Ihren Hund gefüttert?

Mit wem haben Sie gestern Tennis gespielt?

Wer hat Ihnen den Weg zum Bahnhof gezeigt?

Wann hat es geregnet?

Wem haben Sie Ihren Füller geschenkt?

Was für Platten haben Sie ausgesucht?

Wann haben Sie das Tonbandgerät abgeholt?

Wieviel haben die Tonbänder gekostet?

Haben Sie heute den Wetterbericht gehört?

Haben Sie erst gestern die Bücher bestellt?

9. WRITING EXERCISE

Write the responses to Drills 5.3, 5.4, and 6.

EXERCISE BOOK: EXERCISE 1

Past Time: The Conversational Past Tense of Strong Verbs

PRESENTATION *TEACHER PRESENTATION*

      Inge will ihr einen Kuchen **geben**.

      Inge hat ihr einen Kuchen **gegeben**.

      Inge will die Ansichtskarten **sehen**.

      Inge hat die Ansichtskarten **gesehen**.

How many verb forms does each of the four sentences have? In what position is the inflected verb? the infinitive or the past participle? How do the last words in each pair differ from one another? How do you form the past participle of **geben** and **sehen?** How do you form their conversational past tense?

Ich möchte unsere Nachbarn **einladen.**
Ich habe unsere Nachbarn **eingeladen.**

Ich möchte meine Freundin **anrufen.**
Ich habe meine Freundin **angerufen.**

What is the verb form at the end of the first sentence of each pair called? Are **ein-** and **an-** separable or inseparable prefixes? What is the verb form at the end of the second sentence of each pair called? How does the past participle in each pair differ from the infinitive? How do you form the past participle of **einladen** and **anrufen?**

Ich darf die Bilder nicht **vergessen.**
Ich habe die Bilder nicht **vergessen.**

Ich soll die Dias heute **bekommen.**
Ich habe die Dias heute **bekommen.**

What is the verb form at the end of the first sentence of each pair called? What type of prefix do these verbs have? What is the verb form at the end of the second sentence of each pair called? Do these past participles differ from the infinitive? How do you form the past participle of **vergessen** and **bekommen?**

Wir wollen mit ihnen **sprechen.**
Wir haben mit ihnen **gesprochen.**

Wir wollen den Kaffee **riechen.**
Wir haben den Kaffee **gerochen.**

Wir wollen die Blumen **giessen.**
Wir haben die Blumen **gegossen.**

Wir wollen ihm Geld **leihen.**
Wir haben ihm Geld **geliehen.**

How does the infinitive **sprechen** differ from the past participle **gesprochen** in the way of changes and additions? Compare similarly the infinitive and past participle in each of the other pairs of sentences. In what way is the formation of the past participle of these verbs identical to the formation of the past participle of the strong verbs that were introduced above? In what way does it differ?

GENERALIZATION

For strong verbs as for weak verbs, two verb forms are used in the conversational past tense: the present tense form of an inflected verb (usually **haben,** but often **sein**) to indicate person and number, and a past participle.

	Inflected Verb		Past Participle
Er	**hat**	mich	**gerufen**
Ich	**bin**	gleich	**gekommen**

1. The past participle of many strong verbs that have no separable or inseparable prefix is formed by prefixing **ge-** to the infinitive form of the verb.

Infinitive	Past Participle	Conversational Past
geben	ge__geben__	Inge hat ihr einen Kuchen **gegeben.**
sehen	ge__sehen__	Inge hat die Ansichtskarten **gesehen.**

The following verbs you have had are of this type. The word **ist** in front of a past participle indicates that you must use the present tense forms of **sein** as the inflected verb in the conversational past.

Infinitive	Past Participle	Infinitive	Past Participle
fahren	(ist) **gefahren**	lesen	**gelesen**
geben	**gegeben**	raten	**geraten**
halten	**gehalten**	rufen	**gerufen**
heissen	**geheissen**	schlafen	**geschlafen**
kommen	(ist) **gekommen**	sehen	**gesehen**
lassen	**gelassen**	tragen	**getragen**
laufen	(ist) **gelaufen**	waschen	**gewaschen**

2. If the strong verb has a separable prefix, the past participle is formed from the infinitive by inserting **-ge-** between the separable prefix and the verb form.

Infinitive	Past Participle	Conversational Past
einladen	**eingeladen**	Ich habe unsere Nachbarn **eingeladen**.
anrufen	**angerufen**	Ich habe meine Freundin **angerufen**.

The following verbs are of this type. Note that this list is not complete, since any strong verb can have many different prefixes, for example: **hinfahren, herfahren, zurückfahren, wegfahren.**

Infinitive	Past Participle
anrufen	**angerufen**
einladen	**eingeladen**
hinfahren	(ist) **hingefahren**
mitgeben	**mitgegeben**
übriglassen	**übriggelassen**
wegtragen	**weggetragen**
zusehen	**zugesehen**

3. If the strong verb has an inseparable prefix, the past participle has the same form as the infinitive.

Infinitive	Past Participle	Conversational Past Tense
vergessen	**vergessen**	Ich habe die Bilder **vergessen**.
bekommen	**bekommen**	Er hat die Dias heute **bekommen**.

The following verbs you have had are of this type:

Infinitive	Past Participle
bekommen	**bekommen**
gefallen	**gefallen**
vergessen	**vergessen**

4. The past participle of most strong verbs has a stem vowel different from the stem vowel of the infinitive. In addition, there may also be consonant changes. There are verbs that have **e** in the infinitive and **o** in the past participle, or **i** in the infinitive and **o** in the past participle. Some have **ei** in the infinitive and **ie** in the past participle. Some strong verbs have a special form in the past participle that is unrelated to the infinitive.

Since there is no way of predicting from the sound of the infinitive what the form of the past participle will be, you must learn the past participle of strong verbs as you would learn any vocabulary item.

In summer, young Germans don their knapsacks for hikes lasting anywhere from a day to a month

The following is a list of the infinitives and the past participles of the strong verbs you have had whose past participle forms do not exactly follow any of the patterns previously presented.

Infinitive	Past Participle	Infinitive	Past Participle
bleiben	(ist) **geblieben**	helfen	**geholfen**
leihen	**geliehen**	sprechen	**gesprochen**
reiben	**gerieben**	treffen	**getroffen**
scheinen	**geschienen**	versprechen	**versprochen**
schreiben	**geschrieben**	werden	(ist) **geworden**
schreien	**geschrien**[4]	nehmen	**genommen**
steigen	(ist) **gestiegen**		
		liegen	**gelegen**
pfeifen	**gepfiffen**	gehen	(ist) **gegangen**
schneiden	**geschnitten**	stehen	**gestanden**
		verstehen	**verstanden**
anziehen	**angezogen**		
verlieren	**verloren**	essen	**gegessen**
giessen	**gegossen**	tun	**getan**
riechen	**gerochen**	sein	(ist) **gewesen**
beginnen	**begonnen**		
gewinnen	**gewonnen**	bringen	**gebracht**[5]
schwimmen	**geschwommen**	denken	**gedacht**
		kennen	**gekannt**
trinken	**getrunken**	rennen	(ist) **gerannt**
finden	**gefunden**	wissen	**gewusst**
singen	**gesungen**	haben	**gehabt**

You can assume that all the verbs you know that have not been treated in this Generalization are weak and form their past participles as shown on pages 271 and 272.

---

[4] The past participle of **schreien** is **geschrien**, not **geschrieen**.

[5] Note that these last six past participles end in **-t**.

STRUCTURE DRILLS

10. PRESENT → CONVERSATIONAL PAST

1. Was waschen Sie? ⊗ — Was haben Sie gewaschen?
   Was lesen Sie? — *Was haben Sie gelesen?*
   Was nehmen Sie? — *Was haben Sie genommen?*
   Was tun Sie? — *Was haben Sie getan?*
   Was finden Sie? — *Was haben Sie gefunden?*
   Was gewinnen Sie? — *Was haben Sie gewonnen?*

2. Wer pfeift? ⊗ — Wer hat gepfiffen?
   Wer singt? — *Wer hat gesungen?*
   Wer kommt? — *Wer ist gekommen?*
   Wer beginnt? — *Wer hat begonnen?*
   Wer schreit? — *Wer hat geschrien?*
   Wer fährt? — *Wer ist gefahren?*

3. Wen laden Sie ein? ⊗ — Wen haben Sie eingeladen?
   Wie kommen Sie her? — *Wie sind Sie hergekommen?*
   Wem sehen Sie zu? — *Wem haben Sie zugesehen?*
   Wann gehen Sie hin? — *Wann sind Sie hingegangen?*
   Was lassen Sie übrig? — *Was haben Sie übriggelassen?*
   Warum laufen Sie weg? — *Warum sind Sie weggelaufen?*

11. DIRECTED DRILL

Sagen Sie mir, Sie haben einen Fisch gegessen! — Ich habe einen Fisch gegessen.

Sagen Sie mir, Sie haben Ihre Bilder gefunden! — Ich habe meine Bilder gefunden.

Sagen Sie mir, Sie sind mit der Seilbahn gefahren! — Ich bin mit der Seilbahn gefahren.

Sagen Sie mir, Sie haben viele Schlösser gesehen! — Ich habe viele Schlösser gesehen.

Sagen Sie mir, Sie haben diesen Weg nicht genommen! — Ich habe diesen Weg nicht genommen.

12. FREE RESPONSE

Wen haben Sie eingeladen?
Wem haben Sie zugesehen?
Wie sind Sie hergekommen?
Was haben Sie übriggelassen?
Wen haben Sie mitgenommen?

Note: For additional practice with verbs in the conversational past have the students construct sentences. Example: Bilden Sie einen Satz mit sehen: Ich habe den Film gesehen.

13. WRITING EXERCISE

Write the responses to Drill 10.

EXERCISE BOOK: EXERCISE 2

14. PRESENT → CONVERSATIONAL PAST

1. Der Sonnenbrand tut weh. ⊗
   Der Lappen liegt in der Garage.
   Das Messer schneidet nicht gut.
   Der Bus hält bei der Brücke.
   Die Butter riecht schlecht.

   Der Sonnenbrand hat weh getan.
   Der Lappen hat in der Garage gelegen.
   Das Messer hat nicht gut geschnitten.
   Der Bus hat bei der Brücke gehalten.
   Die Butter hat schlecht gerochen.

2. Hilfst du dem Gemüsehändler? ⊗
   Bringst du deine Dias?
   Trinkst du den Kaffee?
   Kennst du seine Grossmutter?
   Giesst du meine Blumen?

   Hast du dem Gemüsehändler geholfen?
   Hast du deine Dias gebracht?
   Hast du den Kaffee getrunken?
   Hast du seine Grossmutter gekannt?
   Hast du meine Blumen gegossen?

3. Rolf ist in Bayern. ⊗
   Die Berge gefallen ihm gut.
   Er steigt auch rauf.
   Die Sonne scheint immer.
   Er bleibt zwei Wochen dort.

   Rolf ist in Bayern gewesen.
   Die Berge haben ihm gut gefallen.
   Er ist auch raufgestiegen.
   Die Sonne hat immer geschienen.
   Er ist zwei Wochen dort geblieben.

Listening and Speaking Exercises 183*, 184 ⊗

SECTION D

15. PAIRED SENTENCES: PRESENT → CONVERSATIONAL PAST

Wie lange schläfst du? ⊗
Ich stehe um sieben Uhr auf.

Wie lange hast du geschlafen?
Ich bin um sieben Uhr aufgestanden.

Was isst du zum Frühstück?
Nichts. Ich trinke nur Kakao.

Was hast du zum Frühstück gegessen?
Nichts. Ich habe nur Kakao getrunken.

Gewinnst du das Spiel?
Nein, ich verliere es.

Hast du das Spiel gewonnen?
Nein, ich habe es verloren.

Rufst du deinen Bruder an?
Nein, ich schreibe ihm einen Brief.

Hast du deinen Bruder angerufen?
Nein, ich habe ihm einen Brief geschrieben.

Gibst du deiner Schwester Geld?
Ja, ich leihe ihr fünf Mark.

Hast du deiner Schwester Geld gegeben?
Ja, ich habe ihr fünf Mark geliehen.

16. CUED RESPONSE

1. Mit wem haben Sie gesprochen?
   (mit Ihrem Fleischer)

   Mit meinem Fleischer habe ich gesprochen.

   Wen haben Sie gestern getroffen?
   (Ihren Vetter)

   Meinen Vetter habe ich gestern getroffen.

   (continued)

(*continued*)

Wem haben Sie Sonnenöl auf den Rücken gerieben? (Ihrer Kusine)	*Meiner Kusine habe ich Sonnenöl auf den Rücken gerieben.*
Wohin sind Sie vorgestern gefahren? (zu Ihrem Onkel)	*Zu meinem Onkel bin ich vorgestern gefahren.*
Wem hat Bayern gut gefallen? (Ihrer Mutter)	*Meiner Mutter hat Bayern gut gefallen.*
Was haben Sie wieder vergessen? (Ihre Briefmarken)	*Meine Briefmarken habe ich wieder vergessen.*

2. Was haben Sie gestern gemacht?

(eine Einladung bekommen)	Ich habe eine Einladung bekommen.
(nach Hamburg fahren)	*Ich bin nach Hamburg gefahren.*
(an den Alsterseen sein)	*Ich bin an den Alsterseen gewesen.*
(durch den Hafen gehen)	*Ich bin durch den Hafen gegangen.*
(einen Freund treffen)	*Ich habe einen Freund getroffen.*
(zwei Tage dort bleiben)	*Ich bin zwei Tage dort geblieben.*
(ein paar Geschenke mitbringen)	*Ich habe ein paar Geschenke mitgebracht.*

17. WRITING EXERCISE

Write the responses to Drill 14.

EXERCISE BOOK: EXERCISE 3

18. PAIRED SENTENCES: PRESENT → CONVERSATIONAL PAST

Wohin rennst du? ☻	Wohin bist du gerannt?
Ich hole meine Schwester ab.	Ich habe meine Schwester abgeholt.
Inge hat einen Sonnenbrand.	*Inge hat einen Sonnenbrand gehabt.*
Ja, sie bleibt zu lange am Strand.	*Ja, sie ist zu lange am Strand geblieben.*
Warum lachst du?	*Warum hast du gelacht?*
Du siehst so lustig aus.	*Du hast so lustig ausgesehen.*
Tun dir die Augen weh?	*Haben dir die Augen weh getan?*
Ja, ich habe meine Sonnenbrille nicht mit.	*Ja, ich habe meine Sonnenbrille nicht mitgehabt.*
Regnet es?	*Hat es geregnet?*
Ja, das Wetter wird schlecht.	*Ja, das Wetter ist schlecht geworden.*
Lädst du Rolf zum Kaffee ein?	*Hast du Rolf zum Kaffee eingeladen?*
Ja, ich rufe ihn eben an.	*Ja, ich habe ihn eben angerufen.*

→ *Note:* Only the first six sentences of Drill 18 appear on the recordings.

Past Participles in Dependent Clauses

PRESENTATION *TEACHER PRESENTATION*

Rolf fragt, ob Inge die Bilder <u>**sehen will**</u>.
Rolf fragt, ob Inge die Bilder <u>**gesehen hat**</u>.

Inge sagt, dass sie die Bergbahn <u>**nehmen möchte**</u>.
Inge sagt, dass sie die Bergbahn <u>**genommen hat**</u>.

Sie weiss, dass Rolf heute <u>**zurückkommen muss**</u>.
Sie weiss, dass Rolf heute <u>**zurückgekommen ist**</u>.

How many verb forms are used in each of the dependent clauses? What is the position of the uninflected verb if it is an infinitive? if it is a past participle?

GENERALIZATION

In Unit 11, you learned that when there is more than one verb in a dependent clause, an inflected verb and an infinitive, it is the inflected verb that is in last position.

Er fragt, ob sie die Bilder <u>sehen</u> <u>will</u>.

The same word order prevails in dependent clauses that contain a past participle and an inflected verb: the inflected verb is in last position.

Er fragt, ob sie die Bilder <u>gesehen</u> <u>hat</u>.
Sie sagt, dass sie die Bergbahn <u>genommen</u> <u>hat</u>.
Sie weiss, dass Rolf heute <u>zurückgekommen</u> <u>ist</u>.

STRUCTURE DRILLS

19. STATEMENT → INDIRECT STATEMENT

Peter hat gepfiffen. ⊗
Peter ist gekommen.
Peter hat gut geschlafen.
Peter hat nichts verstanden.
Peter hat angerufen.
Peter ist weggefahren.

Er sagt, dass Peter gepfiffen hat.
Er sagt, dass Peter gekommen ist.
Er sagt, dass Peter gut geschlafen hat.
Er sagt, dass Peter nichts verstanden hat.
Er sagt, dass Peter angerufen hat.
Er sagt, dass Peter weggefahren ist.

20. QUESTION → INDIRECT QUESTION

Wie hat die Frau geheissen? ⊗   Er fragt ihn, wie die Frau geheissen hat.

Was hat sie getragen?   *Er fragt ihn, was sie getragen hat.*

Wohin ist sie gerannt?   *Er fragt ihn, wohin sie gerannt ist.*

Wer ist jetzt mitgegangen?   *Er fragt ihn, wer jetzt mitgegangen ist.*

Was hat sie ihr versprochen?   *Er fragt ihn, was sie ihr versprochen hat.*

Warum hat sie nichts übriggelassen?   *Er fragt ihn, warum sie nichts übriggelassen hat*

Listening and Speaking Exercise 185* ⊗

21. DIRECTED DRILL

Fragen Sie *Rolf,* was er in Österreich   Was hast du in Österreich gemacht?
gemacht hat!

    Sagen Sie, dass Sie viele Schlösser   Ich habe viele Schlösser besucht.
    besucht haben!

    Sagen Sie, dass Sie mit der Seilbahn   Ich bin mit der Seilbahn gefahren.
    gefahren sind!

Fragen Sie *Hans,* wie er vom Berg run-   *Wie bist du vom Berg runtergekommen?*
tergekommen ist!

    Sagen Sie, dass Sie runtergestiegen   *Ich bin runtergestiegen.*
    sind!

    Sagen Sie, dass Sie mit der Berg-   *Ich bin mit der Bergbahn runtergefahren.*
    bahn runtergefahren sind!

Fragen Sie *Kurt,* wie das Wetter gewesen   *Wie ist das Wetter gewesen?*
ist!

    Sagen Sie, dass die Sonne immer   *Die Sonne hat immer geschienen.*
    geschienen hat!

    Sagen Sie, dass es oft gedonnert und   *Es hat oft gedonnert und geblitzt.*
    geblitzt hat!

22. WRITING EXERCISE

Write the responses to Drills 19 and 20.
EXERCISE BOOK: EXERCISE 4

23. FREE RESPONSE

Warum haben Sie den Tisch noch nicht gedeckt?

Wo haben Sie das Gemüse gekauft?

Wo haben Sie die Wurst und das Fleisch gekauft?

Wer hat Sie angerufen?

Wer hat heute morgen mit Ihnen gesprochen?

Was haben Sie gestern abend getan?

Wann sind Sie schlafen gegangen?

Um welche Zeit sind Sie heute morgen aufgestanden?

Wen laden Sie gewöhnlich zum Kaffee ein?

Wo sind Sie im Sommer gewesen?

Hat es Ihnen dort gefallen?

Wohin sind Sie am Sonntag gefahren?

Was haben Sie dort gesehen?

Was haben Sie mir mitgebracht?

1. Haben Sie heute Post bekommen?
2. Wen hat Inge zum Kaffee eingeladen?
3. Wann seid ihr weggefahren?
4. Haben Sie das nicht gewusst?
5. Sind die beiden mitgegangen?
6. Hast du ihr etwas versprochen?
7. Warum sind Sie so lange geblieben?
8. Seid ihr zum Zoo gelaufen?

Writing

SENTENCE REWRITE ⎯⎯⎯⎯⎯⎯⎯⎯⎯⎯⎯⎯⎯⎯⎯⎯⎯⎯⎯⎯⎯⎯

Rewrite each of the following questions in the conversational past. Follow the model.

MODEL   Sprichst du mit deiner Mutter?

Hast du mit deiner Mutter gesprochen?

1. Bekommen Sie heute Post?
2. Wen lädt Inge zum Kaffee ein?
3. Wann fahrt ihr weg?
4. Wissen Sie das nicht?
5. Gehen die beiden mit?
6. Versprichst du ihr etwas?
7. Warum bleiben Sie so lange?
8. Lauft ihr zum Zoo?

FREE RESPONSE

Write a brief answer to each of the following questions.

1. Wer hat gerufen?
2. Wer hat Sie geweckt?
3. Wen haben Sie eingeladen?
4. Mit wem haben Sie gesprochen?
5. Wohin sind Sie gefahren?
6. Wem haben Sie einen Brief geschrieben?
7. Wann sind Sie krank gewesen?
8. Von wem haben Sie das Geschenk bekommen?

EXERCISE BOOK: EXERCISES 5 AND 6

RECOMBINATION MATERIAL

Dialogs

I

FRAU WEISS   Das Fleisch sieht gut aus. Wo haben Sie es gekauft?

FRAU BREUER   Beim Fleischer. Das Fleisch ist dort immer gut.

FRAU WEISS   Ich kaufe mein Fleisch jetzt beim Tengelmann. Dort ist es auch nicht so teuer.

FRAU BREUER   Ich habe dort einmal Fleisch gekauft, aber es hat mir einfach nicht geschmeckt.

QUESTIONS

1. Warum fragt Frau Weiss, wo Frau Breuer das Fleisch gekauft hat?
2. Wo hat es Frau Breuer gekauft?
3. Wo kauft Frau Weiss das Fleisch?
4. Warum kauft sie es nicht beim Fleischer?
5. Warum kauft Frau Breuer das Fleisch nicht beim Tengelmann?

DIALOG VARIATION

	VARIATION 1	VARIATION 2
1. The oranges look good. →	*Die Apfelsinen sehen / sie*	*Der Kuchen / ihn*
	Gemüsehändler / Die Apf. sind	*Bäcker / Der Kuchen*
2. The cake looks good.	*meine Apf. / sind sie*	*meinen Kuchen / er*
	Apfelsinen / sie haben	*Kuchen / er*

REJOINDERS

Mir schmeckt das Brot nicht. *Iss doch eine Semmel! / Iss es mit Marmelade!*

II

ILSE   Ich hab' dich gestern mit einem Mädchen gesehen. Sie sieht gut aus.

HORST   Ach, das ist eine Freundin von Rolf. Ich hab' sie erst vorgestern kennengelernt.

ILSE   Warum hast du sie mir nicht vorgestellt?

HORST   Du wirst lachen, aber ich hab' dich nicht gesehen.

ILSE   Das glaub' ich dir nicht. Du hast doch hergeschaut.

HORST   Hingeschaut vielleicht, aber nicht gesehen.

QUESTIONS

1. Mit wem hat Ilse gestern den Horst gesehen?
2. Wie hat das Mädchen ausgesehen?
3. Wann hat Horst sie erst kennengelernt?
4. Warum hat Horst Rolfs Freundin der Ilse nicht vorgestellt?
5. Glauben Sie, dass Horst die Ilse nicht gesehen hat?

III

		VARIATION
WOLFGANG	Deine Mutter hat mir gesagt, dass du in Österreich gewesen	*Ihre / Sie*
	bist. Hat es dir gefallen?	*sind / Ihnen*
HERBERT	Und wie! Ich kann dir nicht sagen, wie schön es gewesen	*Ihnen*
	ist. Ich hab' dir sogar eine Ansichtskarte geschrieben.	*Ihnen*
	Hier ist sie.	
WOLFGANG	Ach! Warum hast du sie nicht mit der Post geschickt?	*haben Sie*
HERBERT	Ich kann es dir erklären. Ich habe deine Karte ins Auto	*Ihnen / Ihre*
	gelegt und sie einfach dort vergessen.	

QUESTIONS

1. Was hat Herberts Mutter dem Wolfgang gesagt?
2. Wie hat es Herbert in Österreich gefallen?
3. Was hat er seinem Freund geschrieben?
4. Warum hat Herbert die Karte nicht mit der Post geschickt?

DIALOG VARIATION

Wolfgang and Herbert use the formal form of address with each other.

REJOINDERS

Mir hat es in Frankreich nicht gefallen.

Conversation Stimulus

1. Frau Walter bekommt gleich Besuch. Jutta soll ihr helfen, aber sie kann Jutta nicht finden. Jutta kommt in die Küche; sie ist beim Gemüsehändler gewesen.

> FRAU WALTER Ich hab' dich gerufen, Jutta! Hast du mich nicht gehört?
> JUTTA *Ich bin beim Gemüsehändler gewesen.* . . . .

2. Michael ruft Gerda an. Er ist vorgestern aus Bayern zurückgekommen. Er erzählt ihr, was er gesehen hat. Gerda lädt ihn zum Abendessen ein; sie möchte wissen, was er gern isst. Michael will am Samstag kommen und die Bilder und Dias mitbringen.

> GERDA Michael! Ich denke, du bist noch in Bayern.
> MICHAEL *Ich bin schon vorgestern zurückgekommen.* . . . .

Narrative

Ein Brief aus Bayern

Füssen, den 2. August[6]

Liebe Eltern!

    Hoffentlich denkt Ihr[7] nicht, dass mir in den Bergen etwas passiert° ist. Ich will Euch deshalb gleich erklären, warum ich Euch noch nicht einmal eine Ansichtskarte geschickt habe: ich
5 habe einfach keine Zeit zum Schreiben!

                                            passieren: *to happen*

---

[6] Lesen Sie: **den zweiten August**

[7] The second person pronouns and possessives are always capitalized in letters, for example: **Du, Ihr, Dir, Euch, Dich, Dein, Euer.**

This cable car serves skiers in the winter and sightseers the rest of the year

Ihr werdet lachen, wenn Ihr lest, dass ich jetzt jeden Morgen schon um fünf Uhr aufstehe! Und ohne Wecker! Aber hier in den Berghütten° kann ich nach fünf nicht mehr schlafen. Alle stehen
10 so früh auf, denn sie wollen schon halb oben auf dem Berg sein, bevor die Sonne zu stark vom Himmel scheint. In den Bergen kann die Sonne gegen Mittag sehr gefährlich° sein, denn die Luft ist so dünn und so sauber. Ich bin schon ganz braun im Gesicht. Einen Sonnenbrand habe ich aber nicht bekommen, denn die Salbe, die ich mitgenommen habe, ist gut gegen Sonne und
15 Wind*.

Ich kann Euch gar nicht schreiben, wie schön diese Bergtouren* durch die Alpen* sind! Ihr wisst doch, dass Theo und ich erst vor einer Woche° beim Tegernsee in die Berge gestiegen sind, und heute sind wir schon in Füssen! Manchmal, wenn wir
20 irgendwo durch ein Tal laufen, nimmt uns ein Auto mit (die Leute halten hier oft und fragen, ob wir mitfahren wollen), aber Theo hat das nicht gern. Er will zu Hause sagen, dass er vom Tegernsee bis zum Bodensee zu Fuss gegangen ist! Aber oft tun uns die Beine weh, wenn wir am Abend von den Bergen runter-
25 kommen, und wir sind dann froh°, wenn uns ein Auto mitnimmt.

Unsere Tour gestern ist ganz toll gewesen. Ich werde sie nie vergessen. Wir sind bei Garmisch durch das Reintal auf die Zugspitze[8] gestiegen. Wir haben von der Reintalhütte, wo wir geschlafen haben, zehn Stunden zum Gipfel° gebraucht. Aber
30 was wir von dort oben alles gesehen haben! Die vielen Gipfel von den österreichischen Alpen (auf vielen hat noch Schnee gelegen),

die Hütte, –n: *cabin*

gefährlich: *dangerous*
Ist es gefährlich, einen Tiger (einen Hund, Fische) zu füttern?

vor einer Woche:
   a week ago
Wann Sind Sie zurück-gekommen? Vor einer Woche? Vor einer Stunde? Vor einem Jahr?

froh: *glad*
Sind Sie froh oder traurig wenn Sie eine Prüfung haben?

der Gipfel, –: *summit*

---

[8] **Die Zugspitze,** about 9000 feet, is the highest mountain in the German Alps.

und die Seen vor den Bergen mit den vielen Schiffen und Booten! Die Luft ist nämlich so klar gewesen, dass wir mit dem Fernglas die Kirchtürme° in München[9] gesehen haben.

35   Wir sind aber nicht im Gipfelhaus über Nacht geblieben. Wir sind durch einen Tunnel* im Berg nach Österreich gegangen und dort von der Bergstation* mit der Seilbahn nach Ehrwald gefahren. Von Ehrwald hat uns ein Auto nach Füssen mitgenommen.

40   Jetzt sind wir hier in der Jugendherberge° in Füssen, und Ihr könnt dem Regen danken, dass Ihr einen Brief von mir bekommt. Wir sind froh, dass es regnet und dass wir mal einen Tag rasten* können, denn der Weg ist noch lang bis zum Bodensee!

45   Ich verspreche Euch, dass ich mehr schreibe. Hoffentlich werden meine Dias gut. Es gibt so viel zu fotografieren, und ich habe fast keinen Film mehr.

Herzliche Grüsse[10],

Euer Martin

der Turm, ⁔e: *tower*
Hat eine Kirche immer nur einen Turm?

die Jugendherberge,
   –n: *youth hostel*
Für wen sind Jugendherbergen?

QUESTIONS

1. Warum schreibt Martin einen Brief?   2
2. Wem schreibt er?   1
3. Wo schreibt er den Brief?
4. Was glaubt Martin, was seine Eltern vielleicht denken?   2
5. Warum hat er ihnen noch nie geschrieben?   4
6. Wann steht Martin in den Bergen auf?   7
7. Warum stehen die andern in der Hütte so früh auf?   8
8. Warum kann die Sonne in den Bergen gefährlich sein?   10
9. Warum hat Martin keinen Sonnenbrand?   13
10. Wie lange sind die Jungen von zu Hause weg?   17
11. Wo und wann sind sie in die Berge gestiegen?   17
12. Gehen die beiden immer nur zu Fuss?   25

13. Warum fährt Theo nicht gern mit einem Auto mit?   22
14. Wann sind die beiden aber froh, wenn sie ein Auto mitnimmt?   23
15. Was haben Martin und Theo gestern gemacht?   27
16. Wo sind sie über Nacht geblieben?   28
17. Wie lange haben sie zum Gipfel gebraucht?   28
18. Was haben sie dort oben alles gesehen?   30
19. Wie sind die beiden vom Gipfel runtergekommen?   35
20. Sind sie zu Fuss von Ehrwald nach Füssen gelaufen?   39
21. Warum sind die Jungen froh, dass es regnet?   42
22. Was verspricht Martin seinen Eltern?   45

---

[9] **München** (*Munich*), the second largest city in West Germany, is the capital of the state of Bavaria. At an elevation of 1500 feet, it is located about forty miles north of the Bavarian Alps.

[10] **Herzliche Grüsse,** *cordial greetings,* is a standard phrase used at the end of a letter.

BASIC MATERIAL I

Note: The text for all
Listening Comprehension
Exercises appears in the
Listening Comprehension
section of blue pages.

Ein sportlicher Wagen

MICHAEL	Dort steht der neue Mercedes[1]. Klasse, was?
STEFAN	Ein schnittiges Auto. Und diese Farbe!
MICHAEL	Blau ist meine Lieblingsfarbe!
STEFAN	Die niedrige Karosserie gefällt mir besonders gut.
MICHAEL	Mit <u>dem</u> tollen Wagen möcht' ich gern mal eine Reise machen.
STEFAN	Ich auch. Aber schöne Wagen kosten viel Geld, mein Lieber!

Note: Students should not be required to memorize Basic Material
and Supplement. For teaching suggestions, see blue pages.

Supplement

Was gefällt Ihnen an dem neuen Wagen?

Mir gefällt der geräumige Kofferraum.
Mir gefällt die schmale Stossstange.
Mir gefällt das offene Verdeck.

Was ist an diesem Modell neu?

Es hat breite Reifen.
Es hat schöne, grosse Blinker.

Warum fahren Sie nicht mit dem Auto
zur Arbeit?

Das kostet zu viel, denn deutsches Benzin ist
sehr teuer.
Ich habe wenig Geld.

---

[1] The **Mercedes** is a luxury automobile manufactured in Germany. The Mercedes line includes sedans and sports
models.

◀ *Ein 280 SL! Ein schnittiger Wagen, nicht?*

67

A Sporty Car

MICHAEL There's the new Mercedes. Classy, isn't it?
STEFAN A sharp car. And the color!
MICHAEL Blue is my favorite color.
STEFAN I especially like the low-slung body.
MICHAEL I'd like to take a trip in that terrific car.
STEFAN Me too. But nice cars cost a lot of money, my friend (dear).

Supplement

What do you like about the new car?

I like the spacious trunk.
I like the narrow bumper.
I like the open top.

What's new on this model?

It has wide tires.
It has nice big signal lights.

Why don't you take the car to work?

That costs too much, because German gasoline is very expensive.
I don't have much money.
(I have little money.)

Note: To the Questions on Basic Material accept both sentence fragments and full-sentence answers as seems appropriate.

Vocabulary Exercises

1. QUESTIONS ON BASIC MATERIAL

1. Was steht dort drüben?
2. Was für eine Farbe hat der Wagen?
3. Was gefällt Stefan besonders an dem Wagen?
4. Was möchte Michael gern machen?
5. Wie ist die Stossstange? Das Verdeck?
6. Was für Reifen hat der Wagen?
7. Was für Blinker?
8. Ist deutsches Benzin billig?

2. FREE RESPONSE

1. Was gefällt Ihnen an dem Wagen?
2. Was für ein Auto fährt Ihr Vater oder Ihr Onkel?
3. Was ist Ihre Lieblingsfarbe?
4. Was haben Sie an einem Wagen gern?

3. ANTONYMS

Replace the underlined adjective in each of the following sentences with one that has the opposite meaning.

1. Der Kofferraum von unserem Wagen ist sehr <u>klein</u>. *gross*
2. Die Blinker an diesem Wagen sind viel zu <u>hoch</u>. *niedrig*
3. Das Verdeck von seinem Mercedes bleibt immer <u>geschlossen</u>. *offen*
4. Die Stossstange ist ein bisschen zu <u>schmal</u>. *breit*

4. DESCRIPTION

Look at the picture of the car on page 66 and identify as many parts as you can.
Karosserie, Reifen, Stossstange, Verdeck
Point out: *Scheinwerfer, Mercedes-Stern, Windschutzscheibe, Scheibenwischer, Nummernschild*

Noun Exercises

It is often very possible to figure out the gender of a German noun just by paying close attention to the form of other words used with the noun. The Gender Exercises in this book are designed to train you in this skill. Here is how they work.

Each sentence on the left contains a new noun and at least one definite clue as to its gender. Using this clue to figure out the gender of the noun, you then complete the sentence on the right by filling in the blank with the appropriate nominative form of the definite article (der, die or das) for the same new noun.

You should do each sentence pair orally, and at the same time write down (on a separate piece of paper) the definite article + noun for each sentence on the right. When you have finished, check your list against the list of new nouns at the end of the unit. If you have made any errors in gender, go back and study the sentence on the left until you understand what clue you missed.

Note: Suggest to students that they do each sentence pair orally first and then suggest that they cover the left-hand column and write down (on a separate piece of paper) the appropriate article and noun for each sentence on the right.

5. der, die, das

1. Was für einen Wagen möchtest du?	1. Mir gefällt _____ Wagen dort. *der*
2. Blau ist eine schöne Farbe.	2. Gefällt dir _____ Farbe? *die*
3. Ist das Ihre Lieblingsfarbe?	3. _____ Lieblingsfarbe können Sie nicht immer bekommen! *die*
4. Der Wagen hat eine niedrige Karosserie.	4. _____ Karosserie ist blau. *die*
5. Wir machen eine lange Reise.	5. Wohin geht _____ Reise? *die*
6. Der Koffer passt nicht in den Kofferraum.	6. Wie gross ist _____ Kofferraum? *der*
7. Er hat eine starke Stossstange.	7. Wie breit ist _____ Stossstange? *die*
8. Was für ein Verdeck hat das Auto?	8. _____ Verdeck ist offen. *das*
9. Was für ein Modell findest du toll?	9. _____ Modell dort drüben. *das*

(continued)

(*continued*)

10. Ich habe den Reifen hier gekauft.	10. _____ Reifen taugt nichts. *der*
11. Mach den Blinker nicht kaputt!	11. Wie teuer ist _____ Blinker? *der*
12. Meine Arbeit ist schwer.	12. Ist _____ Arbeit immer schwer? *die*
13. Dieses Benzin ist nicht gut.	13. Wie teuer ist _____ Benzin? *das*

The nouns in the left-hand column are singular, in the right-hand column plural. Study the plural forms in the right-hand column, then cover this column and check, first item by item, then in random order to find out if you know the plural forms of each noun. (These directions apply to all noun exercises in this textbook.)

6. SINGULAR ➞ PLURAL

1. Dieser Reifen ist breit.	1. Diese Reifen sind breit.
2. Der Blinker geht zu schnell.	2. Die Blinker gehen zu schnell.
3. Dieses Modell finde ich toll.	3. Diese Modelle finde ich toll.
4. Das Verdeck geht gleich kaputt.	4. Die Verdecke gehen gleich kaputt.
5. Dieses Benzin ist nicht gut.	5. Diese Benzine sind nicht gut.
6. Der Kofferraum ist viel zu klein.	6. Die Kofferräume sind viel zu klein.
7. Die Farbe gefällt mir nicht.	7. Die Farben gefallen mir nicht.
8. Diese Karosserie ist zu niedrig.	8. Diese Karosserien sind zu niedrig.
9. Diese Reise kostet viel Geld.	9. Diese Reisen kosten viel Geld.
10. Die Stossstange ist zu hoch.	10. Die Stossstangen sind zu hoch.

VARIATION

1. Diese Reifen sind breit.　　　　　　1. Dieser Reifen ist breit.

Grammar

Adjectives not Preceded by a Determiner

PRESENTATION

Dieser Wagen gewinnt wieder.
Deutscher Wagen gewinnt wieder!

Welches Benzin ist billig?
Amerikanisches Benzin ist billig.

Diese Reifen sind gut.
Grosse, breite Reifen sind gut.

Trinken Sie **diesen** Kakao?
Trinken Sie **guten, heissen** Kakao?

In each pair of sentences, compare the form of the **dieser**-word in the first sentence with the form of the adjective (or adjectives) that replaces it in the second sentence. Is the ending of the adjective different from the ending of the **dieser**-word? Are any of these adjectives preceded by a determiner? *DRILLS 7, 8, 9*

GENERALIZATION

When an adjective is used before a noun and is not preceded by a determiner, the adjective has the same endings as a **dieser**-word.

Dieses Benzin ist sehr teuer.
Deutsches Benzin ist sehr teuer.

Milch ist gut für **diese** Kinder.
Milch ist gut für **kleine** Kinder.

When there are two or more such adjectives, they both have the same ending. The adjectives are usually separated by a comma.

Trinkst du **diesen** Kakao?
Trinkst du **guten, heissen** Kakao?

STRUCTURE DRILLS

7. dieser → ADJECTIVE

1. Diese Modelle sind nicht billig. (sportlich) — Sportliche Modelle sind nicht billig.
   Dieses Benzin ist sehr teuer. (deutsch) — Deutsches Benzin ist sehr teuer.
   Diese Musik höre ich gern. (italienisch) — Italienische Musik höre ich gern.
   Dieser Kaffee schmeckt nicht gut. (schwach) — Schwacher Kaffee schmeckt nicht gut.
   Dieses Bier kommt aus Bayern. (gut) — Gutes Bier kommt aus Bayern.
   Diese Farbe habe ich gern. (blau) — Blaue Farbe habe ich gern.

2. Ich kaufe diesen Käse nicht. (grün) ⊗ — Ich kaufe grünen Käse nicht.
   Ich esse dieses Brot nicht. (trocken) — *Ich esse trockenes Brot nicht.*
   Ich trage diese Hemden gern. (weiss) — *Ich trage weisse Hemden gern.*
   Ich mag dieses Wetter nicht. (schlecht) — *Ich mag schlechtes Wetter nicht.*
   Ich habe diese Sachen gern. (schick) — *Ich habe schicke Sachen gern.*
   Ich kann diese Schüler gut leiden. (fleissig) — *Ich kann fleissige Schüler gut leiden.*

8. SENTENCE EXPANSION

1. Ich esse Obst gern. (grün)   Ich esse grünes Obst gern.
   Ich esse Käse gern. (englisch)   Ich esse englischen Käse gern.
   Ich esse Butter gern. (deutsch)   Ich esse deutsche Butter gern.
   Ich esse Äpfel gern. (rot)   Ich esse rote Äpfel gern.
   Ich esse Brot gern. (weiss)   Ich esse weisses Brot gern.

2. Wir haben schon Gras. (neu) ⊗   Wir haben schon neues Gras.
   Ich trinke Milch nicht. (warm)   *Ich trinke warme Milch nicht.*
   Er wäscht ihn mit Wasser. (heiss) *Er wäscht ihn mit heissem Wasser.*
   Das macht ihm Spass. (gross)   *Das macht ihm grossen Spass.*
   Ich habe nichts gegen Schlager. (modern) *Ich habe nichts gegen moderne Schlager.*

9. FREE RESPONSE

Was für Autos gefallen Ihnen?
Was für Wagen kosten viel Geld?
Was für Benzin kaufen Sie?

EXERCISE BOOK: EXERCISE 1

Adjectives Preceded by a Definite Article or a dieser-word

PRESENTATION

> **Dieser deutsche** Wagen gewinnt bestimmt.
> **Die rote** Farbe gefällt mir nicht.
> **Das amerikanische** Benzin ist billig.
> Ich mag **diese rote** Farbe nicht.
> Ich kaufe nur **das amerikanische** Benzin.

In the noun phrases in each of these sentences, name the determiner. Name the adjective. What case are the first three noun phrases in? What is the adjective ending? In the last two sentences, what is the case of the noun phrase? What is the adjective ending? *DRILLS 10.1, 10.2*

> Ich fahre **diesen deutschen** Wagen gern.
> Erika fährt mit **dem offenen** Wagen.
> Sie kommt aus **dieser kleinen** Stadt.
> Mir gefallen **die grossen** Blinker.
> Ich bin mit **den schmalen** Reifen sehr vorsichtig.

What is the gender, number, and case of the noun phrase in the first sentence? What is the adjective ending? What is the gender, number, and case of the noun phrase in the next four sentences? What is the adjective ending?

In the first group of sentences, what forms (gender, number, and case) show the ending **-e?** From the second group of sentences, what would you conclude about the adjective ending **-en?**

DRILLS 10.3–10.6, 11–15

GENERALIZATION

1. Adjectives preceded by a definite article or a **dieser**-word end in either **-e** or **-en,** according to the following system:
   a. The nominative singular of all genders and the feminine and neuter accusative end in **-e.**
   b. All other forms, i.e., the masculine accusative, dative singular of all genders, and all cases in the plural end in **-en.**

	Masculine	Feminine	Neuter
SINGULAR			
nominative	der **deutsche** Wagen	die **niedrige** Karosserie	das **schnelle** Auto
accusative	diesen **deutschen** Wagen	diese **niedrige** Karosserie	dieses **schnelle** Auto
dative	jedem **deutschen** Wagen	jeder **niedrigen** Karosserie	jedem **schnellen** Auto
PLURAL			
nominative		diese **grossen** Blinker	
accusative		welche **breiten** Reifen	
dative		mit den **deutschen** Wagen	

2. The determiner-adjective ending sequence **-e . . . -en** is always plural.

   diese grossen Blinker

3. a. Adjectives such as **sauber** and **teuer** may omit the stem **-e.**

   diese **teuere** Bluse   *or*   diese **teure** Bluse

   b. The adjective **hoch** changes its form to **hoh-** when used before a noun.

   Das Haus ist **hoch.**
   Sehen Sie das **hohe** Haus?

STRUCTURE DRILLS

10. ITEM SUBSTITUTION

1. Dort steht der neue Mercedes. ⊗   Dort steht der neue Mercedes.
   _____ Garage.   Dort steht die neue Garage.
   _____ Rad.   Dort steht das neue Rad.
   _____ Stuhl.   Dort steht der neue Stuhl.
   _____ Schaufel.   Dort steht die neue Schaufel.
   _____ Radio.   Dort steht das neue Radio.   *(continued)*

(*continued*)

2. Mir gefällt diese grüne Farbe. ⊗

_____ Verdeck.

_____ Wagen.

_____ Modell.

_____ Wald.

_____ Wiese.

Mir gefällt diese grüne Farbe.

Mir gefällt dieses grüne Verdeck.

Mir gefällt dieser grüne Wagen.

Mir gefällt dieses grüne Modell.

Mir gefällt dieser grüne Wald.

Mir gefällt diese grüne Wiese.

3. Ich esse die kleine Apfelsine. ⊗

_____ Kuchen.

_____ Brot.

_____ Fisch.

_____ Semmel.

_____ Apfel.

Ich esse die kleine Apfelsine.

Ich esse den kleinen Kuchen.

Ich esse das kleine Brot.

Ich esse den kleinen Fisch.

Ich esse die kleine Semmel.

Ich esse den kleinen Apfel.

4. Wir fahren mit dem alten Auto.
   (Bergbahn–Boot–Wagen–Zug–Bus)

mit der alten Bergbahn–mit dem alten Boot–
mit dem alten Wagen (Zug, Bus)

5. Ich laufe um dieses kleine Haus.
   (Turm–Hütte–Schuppen–Terrasse–Dorf)

um diesen kleinen Turm–diese kleine Hütte–diesen klein
Schuppen–diese kleine Terrasse–dieses kleine Dorf

6. Rolf kennt jeden neuen Wagen.
   (Briefmarke–Sonnenöl–Motor–Platte–Katalog)

jede neue Briefmarke–jedes neue Sonnenöl–jeden
neuen Motor–jede neue Platte–jeden neuen Katalog

11. PLURAL → SINGULAR

1. Die grossen Blinker gefallen mir. ⊗
   Die sportlichen Modelle gefallen mir
   Die blauen Farben gefallen mir.
   Die hohen Brücken gefallen mir.
   Die modernen Häuser gefallen mir.
   Die grünen Wälder gefallen mir.
   Die neuen Briefmarken gefallen mir.

Der grosse Blinker gefällt mir.

Das sportliche Modell gefällt mir.

Die blaue Farbe gefällt mir.

Die hohe Brücke gefällt mir.

Das moderne Haus gefällt mir.

Der grüne Wald gefällt mir.

Die neue Briefmarke gefällt mir.

2. Diese englischen Wagen fahren gut.
   Diese langen Reisen sind teuer.
   Diese breiten Reifen sind neu.
   Diese alten Schlösser sind 400 Jahre alt.
   Diese billigen Mäher schneiden nicht gut.
   Diese dicken Bücher gehören mir.
   Diese engen Strassen sind gefährlich.

Dieser englische Wagen fährt gut.

Diese lange Reise ist teuer.

Dieser breite Reifen ist neu.

Dieses alte Schloss ist 400 Jahre alt.

Dieser billige Mäher schneidet nicht gut.

Dieses dicke Buch gehört mir.

Diese enge Strasse ist gefährlich.

VARIATION

Der grosse Blinker gefällt mir.

Die grossen Blinker gefallen mir.

12. PATTERNED RESPONSE

Ich möchte den Koffer dort. (braun)	Meinen Sie diesen braunen Koffer?
Ich möchte die Krawatte dort. (rot)	Meinen Sie diese rote Krawatte?
Ich möchte das Radio dort. (deutsch)	Meinen Sie dieses deutsche Radio?
Ich möchte die Jacke dort. (kurz)	Meinen Sie diese kurze Jacke?
Ich möchte die Reifen dort. (schmal)	Meinen Sie diese schmalen Reifen?
Ich möchte das Modell dort. (schnittig)	Meinen Sie dieses schnittige Modell?

13. SENTENCE EXPANSION

Wir schneiden das Gras. (nass) ⊗   Wir schneiden das nasse Gras.

Wir giessen die Blumen. (trocken)   *Wir giessen die trockenen Blumen.*

Wir suchen den Schlauch. (lang)   *Wir suchen den langen Schlauch.*

Wir brauchen die Schere. (gross)   *Wir brauchen die grosse Schere.*

Wir decken den Tisch. (klein)   *Wir decken den kleinen Tisch.*

Wir füttern das Pferd. (hungrig)   *Wir füttern das hungrige Pferd.*

14. FREE SUBSTITUTION

Wir nehmen das <u>teure</u> Benzin.   *billig, gut, deutsch*

Er möchte den <u>schönen</u> Wagen.   *gross, klein, teuer, billig*

Hier steht das <u>neue</u> Modell.   *schön, modern, sportlich, schnittig*

Kaufst du diese <u>weisse</u> Bluse?   *blau, sportlich, teuer / Mantel, Modell, Anzug*

Gefällt Ihnen das <u>offene</u> Verdeck?   *schön, neu, blau / Wagen, Modell, Karosserie*

Brauchen Sie den <u>alten</u> Anzug?   *wollen, suchen, kaufen, / neu, braun,*
     sportlich / Jacke, Wagen, Boot

15. FREE RESPONSE

Wie gefällt Ihnen der neue Wagen?

Was gefällt Ihnen besonders gut?

Haben Sie diese grüne Farbe nicht gern?

Warum hat Ihr Vater den alten Wagen verkauft?

Warum kaufen Sie immer amerikanisches Benzin?

EXERCISE BOOK: EXERCISE 2

Writing

PARAGRAPH REWRITE

Rewrite the following paragraph, filling in the blanks with the appropriate adjective ending.

Mir gefällt der neu__ Wagen. Diese niedrig__ Karosserie! Und die breit__ Reifen! Ich habe auch den geräumig__ Kofferraum gern. Der alt__ Mercedes hat nur klein__ Blinker gehabt, und die schmal__ Stossstange hat mir nicht gefallen. Ja, das neu__ Modell sieht schon toll aus.

neue–niedrige–breiten–geräumigen–alte–kleine–schmale–neue

BASIC MATERIAL II

SECTION B ⊗

Basic Material II and Supplement
Listening Comprehension: Exercise 2
Structure Drills 22.1–22.2; 23.1–23.2;
25.1–25.2

Ein leichter Unfall am Marktplatz

Ebersberg, 2. Oktober[2]—Gestern abend gegen 10 Uhr ist ein schwerer Lastwagen mit einem kleinen Personenwagen, Marke Opel Rekord[3], zusammengestossen. Der Fahrer und seine junge Begleiterin liegen mit leichten Verletzungen im Krankenhaus.

Zeugen berichten, dass der Lastwagenfahrer das rote Licht nicht beachtet hat. Der Fahrer selbst sagt, dass er die Ampel nicht gesehen hat, da die Kreuzung an dieser Stelle unübersichtlich ist.

Point out that the conjunction *da* requires verb-last position.

Supplement

Was ist passiert?

Ach, ein schwerer Unfall.

Ach, die Scheinwerfer sind kaputt.
Ich brauche eine neue Batterie.
Mein neues Nummernschild ist weg.

Die Ordnungszahlen:
der **erste,** zweite, **dritte,** vierte, fünfte, sechste, **siebte,** achte, neunte, zehnte, usw[4].
zwanzigste, einundzwanzigste, zweiundzwanzigste, dreiundzwanzigste, usw.
dreissigste, vierzigste, . . . hundertste, usw.

der 1. Mai = der erste Mai.

die 3. Woche = die dritte Woche

A Small Accident at the Market Square

EBERSBERG, October 2—Around 10 o'clock last night, a heavy truck collided with a small passenger car, an (brand) Opel Record. The driver and his young companion are in the hospital with minor (light) injuries.

Witnesses report that the truck driver did not pay attention to the red light. The driver himself says that he did not see the traffic light since the view of the intersection at this point is obstructed.

---

[2] In a German newspaper article or letter, the city or town is usually included before the date. The date is written in the accusative case with or without the article: **Ebersberg, den 2. Oktober (den zweiten Oktober).**

[3] The **Opel Rekord** is the brand name of a popularly-priced car manufactured in Germany by General Motors.

[4] **usw. (und so weiter)** is the German abbreviation for etc.

Supplement

What happened?	Oh, a bad accident.
	Oh, the headlights are broken.
	I need a new battery.
	My new license plate is gone.

The ordinal numbers:

    the first, second, third, fourth, fifth, sixth, seventh, eighth, ninth, tenth, etc.

      twentieth, twenty-first, twenty-second, twenty-third, etc.

      thirtieth, fortieth, . . . hundredth, etc.

May 1st = May first (the first of May)   the 3rd week = the third week

Vocabulary Exercises

16. **QUESTIONS ON BASIC MATERIAL**

1. Was ist am Marktplatz passiert?
2. Wann ist der Unfall passiert?
3. Wer ist zusammengestossen?
4. Wer liegt im Krankenhaus?
5. Was berichten die Zeugen?
6. Was sagt der Lastwagenfahrer?

17. **FREE RESPONSE**

1. Was brauchen Sie, wenn Sie in der Nacht Auto fahren?
2. Was muss jedes Auto haben?
3. Was braucht ein Auto, wenn es schnell halten muss?
4. Was kann passieren, wenn ein Auto zu schnell fährt?
5. Was beachten Sie, wenn Sie an eine Kreuzung kommen?

Point out: *Ampel, Verkehrszeichen, Polizisten, Fussgänger, Polizeiwagen und Krankenwagen mit Blaulicht*
Polizeiauto und Krankenwagen an einer Unfallstelle

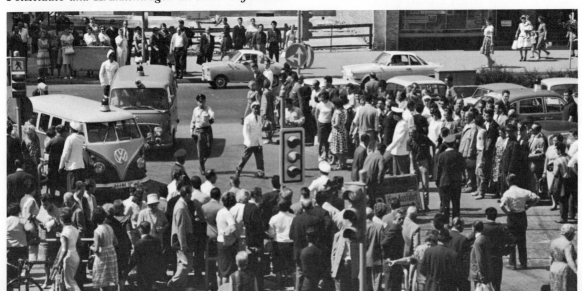

18. SUMMARY

Retell the story about the accident.

19. NUMBER DRILLS

Read the following dates:

1. 7. Juli (der siebte Juli)
    1. September
    22. April
    24. Dezember
    12. Mai
    30. Januar

2. Ulm, den 9. Mai (den neunten Mai)
   Köln, den 5. März
   Hamburg, den 28. Oktober
   Tübingen, den 14. November
   New York, den 19. Februar
   Poppenbüttel, den 23. Juni

3. Er kommt vom 1. bis 7. Mai nach München. (vom ersten bis siebten Mai)
   Heute ist der 4. Oktober.
   Morgen haben wir den 5. Oktober.
   Nach dem 3. März dürfen wir kommen.
   Vom 19. Dezember bis zum 4. Januar haben wir keine Schule.
   Der 12. Juli ist ein Samstag.

Noun Exercises

20. der, die, das

Most German nouns ending in **-e** are feminine: **die Reise, die Farbe,** etc. Their plural is always formed by adding **-n: die Reisen, die Farben.** Such nouns will no longer be practiced in the gender and plural section of the Vocabulary Exercises. However, nouns ending in **-e** which are masculine or neuter, such as **der Junge, das Gebäude,** will still be practiced.

1. Wir haben einen Unfall gehabt.	1. Ist ____ Unfall schwer gewesen?	*der*
2. Ich brauche einen guten Fahrer.	2. Ist ____ Fahrer im Krankenhaus?	*der*
3. Ich kenne seine Begleiterin nicht.	3. ____ Begleiterin liegt auch dort.	*die*
4. Er hat eine Verletzung.	4. Wie schwer ist ____ Verletzung?	*die*
5. Du hast rotes Licht!	5. Ist ____ Licht rot?	*das*
6. Ich sehe keine Ampel.	6. Siehst du ____ Ampel?	*die*
7. Was für eine unübersichtliche Kreuzung!	7. ____ Kreuzung ist unübersichtlich.	*die*
8. Du brauchst einen neuen Scheinwerfer.	8. Wie teuer ist ____ Scheinwerfer?	*der*
9. Willst du meine alte Batterie haben?	9. ____ Batterie ist trocken.	*die*
10. Mein neues Nummernschild ist weg.	10. Wo hast du ____ Nummernschild verloren?	*das*
11. Der Fahrer findet keinen Zeugen[5].	11. ____ Zeuge steht an der Ecke.	*der*

[5] Note that **Zeuge** is a noun like **Herr** and **Junge,** having an **-n** in all cases except the nominative singular.

21. SINGULAR ➡ PLURAL

1. Dieser Fahrer fährt nicht gut.	1. Diese Fahrer fahren nicht gut.
2. Dieser Scheinwerfer taugt nichts.	2. Diese Scheinwerfer taugen nichts.
3. Die Verletzung tut mir weh.	3. Die Verletzungen tun mir weh.
4. Die Kreuzung ist unübersichtlich.	4. Die Kreuzungen sind unübersichtlich.
5. Die Ampel ist grün.	5. Die Ampeln sind grün.
6. Das Nummernschild ist schmal.	6. Die Nummernschilder sind schmal.
7. Das Licht sehe ich nicht.	7. Die Lichter sehe ich nicht.
8. Die Batterie ist schwer.	8. Die Batterien sind schwer.
9. Der Unfall passiert an der Kreuzung.	9. Die Unfälle passieren an der Kreuzung.
10. Der Zeuge hat alles gesehen.	10. Die Zeugen haben alles gesehen.

VARIATION

1. Diese Fahrer fahren nicht gut.   *1. Dieser Fahrer fährt nicht gut.*

Grammar

Adjectives Preceded by ein-*words*

PRESENTATION

Dieser alte Wagen fährt nicht mehr.
Mein alter Wagen fährt nicht mehr.

Dieses schöne Verdeck ist kaputt.
Sein schönes Verdeck ist kaputt.

Look at the first pair of sentences. Identify the noun phrase in each sentence. What is the gender, number and case of these noun phrases? In the first sentence, does the determiner have an ending? What is the ending of the adjective? In the second sentence, does the determiner have an ending? What is the adjective ending? What information does the adjective ending convey about the noun phrase? —Answer the same questions for the second pair of sentences.

To what class of words do **mein, sein,** and **ein** belong? What can be the gender and case of a singular noun phrase in which an **ein**-word has no ending? For each possibility, what is the ending of an adjective that follows the determiner? *DRILLS 22–27*

GENERALIZATION

1. Certain singular forms of **ein**-words have no ending:

NOMINATIVE MASCULINE	**Ein** Wagen kommt.
NOMINATIVE NEUTER	**Unser** Auto steht dort.
ACCUSATIVE NEUTER	Ich kaufe **kein** Auto.

2. An adjective following one of these **ein**-word forms that do not have an ending signals the gender of the noun by using a **dieser**-word ending.

NOMINATIVE MASCULINE	**Ein grosser** Wagen kommt.	*but*	**Der grosse** Wagen kommt.
NOMINATIVE NEUTER	**Unser neues** Auto steht dort.	*but*	**Das neue** Auto steht dort.
ACCUSATIVE NEUTER	Ich kaufe **kein neues** Auto.	*but*	Ich kaufe **das neue** Auto.

3. All other endings of adjectives following **ein**-words are like those following a definite article or **dieser**-word: either **-e** or **-en.** (see Generalization, p. 73)

STRUCTURE DRILLS

22. SENTENCE TRANSFORMATION

1. Der Wagen ist neu. ⊗ — Das ist ein neuer Wagen.
   Die Batterie ist alt. — Das ist eine alte Batterie.
   Das Geschenk ist klein. — Das ist ein kleines Geschenk.
   Die Idee ist verrückt. — Das ist eine verrückte Idee.
   Der Mantel ist lang. — Das ist ein langer Mantel.
   Das Hemd ist schmutzig. — Das ist ein schmutziges Hemd.

2. Die Prüfung ist nicht einfach. ⊗ — Das ist keine einfache Prüfung.
   Der Fluss ist nicht sauber. — *Das ist kein sauberer Fluss.*
   Das Dorf ist nicht gross. — *Das ist kein grosses Dorf.*
   Der Berg ist nicht hoch. — *Das ist kein hoher Berg.*
   Die Katze ist nicht vorsichtig. — *Das ist keine vorsichtige Katze.*
   Das Armband ist nicht dünn. — *Das ist kein dünnes Armband.*

23. SENTENCE EXPANSION

1. Ich brauche deinen Hut. (grün) ⊗ — Ich brauche deinen grünen Hut.
   Ich trage deine Jacke. (weiss) — Ich trage deine weisse Jacke.
   Ich suche deinen Kugelschreiber. (neu) — Ich suche deinen neuen Kugelschreiber.
   Ich brauche dein Radio. (alt) — Ich brauche dein altes Radio.
   Ich lege deine Platte auf. (toll) — Ich lege deine tolle Platte auf.
   Ich habe dein Kostüm gern. (blau) — Ich habe dein blaues Kostüm gern.

2. Sie will mir einen Mantel kaufen. (schön) ⊗ — *Sie will mir einen schönen Mantel kaufen.*
   Sie will mir ein Hemd geben. (weiss) — *Sie will mir ein weisses Hemd geben.*
   Sie will mir eine Bluse machen. (schick) — *Sie will mir eine schicke Bluse machen.*
   Sie will mir eine Krawatte schenken. (rot) — *Sie will mir eine rote Krawatte schenken.*
   Sie will mir einen Schal leihen. (warm) — *Sie will mir einen warmen Schal leihen.*
   Sie will mir eine Geschichte erzählen. (traurig) — *Sie will mir eine traurige Geschichte erzählen.*

24. ITEM SUBSTITUTION

1. Hast du noch ein gutes Magazin?   Hast du noch ein gutes Magazin?
 ———————————— Lineal?   Hast du noch ein gutes Lineal?
 ———————————— Roman?   Hast du noch einen guten Roman?
 ———————————— Buch?   Hast du noch ein gutes Buch?
 ———————————— Füller?   Hast du noch einen guten Füller?
 ———————————— Illustrierte? Hast du noch eine gute Illustrierte?

2. Wir haben kein grosses Haus.   *keinen grossen Garten–keine grosse Küche–*
 (Garten–Küche–Keller–Garage–Wohnzimmer) *keinen grossen Keller–keine grosse Garage–*
              kein grosses Wohnzimmer

25. PATTERNED RESPONSE

1. Wem gehört dieses weisse Hemd? ✖ Das ist mein weisses Hemd.
 Wem gehört diese alte Uhr?   Das ist meine alte Uhr.
 Wem gehört dieser grosse Wecker? Das ist mein grosser Wecker.
 Wem gehört dieses teure Fernglas? Das ist mein teures Fernglas.
 Wem gehört dieser braune Schal? Das ist mein brauner Schal.
 Wem gehört diese neue Gitarre? Das ist meine neue Gitarre.

2. Rolf braucht diese alte Jacke. ✖ Was? Meine alte Jacke?
 Rolf braucht dieses kleine Messer. *Was? Mein kleines Messer?*
 Rolf braucht dieses dünne Lineal. *Was? Mein dünnes Lineal?*
 Rolf braucht dieses gute Papier. *Was? Mein gutes Papier?*
 Rolf braucht diesen grossen Lappen. *Was? Meinen grossen Lappen?*
 Rolf braucht diese neue Kamera. *Was? Meine neue Kamera?*

26. FREE SUBSTITUTION

Das ist aber ein schwerer Lastwagen! *gross, schnell / Auto, Rad*
Die Mutter bekommt einen neuen Mantel. *Vater, Kind / grün, teuer / Jacke, Hut*
Mein Freund kauft ein schnittiges Auto. *Bruder, Tante / neu, sportlich / Wagen, Mantel*

27. FREE RESPONSE

Haben Sie schon einmal einen Unfall gehabt?
Sind Sie schon mal mit einem anderen Rad zusammengestossen?
Was für einen Personenwagen haben Ihre Eltern oder Ihre Verwandten?
Was für eine Marke haben Sie gern? Warum?
Wann halten die Autos an der Kreuzung?
Was kann passieren, wenn ein Auto bei rotem Licht nicht hält?
Was finden Sie in einer Garage?

Writing

1. Deutsches–deutsche–deutsches
2. Starker–starke–starken
3. Schlechte–schlechte–schlechte
4. Grünes–grüne–grünes
5. Weisser–weisse–weissen

SENTENCE REWRITE

Rewrite each of the following sentences by filling in the blanks with the appropriate adjective ending.

1. Deutsch__ Benzin? Das deutsch__ Benzin ist teuer. Ich mag kein deutsch__ Benzin.
2. Stark__ Kaffee? Der stark__ Kaffee ist schlecht. Ich mag keinen stark__ Kaffee.
3. Schlecht__ Musik? Die schlecht__ Musik gefällt mir nicht. Ich mag keine schlecht__ Musik.
4. Grün__ Obst? Das grün__ Obst ist billig. Ich mag kein grün__ Obst.
5. Weiss__ Käse? Der weiss__ Käse ist gut. Ich mag aber keinen weiss__ Käse.

EXERCISE BOOK: EXERCISES 3 AND 4

READING

SECTION C ⊗
Listening Comprehension: Exercises 3, 4, 5 Structure Drill 31

The Symbol ß

In the reading selections, you will be seeing for the first time the symbol ß (called *ess-tsett*), which is a spelling variation of **ss.** You will not be required to use ß when you write, but you must be able to recognize it as a symbol for the *s*-sound when you see it on the printed page. For the most part, books currently being printed in Germany still use the symbol ß; however, the tendency for **ss** to replace ß is becoming more and more prevalent, especially in the works of modern writers. The rules for the use of ß are as follows:

1. The symbol ß is used instead of **ss** between vowels when the first vowel is long: **große, Grüße, Straße.** If the first vowel is short, the *s*-sound is written with **ss: passen, essen, wissen.**
2. At the end of a word stem, the symbol ß is used to represent the *s*-sound, even if **ss** is used in the stem to represent this sound when it occurs between vowels: **passen–paßt, essen–iß, wissen-gewußt.** This explains why you find different symbols for the same sound in a verb and in its forms: **essen-ißt, lassen-läßt, wissen-gewußt.**

Mein Freund Karl mit dem Fernglas

//Karl wohnt in einem alten Haus am Bodensee[6]./Das deutsche Ufer liegt auf der andern Seite./Sehr selten, nur alle hundert Jahre, friert der Bodensee bei großer Kälte° zu./Dieses Jahr ist der See zugefroren./Die Zeitungen haben alle Leute gewarnt, den See

Note: The Oral Reading, which is the first exercise on Reel C, is indicated by slashes in the text.

bei großer Kälte: *when it's very cold*

---

[6] **Der Bodensee** (Lake Constance) is the second largest lake in Western Europe. The boundary between Germany and Switzerland runs right through the lake.

5 nicht zu betreten./ Auch wenn der Winter sehr kalt ist, gibt es immer wieder dünne Stellen im Eis./ Oft ist die Sonne auch so stark, daß sie das Eis gegen Mittag schmilzt./ Die Polizei hat auch dieses Jahr gewarnt.//

    Von seinem Fenster aus kann Karl mit einem scharfen Fern-
10 glas den See überschauen°. Der letzte Sonntag war langweilig und Karl hat mit dem Fernglas über den Bodensee geschaut. Plötzlich hat er einen grünen Volkswagen[7] gesehen: der Volks-wagen ist über das Ufer auf den See gefahren. Im Auto sind[8] zwei dicke Männer und ein magerer Mann gesessen. Der magere
15 Mann ist am Steuer° gesessen und die beiden dicken Männer hinten. Und beide haben zusammen eine Zeitung gelesen. Karl hat sofort gewußt, daß die beiden Männer aus dem Gasthaus „Zum grünen Fisch" gekommen sind und vielleicht ein Glas oder zwei zuviel getrunken haben. Natürlich hat Karl sofort die
20 Seepolizei angerufen, um die drei Männer zu retten°, und er hat mit dem Fernglas zugeschaut, was mit dem Auto passiert.

    Der Volkswagen ist wenige Meter[9] nach dem Ufer stehen-gebliehen. Schnee hat auf dem Eis gelegen, und die Räder haben große Schneewolken aufgewirbelt°. Etwa fünf Minuten sind
25 vergangen, dann ist der Motor still geworden. Totenbleich, meint Karl, sind die drei Männer, die beiden dicken und der magere, aus dem Volkswagen ausgestiegen. Sie haben nicht gewußt, daß dies keine Straße ist, sondern° der gefährliche Bodensee. Sie haben kein Wort gesprochen und sind vorsichtig, Schritt für
30 Schritt, zum Ufer zurückgegangen. Das Auto haben sie natürlich stehenlassen. Dann ist die Polizei gekommen. Sie hat nicht gelacht. Die Polizei lacht in Deutschland selten. Sie hält es für ihre Pflicht°, nicht zu lachen, wenn ein Auto auf einen gefrorenen See fährt.

35   Das alles hat Karl mit seinem Fernglas gesehen. Der Fahrer, der magere Mann, muß seine Papiere zeigen. Er bekommt be-stimmt eine hohe Strafe, sagt Karl. Erstens, weil alle ein bißchen betrunken waren, und zweitens, weil es verboten ist, über das Ufer auf den See zu fahren. Schon eine halbe Stunde später ist
40 der neue Volkswagen versunken, weil das Eis gebrochen ist.

überschauen: to overlook, see

das Steuer,-: steering (wheel)

um . . . zu retten: in order to save

aufwirbeln: to stir up

sondern: but, on the contrary

für seine Pflicht halten: to consider it one's duty

Answers to Exercise 32: bleibt . . . stehen / liegt, wirbeln . . . auf / vergehen, wird / steigen . . . aus / wissen / sprechen, gehen . . . zurück / lassen . . . stehen / kommt / lacht

---

[7] The **Volkswagen** is Germany's most popular export car.

[8] In Southern Germany, forms of **sein** instead of **haben** are often used in the conversational past with verbs such as **sitzen, stehen, liegen.**

[9] **Der Meter** is the basic unit of linear measurement in the metric system. One meter equals 3.28 feet.

Nun ist es Frühling. Karl hat mir erzählt, daß er mit dem Fernglas zugeschaut hat, wie sie den Volkswagen im Mai mit einem Traktor aus dem See herausgezogen haben. Der magere Mann ist auch da gewesen, noch immer° blaß, sagt Karl, der oft   **noch immer:** *still*
45 übertreibt°. Leute mit einem teuren Fernglas übertreiben gern   **übertreiben:** *to exaggerate*
ein wenig.

Note: The words that appear in the Dictionary Section (that is, those words the student should be encouraged to guess from context) have been underlined in the Reading Selection.

Dictionary Section

alle *Er kommt alle Sonntage. = Er kommt jeden Sonntag.*

aussteigen aus einem Auto steigen: *Die drei Männer steigen aus dem Volkswagen.*

betreten auf etwas gehen oder in etwas gehen: *Ich gehe auf das Eis. = Ich betrete das Eis. Ich gehe in das Zimmer.-Ich betrete das Zimmer.*

etwa nicht ganz: *Ich komme in etwa fünf Minuten.*

herausziehen aus dem Wasser holen: *Der Traktor zieht das Auto aus dem Wasser heraus. Er hat es herausgezogen.*

hinten wenn Sie hinten sitzen, ist einer vor Ihnen: *Im Wagen sitzt der magere Mann vor den zwei dicken Männern. Die dicken Männer sitzen hinten.*

langweilig nicht interessant: *Das ist ein langweiliger Sonntag. Das ist ein langweiliger Mann.*

mager nicht dick: *Das ist kein dicker Mann, das ist ein magerer Mann.*

schmelzen wenn Eis oder Schnee zu Wasser wird: *Im Frühling schmilzt die warme Sonne das Eis und den Schnee vom Winter.*

Schritt für Schritt ganz langsam: *Die drei Männer*

rennen nicht zum Ufer, sie gehen langsam, Schritt für Schritt.

selten nicht oft: *Ich fahre nur selten an den See.*

sitzen nicht stehen und nicht liegen: *Er sitzt auf einem Stuhl. Er ist im Wagen gesessen.*

stehenbleiben halten; nicht mehr gehen oder fahren: *Das Auto bleibt stehen. Ich weiss nicht, wie spät es ist. Meine Uhr ist stehengeblieben.*

Strafe eine Strafe ist, wenn Sie Geld zahlen müssen für etwas, was Sie getan haben, aber nicht tun dürfen! *Der Fahrer bekommt eine hohe Strafe: er muss 200 Mark zahlen.*

totenbleich ganz blass: *Du siehst totenbleich aus!*

Ufer die Seiten von einem Fluss: *Jeder Fluss hat zwei Ufer.*

vergehen *Die Zeit vergeht. Wenn Sie im Kino einen guten Film sehen, vergeht die Zeit schnell.*

zufrieren wenn das Wasser auf dem See zu Eis wird: *Wenn es sehr kalt ist, friert der See zu, und wir können dann Schlittschuhlaufen gehen. Im Winter ist er oft zugefroren.*

28. QUESTIONS

Supply a brief answer to each of the following questions. If you cannot think of an answer right away, go back to the text.

Answers can be found on lines:

1. Wo wohnt Karl?   1
2. Was liegt auf der andern Seite?   1
3. Wann friert der See zu?   2
4. Was gibt es oft im Eis?   6
5. Wie überschaut Karl den See?   9

6. Was ist langweilig gewesen?   10
7. Was hat Karl plötzlich gesehen?   12
8. Wer ist im Auto gesessen?   14
9. Wer ist am Steuer gesessen? Wer ist hinten   14
     gesessen?   15

10. Wer ist aus dem Gasthof gekommen? *17*
11. Was haben die Räder aufgewirbelt? *24*
12. Wie haben die drei Männer ausgesehen? *25*
13. Was haben die Männer nicht gewusst? *28*

14. Was bekommt der magere Mann von der Polizei? *37*
15. Was ist später versunken? *40*
16. Wer übertreibt immer ein wenig? *45*

Noun Exercises

29. der, die, das

1. Ich kann das deutsche Ufer sehen.
2. Die Männer fahren auf das Eis.
3. Warum rufst du die Polizei an?
4. Er hat einen neuen Volkswagen.
5. Kennen Sie den alten Mann?
6. Ich brauche nur einen Meter Stoff.
7. Er sagte kein Wort.
8. Ich gehe keinen Schritt mehr.
9. Er hält es für seine Pflicht.

1. _____ Ufer ist hier sehr schmutzig. *das*
2. Wie dick ist _____ Eis? *das*
3. _____ deutsche Polizei ist gut. *die*
4. Steht _____ Volkswagen schon da? *der*
5. Ich weiss nicht, wie _____ Mann heisst. *der*
6. Wie teuer ist _____ Meter? *der*
7. _____ Wort steht nicht im Buch. *das*
8. _____ erste Schritt ist schwer. *der*
9. _____ Pflicht ruft! *die*

30. SINGULAR → PLURAL

1. Das Ufer ist noch nass.
2. Der Volkswagen fährt gut.
3. Dieser Mann ist mager.
4. Der Meter kostet zehn Mark.
5. Kannst du das Wort lesen?
6. Ich gehe keinen Schritt.
7. Das ist deine Pflicht!

1. Die Ufer sind noch nass.
2. Die Volkswagen fahren gut.
3. Diese Männer sind mager.
4. Ich brauche zwei Meter.
5. Kannst du die Wörter lesen?
6. Er geht nur zehn Schritte.
7. Er hat keine Pflichten.

VARIATION

1. Die Ufer sind noch nass.

1. *Das Ufer ist noch nass.*

Verb Exercises

31. PRESENT → CONVERSATIONAL PAST

Der kleine See **friert** oft **zu.** ⊗
Das Kind **betritt** das Eis.
Die warme Sonne **schmilzt** das Eis.
Der blaue Volkswagen **versinkt.**
Die drei Männer **fahren zurück.**
Der magere Mann **sitzt** am Steuer.

Der kleine See **ist** oft **zugefroren.**
Das Kind hat das Eis **betreten.**
Die warme Sonne hat das Eis **geschmolzen.**
Der blaue Volkswagen **ist versunken.**
Die drei Männer **sind zurückgefahren.**
Der magere Mann hat am Steuer **gesessen.**

(continued)

(*continued*)

Plötzlich **bleibt** der Motor stehen.	Plötzlich **ist** der Motor **stehengeblieben.**
Die Zeit **vergeht** jetzt langsam.	Die Zeit **ist** jetzt langsam **vergangen.**
Dann **steigen** sie aus dem Wagen **aus.**	Dann **sind** sie aus dem Wagen **ausgestiegen.**
Der Traktor **zieht** den Wagen **heraus.**	Der Traktor hat den Wagen **herausgezogen.**
Hans **übertreibt** wieder einmal.	Hans hat wieder einmal **übertrieben.**
Der Lastwagen **stösst** mit dem Personen-wagen **zusammen.**	Der Lastwagen **ist** mit dem Personenwagen **zusammengestossen.**

VARIATION: Use the right-hand column as stimulus and have the students produce sentences in the present tense.

32. READING EXERCISE

Reread lines 22–34, changing all verb forms to the present tense.

EXERCISE BOOK: EXERCISE 5

RECOMBINATION EXERCISES

33. CUED RESPONSE

1. Wie oft friert der See zu? (5 Jahre)	Alle 5 Jahre
Wie oft kommt Ihre Grossmutter? (2 Wochen)	*Alle 2 Wochen.*
Wie oft schreiben die Schüler eine grosse Prüfung? (10 Wochen)	*Alle 10 Wochen.*
Wie oft kommt der Briefträger in die hohen Berge? (3 Tage)	*Alle 3 Tage.*
Wie oft fährt der Zug nach München? (2 Stunden)	*Alle 2 Stunden.*
Wie oft gehen Sie zum Zahnarzt? (6 Monate)	*Alle 6 Monate.*
2. Warum brauchen Sie einen Kugelschrei-ber? (einen Brief schreiben)	Um einen Brief zu schreiben.
Warum brauchen Sie eine Briefmarke? (einen Brief schicken)	*Um einen Brief zu schicken.*
Warum stehen Sie früh auf? (früh in die Schule kommen)	*Um früh in die Schule zu kommen.*
Warum brauchen Sie viel Geld? (den schönen Wagen kaufen)	*Um den schönen Wagen zu kaufen.*
Warum wollen wir Schnee? (Schi laufen gehen)	*Um Schi laufen zu gehen.*
Warum sind wir hier? (Deutsch lernen)	*Um Deutsch zu lernen.*

34. SENTENCE EXPANSION

Read the following and pause at each slash mark; then use an appropriate adjective before each italicized noun.

grossen–scharfen–ganzen–grünen–kleine–dünne–magerer–dicke–alte–gefährliche

Von seinem *Fenster* / kann er mit einem *Fernglas* / den *See* überschauen. / Plötzlich sieht er einen *Volkswagen.* / Das *Auto* / fährt über das *Eis*. / Am Steuer sitzt ein *Mann* / und hinten zwei *Männer*. / Plötzlich bleibt der *Wagen* stehen. / Die drei wissen bestimmt nicht, dass dies der *Bodensee* ist. /

35. SENTENCE TRANSFORMATION

The following can be expressed differently:

Wenn es sehr kalt ist.	Bei grosser Kälte.
Wenn es sehr warm ist.	Bei grosser Wärme.
Wenn das Wetter schön ist.	Bei schönem Wetter.
Wenn die Luft klar ist.	Bei klarer Luft.
Wenn der Himmel blau ist.	Bei blauem Himmel.
Wenn der Schnee hoch ist.	Bei hohem Schnee.
Wenn der Regen stark ist.	Bei starkem Regen.

EXERCISE BOOK: EXERCISES 6 AND 7

> **SECTION D** ⊗
>
> Listening Comprehension: Exercise 6
> Structure Drills: 36; 37.1–37.2
> Additional Structure Drill
> Listening Comprehension: Exercise 7

aber–sondern

Aber and **sondern** both mean *but*. However, they cannot be used interchangeably in German. **Aber** means *but* in the sense of *however,* **sondern** means *but* in the sense of *on the contrary.* The idea preceding **sondern** is usually negative.

36. SENTENCE COMBINATION

Sie bleiben nicht im Volkswagen. ⊗ Sie steigen aus.	Sie bleiben nicht im Volkswagen, sondern sie steigen aus.
Der Fahrer ist dick. Der andere Mann ist mager.	Der Fahrer ist dick, aber der andere Mann ist mager.
Das ist keine Strasse. Das ist ein See.	Das ist keine Strasse, sondern ein See.
Die Männer sind nicht rot. Sie sind totenbleich.	Die Männer sind nicht rot, sondern sie sind totenbleich.
Karl übertreibt oft. Ich nicht.	Karl übertreibt oft, aber ich nicht.

37. DIRECTED DRILL

1. Sagen Sie, dass ein grüner Volkswagen auf das Eis fährt! ⊗

   Ein grüner Volkswagen fährt auf das Eis.

   Sagen Sie, dass ein magerer Mann am Steuer sitzt!

   Ein magerer Mann sitzt am Steuer.

   Sagen Sie, das der Wagen plötzlich stehenbleibt!

   Der Wagen bleibt plötzlich stehen.

   Sagen Sie, dass die Räder grosse Schneewolken aufwirbeln!

   Die Räder wirbeln grosse Schneewolken auf.

   Sagen Sie, dass der Wagen mit dem Rad zusammenstösst!

   Der Wagen stösst mit dem Rad zusammen.

2. Fragen Sie, ob der Bodensee oft zufriert! ⊗

   Friert der Bodensee oft zu?

   Fragen Sie, ob die Polizei die Leute immer warnt!

   Warnt die Polizei die Leute immer?

   Fragen Sie, ob der magere Mann seine Papiere zeigen muss!

   Muss der magere Mann seine Papiere zeigen?

   Fragen Sie, ob er eine hohe Strafe bekommen wird!

   Wird er eine hohe Strafe bekommen?

   Fragen Sie, ob der Wagen im Eis versunken ist!

   Ist der Wagen im Eis versunken?

Additional Structure Drill may be done at this point.

38. DIRECTED DIALOG

Note: The text for all Additional Structure Drills is arranged by unit and section and appears in Additional Structure Drill secti of blue pages.

Fragen Sie *Hans,* ob der See schon zugefroren ist!

Ist der See schon zugefroren?

Antworten Sie, dass er noch immer dünne Stellen hat!

Er hat noch immer dünne Stellen.

Fragen Sie *Jürgen,* ob er den grünen Wagen auf dem Eis gesehen hat!

Hast du den grünen Wagen auf dem Eis gesehen?

Antworten Sie, dass Sie die Polizei mit den drei Männern gesehen haben!

Ich habe die Polizei mit den drei Männern gesehen.

Fragen Sie *Inge,* ob sie glaubt, dass der Fahrer eine hohe Strafe bekommt!

Glaubst du, dass der Fahrer eine hohe Strafe bekommt?

Antworten Sie, dass der Fahrer bestimmt ein halbes Jahr nicht fahren darf!

Der Fahrer darf bestimmt ein halbes Jahr nicht fahren.

Fragen Sie *Ute,* ob der Traktor den Wagen aus dem Wasser gezogen hat!

Hat der Traktor den Wagen aus dem Wasser gezogen?

Antworten Sie, dass Sie keinen Traktor gesehen haben!

Ich habe keinen Traktor gesehen.

→ Der Fahrer muss verrückt sein!

Das Eis ist jetzt schon dick genug.

Conversation Buildup

→ Wie leichtsinnig doch viele Fahrer sind!

Das glaube ich. Es ist schon zu warm.

I

WOLFGANG	Kommst du mit zum Schlittschuhlaufen?
DIETER	Auf den See? Er ist doch noch gar nicht zugefroren.
WOLFGANG	Doch! Ich bin gestern dort gewesen, und das Eis ist schon fast einen halben Meter dick.
DIETER	Ist das wahr? In der Zeitung steht, dass das Eis noch immer dünne Stellen hat und dass es immer noch gefährlich ist, das Eis zu betreten.

1. Wohin will Wolfgang gehen?
2. Was glaubt Dieter?
3. Woher weiss Wolfgang, dass der See schon zugefroren ist?
4. Was hat Dieter in der Zeitung gelesen?

REJOINDERS

Dort drüben fährt ein Wagen auf den See!

Da ist doch schon wieder ein Auto im See versunken.

CONVERSATION STIMULUS

Hans schaut aus dem Fenster und sieht, wie zwei kleine Jungen unten am Fluss auf das Eis gehen wollen. Hans ruft seine Mutter:

HANS	Mutti, komm mal schnell her!
MUTTER	*Ist etwas passiert?* . . . .

II

Weilheim, 2. Oktober—Auf der regennassen Bergstrasse in Weilheim ist am Sonntagmittag um 12.30 Uhr[10] ein schwerer Unfall passiert. Ein Radfahrer, ein junger italienischer Gastarbeiter[11], ist mit seinem Rad gegen einen Volkswagen gefahren. Die Polizei hat den jungen Mann mit schweren Verletzungen ins Krankenhaus gebracht.

1. Wann ist der Unfall passiert? Und wo?
2. Wie ist der Unfall passiert?
3. Was ist dem jungen Gastarbeiter passiert?

REJOINDERS

Ich lese eben, dass in der Stadt schon wieder ein Unfall passiert ist.

Erzähl mir, wie er passiert ist! / Da ist bestimmt wieder jemand zu schnell gefahren.

---

[10] Read: **zwölf Uhr dreissig.**

[11] **Gastarbeiter** are foreign workers—usually from Italy, Spain or Greece—who come to Germany where there is a labor shortage.

CONVERSATION STIMULUS

Ursel kommt nach Hause und erzählt ihren Eltern, dass sie einen kleinen Unfall in der Stadt gesehen hat.

VATER	Wo bleibst du nur, Ursel? Wir haben schon gegessen.
URSEL	*Was ich eben gesehen habe!* . . . .

Writing

1. SENTENCE COMPLETION

Complete the following sentences by supplying an appropriate adjective. Use the proper adjective ending where required.

BEISPIEL   Die Reifen sind nicht schmal, sondern   breit   .
                    Der neue Wagen hat   breite   Reifen.

1. Der Kofferraum ist nicht eng, sondern _____.   *geräumig*
   Unser neuer Wagen hat einen _____ Kofferraum.   *geräumigen*
2. Die Blinker sind nicht klein, sondern _____.   *gross*
   Mir gefallen diese _____ Blinker.   *grossen*
3. Der Fahrer ist nicht alt, sondern _____.   *jung*
   Am Steuer sitzt ein _____ Fahrer.   *junger*
4. Der Winter ist nicht warm, sondern _____.   *kalt*
   Wir haben immer einen _____ Winter.   *kalten*
5. Die Geschichte ist nicht langweilig, sondern _____.   *interessant*
   Karl erzählt uns eine _____ Geschichte.   *interessante*
6. Der Mann in dem Personenwagen ist nicht dick, sondern _____.   *mager*
   Wir sprechen mit diesem _____ Mann.   *mageren*

2. SENTENCE CONSTRUCTION

Write six sentences by making any necessary changes in the group of words below. Follow the example.

BEISPIEL   alt / Tante / fahren / neu / Auto
               Meine alte Tante fährt ein neues Auto.

1. gross / Bruder / bekommen / hoch / Strafe   *Mein grosser Bruder bekommt eine hohe S.*
2. langweilig / Schwester / haben / lustig / Freundin   *Meine langweilige S. hat eine lustige F.*
3. berühmt / Onkel / haben / scharf / Fernglas   *Mein berühmter Onkel hat ein scharfes F.*
4. alt / Auto / brauchen / neu / Batterie   *Mein altes Auto braucht eine neue B.*
5. neu / Wagen / haben / geräumig / Kofferraum   *Mein neuer Wagen hat einen geräumigen K.*
6. klein / Vetter / helfen / alt / Grossvater   *Mein kleiner Vetter hilft dem alten G.*

Note: This list includes those words students should be able to *use actively*. For additional explanation, see section in blue pages on Reference List.

REFERENCE LIST[12]

Note: Familiar words appear in the Reference List when they have occurred with a new meaning within the unit.

Nouns

die Ampel, –n	das Krankenhaus, ¨er	der Personenwagen, –	die Stossstange, –n
die Arbeit, –en	die Kreuzung, –en	die Pflicht, –en	die Strafe, –n
die Begleiterin, –nen	der Lastwagen, –	die Polizei	das Ufer, –
das Benzin, –e	das Licht, –er	das Rad, ¨er	der Unfall, ¨e
der Blinker, –	die Lieblingsfarbe, –n	der Reifen, –	das Verdeck, –e
der Bodensee	die Marke, –n	der Scheinwerfer, –	die Verletzung, –en
der Fahrer, –	der Marktplatz, ¨e	der Schritt, –e	der Volkswagen, –
die Farbe, –n	der Meter, –	die Seite, –n	der Wagen, –
die Karosserie, –n	das Modell, –e	die Stelle, –n	das Wort, ¨er
der Kofferraum, ¨e	das Nummernschild, –er	das Steuer, –	der Zeuge, –n

Weak Verbs

beachten   berichten   retten   überschauen

Strong Verbs

Narrative past tense forms (imperfect) of strong verbs appear in Unit 19.

aussteigen (steigt aus, ist ausgestiegen)
betreten (betritt, betreten)
brechen (bricht, gebrochen)
herausziehen (zieht heraus, herausgezogen)
schmelzen (schmilzt, geschmolzen)
sitzen (sitzt, gesessen)
stehenbleiben (bleibt stehen,
    ist stehengeblieben)

übertreiben (übertreibt, übertrieben)
vergehen (vergeht, ist vergangen)
versinken (versinkt, ist versunken)
zufrieren (friert zu, ist zugefroren)
zusammenstossen (stösst zusammen,
    ist zusammengestossen)

Adjectives and Adverbs

breit	kalt	schmal	unübersichtlich	erstens	selten
geräumig	langweilig	schnittig	verboten	etwa	weg
gross	leicht	schwer	wenig	hinten	zweitens
interessant	letzt-	sportlich			
jung	mager	totenbleich			

Other Words and Expressions

alle hundert Jahre	für seine Pflicht halten	noch immer	um . . . zu
bei grosser Kälte	Klasse	Schritt für Schritt	weil
eine Reise machen	mein Lieber	sondern	

---

[12] You will have observed that German words are stressed on the first syllable, with the exception of those words which begin with an inseparable prefix, such as **verkaufen, betreten,** etc. There are certain other words, usually foreign words in German, which do not have the stress on the first syllable either. When such words occur in the Reference List, they will be marked by an underscore or a dot to indicate where they are stressed. In addition to stress, the underscore will signify a long vowel, the dot a short vowel.

| *Note:* For suggestions on how to work with this section, see *Buntes Allerlei* section of blue pages.

Unser Spiel im Auto

Unsere Reise von Köln nach Frankfurt war sehr interessant, doch nach Frankfurt wird die Autobahn[13] ein bißchen langweilig. Manchmal sehen wir ein paar kleine Häuser, sonst nur Wald.

Inge und ich sitzen hinten im Wagen, die Mutter vorn neben
5 Vati. Eben überholt° uns ein grüner Porsche[14]. „Der grüne Porsche kommt aus Essen", ruft Inge plötzlich. „E S ist doch Essen, nicht, Vati?"

überholen: *to pass*

„Falsch", sagt Vater. Der kleine grüne kommt aus Eßlingen. Essen hat nur ein E auf dem Nummernschild. Große Städte haben
10 immer nur einen Buchstaben°, die kleinen Städte haben mehrere."

der Buchstabe, –n: *letter*

Inge hat unser Ratespiel begonnen. Wir spielen es immer, wenn die Reise auf der Autobahn zu langweilig wird. Vati weiß fast immer, wo jedes Auto herkommt, und wenn wir alle es nicht wissen, hilft Mutti. Sie hat den Taschenkalender in der Hand:
15 hier stehen alle Kennzeichen° von Deutschland, die Buchstaben mit den Städtenamen.

das Kennzeichen, –: *identifying sign*

---

[13] The **Autobahnen** are long distance federal highways connecting almost all larger and many smaller cities in Germany.

[14] The **Porsche** is an expensive German sports and racing car.

Nummernschilder

Frankfurt/Main München	F—PR 703	M—YE 896
Rastatt Bocholt	RA—CV 19	BOH—U 63
Bad Tölz Zweibrücken	TÖL—R 12	ZW—L 401
Emden Frankenberg/Eder	EMD—S 87	FKB—Q 891

Kennzeichen in Deutschland

A	Augsburg	CHA	Cham
AA	Aalen Württ.	CW	Calw
AB	Aschaffenburg	D	Düsseldorf
AIB	Aibling	DB	Deutsche
AK	Altenkirchen		Bundesbahn
ALZ	Alzenau	DON	Donauwörth
B	Berlin	E	Essen
BCH	Buchen	EMD	Emden
BGD	Berchtesgaden	ES	Esslingen

Und weiter geht das Ratespiel. Der schwarze° Opel mit dem **schwarz:** *black*
M auf dem Nummernschild ist uninteressant für uns. Jedes Kind
weiß, daß M das Kennzeichen von München ist. Die Kennzeichen
20 für die großen Städte kennt jeder: A für Augsburg, B für Berlin,
D für Düsseldorf, F für Frankfurt am Main, H für Hannover,
HH für Hamburg, S für Stuttgart.

Und die Zeit vergeht jetzt schnell. Ein schwerer BMW[15] hat
uns eben überholt, er kommt aus Tölz in Bayern. Und der Käfer° **der Käfer, –:** *bug*
25 vor uns, der rote VW, kommt aus Kiel. „Aber ach! Was ist denn
das für ein Schild?" ruft Inge. „Ein schwarzes Nummernschild
mit weißen Buchstaben habe ich noch nie gesehen."

„Das ist ein italienischer Wagen, ein Fiat", sagt Vater. „Siehst
du das kleine, ovale Schild hinten auf dem Kofferraum? Das I
30 bedeutet° Italien. Du weißt doch, wir haben ein D-Schild. Alle **bedeuten:** *to mean, to*
Autos müssen in Europa ein Nationalitätszeichen haben, wenn *signify*
sie über die Grenze von einem Land ins andere fahren."

---

[15] The **BMW** is a high-priced car made at the **Bayrische Motoren Werke** in Munich.

Die internationalen Kennzeichen			
A	Österreich	**F**	Frankreich
B	Belgien	**GB**	Grossbritannien
CH	Schweiz	**I**	Italien
D	Deutschland	**NL**	Niederlande
DK	Dänemark	**S**	Schweden
E	Spanien	**USA**	Vereinigte Staaten von Amerika

Adjektive:

österreichisch
belgisch
schweizer   (oder schweizerisch)
deutsch   Note: schweizer before a
dänisch   noun is always capitalized:
spanisch   eine Schweizer Uhr
französisch
englisch
italienisch
holländisch (niederländisch)
schwedisch
amerikanisch

EXERCISE BOOK: EXERCISE 8

Yellow   Green

BASIC MATERIAL I

Den Rhein abwärts

ROBERT   Günter, alter Junge! Wo warst du denn letzte Woche?

GÜNTER   Ich war in Bonn. Da staunst du, was?

ROBERT   Und ob! Wie bist du denn dorthin gekommen?

GÜNTER   Mit einem Frachter, den Rhein hinunter.

ROBERT   So, so! Erzähl mir mal was von deiner Fahrt!

GÜNTER   Wir waren zu zweit: Klaus war mit. Wir hatten einen richtigen Seebären als Kapitän. Er war Holländer. Ausser[1] uns waren noch zwei Matrosen an Bord. Sie hatten eine Koje neben uns. Die Fahrt war gar nicht ruhig, und einer von ihnen wurde kurz vor Bonn sogar seekrank.

Note: The word *Koje* usually refers to a bunk on a ship but can also refer to a small cabin.

Supplement

Wohin fährt der Dampfer?

    Den Rhein aufwärts.
    Die Mosel hinauf.
    Den Main hinab.

Note: Have the students look at the map on page 121 and have them look up these rivers.

War der Kapitän Deutscher?

    Nein, Amerikaner.
    Nein, Engländer.

Wer wurde krank?

    Der Steuermann wurde krank.

War jemand mit?

    Ja, wir waren zu zweit.
    Wir waren zu viert.
    Niemand war mit.
    Ich war allein.

Dauert die Fahrt lange?

    Nein, Bonn ist nicht weit entfernt.

[1] **Ausser** is a preposition followed by dative case forms.

◀ *Kohlenfrachter auf dem Rhein mit Kohle aus dem Ruhrgebiet*

Down the Rhine

ROBERT   Günter, old boy! Where were you last week?
GÜNTER   I was in Bonn. You are surprised, aren't you?
ROBERT   And how! How did you get there?
GÜNTER   By freighter, down the Rhine.
ROBERT   Well, well! Why don't you tell me something about your trip.
GÜNTER   There were two of us: Klaus came along. We had a real "sea bear" as a captain. He was a Dutchman. Besides us there were two sailors aboard. They had a cabin next to ours. The river (trip) wasn't calm at all and one of them even got seasick shortly before Bonn.

Supplement

Where is the steamer going?

> Up the Rhine.
> Up the Moselle.
> Down the Main.

Was the captain a German?

> No, an American.
> No, an Englishman.

Who became sick?

> The helmsman became sick.

Did someone go along?

> Yes, there were two of us.
> There were four of us.
> No one came along.
> I was alone.

Does the trip take long?

> No, Bonn is not far away.

Summary of Words denoting Nationality

das Land	die Leute	der Mann	die Frau	die Sprache	das Adjektiv
Amerika	die Amerikaner	der Amerikaner	die Amerikanerin	Englisch	amerikanisch
Deutschland	die Deutschen	der Deutsche	die Deutsche	Deutsch	deutsch
England	die Engländer	der Engländer	die Engländerin	Englisch	englisch
Frankreich	die Franzosen	der Franzose	die Französin	Französisch	französisch
Italien	die Italiener	der Italiener	die Italienerin	Italienisch	italienisch
Russland	die Russen	der Russe	die Russin	Russisch	russisch
Spanien	die Spanier	der Spanier	die Spanierin	Spanisch	spanisch
der Kontinent					
Europa	die Europäer	der Europäer	die Europäerin	———	europäisch

Notes

1. Nouns denoting nationality of men and women do not change when used with the definite article with the exception of **der Deutsche, ein Deutscher.**

	der Amerikaner	**ein Amerikaner**
	der Franzose	**ein Franzose**
but	**der Deutsche**	**ein Deutscher**

2. **Der Deutsche, der Franzose,** and **der Russe** add **-n** in the singular (and plural) forms: **Kennen Sie den Franzosen?**

3. Adjectives denoting nationality are not capitalized in German: **Ich kaufe eine amerikanische Zeitung.**

Vocabulary Exercises

1. QUESTIONS ON BASIC MATERIAL

1. Wo war Günter letzte Woche?
2. Wie ist er dorthin gekommen?
3. War Günter allein?
4. Was für einen Kapitän hatte der Frachter?
5. Wer war in der Koje neben den Jungen?
6. Was ist mit einem Matrosen passiert?
7. Wohin fährt der Dampfer?
8. Was ist der Main?

2. FREE RESPONSE

1. Sind Sie Engländer?
2. Sind Sie schon mal nach Deutschland gefahren?
3. Wielange dauert die Fahrt?
4. Wie können Sie den Rhein hinunterfahren?
5. Werden Sie seekrank, wenn Sie mit einem Schiff fahren?
6. Wer lernt noch Deutsch ausser Ihnen?
7. Gehen Sie nach der Schule allein nach Hause? Wer geht mit?

3. ENGLISH CUE DRILL

Wir waren zu zweit.	Wir waren zu zweit.
There were three of us.	Wir waren zu dritt.
There were four of us.	Wir waren zu viert.
There were five of us.	Wir waren zu fünft.
There were six of us.	Wir waren zu sechst.

Noun Exercises

Nouns ending in **-er** denoting profession or nationality are always masculine and have the same form in the plural: **der Amerikaner, die Amerikaner; der Schiffer, die Schiffer.**

4. der, die, das

1. Nimmst du den deutschen Frachter?
2. Ich habe den Rhein gern.
3. Das war aber eine lange Fahrt!
4. Ich kenne einen alten Seebären[2].
5. Kennst du den Kapitän?
6. Günter weckt den jungen Matrosen[2].
7. Ein grosser Dampfer fährt ruhig.
8. Der Kapitän ruft den Steuermann.

1. Ich weiss, wann ＿＿＿ Frachter fährt. *der*
2. Weisst du, wie lang ＿＿＿ Rhein ist? *der*
3. Wie lang war ＿＿＿ Fahrt? *die*
4. Wie heisst ＿＿＿ alte Seebär? *der*
5. Wie heisst ＿＿＿ Kapitän? *der*
6. Wo schläft ＿＿＿ Matrose? *der*
7. Ist ＿＿＿ Dampfer gross? *der*
8. Wo ist denn ＿＿＿ Steuermann? *der*

5. SINGULAR → PLURAL

1. Der Frachter fährt den Rhein hinab.
2. Wie lange dauert die Fahrt?
3. Das ist ein richtiger Seebär.
4. Der Kapitän kommt an Bord.
5. Wird der Matrose seekrank?
6. Der Dampfer kommt aus Holland.
7. Ist der Steuermann schon an Bord?

1. Die Frachter fahren den Rhein hinab.
2. Wie lange dauern die Fahrten?
3. Das sind richtige Seebären.
4. Die Kapitäne kommen an Bord.
5. Werden die Matrosen seekrank?
6. Die Dampfer kommen aus Holland.
7. Sind die Steuermänner schon an Bord?

VARIATION

1. Die Frachter fahren den Rhein hinab.

1. *Der Frachter fährt den Rhein hinab.*

Use of the Article with Nouns of Nationality or Profession

1. In German, the article is not used with unmodified nouns which name nationality or profession.

Er ist Deutscher.	*He is a German.*
Sie wird Lehrerin.	*She is going to be a teacher.*

2. If the noun is modified, however, an article is used.

Er ist <u>ein</u> deutscher Kapitän.

---

[2] Note that **Matrose** and **Seebär** have an **-n** and **-en** respectively in all cases except the nominative singular.

6. PATTERNED RESPONSE

1. Der Kapitän kommt aus Holland.   Er ist Holländer.
   Der Kapitän kommt aus Deutschland.   Er ist Deutscher.
   Der Kapitän kommt aus Amerika.   Er ist Amerikaner.
   Der Kapitän kommt aus Italien.   Er ist Italiener.
   Der Kapitän kommt aus Frankreich.   Er ist Franzose.

2. Seine Frau spricht Deutsch.   Sie ist Deutsche.
   (Französisch–Russisch–Spanisch–Englisch–Italienisch)   *Französin–Russin–Spanierin–Engländerin–*
                                       Italienerin

7. SENTENCE COMBINATION

Er ist Kapitän. Er kommt aus Deutsch-land.   Er ist ein deutscher Kapitän.

Sie ist Lehrerin. Sie kommt aus Amerika.   *Sie ist eine amerikanische Lehrerin.*

Sein Onkel ist Steuermann. Er kommt aus Holland.   *Er ist ein holländischer Steuermann.*

Er ist Fahrer. Er kommt aus Spanien.   *Er ist ein spanischer Fahrer.*

Er ist Briefträger. Er kommt aus England.   *Er ist ein englischer Briefträger.*

Sie ist Ärztin. Sie kommt aus Russland.   *Sie ist eine russische Ärztin.*

EXERCISE BOOK: EXERCISE 1

Grammar

Past Tense of haben, sein, werden

PRESENTATION

Hattest du eine gute Fahrt?
Ja, ich **hatte** eine gute Fahrt.

Hattet ihr schönes Wetter?
Ja, wir **hatten** schönes Wetter.

Hatte Klaus eine Koje?
Die beiden **hatten** zusammen eine Koje.

These sentences refer to past time. Name the stem of these verb forms. Which of these verb forms are the same? *DRILLS 8.1–8.2; 9*

Warst du gestern zu Hause?
Nein, ich **war** weg.

Wir **waren** in Bonn.
Und wo **wart** ihr?

Die Matrosen **waren** an Bord.
Und der Kapitän **war** Holländer?

These sentences refer to past time. Name the stem of the verb forms. Which of these verb forms are the same? *DRILLS 10.1–10.2; 11*

Wann **wurdest** du seekrank?
Ich **wurde** gestern seekrank.

Wurdet ihr oft müde?
Wir **wurden** immer müde.

Klaus **wurde** hungrig.
Die beiden **wurden** durstig.

What time do these sentences refer to? Name the stem of these verb forms. Which of these verb forms are the same? *DRILLS 12.1–12.2; 13*

GENERALIZATION

1. The past tense forms of **haben, sein,** and **werden** are irregular, and are summarized below.

	haben	sein	werden
ich	hatte	war	wurde
du	hattest	warst	wurdest
er, sie, es	hatte	war	wurde
wir	hatten	waren	wurden
ihr	hattet	wart	wurdet
sie, Sie	hatten	waren	wurden

2. The first and third person singular verb forms are the same, as is always the case in the past tense.

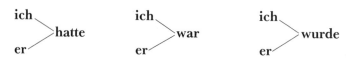

3. The first and third person plural and the formal address are also the same, as usual.

wir
sie ⟶ hatten
Sie

wir
sie ⟶ waren
Sie

wir
sie ⟶ wurden
Sie

STRUCTURE DRILLS

8. PERSON-NUMBER SUBSTITUTION

1. Wir hatten zwei Matrosen an Bord. ⊗

Ich _____.

Der Kapitän _____.

Die beiden _____.

Du _____.

Der Dampfer _____.

Wir hatten zwei Matrosen an Bord.

Ich hatte zwei Matrosen an Bord.

Der Kapitän hatte zwei Matrosen an Bord.

Die beiden hatten zwei Matrosen an Bord.

Du hattest zwei Matrosen an Bord.

Der Dampfer hatte zwei Matrosen an Bord.

2. Hatten Sie gutes Wetter?

(die Kinder–du–ihr–dein Vater–Ursel)   *hatten–hattest–hattet–hatte–hatte*

9. PRESENT ⟶ PAST

Wir haben einen alten Wagen. ⊗

Er hat noch gute Reifen.

Ich habe ihn gern.

Die beiden haben kein Glück.

Und du? Hast du Glück?

Ihr habt auch kein Glück.

Wir hatten einen alten Wagen.

Er hatte noch gute Reifen.

Ich hatte ihn gern.

Die beiden hatten kein Glück.

Und du? Hattest du Glück?

Ihr hattet auch kein Glück.

VARIATION: Use the right-hand column as a cue for a Past ⟶ Present drill.

10. PERSON-NUMBER SUBSTITUTION

1. Waren sie schon an Bord? ⊗

_____ ihr _____?

_____ der Kapitän _____?

_____ Sie (Sie-Form) _____?

_____ du _____?

_____ die beiden _____?

Waren sie schon an Bord?

Wart ihr schon an Bord?

War der Kapitän schon an Bord?

Waren Sie schon an Bord?

Warst du schon an Bord?

Waren die beiden schon an Bord?

2. Wo war der Frachter?

(du–die Jungen–ihr–sie (Plural)–der Matrose)   *warst–waren–wart–waren–war*

11. PRESENT → PAST

Wir sind in Bonn. ⊗	Wir waren in Bonn.
Der Steuermann ist allein.	Der Steuermann war allein.
Ich bin Matrose.	Ich war Matrose.
Die beiden sind seekrank.	Die beiden waren seekrank.
Bist du auch seekrank?	Warst du auch seekrank?
Seid ihr schon an Bord?	Wart ihr schon an Bord?

VARIATION: Use the right-hand column as a cue for a Past → Present drill.

12. PERSON-NUMBER SUBSTITUTION

1. Wann wurden Sie krank? ⊗	Wann wurden Sie krank?
_____ du _____?	Wann wurdest du krank?
_____ Peter ___?	Wann wurde Peter krank?
_____ die beiden ____?	Wann wurden die beiden krank?
_____ ich _____?	Wann wurde ich krank?
_____ ihr _____?	Wann wurdet ihr krank?

2. Die Reise wurde furchtbar langweilig.
   (die Arbeit–die Tage–du–die Fahrt–ihr)   *wurde–wurden–wurdest–wurde–wurdet*

13. PRESENT → PAST

Wir werden langsam hungrig. ⊗	Wir wurden langsam hungrig.
Warum wirst du so blass?	Warum wurdest du so blass?
Ich werde immer rot.	Ich wurde immer rot.
Wann werdet ihr fertig?	Wann wurdet ihr fertig?
Sie werden ganz lustig.	Sie wurden ganz lustig.
Klaus wird so traurig.	Klaus wurde so traurig.

VARIATION: Use the right-hand column as a cue for a Past → Present drill.

Writing

EXERCISE BOOK: EXERCISE 2

SENTENCE REWRITE

Rewrite each of the following sentences in the past tense.

1. Die Fahrt ist schön, und ich bin nicht krank.
2. Warum wirst du so blass? Bist du krank?
3. Wo haben Sie Ihre Koje? Ich habe eine Koje neben dem Steuermann.
4. Werdet ihr nicht hungrig? Habt ihr keinen Appetit?
5. Der Kapitän ist Holländer. Er hat eine deutsche Mutter.

1. Die Fahrt war . . . ich war . . .
2. Warum wurdest du . . . ? Warst du . . . ?
3. Wo hatten Sie . . . ? Ich hatte . . . ?

4. Wurdet ihr . . . ? Hattet ihr . . . ?
5. Der Kapitän war . . . Er hatte . . .

BASIC MATERIAL II

Unsere Bundeshauptstadt

Wir konnten bis Bonn[3] mitfahren. Hier aber mussten wir den Frachter verlassen, weil wir die alte Stadt besichtigen wollten: die barocken Schloss-anlagen, die modernen Regierungsgebäude, und, nicht zuletzt, das Geburts-haus von Beethoven.

Klaus wollte in der Jugendherberge übernachten, aber ich durfte nicht. Ich sollte einen Schulfreund von Vati aufsuchen, einen gewissen Dr. Wei-gang. Er hat eine wirklich schöne Wohnung hier in Bonn. Er ist bei der Regierung beschäftigt, und er wollte uns vieles zeigen.

Answers to Exercise 22: *können* / *müssen, wollen* / *will, darf* / *soll* / *will*

Supplement

Wie gross ist Bonn?
Wie lange sind Sie schon in Bonn?

Es hat über 300 000 Einwohner.
Seit[4] einer Woche.

Wer war Beethoven?
Wann ist er geboren und gestorben?

Ein bekannter Komponist.
Er ist 1770 geboren und 1827 gestorben.

Die Zahlen über hundert:
   hunderteins, . . . hundertzehn, . . . hundertsiebenundfünfzig, . . . zweihundert, dreihundert, vierhundert, . . . tausend, tausendeins, . . . tausendzehn, . . . tausendeinhundert, . . . hundert-tausend, eine Million, zwei Millionen

im Jahre 1770: im Jahre siebzehnhundertsiebzig

Our Federal Capital

We were able to go along until Bonn. Here, however, we had to leave the freighter because we wanted to see the old city: the baroque castle gardens (parks), the modern government buildings and, last but not least, the house where Beethoven was born.

Klaus wanted to stay over night in the youth hostel but I wasn't allowed. I was supposed to look up an old school friend of father's, a certain Dr. Weigang. He has a real nice apartment here in Bonn. He works for the government and he wanted to show us a lot.

---

[3] **Bonn** is the capital of the Federal Republic of Germany. It became the provisional capital in 1949 because Berlin, the former capital, had been occupied and divided following World War II.

[4] **Seit** is a preposition followed by dative case forms.

Supplement

How big is Bonn?
How long have you been in Bonn already.

It has over 300,000 inhabitants.
Since last week. (For a week.)

Who was Beethoven?
When was he born and when did he die?

A well-known composer.
He was born in 1770 and died in 1827.

The numbers over one hundred:

    hundred and one, . . . hundred and ten, . . . hundred and fifty-seven, . . . two hundred, three hundred, four hundred, . . . thousand, thousand and one, . . . thousand ten, . . . thousand one hundred, . . . hundred thousand, one million, two million

in the year 1770

Vocabulary Exercises

14. QUESTIONS ON BASIC MATERIAL

1. Wie weit konnten die Jungen mitfahren?
2. Was mussten sie in Bonn verlassen?
3. Was wollten sie in Bonn tun?
4. Was konnten die Jungen in Bonn sehen?
5. Wo wollte Klaus übernachten?
6. Warum durfte der Freund von Klaus nicht in der Jugendherberge übernachten?
7. Wen sollten die Jungen aufsuchen?
8. Was hat Dr. Weigang in Bonn?
9. Wo ist er beschäftigt?
10. Wie gross ist Bonn?
11. Wer war Beethoven?
12. Wann ist er geboren? Gestorben?

15. FREE RESPONSE

1. Was ist Bonn?
2. Wie heisst die amerikanische Bundeshauptstadt?
3. Was können Sie alles in Washington sehen?
4. Wo ist das Geburtshaus von Lincoln?
5. Welche Stadt wollen Sie besichtigen?
6. Haben Sie schon mal in einer Jugendherberge übernachtet?
7. Wann und wo sind Sie geboren?
8. Wer ist Ihr Schulfreund oder Ihre Schulfreundin?

16. READING EXERCISES

Read each of the following numbers and dates:

1. 138; 174; 251; 366; 492; 1 501; 7 611; 12 761; 133 840; 786 933
2. im Jahre 1492; 1586; 1648; 1770; 1827; 1956; 1970; 1984; 2000

Noun Exercises

17. der, die, das

1. Haben Sie eine schöne Wohnung?
2. Frankreich hat eine neue Regierung.
3. Ich kenne hier keinen Einwohner.
4. Wir besuchen den bekannten Komponi-sten[5].

1. Wie teuer ist ____ Wohnung?   *die*
2. Wie alt ist ____ Regierung?   *die*
3. Er ist ____ letzte Einwohner.   *der*
4. Wo wohnt ____ bekannte Komponist?   *der*

18. SINGULAR → PLURAL

1. Die Wohnung in Bonn ist teuer.
2. Er arbeitet für die Regierung von Deutschland.
3. Das Dorf hat nur einen Einwohner.
4. Der Komponist verdient viel Geld.
5. Es kostet eine Million.

1. Wohnungen in Bonn sind teuer.
2. Er arbeitet für die Regierungen von Deutschland und Frankreich.
3. Das Dorf hat 200 Einwohner.
4. Komponisten verdienen viel Geld.
5. Es kostet Millionen.

VARIATION

1. Wohnungen in Bonn sind teuer.

1. Die Wohnung in Bonn ist teuer.

Grammar

Past Tense Forms of the Modals:
müssen, dürfen, können, mögen, sollen, wollen

PRESENTATION

Wir **durften** bis Bonn mitfahren.
Hier **mussten** wir den Frachter verlassen.
Wir **konnten** bei Dr. Weigang übernachten.
Sie **mochten** nicht in die Jugendherberge gehen.
Sie **sollten** einen Schulfreund aufsuchen.
Sie **wollten** das Beethovenhaus besichtigen.

What tense are these sentences in? Name the **wir-** and the **sie-**forms of these six modals. What vowel changes do you note when these forms are compared with the infinitive?   *DRILL 20.3*

---

[5] Note that **Komponist** has an **-en** in all cases except the nominative singular.

Ich **musste** nach Bonn fahren.
Ich **durfte** dort übernachten.
Ich **konnte** nur einen Tag bleiben.
Klaus **mochte** nicht mitfahren.
Er **sollte** zu Hause bleiben.
Er **wollte** lieber Fussball spielen.

Name the **ich**- and the **er**-forms of these modals. Do any of these forms have an umlaut? Are the **ich**- and the **er**-form the same? What is the past tense marker of these verbs? DRILLS 19.2; 2

Musstest du nach Bonn fahren?
Durftest du nicht hier bleiben?
Konntest du dort übernachten?
Mochtet ihr nicht zurückkommen?
Solltet ihr die ganze Woche bleiben?
Wolltet ihr Dr. Weigang besuchen?

Name the **du**- and the **ihr**-forms of these modals. Do any of these forms have an umlaut? What is the past tense marker of these forms? What are the endings for the **du**-form? For the **ihr**-form?

DRILLS 19.1; 20.2; 21–24

GENERALIZATION

Past Tense Forms of the Modals							
	past tense stem + marker + ending	**müssen**	**dürfen**	**können**	**mögen**	**sollen**	**wollen**
ich	stem + **te**	musste	durfte	konnte	mochte	sollte	wollte
du	stem + **te** + **st**	musstest	durftest	konntest	mochtest	solltest	wolltest
er, sie, es	stem + **te**	musste	durfte	konnte	mochte	sollte	wollte
wir	stem + **te** + **n**	mussten	durften	konnten	mochten	sollten	wollten
ihr	stem + **te** + **t**	musstet	durftet	konntet	mochtet	solltet	wolltet
sie, Sie	stem + **te** + **n**	mussten	durften	konnten	mochten	sollten	wollten

1. The past tense stems of the modals (in all persons) are the same as the infinitive stems without the umlaut. The past tense marker **te** is added to these stems. Note that **mögen** changes the stem consonant from **g** to **ch: mögen → mo<u>ch</u>te**

2. The **ich**-form and the **er**-form of the modals are identical and do not have a personal ending.

3. The other persons add the usual personal endings to the past tense marker.

du musst<u>**est**</u>   **wir musst**<u>**en**</u>

ihr musst<u>**et**</u>   **sie, Sie musst**<u>**en**</u>

STRUCTURE DRILLS

19. PERSON-NUMBER SUBSTITUTION

1. Wollten Sie Bonn besichtigen? ⊗   Wollten Sie Bonn besichtigen?
   _____ Klaus _____?   Wollte Klaus Bonn besichtigen?
   _____ du _____?   Wolltest du Bonn besichtigen?
   _____ Sie (Sie-Form) _____?   Wollten Sie Bonn besichtigen?
   _____ ihr _____?   Wolltet ihr Bonn besichtigen?
   _____ die beiden _____?   Wollten die beiden Bonn besichtigen?

2. Ich konnte bei einem Schulfreund übernachten. ⊗   *konnten–konntest–konnten–konnte–*
   (wir–du–die beiden–Klaus–ich)   *konnte*

20. ITEM SUBSTITUTION

1. Klaus sollte mit dem Frachter fahren. ⊗   Klaus sollte mit dem Frachter fahren.
   _____ (dürfen) _____.   Klaus durfte mit dem Frachter fahren.
   _____ (wollen) _____.   Klaus wollte mit dem Frachter fahren.
   _____ (können) _____.   Klaus konnte mit dem Frachter fahren.
   _____ (müssen) _____.   Klaus musste mit dem Frachter fahren.

2. Konntest du nicht einen Freund aufsuchen? ⊗   *wolltest–mochtest–musstest–solltest–*
   (wollen–mögen–müssen–sollen–dürfen)   *durftest*

3. Wann mussten Sie Ihre Wohnung verlassen?   *sollten–durften–konnten–wollten*
   (sollen–dürfen–können–wollen)

VARIATION: Repeat the above drills using different modals.

21. PRESENT → PAST

Willst du in der Jugendherberge über-   Wolltest du in der Jugendherberge übernachten? ⊗   nachten?

Kannst du nur einen Tag dort bleiben?   *Konntest du nur einen Tag dort bleiben?*

Musst du einen Freund aufsuchen?   *Musstest du einen Freund aufsuchen?*

Magst du nicht mit dem Frachter fahren?   *Mochtest du nicht mit dem Frachter fahren?*

Darfst du an Bord gehen?   *Durftest du an Bord gehen?*

Sollst du die Schlossanlage besichtigen?   *Solltest du die Schlossanlage besichtigen?*

VARIATION: Use the right-hand column as a cue for a Past → Present drill.

22. READING EXERCISE

Reread the Basic Material II in the present tense.

23. FREE SUBSTITUTION

Die beiden wollten mit dem Frachter fahren.   *Dampfer, Schiff, Wagen, Zug*

Wir konnten die modernen Regierungsgebäude besichtigen.   *interessant, neu / Bilder, Stadt, Krankenhaus, Museum*

24. REJOINDERS

1. Ich bin noch nie in Bonn gewesen.   *Du musst Bonn sehen. Es ist eine schöne Stadt. Wir waren letzte Woche dort.*

2. Wir wissen nicht, wo wir übernachten können.   *Wollt ihr nicht in die Jugendherberge gehen? Warum? Könnt ihr kein Zimmer finden?*

Writing

EXERCISE BOOK: EXERCISES 3 AND 4

1. SENTENCE REWRITE

Rewrite each of the following sentences in the past tense.

BEISPIEL   Ich kann seine Wohnung nicht finden.
Ich konnte seine Wohnung nicht finden.

1. Warum sollen Sie Bonn nicht besichtigen?   *Warum sollten Sie . . . ?*
2. Kannst du in der Jugendherberge übernachten?   *Konntest du . . . ?*
3. Ich soll einen gewissen Dr. Weigang aufsuchen.   *Ich sollte . . .*
4. Dürft ihr beiden nicht mit dem Frachter fahren?   *Durftet ihr beiden . . . ?*
5. Klaus mag nicht in Bonn bleiben.   *Klaus mochte nicht . . .*
6. Die Jungen müssen wieder nach Hause fahren.   *Die Jungen mussten . . .*

2. SENTENCE REWRITE

1. . . . Sie Bonn nicht besichtigen sollten.
2. . . . du in der Jugendherberge übernachten konntest.
3. . . . ich einen gewissen Dr. Weigang aufsuchen sollte.

Now rewrite each of the sentences you wrote, beginning each one with **Ich weiss nicht, warum . . .**

BEISPIEL   Ich konnte seine Wohnung nicht finden.
Ich weiss nicht, warum ich seine Wohnung nicht finden konnte.

4. . . . ihr beiden nicht mit dem Frachter fahren durftet.
5. . . . Klaus nicht in Bonn bleiben mochte.
6. . . . die Jungen wieder nach Hause fahren mussten.

READING

SECTION C ⊗
Listening Comprehension: Exercises 10, 11, 12 Additional Structure Drills

Word Study

In German many verbs and nouns are so closely related in form that it is possible to determine the meaning of one if the other is known. Often, the noun has the same form as the infinitive but without the ending **-en** or **-n.**

NOUN			VERB	
der Bericht	*report*		**berichten**	*to report*
der Besuch	*visit*		**besuchen**	*to visit*

VERB			NOUN	
spielen	*to play*		**das Spiel**	*play, game*
tanzen	*to dance*		**der Tanz**	*dance*

If you know the verb **rufen,** you should be able to guess one meaning of the noun **der Ruf.**

Note on Genitive Forms

In the readings of this and later units the genitive case forms are used. You are not yet re-quired to use these forms, but only to understand them when you read. Before feminine singu-lar nouns and all plural nouns, the genitive forms of **der** and the **dieser**-words are **der,** *of the,* **dieser,** *of this,* and of the **ein-** words **einer,** *of a.* Before masculine and neuter nouns, the cor-responding forms are **des, dieses,** and **eines.** Almost all masculine and neuter nouns end in **-s** in the genitive singular; feminine singular nouns do not have an ending.

die Frau des Kapitäns	*the wife of the captain*
die Sage der Lorelei	*the legend of the Lorelei*
die Ferien der Kinder	*the children's vacation*

Die Lorelei und die Zwiebeln°

Im September dieses Jahres durften mein Freund Klaus und ich mit einem Kohlenfrachter eine Fahrt auf dem Rhein machen. Wir mußten keinen Pfennig dafür bezahlen, weil der Kapitän uns eingeladen hat. Eigentlich° wollten wir die ganze Reise bis nach
5 Rotterdam machen, doch° es waren unsere drei letzten Ferien-tage. So sind wir eben nur von Karlsruhe bis Bonn, Hauptstadt Deutschlands, gefahren. Außer dem Kapitän und seiner Frau waren noch zwei junge Matrosen an Bord, beide mit ihren Frauen, und jede Familie hatte eine kleine Wohnung. Klaus und ich
10 durften in der leeren Koje eines Matrosenjungen wohnen. Für Kinder ist das Leben° an Bord schön, aber sie fahren gewöhnlich nur in den Ferien mit. Das ganze Jahr über sehen die Rhein-schiffer ihre Kinder, die in Kinderheimen aufwachsen°, nur alle paar Wochen, denn die Kinder müssen ja regelmäßig in die
15 Schule gehen.

die Zwiebel, -n: *onion*

eigentlich: *actually*
doch: *however*

das Leben: *life*

aufwachsen: *to grow up*

Answers to Exercise 29: *dürfen / müssen, einlädt / wollen, sind / fahren / sind, hat / dürfen*

Loreleifelsen bei St. Goar am Rhein

Es war ein herrlicher Tag, und wir haben uns schon lange
ganz besonders auf den Loreleifelsen[6] gefreut°, von dem alle deutschen Kinder in der Schule hören. Klaus und ich durften oben
beim Steuermann stehen—der Kapitän des Schiffes ist auf dem
20 Rhein meistens auch der Steuermann—und wir durften manchmal
das Steuerrad halten, wenn der Kapitän einem der beiden
Matrosen etwas sagen mußte, denn sie konnten seine Rufe und
Befehle° ja nicht immer hören.

//„Die Lorelei ist jetzt noch eine Viertelstunde entfernt", hat
25 der Kapitän erzählt. /„Kennt ihr eigentlich die Sage° von der
Lorelei?" /Natürlich haben wir sie gekannt, doch wir wollten
hören, wie er die Geschichte erzählt. /

„Früher sind viele Fischer an dieser Stelle ertrunken. /Es waren
viele gefährliche Steine im Strom, die man° später entfernt hat. /
30 Aber diese Steine und Stromschnellen° haben vielen Männern das
Leben gekostet. /Die Sage erzählt, daß die Fischer immer oben auf
der Lorelei eine wunderschöne Frau sehen konnten, die ihr langes,
blondes Haar gekämmt hat. /Heute heißt auch der Felsen Lorelei
und steht 132 Meter hoch über dem Rhein, steil° und unheim-
35 lich°. /Die blonde Lorelei hat aber auch gesungen, und die Fischer
konnten dem schönen Anblick und dem herrlichen Gesang nicht
widerstehen°. /Kurz, sie haben ihr Schiff vergessen und mußten
ertrinken. /Auch heute kann ja ein Pilot nicht eine blonde Sän-

**wir haben uns auf . . .
gefreut:** *we were
looking forward to . . .*

der Befehl, -e: *command*

die Sage, -n: *legend*

man: *one*
die Stromschnellen:
rapids

steil: *steep*
unheimlich: *eery*

widerstehen: *to resist*

---

[6] **Der Loreleifelsen** is a massive cliff at the right bank of the Rhine, near St. Goar. According to Teutonic legend,
the hoard of the Nibelungen was buried in this rock. A beautiful siren sat on the rock and lured rivermen to
their deaths.

gerin im Fernsehen ansehen, wenn er sein Flugzeug° durch die

40 Lüfte steuert.//

das Flugzeug, -e: *airplane*

Noch immer besuchen viele Touristen diesen Felsen. Vor ein paar Jahren hat dort oben auch ein junger Mann einen Handstand gemacht und ist in die Tiefe gestürzt, vielleicht, weil auch er an die Lorelei denken mußte! Natürlich durften dann wieder

45 viele abergläubische° Menschen an die Sage von der blonden Lorelei glauben! Es gibt ja auch heute noch Männer und Frauen", hat der Kapitän die Geschichte geschlossen, „die glauben, daß man weinen muß, wenn man an der Lorelei vorbeifährt°."

abergläubisch: *superstitious*

vorbeifahren: *to ride past*

In diesem Augenblick hat die Frau des Kapitäns nach Klaus

50 gerufen. Er sollte ihr ein wenig in der Küche helfen. Nach fünf Minuten ist er zurückgekommen, und was durfte er sehen? Den Felsen der Lorelei. Schön, aber nicht besonders unheimlich.

Der Kapitän hat Klaus angeschaut° und gelacht: „Warum weinst du denn?" hat er gefragt.

anschauen: *to look at*

55 „Ich mußte Ihrer Frau beim Zwiebelschneiden helfen", hat Klaus geantwortet und gelacht.

„Vielleicht ist doch etwas an der Sage von der Lorelei", hat der Kapitän gezwinkert°.

zwinkern: *to wink*

Dictionary Section

Anblick Bild; etwas, was man sieht: *Die blonde Lorelei ist ein schöner Anblick.*

Augenblick *Ein Augenblick ist nur eine kurze Zeit, ein Moment.*

bezahlen Geld geben für etwas, was man bekommt: *Ich kaufe etwas und muß dann bezahlen. Im Restaurant bezahle ich das Essen.*

entfernen wegnehmen: *Man entfernt die gefährlichen Steine vom Fluß.*

ertrinken im Wasser versinken und nicht mehr hochkommen; sterben: *Die Schiffer sind im Rhein ertrunken.*

Ferien *Im Juli und August haben die Kinder keine Schule; sie haben Ferien.*

Fernsehen *Wenn Sie einen Film sehen wollen, gehen Sie ins Kino, oder Sie sehen den Film zu Hause im Fernsehen.*

Frau *Ihre Mutter ist die Frau Ihres Vaters. Frau Behrens ist die Frau von Herrn Behrens.*

Gesang das Singen: *Die Lorelei hat Lieder gesungen. Ihr Gesang war herrlich.*

kämmen wenn die Haare nicht schön aussehen, muß man sie kämmen: *Sie kämmen Ihre Haare morgens, bevor Sie aus dem Haus gehen.*

Kinderheim ein Haus, wo Kinder wohnen und zur Schule gehen.

leer nichts drin: *Nichts war im Zimmer; das Zimmer war leer. Der Matrose war nicht in der Koje; die Koje war leer.*

Menschen Leute: *Katzen und Hunde sind Tiere; Männer, Frauen und Kinder sind Menschen.*

regelmäßig *Sie essen jeden Morgen um 7 Uhr Frühstück. Wenn Sie das tun, dann essen Sie regelmäßig um 7 Uhr Frühstück.*

Sängerin eine Frau, die im Fernsehen oder im Theater singt: *Die Sängerin singt ein schönes Lied.*

Strom ein großer Fluß: *Der Rhein ist ein Strom.*

stürzen runterfallen: *Er ist vom Felsen ins Wasser gestürzt.*

Tiefe viel Wasser: *Wenn Sie in die Tiefe springen, müssen Sie schwimmen, denn Sie können dort nicht stehen.*

25. QUESTIONS

1. Was durften die beiden Jungen machen? *1*
2. Warum mussten sie keinen Pfennig bezahlen? *3*
3. Wie weit wollten sie eigentlich fahren? *4*
4. Wieviel Leute waren auf dem Frachter, und wer waren sie? *7*
5. Wo durften die Jungen schlafen? *10*
6. Wo wachsen die Kinder von den Rheinschiffern auf? *12*
7. Warum fahren die Kinder nicht immer mit? *14*
8. Wo durften die beiden Jungen stehen, und was durften sie manchmal tun? *18*
9. Was für eine Sage kennen die Jungen? *25*
10. Warum sind früher viele Fischer im Rhein ertrunken? *28*
11. Warum haben die Fischer die Stromschnellen nicht beachtet? *31*
12. Wem konnten die Fischer nicht widerstehen? *35*
13. Was kann heute ein Pilot nicht tun? *38*
14. Was ist vor ein paar Jahren an der Lorelei passiert? *42*
15. Was glauben die Leute heute noch? *46*
16. Warum ist Klaus in die Küche gegangen? *49*
17. Warum hat der Kapitän gelacht, als Klaus wieder an Deck gekommen ist? *53*

Noun Exercises

26. der, die, das

1. Jetzt haben wir keine Ferien.
2. Mein Onkel hat ein interessantes Leben.
3. Die Kinder haben ein schönes Heim.
4. Was für ein steiler Felsen!
5. Der Kapitän gibt einen Befehl.
6. Der Rhein ist ein langer Strom.
7. Die Lorelei ist ein schöner Anblick.
8. Wir hören diesen Gesang gern.
9. Er sucht einen bekannten Piloten[7] auf.
10. Er steuert ein grosses Flugzeug.
11. Klaus macht einen Handstand.
12. Wo finden wir einen wirklich guten Menschen[7]?
13. Warte noch einen Augenblick!
14. Klaus schneidet eine dicke Zwiebel.

1. _____ Ferien sind immer zu kurz. *die*
2. _____ Leben in der Stadt ist teuer. *das*
3. Wo liegt _____ Heim? *das*
4. Das ist _____ Loreleifelsen. *der*
5. _____ Befehl ist sehr kurz. *der*
6. Wie breit ist _____ Strom? *der*
7. Gefällt Ihnen _____ Anblick? *der*
8. _____ Gesang ist wunderschön. *der*
9. _____ Pilot ist blond und ruhig. *der*
10. Sehen Sie _____ Flugzeug? *das*
11. _____ Handstand ist prima! *der*
12. Ist _____ Mensch abergläubisch? *der*
13. _____ Augenblick ist gekommen. *der*
14. _____ Zwiebel liegt dort drüben. *die*

---

[7] Note that **Pilot** and **Mensch** have an **-en** in all cases except the nominative singular.

27. SINGULAR → PLURAL

1. Das Kinderheim liegt herrlich.	1. Die Kinderheime liegen herrlich.
2. Wo ist dieser Felsen?	2. Wo sind diese Felsen?
3. Der Befehl soll kurz sein.	3. Die Befehle sollen kurz sein.
4. Der Strom ist in Deutschland.	4. Die Ströme sind in Deutschland.
5. Der Anblick ist unheimlich.	5. Die Anblicke sind unheimlich.
6. Der Pilot verlässt das Flugzeug.	6. Die Piloten verlassen das Flugzeug.
7. Das Flugzeug ist leer.	7. Die Flugzeuge sind leer.
8. Der Handstand macht mich schwach.	8. Die Handstände machen mich schwach.
9. Der gute Mensch hilft anderen.	9. Die guten Menschen helfen anderen.
10. Isst du die Zwiebel?	10. Isst du die Zwiebeln?

VARIATION

1. Die Kinderheime liegen herrlich.　　　1. Das Kinderheim liegt herrlich.

Verb Exercises

28. PATTERNED RESPONSE

1. Wo **wachsen** die Kinder **auf?**　　　Sie **wachsen** in einem Kinderheim **auf.**
   (in einem Kinderheim)

   Wo **wächst** der Junge **auf?**　　　Er **wächst** zu Hause **auf.**
   (zu Hause)

   Wo **ist** der Kapitän **aufgewachsen?**　　　Er **ist** in Deutschland **aufgewachsen.**
   (in Deutschland)

2. Wo **ertrinken** die Schiffer?　　　Sie **ertrinken** im Rhein.
   (im Rhein)

   Wo **sind** die Fischer **ertrunken?**　　　Sie **sind** im See **ertrunken.**
   (im See)

3. Wo **sterben** viele Leute?　　　In Autounfällen **sterben** viele Leute.
   (in Autounfällen)

   Wo **stirbt** der alte Fischer?　　　Er **stirbt** am Loreleifelsen.
   (am Loreleifelsen)

   Wann **ist** Beethoven **gestorben?**　　　Er **ist** 1827 **gestorben.**
   (1827)

Additional Structure Drills may be done at this point.

29. READING EXERCISE

Reread lines 1–10 of the narrative, changing all verb forms to the present tense.

EXERCISE BOOK: EXERCISE 5

RECOMBINATION EXERCISES

weil *and* denn

Both **weil** and **denn** mean *because.* They are used as conjunctions to introduce clauses. **Denn** requires verb-second position in the clause, **weil** requires verb-last position.

30. denn → weil

Wir bezahlen keinen Pfennig, denn er hat uns eingeladen. ⊗	Wir bezahlen keinen Pfennig, weil er uns eingeladen hat.
Wir fahren nur bis Bonn mit, denn es sind unsere letzten Ferientage.	Wir fahren nur bis Bonn mit, weil es unsere letzten Ferientage sind.
Wir wohnen in der leeren Koje, denn die Matrosenjungen sind nicht hier.	Wir wohnen in der leeren Koje, weil die Matrosenjungen nicht hier sind.
Sie sehen ihre Kinder nur alle paar Wochen, denn sie müssen eine Schule besuchen.	Sie sehen ihre Kinder nur alle paar Wochen, weil sie eine Schule besuchen müssen.
Sie dürfen das Steuerrad nicht halten, denn der Strom ist hier gefährlich.	Sie dürfen das Steuerrad nicht halten, weil der Strom hier gefährlich ist.

VARIATION: Use the right-hand column as a cue for a *weil → denn* drill.

alle paar

In Unit 5 you learned that **jeder** has a plural form, **alle.** Now, notice the use of **alle** in connection with **paar: alle paar,** *every few;* **alle paar Jahre,** *every few years.*

31. jeder → alle paar

Sie sehen die Kinder jede Woche. ⊗	Sie sehen die Kinder alle paar Wochen.
Sie überholen jede Minute einen Frachter.	Sie überholen alle paar Minuten einen Frachter.
Sie schauen jede Stunde aufs Wasser.	Sie schauen alle paar Stunden aufs Wasser.
Sie kommen jeden Tag an der Lorelei vorbei.	Sie kommen alle paar Tage an der Lorelei vorbei.
Sie fahren jeden Monat nach Rotterdam.	Sie fahren alle paar Monate nach Rotterdam.

VARIATION: Use the right-hand column as a cue for a *alle paar → jeder* drill.

eigentlich . . . doch

Sentences in which **eigentlich** (*actually*) occurs are often followed with **doch** (*however*). **Doch** used this way may be followed by either verb-first or verb-second position.

32. SUBJECT-VERB → VERB-SUBJECT

Eigentlich wollten wir bis Rotterdam fahren, doch es waren unsere letzten Ferientage.

Eigentlich wollten wir bis Rotterdam mitfahren, doch waren es unsere letzten Ferientage.

Ich sollte eigentlich den Frachter steuern, doch ich hatte grosse Angst.

Ich sollte eigentlich den Frachter steuern, doch hatte ich grosse Angst.

Klaus sollte eigentlich der Kapitänsfrau helfen, doch er wollte lieber die Lorelei sehen.

Klaus sollte eigentlich der Kapitänsfrau helfen, doch wollte er lieber die Lorelei sehen.

Eigentlich kennen wir die Sage von der Lorelei schon, doch wir hören sie immer wieder gern.

Eigentlich kennen wir die Sage von der Lorelei schon, doch hören wir sie immer wieder gern.

VARIATION: Use the right-hand column as a cue for a verb-subject → subject-verb drill.

33. DIRECTED DRILL

Sagen Sie, dass Klaus mit dem Kohlenfrachter fahren durfte! ⊗

Klaus durfte mit dem Kohlenfrachter fahren.

Sagen Sie, dass er keinen Pfennig dafür bezahlen musste!

Er musste keinen Pfennig dafür bezahlen.

Sagen Sie, dass er eigentlich eine Reise bis Rotterdam machen wollte!

Er wollte eigentlich eine Reise bis Rotterdam machen.

Sagen Sie, dass er in einer leeren Koje schlafen konnte!

Er konnte in einer leeren Koje schlafen.

Sagen Sie, dass er manchmal das Steuerrad halten durfte!

Er durfte manchmal das Steuerrad halten.

34. DIRECTED DIALOG

Fragen Sie *Hans,* wo er aufgewachsen ist!   *Wo bist du aufgewachsen?*
Sagen Sie, dass Sie in England aufgewachsen sind!   *Ich bin in England aufgewachsen.*

Fragen Sie *Ute,* ob das Fernsehen heute abend gut ist!   *Ist das Fernsehen heute abend gut?*
Sagen Sie, dass es heute abend einen guten Film gibt!   *Es gibt heute abend einen guten Film.*

Fragen Sie *Rolf,* ob er einen Handstand machen kann!   *Kannst du einen Handstand machen?*
Sagen Sie, dass Sie sehr sportlich sind!   *Ich bin sehr sportlich.*

Fragen Sie *Inge,* warum sie so rote Augen hat!   *Warum hast du so rote Augen?*
Sagen Sie, dass Sie immer weinen müssen, wenn Sie Zwiebeln schneiden!   *Ich muss immer weinen, wenn ich Zwiebeln schneide.*

Fragen Sie *Kurt,* wo sein Vater beschäftigt ist!   *Wo ist dein Vater beschäftigt?*
Sagen Sie, dass Ihr Vater bei der Regierung beschäftigt ist!   *Mein Vater ist bei der Regierung beschäftigt.*

EXERCISE BOOK: EXERCISE 6

1. Warum kann nichts passieren, wenn der Junge das Steuerrad hält?
2. Warum ist die Stelle an der Lorelei gefährlich?
3. Sind Steuermänner abergläubisch?

Conversation Buildup

I

STEUERMANN Willst du mal das Steuerrad halten?

JUNGE Gern. Kann auch nichts passieren?

STEUERMANN Keine Angst! Ich bleibe neben dir stehen. Und hier ist der Fluss ruhig und der Verkehr nicht so stark. Aber warte mal, wenn wir an der Lorelei vorbeifahren!

JUNGE Ist es wahr, dass dort früher viele Schiffer ertrunken sind?

STEUERMANN Das kann schon sein, denn der Fluss hat dort viele Schnellen. Da muss man schon vorsichtig sein.

JUNGE Und die Lorelei oben auf dem Felsen? Gibt es die wirklich?

STEUERMANN Ganz bestimmt!

JUNGE Sind Sie abergläubisch?

STEUERMANN Jeder Steuermann ist abergläubisch, wenn er an der Lorelei vorbeifährt.

REJOINDERS

Ich kann den Frachter steuern. Das ist einfach.
Ja, bei schönem Wetter ist das einfach.
Warte mal, bis der Verkehr stark wird!

Hast du in der Zeitung gelesen, dass jemand vom Loreleifelsen heruntergestürzt ist?
Ja, das war eine traurige Geschichte.
Nein, wann ist das passiert?

CONVERSATION STIMULUS

Günter steht beim Kapitän und sieht zu, wie er den Frachter steuert.
Es ist Günters erste Rheinfahrt. Da sagt der Kapitän plötzlich:

KAPITÄN Siehst du den steilen Felsen dort vor uns?

GÜNTER *Ja. Was für ein Felsen ist denn das?* . . . .

KAPITÄN *Du hast noch nie von der Lorelei gehört?*

II

GÜNTER So eine Rheinfahrt mach' ich wieder mal!

KARIN Ist es nicht langweilig, so langsam mit dem Frachter den Rhein hinunterzufahren?

GÜNTER Die Zeit ist viel zu schnell vergangen. Du glaubst gar nicht, was du alles sehen kannst. Die vielen Frachter und die vielen kleinen Städte am Ufer, dann die Lorelei und Bonn! Was für eine schöne alte Stadt!

KARIN Ich habe geglaubt, Bonn ist neu und modern.

GÜNTER Bonn sieht neu aus, ja—die Regierungsgebäude, die grossen Wohngebäude. Aber es gibt auch viele alte Häuser dort. Die Geschichte Bonns ist sehr interessant und alt. Die Uni-

1. Was kann man alles auf einer Rheinfahrt sehen?   A-LM GERMAN: LEVEL TWO—UNIT 17 | **117**
2. Was haben Sie über Bonn gehört?
3. Was hat Karin nicht gewusst?

versität steht seit 1784, und seit 1949 ist Bonn die Hauptstadt.

KARIN Nun genug jetzt! Ich weiss ja, dass du gut in Geschichte bist und alle Jahreszahlen weisst. Für mich ist Bonn immer noch ein kleines Dorf. Nur 130 000 Einwohner, und so etwas ist unsere Hauptstadt.

GÜNTER Haha! Da seh' ich wieder mal, wie dumm du bist und nicht die Zeitung liest. Seit 1969 gehören Godesberg und ein paar andere Dörfer zu Bonn, und unsere Hauptstadt hat jetzt über 300 000 Einwohner.

REJOINDERS

Eine Rheinfahrt ist wirklich etwas Schönes.
Was? Du hast noch nie etwas von Bonn gehört?

Wie weit bist du denn gefahren?
Was hast du alles gesehen?

Nur wenig. Erzähl mir was von Bonn!
Doch. Bonn ist . . . Bonn liegt . . .

CONVERSATION STIMULUS

Klaus und Günter kommen aus den Ferien zurück. Karin, Günters Schwester, möchte wissen, was er alles gesehen hat.

KARIN Ich habe nicht gewusst, dass du bis Bonn fahren wolltest.
GÜNTER *Eigentlich wollte ich bis Rotterdam fahren, aber ich hatte nicht genug Zeit.*

Writing

1. . . . , weil sie nicht mit dem F. fahren konnten.
2. . . . , weil er ihm die Stadt zeigen wollte.
3. . . . , weil sie die Lorelei sehen wollten.
4. . . . , weil ich das Boot steuern konnte.
5. . . . , weil er die Zwiebeln schneiden musste.

1. SENTENCE COMBINATION

Combine each of the following sentence pairs, using the conjunction **weil.**

BEISPIEL Er hatte heute keine Zeit. Er wollte noch nach Köln fahren.
Er hatte heute keine Zeit, weil er noch nach Köln fahren wollte.

1. Die beiden mussten den Zug nehmen. Sie konnten nicht mit dem Frachter fahren.
2. Klaus sollte einen Freund besuchen. Er wollte ihm die Stadt zeigen.
3. Viele Schiffer mussten ertrinken. Sie wollten die Lorelei sehen.
4. Ich wollte dem Kapitän helfen. Ich konnte das Boot steuern.
5. Fritz musste weinen. Er musste die Zwiebeln schneiden.

2. SENTENCE REWRITE

1. . . . , denn sie konnten nicht mit dem Frachter fahren.
2. . . . , denn er wollte ihm die Stadt zeigen.
3. . . . , denn sie wollten die Lorelei sehen.

Rewrite each of your answers above in the present, using the conjunction **denn.**

BEISPIEL Er hatte heute keine Zeit, weil er noch nach Köln fahren wollte.
Er hat heute keine Zeit, denn er will noch nach Köln fahren.

4. . . . , denn ich konnte das Boot steuern.
5. . . . , denn er musste die Zwiebeln schneiden.

REFERENCE LIST

Nouns

der Anblick, –e	das Fernsehen	das Kinderheim, –e	die Sage, –n
der Augenblick, –e	der Fischer, –	der Komponist, –en	die Sängerin, –nen
der Befehl, –e	das Flugzeug, –e	das Leben, –	der Seebär, –en
der Dampfer, –	der Frachter, –	der Mensch, –en	der Steuermann, ¨er
der Einwohner, –	die Frau, –en	der Matrose, –n	der Strom, ¨e
die Fahrt, –en	der Gesang, ¨e	der Pilot, –en	die Tiefe, –n
der Felsen, –	der Handstand, ¨e	die Regierung, –en	die Wohnung, –en
die Ferien, pl.	der Kapitän, –e	der Rhein	die Zwiebel, –n

Weak Verbs

anschauen	bezahlen	kämmen	übernachten
aufsuchen	dauern	staunen	zwinkern
besichtigen	entfernen	stürzen(ist)	

Strong Verbs

ansehen (sieht an, angesehen)
aufwachsen (wächst auf, ist aufgewachsen)
ertrinken (ertrinkt, ist ertrunken)
sterben (stirbt, ist gestorben)

verlassen (verlässt, verlassen)
vorbeifahren (fährt vorbei,
    ist vorbeigefahren)

Adjectives and Adverbs

abergläubisch	blond	leer	seekrank	abwärts	eigentlich	regelmässig
bekannt	entfernt	richtig	steil	allein	hinab	wirklich
beschäftigt	gewiss-	ruhig	unheimlich	aufwärts	hinunter	zuletzt

Other Words and Expressions

alle paar	doch	jemand	niemand	und ob!
an Bord	gar nicht	man	seit	zu zweit
ausser	ist geboren	neben	über	zu dritt

Noun Prefixes

Bundes-   Haupt-

Die Lorelei

Ich weiß nicht, was soll es bedeuten,
Daß ich so traurig bin;
Ein Märchen aus alten Zeiten,
Das kommt mir nicht aus dem Sinn.

Die Luft ist kühl und es dunkelt,
Und ruhig fließt der Rhein;
Der Gipfel des Berges funkelt
Im Abendsonnenschein.

Die schönste Jungfrau sitzet
Dort oben wunderbar,
Ihr goldnes Geschmeide blitzet,
Sie kämmt ihr goldenes Haar.

Sie kämmt es mit goldenem Kamme,
Und singt ein Lied dabei;
Das hat eine wundersame,
Gewaltige Melodei.

Den Schiffer im kleinen Schiffe
Ergreift es mit wildem Weh;
Er schaut nicht die Felsenriffe,
Er schaut nur hinauf in die Höh.

Ich glaube, die Wellen verschlingen
Am Ende Schiffer und Kahn;
Und das hat mit ihrem Singen
Die Lorelei getan.

HEINRICH HEINE[8]
(1797–1856)

das Märchen (*fairy*) *tale*	**die Jungfrau** *maiden*	**das Weh** *grief*
der Sinn *mind, sense*	**das Geschmeide** *jewels*	**die Felsenriffe** *rocky reef*
dunkeln *get dark*	**blitzen** *to sparkle*	**die Welle** *wave*
fliessen *flow*	**gewaltig** *powerful*	**verschlingen** *to devour*
funkeln *to glisten*	**ergreifen** *to seize*	**der Kahn** *boat*

Wasserstraßen Deutschlands

Vor ein paar Wochen habe ich im Fernsehen einen interessanten Kurzfilm gesehen! Romantische Wasserstraßen Deutschlands. Ich habe eigentlich nie geglaubt, daß Flüsse besonders romantisch sind. Der Rhein im Ruhrgebiet[9] sieht mehr wie eine

---

[8] **Heinrich Heine** was one of Germany's greatest lyric poets.

[9] The **Ruhrgebiet,** most famous for its coal and steel industries, is the largest industrial area on the European continent. Located in northwestern Germany, it is the most densely populated area in the country. Several important cities are Bochum, Essen, Duisburg and Dortmund.

5 graue, breite Straße aus, voll mit Schleppern° und Frachtschiffen, die den Fluß hinauf und hinunterfahren.

der Schlepper, -: *tug*

Der Film hat gezeigt, wie zwei junge Leute, ein Mann mit seiner Frau, in einem kleinen Motorboot durch Deutschland fahren, welche Wasserstraßen sie nehmen, wo sie einkaufen, wo 10 sie übernachten und was sie alles auf ihrer Reise sehen.

Die Fahrt begann in Bremerhaven, wo die Weser in die Nordsee mündet° und wo die beiden wohnen. Zuerst sind sie die Weser aufwärts gefahren, durch Bremen, bei Minden in den Mittelland-Kanal, dann in den Dortmund-Ems-Kanal und bei Oberhausen 15 in den Rhein. Hier wurde die Reise in dem kleinen Boot nicht ganz ungefährlich. Oft konnte ich es gar nicht sehen, wenn ein anderes Schiff es überholt hat. Und manchmal habe ich geglaubt, daß es versinkt, wenn es durch die großen Wellen° fahren mußte.

münden: *to mouth*

die Welle, -n: *wave*

Der Rhein, der längste Fluß Deutschlands, ist bis Rheinfelden 20 schiffbar°. Hier sieht man Schiffe aus vielen Ländern, Rhein-dampfer und Frachter und Schlepper, die nicht nur einen von den vielen Rheinhäfen besuchen, sondern auf den Nebenflüssen° und Kanälen in andere Länder fahren. So kann ein kleiner Frachter, zum Beispiel, den Rhein hinauffahren, die Mosel aufwärts, durch 25 einige Kanäle in Frankreich und die Rhone hinab ins Mittel-meer°. Man kann also wirklich sagen, daß Wasserstraßen die Nordsee mit dem Mittelmeer verbinden°.

schiffbar: *navigable*

der Nebenfluß, ⸚e: *tributary*

das Mittelmeer: *Mediterranean Sea*

verbinden: *to connect*

Flüsse mit Nebenflüssen			
Flüsse mit Nebenflüssen	**Länge in km**	**Flüsse mit Nebenflüssen**	**Länge in km**
RHEIN	1 360	ELBE	1 112
(*in Deutschland*)	865	(*in Deutschland*)	748
Mosel	540	Saale	427
(*in Deutschland*)	242	Havel	337
Main	524		
Neckar	371	DONAU	2 850
Lahn	245	(*in Deutschland*)	647
Lippe	237	Lech	260
Ruhr	235	(*in Deutschland*)	167
		Isar	295
WESER	440	(*in Deutschland*)	263
Werra	293	Inn	510
Fulda	218	(*in Deutschland*)	218
EMS	371		

Note: The names of the rivers are mostly feminine with the exception of the following: der Rhein, der Neckar, der Main, der Lech, and der Inn.

BASIC MATERIAL I

Andere Länder, andere Sitten

Mein Onkel, ein berühmter Kunstkritiker, besuchte vor Jahren[1] eine Ausstellung in New York. Er übernachtete in einem Hotel in der Nähe vom Bahnhof. Nach europäischer Sitte stellte er seine schmutzigen Schuhe in den Korridor. Als er aber am nächsten Morgen die Tür öffnete, entdeckte er, dass seine Schuhe nicht da waren. Er telefonierte mit dem Hotelmanager, und dieser erklärte ihm, dass die Angestellten keine Schuhe putzen und dass es einen Schuhputzer im Frisörladen unten in der Halle gibt.

Answers to Exercise 9.2: *besucht / übernachtet / stellt / öffnet, entdeckt, sind / telefoniert, erklärt*

Supplement

Was hat der Onkel?	Er hat eine Menge Geld.
	Er besitzt Gemälde.
Was tut der Onkel?	Er geniesst das Leben.
	Er erlebt viel.
Was ist er von Beruf?	Künstler.
	Schriftsteller.
	Schauspieler.
	Er arbeitet auch als Berater.

---

[1]The preposition **vor** is used here in an expression of time and is followed by dative case forms.

◀ *Deutsche Kunst in einer New Yorker Galerie*

When in Rome, Do as the Romans Do
(Different Countries, Different Customs)

Years ago my uncle, a famous art critic, went to an exhibition in New York. He stayed overnight in a hotel near (in the vicinity of) the station. According to European custom he put his dirty shoes out in the hall. But when he opened the door the next morning he discovered that his shoes were not there. He called up the hotel manager, who explained to him that the employees did not shine shoes, and that there was a shoeshine man in the barbershop downstairs in the lobby.

Supplement

What does the uncle have?	He has a lot of money.
	He owns (possesses) paintings.
What does the uncle do?	He enjoys life.
	He experiences a lot.
What is his profession?	Artist.
	Writer.
	Actor.
	He also works as an adviser.

Vocabulary Exercises

1. QUESTIONS ON BASIC MATERIAL

1. Was ist der Onkel?
2. Was sammelt er vielleicht?
3. Was ist in New York?
4. Was machte der Onkel vor Jahren?
5. Wo übernachtete er?

6. Was machte er mit seinen Schuhen?
7. Was entdeckte er am nächsten Morgen?
8. Mit wem telefonierte er?
9. Was erklärte der Manager dem Onkel?
10. Was musste der Onkel tun?

2. FREE RESPONSE

1. Kennen Sie einen berühmten Künstler? Komponisten? Schriftsteller? Schauspieler?
2. Was können Sie alles in New York besuchen?
3. Besitzen Sie Gemälde? Was besitzen Sie? Was besitzt Ihr Vater?
4. Wie geniessen Sie das Leben?
5. Wo übernachten Sie, wenn Sie eine Reise machen?
6. Was tun Sie, wenn Ihre Schuhe schmutzig sind?
7. Was machen die Angestellten in einem Schuhgeschäft? Kleidergeschäft? Buchladen? Hotel?

Noun Exercises

Nouns ending in **-ung** are always feminine. They form their plural by adding **-en: die Regierung, die Regierungen; die Ausstellung, die Ausstellungen.**

3. der, die, das

1. Holland ist ein kleines Land.	1. Wo liegt ___ Land? *das*
2. Mir gefällt die spanische Kunst.	2. ___ Kunst kann man nicht kaufen. *die*
3. Das Hotel hat einen langen Korridor.	3. Wie lang ist ___ Korridor? *der*
4. Wir suchen einen Angestellten[2].	4. Wo wohnt ___ Angestellte? *der*
5. Wo ist hier ein guter Frisör?	5. Wie heisst ___ Frisör? *der*
6. Meine Tante besitzt einen grossen Laden.	6. In welcher Strasse liegt ___ Laden? *der*
7. Das ist ein teures Gemälde.	7. Wie teuer ist ___ Gemälde? *das*
8. Sein Vater hat einen guten Beruf.	8. Was ist ___ Beruf von seinem Vater? *der*

4. SINGULAR → PLURAL

1. Dieses Land ist nicht sehr gross.	1. Diese Länder sind nicht sehr gross.
2. Ich geniesse die Kunst.	2. Ich geniesse die Künste.
3. Dieser Korridor ist eng.	3. Diese Korridore sind eng.
4. Wie heisst der neue Angestellte?	4. Wie heissen die neuen Angestellten?
5. Dieser Frisör ist berühmt.	5. Diese Frisöre sind berühmt.
6. Dieser Laden ist schon geschlossen.	6. Diese Läden sind schon geschlossen.
7. Dieses Gemälde kostet 1 000 Mark.	7. Diese Gemälde kosten 1 000 Mark.
8. Dieser Beruf ist langweilig.	8. Diese Berufe sind langweilig.

1. Diese Länder sind nicht sehr gross.

VARIATION

1. *Dieses Land ist nicht sehr gross.*

Verb Exercise

5. CUED RESPONSE

Was **besitzt** der Onkel? (Gemälde)	Der Onkel **besitzt** Gemälde.
Was hat er einmal **besessen?** (viel Geld)	Er hat einmal viel Geld **besessen.**
Was **geniesst** der Onkel? (die vielen Reisen)	Der Onkel **geniesst** die vielen Reisen.
Was hat er **genossen?** (das Leben)	Er hat das Leben **genossen.**

---

[2]Note that **der Angestellte** has an **-n** in all cases except the nominative singular.

Grammar

Past Time: The Narrative Past of Weak Verbs

PRESENTATION

> Ich **besuche** eine Ausstellung.
> Ich **besuchte** eine Ausstellung.

> Wir **telefonieren** mit dem Manager.
> Wir **telefonierten** mit dem Manager.

> Sie **stellen** die Schuhe in die Halle.
> Sie **stellten** die Schuhe in die Halle.

What is the difference between the verb forms in the two sentences of each pair?–This difference marks the past tense of weak verbs in German.

> Ich **besuchte** eine Ausstellung.
> Mein Onkel **stellte** die Schuhe in die Halle.
> Wir **erklärten** dem Manager alles.
> Die Angestellten **putzten** die Schuhe nicht.
> Was **sagtest** du zum Schuhputzer?
> Wann **entdecktet** ihr, dass die Schuhe weg waren?

Which verb endings are added to the past tense marker in the **ich**-form? **er**-form? **wir**-form? **sie**-form? **du**-form? **ihr**-form?

> Ich **übernachtete** in New York.
> Er **öffnete** die Tür.

Name the verb stem of each of these verbs. Name the past tense marker. What connects the verb with the past tense marker? *DRILLS 6.1–6.3; 7.1*

> Ich **kenne** den Hotelmanager nicht.
> Ich **kannte** den Hotelmanager nicht.

> Der Schuhputzer **bringt** die Schuhe zurück.
> Der Schuhputzer **brachte** die Schuhe zurück.

Name the verb in the first and second sentence of each pair. What changes are there in addition to the past tense marker? *DRILLS 7.2; 7.3; 8; 9*

GENERALIZATION

NARRATIVE PAST TENSE FORMS OF WEAK VERBS				
person	*verb stem*	*past tense marker*	*ending*	*verb form*
ich	besuch	te	-	besuchte
du	besuch	te	st	besuchtest
er, sie, es	besuch	te	-	besuchte
wir	besuch	te	n	besuchten
ihr	besuch	te	t	besuchtet
sie, Sie	besuch	te	n	besuchten

1. a. To form the narrative past tense of weak verbs, the past tense marker **-te** is added to the verb stem.

VERB	STEM	PAST
besuchen	besuch-	besuch<u>te</u>
sagen	sag-	sag<u>te</u>

b. Verbs with stems ending in **-t** or **-d** and many with stems ending in **-n** have an extra **-e-** between the verb stem and the past tense marker.

warten	wart-	wart<u>ete</u>
enden	end-	end<u>ete</u>
öffnen	öffn-	öffn<u>ete</u>

2. The **ich**-form and the **er**-form have the same verb form and do not take an additional ending.

ich besuch<u>te</u>   ich öffn<u>ete</u>
er besuch<u>te</u>   er öffn<u>ete</u>

3. The other persons have the usual personal endings in addition to the past tense marker.

wir **sagten**   du **sagtest**
sie, Sie **sagten**   ihr **sagtet**

4. All verbs whose past participle ends in **-t** (**gesagt, gestellt,** etc.) are weak and form their past tense as indicated above.

5. There are a few verbs that have a stem vowel change in the past tense forms, and **bringen** and **denken** have a consonant change as well. The following verbs have appeared thus far:

INFINITIVE	PAST TENSE	PAST PARTICIPLE
kennen	kannte	gekannt
rennen	rannte	gerannt
wissen	wusste	gewusst
bringen	brachte	gebracht
denken	dachte	gedacht

Use of the Narrative Past of Weak Verbs

1. Thus far you have been using the conversational past tense, often called the present perfect tense, to express past time. As the name indicates, it is the usual past tense of conversation.

UWE	Was **hast** du in New York **gemacht?**
OTTO	Ich **habe** eine Ausstellung **besucht.**
UWE	Wo **hast** du **übernachtet?**
OTTO	Ich **habe** am Bahnhof **übernachtet.**

2. In general, the narrative past tense, also referred to as the past tense, is used more frequently in writing than in conversation. It is heard more often in the North than in the South. In both conversation and writing it is used in telling about a sequence of past events because it produces a simpler style when there are many verbs in succession.

> Mein Onkel **besuchte** New York. Er **übernachtete** in einem Hotel und **stellte,** nach europäischer Sitte, die Schuhe in den Korridor. Als er am nächsten Morgen die Tür **öffnete, entdeckte** er, dass die Schuhe nicht da **waren.** Er **telefonierte** mit dem Hotelmanager, und dieser **erklärte** ihm, dass . . .

These examples might have been in the first person: **Ich besuchte, ich übernachtete,** etc. Since narrative usually takes place in the first or third person, second person forms like **du sagtest** or **ihr sagtet** are less common. Note, however, that even in conversation, all past tense forms of modals and of **haben** and **sein** are used very frequently.

UWE	Wo **warst** du in Amerika?
OTTO	Ich **war** in New York.
UWE	Was **musstest** du dort tun?
OTTO	Nichts. Ich **hatte** Ferien.

STRUCTURE DRILLS

6. PERSON-NUMBER SUBSTITUTION

1. Mein Onkel besuchte eine Ausstellung. ⊗   Mein Onkel besuchte eine Ausstellung.
   Wir _____.   Wir besuchten eine Ausstellung.
   Ich _____.   Ich besuchte eine Ausstellung.
   Die Angestellten _____.   Die Angestellten besuchten eine Ausstellung.
   Der Frisör _____.   Der Frisör besuchte eine Ausstellung.
   Inge und Ursel _____.   Inge und Ursel besuchten eine Ausstellung.

2. Am Morgen öffnete ich die Tür. ⊗   *öffneten–öffneten–öffnete–öffneten–*
   (wir–die beiden–der Hotelmanager–sie(Plural)–ich)   *öffnete*

3. Sie übernachteten in der Nähe vom Bahnhof.   *übernachtete–übernachteten–übernachteten–*
   (mein Onkel–Peter und Rolf–wir–die beiden–Peter)   *übernachteten–übernachtete*

7. PRESENT → NARRATIVE PAST

1. Ich besuche eine Ausstellung. ⊗   Ich besuchte eine Ausstellung.
   Ich übernachte in Hamburg.   Ich übernachtete in Hamburg.
   Ich stelle die Schuhe in den Korridor.   Ich stellte die Schuhe in den Korridor.
   Ich öffne am Morgen die Tür.   Ich öffnete am Morgen die Tür.
   Ich telefoniere mit dem Manager.   Ich telefonierte mit dem Manager.

2. Kennst du den Schuhputzer? ⊗   Kanntest du den Schuhputzer?
   Bringst du die Schuhe zu ihm?   Brachtest du die Schuhe zu ihm?
   Rennst du wieder weg?   Ranntest du wieder weg?
   Denkst du, die Schuhe sind schmutzig?   Dachtest du, die Schuhe waren schmutzig?
   Weisst du das nicht?   Wusstest du das nicht?

3. Wir machen die Reise.   *Wir machten die Reise.*
   Sie bezahlen nichts dafür.   *Sie bezahlten nichts dafür.*
   Er steuert den Frachter den Rhein abwärts.   *Er steuerte den Frachter den Rhein abwärts.*
   Wir berichten dem Kapitän etwas.   *Wir berichteten dem Kapitän etwas.*
   Sie beachten die gefährliche Stelle nicht.   *Sie beachteten die gefährliche Stelle nicht.*

VARIATION: Use the right-hand column as cue for a Narrative Past → Present drill.

8. CONVERSATIONAL PAST → NARRATIVE PAST

Wo hat dein Onkel übernachtet? ⊗   Wo übernachtete dein Onkel?
Was hat er in den Korridor gestellt?   *Was stellte er in den Korridor?*
Wann hat er die Tür geöffnet?   *Wann öffnete er die Tür?*
Was hat er entdeckt?   *Was entdeckte er?*
Mit wem hat er dann telefoniert?   *Mit wem telefonierte er dann?*
Was hat ihm der Manager erklärt?   *Was erklärte ihm der Manager?*

VARIATION: Use the right-hand column as cue for a Narrative Past → Conversational Past drill.

9. READING EXERCISES

1. Read each of the following sentences aloud, changing all verb forms to the past tense.

   (a) Heute regnet, donnert und blitzt es den ganzen Tag; manchmal schneit es sogar.

   (b) Wir bummeln durch die Stadt, schauen in einige Geschäfte und besuchen am Nachmittag eine Kunstausstellung.

   (c) Der alte Hund gehorcht nur mir; er folgt mir in die Garage, und ich streichle und füttere ihn dort.

   (d) Ich suche eine Platte aus, lege sie auf, und schon tanzen meine Freunde. Sie stimmen mir nachher zu, dass die Musik einfach toll ist.

   (e) Nach der Schule haben die beiden immer viel vor; manchmal säubern sie das Auto oder putzen die Räder, oft üben sie Geige oder spielen Korbball.

   (f) Ich hole meine Freundin um ein Uhr ab, und wir planen zusammen den Nachmittag. Zuerst besichtigen wir das neue Schiff im Hafen, dann suchen wir einen Schulfreund auf und hören bei ihm Schlagermusik.

   (g) Hans ärgert seinen Bruder, bis er lacht oder weint.

2. Reread the story **"Andere Länder, andere Sitten"** in the present tense omitting the time expression **vor Jahren** in the first line.

(a) regnete, donnerte, blitzte, schneite
(b) bummelten, schauten, besuchten
(c) gehorchte, folgte, streichelte, fütterte
(d) suchte, legte, tanzten, stimmten, war
(e) hatten, säuberten, putzten, übten, spielten
(f) holte, planten, besichtigten, suchten, hörten
(g) ärgerte, lachte, weinte

Writing

EXERCISE BOOK: EXERCISE 1

SENTENCE REWRITE

Rewrite each of the sentences in the narrative past.

You may want to teach your students some additional vocabulary: *das Sofa, der Sessel, der Boden, der Lautsprecher, der Aschenbecher, das Sofakissen, die Gardinen.*

Onkel Heinrichs Wohnzimmer vor dem Einbruch

BASIC MATERIAL II

Aus dem Polizeibericht

Berlin, 13. September—Einen unglaublich frechen Einbruch führten Diebe in der vergangenen Woche aus. Herr S., ein bekannter moderner Maler in Berlin, war nach Süddeutschland verreist. Als er gestern zurückkehrte, bemerkte er schon an der Haustür, dass sein Alarmsystem nicht funktionierte. Er war jedoch entsetzt, als er ein leeres Haus erblickte.

Einbrecher hatten, während er eine Woche in München verbrachte, seinen ganzen Hausrat fortgeschafft. Der Verlust war hoch: alle neuen Möbel, mehrere wertvolle Teppiche, zwei neue Fernsehgeräte—nur wenige wertlose Sachen haben die Diebe zurückgelassen.

Supplement

Was tun Diebe?   Diebe stehlen.
Was haben die Diebe gestohlen?   Mehrere kostbare Kunstgegenstände.

Was tut ein Maler?   Er malt.
Warum verkauft er seine Bilder?   Er kriegt Geld dafür.

From the Police Files

BERLIN, September 13—Last week thieves committed an unbelievably daring burglary. Mr. S., a well-known modern painter from Berlin, had traveled to Southern Germany. When he returned yesterday, the first thing he noticed (he noticed right away at the front-door) was that his burglar alarm wasn't working. He was, however, shocked when he saw an empty house.

While he was spending a week in Munich, burglars had taken away everything in the house (all the household belongings). The loss was great (high): all new furniture, several valuable carpets, two new television sets—the thieves left only a few worthless items behind.

Supplement

What do thieves do?   Thieves steal.
What did the thieves steal?   Several valuable (expensive) objects of art.

What does a painter do?   He paints.
Why does he sell his pictures?   He gets money for them.

Vocabulary Exercises

10. QUESTIONS ON BASIC MATERIAL

1. Wer führte einen Einbruch aus?
2. Was für einen Einbruch führten sie aus?
3. Wer ist Herr S.?
4. Wohin verreiste er?
5. Was bemerkte er, als er zurückkehrte?
6. Warum war er entsetzt?
7. Was haben die Einbrecher fortgeschafft?
8. Was haben sie zurückgelassen?

11. FREE RESPONSE

1. Welche Städte liegen in Süddeutschland?
2. Haben Sie ein Alarmsystem zu Hause?
3. Verreisen Sie nächstes Jahr, wenn Sie Ferien haben? Wohin?
4. Was stehlen Diebe?

Noun Exercises

12. der, die, das

1. Sie führten einen Einbruch aus.
2. Mein Onkel erblickte den frechen Dieb.
3. Wir haben kein gutes Alarmsystem.
4. Sie schafften seinen ganzen Hausrat fort.
5. Er hat einen grossen Verlust.
6. Seine Möbel sind neu.
7. Er hatte einen guten Teppich.
8. Er hatte auch ein neues Fernsehgerät.
9. Ich besitze keinen Kunstgegenstand.

1. Wann passierte _____ Einbruch?   *der*
2. Wie alt war _____ Dieb?   *der*
3. Wie funktionierte _____ Alarmsystem?   *das*
4. Wie neu war _____ Hausrat?   *der*
5. Wie hoch ist _____ Verlust?   *der*
6. Kosten _____ Möbel viel?   *die*
7. Wie wertvoll war _____ Teppich?   *der*
8. _____ Fernsehgerät war wertvoll.   *das*
9. _____ Kunstgegenstand ist bekannt.   *der*

13. SINGULAR → PLURAL

1. Der Einbruch passierte abends.
2. Der Dieb schaffte alles fort.
3. Das Alarmsystem funktionierte nicht.
4. Der Verlust war hoch.
5. Der Teppich war wertvoll.
6. Das Fernsehgerät war wertlos.
7. Mein Onkel kaufte einen Kunstgegenstand.

1. Die Einbrüche passierten abends.
2. Die Diebe schafften alles fort.
3. Die Alarmsysteme funktionierten nicht.
4. Die Verluste waren hoch.
5. Die Teppiche waren wertvoll.
6. Die Fernsehgeräte waren wertlos.
7. Mein Onkel kaufte Kunstgegenstände.

VARIATION

1. **Die Einbrüche passierten abends.**

1. *Der Einbruch passierte abends.*

Verb Exercises

14. CUED RESPONSE

1. **Lassen** die Diebe die Möbel **zurück?** (nein)   Nein, sie **lassen** die Möbel nicht **zurück.**
   Was **lässt** der Dieb **zurück?** (die Teppiche)   Der Dieb **lässt** die Teppiche **zurück.**
   Was hat er **zurückgelassen?** (nichts)   Er hat nichts **zurückgelassen.**

2. Was **stehlen** die Einbrecher? (wertvolle   Die Einbrecher **stehlen** wertvolle Sachen.
   Sachen)
   Was **stiehlt** der Dieb nicht? (Gemälde)   Der Dieb **stiehlt** Gemälde nicht.
   Was hat er **gestohlen?** (den Hausrat)   Er hat den Hausrat **gestohlen.**

3. Seit wann <u>**ist**</u> er **verreist?** (seit Mai)   Er <u>**ist**</u> seit Mai **verreist.**
   Wann <u>**ist**</u> er **zurückgekehrt?**   Er <u>**ist**</u> gestern **zurückgekehrt.**

Grammar

Adjectives After Numerals and After the Determiners of Quantity: andere, einige, mehrere, wenige, viele, alle, beide

PRESENTATION

Moderne Bilder liegen hier.
Zwei moderne Bilder liegen hier.

Diese teuren Gemälde gefallen mir.
Diese drei teuren Gemälde gefallen mir.

Name the adjectives in the first pair of sentences. Is the adjective in the first sentence preceded by a determiner? In the second one? What kind of determiner is the word that precedes the adjective in the second sentence? What can you say about the adjective ending?—Name the adjectives in the second pair of sentences. What is the ending of each adjective? Does the numeral affect the ending in the second sentence? *DRILL 15*

Diese Künstler wohnen in Berlin.
Viele Künstler wohnen in Berlin.

Welche Maler sind schon bekannt?
Einige Maler sind schon bekannt.

In the two pairs of sentences above, name the determiners of quantity. How do their endings compare with the ending of a **dieser**-word?

> **Welche deutschen** Kritiker sind bekannt?
> **Diese deutschen** Kritiker sind bekannt.
>
> **Viele deutsche** Kritiker sind bekannt.
> **Einige deutsche** Kritiker sind bekannt.

Compare the endings of an adjective following a **dieser**-word with the endings of an adjective following a determiner of quantity.

> **Seine teuren** Teppiche sind weg.
> **Alle teuren** Teppiche sind weg.
>
> Sie haben **meine wertvollen** Bilder fortgeschafft.
> Sie haben **beide wertvollen** Bilder fortgeschafft.

What is the adjective ending after **alle?** After **beide?** Are these adjective endings different from the adjective endings after **einige, mehrere, wenige,** and **viele?** What determiners regularly require an **-en** ending on a following adjective in the plural? *DRILLS 16; 17*

GENERALIZATION

1. Adjective endings are unaffected by a preceding numeral, except **ein**[3].

> **Moderne** Bilder liegen hier.
> **Zwei moderne** Bilder liegen hier.
>
> **Diese teuren** Gemälde gefallen mir.
> **Diese drei teuren** Gemälde gefallen mir.

2. The determiners of quantity **andere, einige, mehrere, wenige,** and **viele** have the same plural endings of **dieser-** and **ein**-words.

> **Diese** Maler sind schon bekannt.
> **Einige** Maler sind schon bekannt.

3. When one of the determiners of quantity is followed by an adjective, determiner and adjective have the same ending.

> **Mehrere moderne** Maler wohnen in Berlin.
> **Andere teure** Bilder kaufe ich nicht.

4. **Alle** and **beide** follow the same pattern as the plural of **dieser-** and **ein**-words: a following adjective always ends in **-en.**

> **Alle teuren** Teppiche gefallen mir.
> **Beide teuren** Teppiche gefallen mir.

---

[3] **Ein** used as a numeral follows the same pattern already learned for **ein** used as an indefinite article.

NOTE: When **beide, andere,** and **viele** are used after a definite article or a **dieser**-word, they take the usual plural adjective ending **-en.**

> **Beide teuren** Teppiche gefallen mir.
> **Die beiden teuren** Teppiche gefallen mir.

Summary Chart

Determiner	Adjective	
Diese	teuren	Bilder gefallen mir.
Teure	-	Bilder gefallen mir.
Andere	teure	Bilder gefallen mir.
Einige	teure	Bilder gefallen mir.
Mehrere	teure	Bilder gefallen mir.
Viele	teure	Bilder gefallen mir.
Wenige	teure	Bilder gefallen mir.
Alle	teuren	Bilder gefallen mir.
Beide	teuren	Bilder gefallen mir.
Diese	beiden teuren	Bilder gefallen mir.
Diese	anderen teuren	Bilder gefallen mir.
Diese	vielen teuren	Bilder gefallen mir.

STRUCTURE DRILLS

15. SENTENCE EXPANSION

Er kaufte moderne Bilder. (zwei) ⊗   Er kaufte zwei moderne Bilder.
Er brauchte die neuen Teppiche. (drei)   Er brauchte die drei neuen Teppiche.
Er sieht den frechen Dieben zu. (zwei)   Er sieht den zwei frechen Dieben zu.
Er besitzt alte Gemälde. (fünf)   Er besitzt fünf alte Gemälde.
Er stellte seine kostbaren Kunstgegenstände ins Zimmer. (zwei)   Er stellte seine zwei kostbaren Kunstgegenstände ins Zimmer.

16. DETERMINER SUBSTITUTION—I

Diese wertvollen Teppiche kaufe ich. ⊗
Einige _____.   Einige wertvolle Teppiche kaufe ich.
Meine alten Bilder sind wertlos.
Mehrere _____.   Mehrere alte Bilder sind wertlos.
Die europäischen Briefmarken sind schön.
Wenige _____.   Wenige europäische Briefmarken sind schön.
Diese bekannten Künstler wohnen in Berlin.
Viele _____.   Viele bekannte Künstler wohnen in Berlin.
Die neuen Angestellten müssen lernen.
Alle _____.   Alle neuen Angestellten müssen lernen.
Diese wertvollen Ringe hat er verloren.
Beide _____.   Beide wertvollen Ringe hat er verloren.

17. DETERMINER SUBSTITUTION—II

Die bekannten Maler verdienen viel Geld. ⊗ Die bekannten Maler verdienen viel Geld.
Zwei _____.   Zwei bekannte Maler verdienen viel Geld.
Alle _____.   Alle bekannten Maler verdienen viel Geld.
Mehrere _____.   Mehrere bekannte Maler verdienen viel Geld.

Die wertlosen Sachen lassen sie zurück.   Die wertlosen Sachen lassen sie zurück.
Wenige _____.   Wenige wertlose Sachen lassen sie zurück.
Alle _____.   Alle wertlosen Sachen lassen sie zurück.
Zehn _____.   Zehn wertlose Sachen lassen sie zurück.

Die berühmten Künstler wohnen in München.
Drei _____.   *Drei berühmte Künstler wohnen in München.*
Beide _____.   *Beide berühmten Künstler wohnen in München.*

Einige _____.   *Einige berühmte Künstler wohnen in München.*

18. DIRECTED DRILL

Sagen Sie, dass ein bekannter Maler aus Berlin nach München verreiste!   Ein bekannter Maler aus Berlin verreiste nach München.

Sagen Sie, dass er eine Woche dort verbrachte!   *Er verbrachte eine Woche dort.*

Sagen Sie, dass die Diebe den ganzen Hausrat fortschafften!   *Die Diebe schafften den ganzen Hausrat fort.*

Sagen Sie, dass sie alle wertvollen Teppiche mitgenommen haben!   *Sie haben alle wertvollen Teppiche mitgenommen.*

Sagen Sie, dass sie nur wenige wertlose Sachen zurückgelassen haben!   *Sie haben nur wenige wertlose Sachen zurückgelassen.*

19. FREE SUBSTITUTION

Ich kenne <u>mehrere</u> gute <u>Maler</u>. *viele, einige, beide, / Komponist, Schriftsteller, Künstler*

<u>Viele</u> wertvolle <u>Teppiche</u> gibt es hier. *mehrere, alle, einige / Vase, Gemälde, Kunstgegenstand*

20. FREE RESPONSE

Was für einen Einbruch führten die Diebe aus?

Wer ist nach Süddeutschland verreist?

Was bemerkte der Maler, als er zurückkehrte?

Warum war er entsetzt?

Was haben die Einbrecher gemacht?

Wann ist der Einbruch passiert?

Was haben die Diebe fortgeschafft?

Was haben sie nur zurückgelassen?

Writing

EXERCISE BOOK: EXERCISES 2 AND 3
SENTENCE CONSTRUCTION

1. *Der Onkel erblickt mehrere wertlose Teppiche.*
2. *Er kauft diese beiden teuren Bilder.*
3. *Er schafft alle guten Möbel fort.*
4. *Wir kaufen zwei teure Alarmsysteme.*
5. *Ich lasse diese beiden wertlosen Fernsehgeräte zurück.*
6. *Der Maler malt viele schöne Gemälde.*

Write a sentence in the present tense for each group of words given, making any necessary changes in the words. Follow the example.

BEISPIEL   Einbrecher / stehlen / viel / wertvoll / Bild
<u>Der Einbrecher stiehlt viele wertvolle Bilder.</u>

1. Onkel / erblicken / mehrere / wertlos / Teppich
2. er / kaufen / diese / beide / teuer / Bild
3. er / fortschaffen / alle / gut / Möbel
4. wir / kaufen / zwei / teuer / Alarmsystem
5. ich / zurücklassen / diese / beide / wertlos / Fernsehgerät
6. Maler / malen / viel / schön / Gemälde

SECTION C ⊗

Listening Comprehension: Exercises 17, 18, 19
Structure Drills 26; 27.1–27.2

Reading

Word Study

In German, as in English, nouns and verbs can have the same stem form. It is easy to understand a noun which means the person or thing that performs an activity suggested by a verb. Such nouns usually consist of the verb stem plus the suffix **-er.** They are always masculine. Sometimes they take an umlaut. For example, if you know the verb **besitzen,** you should be able to guess the meaning of the noun **der Besitzer.**

PERSONS	**fahren**	*to drive*	**der Fahrer**	*driver*
	malen	*to paint*	**der Maler**	*painter*
THINGS	**mähen**	*to mow*	**der Mäher**	*mower*
	wecken	*to wake*	**der Wecker**	*alarm clock*

Die Einbrecher

An einem freien Samstagnachmittag führte° ich meine Schulfreundin Brigitte in die Orangerie des Schlosses Charlottenburg[4], ein berühmtes Kunstmuseum. Wir wohnen beide nicht weit enfernt, und auf dem Wege ist mir die Geschichte meines Onkels
5 und der Einbrecher eingefallen°, und ich erzähle sie ihr.

Dieser Onkel wohnt am Kurfürstendamm[5], eine Straße fast so berühmt wie der New Yorker Broadway, eine breite, lange Avenue, funkelnd° und glitzernd zur Nachtzeit. Jener Onkel ist 62 Jahre alt und Junggeselle. Er ist viel gereist, hat viele Künstler
10 auf der ganzen Welt° besucht und wollte die moderne Malerei populär machen. Besonders Paul Klee hat er gesammelt, aber auch Franz Marc, Baumeister, Nolde[6] und andere Maler jener° Epoche, zu einer Zeit, wo jene noch fast unbekannt waren. Er kaufte damals Bilder von ihnen und verdiente, weil er etwas von
15 Kunst verstanden hat, nach dem Krieg° viel Geld. Er arbeitete auch als Berater bei internationalen Ausstellungen.

// Einmal reiste er wieder fort./ Vorher hat er seine orientalischen Teppiche, die antiken Vasen und alten Uhren, die er sammelte, zu meiner Mutter gebracht./ Den übrigen Haushalt, eine
20 große Wohnung mit sieben Zimmern, verriegelte° er mit zwei neuen, starken Schlössern und überreichte dem Hausbesitzer die Schlüssel./ Mit dem Fernsehgerät und dem Radio hat er alle berühmten modernen Bilder drinnen gelassen./ Meine Eltern waren entsetzt, denn wie in allen Großstädten kommen auch hier
25 unzählige° Einbrüche vor./ Und mein Onkel beabsichtigte nämlich, für drei Monate zu verreisen, zuerst nach München, dann nach Rom und New York, dem neuen Kunstzentrum der Welt./

Mein Onkel besuchte zuerst die europäischen Städte. Als er zwei Tage in New York war, erreichte° ihn ein Telegramm von
30 meinen Eltern, daß in seiner Wohnung ein Einbruch stattgefunden° hat. Er schickte meinem Vater einen Luftpostbrief und

führen: *to lead, to take along*

mir ist eingefallen: *I remembered*

funkelnd: *sparkling*

auf der Welt: *in the world*

jener,-e,-es: *that, that one*

der Krieg, -e: *war*

verriegeln: *to bolt*

unzählig: *innumerable*

ereichen: *to reach*

stattfinden: *to take place*

---

[4] **Schloß Charlottenburg,** built between 1695 and 1699, for Queen Sophie Charlotte, wife of Frederick I of Prussia, is a famous museum today. The National Gallery is housed in the Orangerie.

[5] **Der Kurfürstendamm** is the best-known avenue in West Berlin, famous for its shops, restaurants and cafés.

[6] **Paul Klee, Franz Marc,** and **Willi Baumeister** were abstract painters, **Emil Nolde** an expressionist painter.

Answers to Exercise 25: *reist / bringt, sammelt / verriegelt, überreicht / lässt / sind / beabsichtigt / besucht*

fragte, was man bei diesem Einbruch gestohlen hat. Er hörte bald, daß die Einbrecher nur den Fernseher und den Radioapparat mitgenommen haben. Die unglaublich wertvollen Bilder berühr-
35 ten° sie nicht. Sie schafften bloß die beiden Geräte fort und verkauften sie dann wohl irgendwo. Viel kriegten sie nicht dafür, die Diebe.

    Mein Onkel lachte bloß.

    Als er dann aus Amerika zurückkehrte, brachte er doch ein
40 Alarmsystem an°.

    Als ich meiner Freundin Brigitte die Geschichte erzählte, lachte auch sie und sagte dann: „Weißt du, Günter, früher entdeckten die Diebe immer, was wirklich wertvoll war. Aber heute!" Sie seufzte°. Sie meinte es natürlich nicht ganz ernst. „Gut, daß
45 dein Onkel nicht über den Verlust der beiden Apparate trauerte", sagte sie.

    „Nein", sagte ich „trauern ist nicht seine Art°. Er erlebte immer viel auf seinen Reisen und will nun wieder fortfahren. ‚Mit 62 Jahren kann man mehr sehen, mehr hören, ja sogar mehr
50 ertragen°', sagte er einmal in einem Gespräch mit mir. ‚Ich verdiente eine Menge Geld mit meinen Bildern, ich lernte viele Länder und Menschen kennen, und die übrigen° Jahre meines Lebens will ich genießen. Nun schaue ich mir die Welt an.'"

    Brigitte grinste. „Ein seltener° Onkel!" sagte sie. „Der gefällt
55 mir, Günter!"

berühren: *to touch*

anbringen: *to install*

seufzen: *to sigh*

die Art: *way, manner*

ertragen: *to bear*

übrig: *remaining*

selten: *rare*

Dictionary Section

beabsichtigen vorhaben: *Wir beabsichtigen, morgen in die Ausstellung zu gehen.*

bloß nur: *Er sagte nichts; er lachte bloß.*

damals zu jener Zeit: *Als er ein junger Künstler war, hatte er oft Hunger. Damals hatte er wenig Geld.*

Fernseher-Fernsehgerät-Fernsehapparat *Wenn Sie einen Fernseher zu Hause haben, können Sie die Programme sehen, die im Fernsehen kommen.*

fort weg: *Wir müssen jetzt fort und sind in vielleicht zwei Stunden wieder da.*

Gespräch wenn zwei oder mehr Leute miteinander sprechen, führen sie ein Gespräch: *Gestern führte ich mit meinem Onkel ein langes Gespräch.*

Junggeselle ein Mann ohne Frau: *Mein Bruder will keine Frau haben; er will Junggeselle bleiben.*

Kunstzentrum eine Stadt, wo viele Kunstgegenstände und oft viele Künstler zu finden sind:

New York, Paris und München sind Kunstzentren.

Malerei *In der Kunstgalerie sind viele Bilder. Dort können Sie die traditionelle und die moderne Malerei besichtigen.*

Schloß *Wenn niemand zu Hause ist, müssen Sie ein gutes Schloß an der Haustür haben, sonst können Diebe einbrechen.*

Schlüssel für ein Schloß brauchen Sie einen Schlüssel: *Ich kann nicht ins Haus gehen, denn ich habe meinen Schlüssel vergessen, und niemand ist zu Hause.*

trauern über etwas traurig sein: *Ein Dieb hat Peters Rad gestohlen; er trauert über den Verlust seines Rades.*

vorkommen passieren: *Einbrüche kommen oft in einer Großstadt vor.*

wohl wahrscheinlich: *Er fährt wohl nach München.*

21. QUESTIONS

1. Was machte Günter einmal an einem freien Samstagnachmittag?   *1*
2. Wo wohnten Günter und Brigitte?   *3*
3. Was ist Peter auf dem Wege zum Museum eingefallen?   *4*
4. Wo wohnte Günters Onkel?   *6*
5. Warum reiste der Onkel immer viel?   *9*
6. Wie wurde der Onkel reich?   *14*
7. Was brachte der Onkel wieder einmal zu Günters Mutter?   *17*
8. Was machte er noch, bevor er verreiste?   *19*
9. Was hat der Onkel alles in der Wohnung gelassen?   *22*
10. Warum war Günters Mutter so entsetzt?   *24*
11. Warum schickten Günters Eltern dem Onkel ein Telegramm?   *30*
12. Was haben die Einbrecher alles mitgenommen?   *33*
13. Was haben sie aber nicht berührt?   *34*
14. Was sagte Brigitte, als sie von dem Einbruch hörte?   *42*
15. Warum trauerte der Onkel nicht über diesen Verlust?   *47*
16. Warum verreist der Onkel schon wieder?   *48*

Noun Exercises

22. der, die, das

1. Ich kenne einen alten Junggesellen[7].
2. Der Onkel reist um die Welt.
3. Haben Sie jene Malerei gern?
4. Er hat den Krieg nicht gern.
5. Ich kann meinen Schlüssel nicht finden.
6. München ist ein grosses Kunstzentrum.

7. Wir schicken ein kurzes Telegramm.
8. Macht den Fernseher nicht kaputt!
9. Ich habe einen neuen Radioapparat.
10. Das ist nicht seine Art.

11. Wir führten ein langes Gespräch.

1. Wo wohnt _____ Junggeselle?   *der*
2. _____ Welt ist unglaublich gross.   *die*
3. _____ moderne Malerei gefällt mir.   *die*
4. Wann hat _____ Krieg begonnen?   *der*
5. Wo ist _____ andere Schlüssel?   *der*
6. Wie heisst _____ Kunstzentrum in Amerika?   *das*
7. Wie lange braucht _____ Telegramm?   *das*
8. _____ Fernseher ist ganz heiss.   *der*
9. Wie teuer war _____ Radioapparat?   *der*
10. Das ist _____ beste Art, das Leben zu geniessen.   *die*
11. _____ Gespräch war interessant.   *das*

---

[7]Note that **Junggeselle** has an **-n** in all cases except the nominative singular.

23. SINGULAR ⟶ PLURAL

1. Der Junggeselle hat viel Zeit.
2. Der Krieg kostet viel Geld.
3. Der Schlüssel passt nicht.
4. Das Kunstzentrum liegt in der Nähe.
5. Das Telegramm erreicht ihn nicht.
6. Der Fernseher steht noch im Laden.
7. Der Radioapparat ist kaputt.
8. Haben Sie das Gespräch gehört?

1. Die Junggesellen haben viel Zeit.
2. Die Kriege kosten viel Geld.
3. Die Schlüssel passen nicht.
4. Die Kunstzentren liegen in der Nähe.
5. Die Telegramme erreichen ihn nicht.
6. Die Fernseher stehen noch im Laden.
7. Die Radioapparate sind kaputt.
8. Haben Sie die Gespräche gehört?

VARIATION

1. **Die Junggesellen haben viel Zeit.**

1. *Der Junggeselle hat viel Zeit.*

Verb Exercises

24. CUED RESPONSE

1. Was will Ihnen nicht **einfallen?** (die Geschichte von den Einbrechern)
   Was **fällt** dem Peter eben **ein?** (dass er nach Hause gehen muss)
   Was <u>ist</u> Ihnen **eingefallen?** (nichts)

   Die Geschichte von den Einbrechern will mir nicht **einfallen.**
   Dem Peter **fällt** eben **ein,** dass er nach Hause gehen muss.
   Mir <u>ist</u> nichts **eingefallen.**

2. Wohin **reisen** Sie diesen Sommer? (nach Europa)
   <u>Sind</u> Sie schon mal nach Europa **gereist?** (noch nie)

   Diesen Sommer **reise** ich nach Europa.

   Nein, ich **bin** noch nie nach Europa **gereist.**

25. READING EXERCISE

Read lines 17–28 aloud, changing all past tense forms to the present.

EXERCISE BOOK: EXERCISE 4

RECOMBINATION EXERCISES

Jener

Jener, jene, jenes (*that, that one*) are dieser-words and take the same endings as **dieser.**

26. PATTERNED RESPONSE

Gehört Ihnen dieses Gemälde? ⊗
Hat er diese Vase verkauft?

Nein, mir gehört jenes Gemälde.
Nein, er hat jene Vase verkauft.

(*continued*)

(*continued*)

Lernen Sie bei diesem Maler?	Nein, ich lerne bei jenem Maler.
Kaufen Sie diesen Wagen?	Nein, ich kaufe jenen Wagen.
Ist dieser Beruf langweilig?	Nein, jener Beruf ist langweilig.
Passen diese Schuhe zu dem Kleid? *VARIATION*	Nein, jene Schuhe passen zu dem Kleid.

Gehört Ihnen jenes Gemälde?   *Nein, mir gehört dieses Gemälde.*

als *with Past Tense Verb Forms*

The past tense is normally used after **als,** meaning *when.* **Als** generally indicates one single event in the past. A clause beginning with **als** takes verb-last word order.

27. VERB SUBSTITUTION

1. Als mein Onkel lachte, war ich froh. ⊗

    ——————————(bezahlen), ————.

    ——————————(telefonieren), ———.

    ——————————(zurückkehren), ——.

    ——————————(antworten),————.

    Als mein Onkel lachte, war ich froh.

    Als mein Onkel bezahlte, war ich froh.

    Als mein Onkel telefonierte, war ich froh.

    Als mein Onkel zurückkehrte, war ich froh.

    Als mein Onkel antwortete, war ich froh.

2. Als ich die Tür öffnete, hörte er mich. ⊗

    (die Vase berühren)

    (den Garten erreichen)

    (die Bilder fortschaffen)

    (die Tür verriegeln)

    (nach Hause zurückkehren)

    Als ich die Tür öffnete, hörte er mich.

    Als ich die Vase berührte, hörte er mich.

    Als ich den Garten erreichte, hörte er mich.

    Als ich die Bilder fortschaffte, hörte er mich.

    Als ich die Tür verriegelte, hörte er mich.

    Als ich nach Hause zurückkehrte, hörte er mich.

VARIATION: **Use different subjects in the first clause and a corresponding object in the second:** Als wir die Tür öffneten, hörte er uns.

Additional structure drills may be done at this point. *Writing*

```
┌─────────────────────────────────────┐
│ SECTION D  ⊗                         │
│                                      │
│ Listening Comprehension: Exercise 20 │
│ Additional Structure Drills          │
│ Listening Comprehension: Exercise 21 │
└─────────────────────────────────────┘
```

SENTENCE COMBINATION

Combine each of the following pairs of sentences. Begin with the clause introduced by **als.**

    BEISPIEL   Sein Onkel entdeckte die Diebe. Er verriegelte die Tür.

                Als sein Onkel die Diebe entdeckte, verriegelte er die Tür.

1. Günter führte seine Freundin in ein Museum. Er erzählte ihr eine Geschichte.
2. Die beiden erreichten den Kurfürstendamm. Es regnete und donnerte.
3. Der Onkel reiste nach Amerika. Er brachte seine wertvollen Sachen zu Günters Mutter.
4. Er kaufte damals Bilder. Er verdiente eine Menge Geld.
5. Er arbeitete als Kunstkritiker. Er reiste wieder einmal fort.
6. Er besuchte New York. Ein Telegramm erreichte ihn.

1. Als G. . . . führte, erzählte er . . .   *4. Als er . . . kaufte, verdiente er . . .*

2. Als die beiden . . . erreichten, regnete und donnerte es.   *5. Als er . . . arbeitete, reiste . . . fort.*

3. Als der Onkel . . . reiste, brachte er . . .   *6. Als er . . . besuchte, erreichte . . .*

Conversation Buildup

I

WOLFGANG	Ich hab' ein Bild von deinem Vater in der Zeitung gesehen. Was ist dein Vater?
HEINZ	Mein Vater ist Kunstkritiker. Er schreibt über Kunst und Künstler, besonders über moderne Malerei.
WOLFGANG	Kein schlechter Beruf, was?
HEINZ	Nein. Mein Vater verreist viel. Er besichtigt Ausstellungen auf der ganzen Welt. Letzte Woche war er erst in Amerika, und nächste Woche fährt er nach Rom. Dort findet die internationale Kunstausstellung statt.
WOLFGANG	Kannst du manchmal mitfahren?
HEINZ	Mein Vater hat mich schon mitgenommen. Ich war mit ihm in London und in Paris. Aber es war gar nicht so interessant. Ich musste immer mitgehen zu den Ausstellungen und in Museen, und das finde ich immer so langweilig.

1. Was macht der Vater von Heinz?
2. Wohin verreist er?
3. Wo ist Heinz schon mit seinem Vater gewesen?

REJOINDERS

Ich fahre manchmal mit meinem Vater weg.
Moderne Malerei gefällt mir gut.

Wohin fährst du mit ihm?
Mein Vater nimmt mich nie mit, wenn er wegfährt.

Hast du schon die Ausstellung in unserem Museum gesehen?
Ich kann viele moderne Bilder nicht verstehen.

CONVERSATION STIMULUS

Franz wohnt mit seinen Eltern in Berlin, und er möchte so gern mit seinem Vater nach München fahren. Der Vater rät ihm aber, dass er zu Hause bleiben und für seine Prüfung lernen soll.

FRANZ	Ich lese eben in der Zeitung, dass in zwei Wochen im Haus der Kunst[8] eine Ausstellung von französischen Malern stattfindet.
VATER	Ja, und? Das weiss ich.
FRANZ	*Du musst doch hinfahren, nicht? . . . .*

---

[8] **Das Haus der Kunst** in Munich is a big gallery for modern art. Each year many special exhibitions are held there.

1. Wo sind Inge und ihre Mutter?
2. Warum hat Inges Mutter Angst?
II 3. Was können Diebe aus der Wohnung stehlen?
4. Was hat Inges Mutter in der Zeitung gelesen?

MUTTER   Hast du die Tür gut verriegelt? Onkel Heinrich sagte, dass sein Alarmsystem nicht funktioniert.

INGE   Und ob! Diese beiden Schlösser kann kein Einbrecher öffnen. Warum hast du so eine grosse Angst?

MUTTER   Ich bleibe nicht gern ohne Vater in Onkel Heinrichs Wohnung.

INGE   Diese paar alten Bilder stiehlt doch niemand!

MUTTER   Aber hier sind so viele andere wertvolle Dinge in der Wohnung. Ein Dieb kann so etwas schnell verkaufen: die beiden grossen Fernsehgeräte, Onkel Heinrichs antike Vasen und den wertvollen Teppich im Wohnzimmer!

INGE   Ein Dieb kann doch nicht den schweren Teppich aus der Wohnung tragen!

MUTTER   Doch! Ich hab' letzte Woche in der Zeitung gelesen, dass Diebe mit einem Möbelauto gekommen sind und alle Möbel und den ganzen Hausrat weggefahren haben, als die Besitzer am Vormittag nur in der Stadt waren.

REJOINDERS

→ *Ich hab's selbst gesehen, wie du sie verriegelt hast.*
Hast du Angst! Zu uns kommt niemand und stiehlt etwas.

Steh doch mal auf und schau, ob ich alle Türen verriegelt habe!
Schau mal! Beim Nachbarn steht ein Möbelauto.

→ *Hm. Glaubst du, sie bekommen neue Möbel?*
Was da nur los ist? Die Müllers sind doch nicht zu Hause.

CONVERSATION STIMULUS

Als Herr Meisel mit seiner Frau von der Ferienreise zurückkommt, entdeckt er, dass Einbrecher in seinem Haus waren. Er ruft die Polizei an.

POLIZIST   Herr Meisel, Sie sind mit Ihrer Frau in den Ferien gewesen, als der Einbruch passiert ist?

HERR MEISEL   Ja, das ist richtig.

POLIZIST   *Und sie haben die Tür verriegelt, als sie weggefahren sind?* . . . .

Writing

SENTENCE REWRITE

Rewrite each of the following sentences in the narrative past substituting the word in parentheses for the underscored word. Make any other necessary changes.

BEISPIEL   Mein Onkel braucht einen neuen Teppich. (viele)
Mein Onkel brauchte viele neue Teppiche.

1. Der Dieb schafft <u>das</u> alte Fernsehgerät fort. (mehrere) *... mehrere alte ...*
2. Der Maler erblickt <u>einen</u> frechen Dieb. (zwei) *... zwei freche ...*
3. Der Manager kennt nur <u>einen</u> neuen Frisör. (wenige) *... wenige neue ...*
4. Der Hausbesitzer sammelt <u>einige</u> kaputte Schlösser. (alle) *... alle kaputten ...*
5. Der Berater erlebt <u>keine</u> frechen Einbrüche. (einige) *... einige freche ...*

EXERCISE BOOK: EXERCISES 7 AND 8

REFERENCE LIST

Nouns

der Angestellte, –n	das Gemälde, –	der Kunstgegenstand, ¨e	der Schlüssel, –
der Apparat, –e	das Gerät, –e	der Künstler, –	der Schriftsteller, –
die Art, –en	das Gespräch, –e	der Laden, ¨	der Schuhputzer, –
die Ausstellung, –en	die Halle, –n	das Land, ¨er	die Sitte, –n
der Berater, –	der Hausrat	der Maler, –	das Telegramm, –e
der Beruf, –e	der Hotelmanager, –	die Malerei	der Teppich, –e
der Dieb, –e	der Junggeselle, –n	die Menge, –n	die Vase, –n
der Einbrecher, –	der Korridor, –e	die Möbel, *pl*	der Verlust, –e
der Einbruch, ¨e	der Kritiker, –	die Nähe	die Welt, –en
der Fernseher, –	der Krieg, –e	der Schauspieler, –	das Zentrum,
der Frisör, –e	die Kunst, ¨e	das Schloss, ¨er	die Zentren

Weak Verbs

ausführen	entdecken	fortschaffen	kriegen	seufzen	verreisen(ist)
beabsichtigen	erblicken	führen	malen	stellen	zurückkehren(ist)
bemerken	erleben	funktionieren	öffnen	telefonieren	
berühren	erreichen	grinsen	reisen(ist)	trauern	

Strong Verbs

besitzen (besitzt, besessen)	stehlen (stiehlt, gestohlen)
einfallen (fällt ein, ist eingefallen)	verbringen (verbringt, verbracht)
ertragen (erträgt, ertragen)	vorkommen (kommt vor, ist vorgekommen)
geniessen (geniesst, genossen)	zurücklassen (lässt zurück, zurückgelassen)
stattfinden (findet statt, stattgefunden)	

Adjectives and Adverbs

berühmt	kostbar	übrig	vergangen	bloss	jedoch
entsetzt	nächst	unglaublich	wertlos	damals	wohl
frech	selten	unzählig	wertvoll	fort	

Other Words and Expressions

als	auf der Welt	jener	nach europäischer Sitte	während

Günter hat in der Zeitung von der Ausstellung „Graphik, Plastik° und Malerei des 20. Jahrhunderts" gelesen, die vom 1. September bis 15. November im Haus der Kunst in München stattfindet. Viele Kunstgegenstände, die dort zu sehen sind, kommen aus Privatbesitz.

die Plastik: *sculpture*

Günter interessiert sich sehr für moderne Kunst, und er hat vor, zu dieser Ausstellung nach München zu fahren. Er möchte auch andere Galerien besichtigen, die es in München gibt, und er hat in der Süddeutschen Zeitung den folgenden Plan gefunden.

Ausstellungen in München

Sammlung Holzinger
München 13, Heßstr. 58 (Nähe Augustenstr.) Tel. 52 54 77, zeigt bis Ende August Montag mit Freitag 10 bis 17 Uhr Max Raffler, der Bauer und Maler vom Ammersee

Galerie Gunzenhauser
München 13, Türkenstr. 23, Tel. 28 23 19: Ausgewählte Zeichnungen zum Simplicissimus. Münchner Malerei um 1900

„Die Schmuckgalerie"
Kaulbachstr. 41, Ecke Veterinärstr. Tel. 28 57 60: Danna Horvath und Josef Simon, CSSR, zeigen modernen Schmuck. Montag bis Freitag 10 bis 18 Uhr

Theatermuseum
München 22, Galeriestr. 4a: Komödianten. 500 Jahre komödiantes Theater in Europa. Bis Ende September. Geöffnet: dienstags bis samstags, 10 bis 16 Uhr, sonntags 10 bis 13 Uhr

Die Neue Sammlung
Prinzregentenstr. 3, zeigt bis 28. September die Ausstellung „Um 1930"–Bauten, Möbel, Geräte, Plakate, Photos. Geöffnet täglich von 10 bis 17 Uhr

Galerie Ketterer
München 80, Prinzregentenstr. 60, 26.6. bis 23.8.: Erich Brauer –Aquarelle, Graphik, täglich 8 bis 16 Uhr; Samstag 8 bis 13 Uhr, Sonntag geschlossen

Galerie-Verein München
Ausstellung in der Staatsgalerie, Prinzregentenplatz 1 (Haus der Kunst); Eduard Chillida, Zeichnungen, Collagen, Radierungen, vom 26.6. bis 24.8.

Galerie Rutzmoser
8 München 23, Occamstr. 3, Tel: 34 94 17, bis Anfang September: Künstler der Galerie. Geöffnet: Mo. bis Fr., 14 bis 18.30, Sa. 10 bis 13 Uhr. Eintritt frei

Staatl. Museum für Völkerkunde
München 22, Maximilianstraße 42: Altamerikanische Kunst–Mexiko, Peru, „Die Kunst des fünften Erdteils". Australische Felsbilder, Geräte und Kultgegenstände. Kunst des Ostens

Haus der Kunst
München 22, Prinzregentenstr. 1, Tel. 22 26 51: Große Kunstausstellung München 1969, bis 28. September, Fresken aus Florenz, bis 24. August, täglich 9 bis 18 Uhr. Kostenlose Führungen finden statt am 13.8., jeweils 16.15 Uhr

„die galerie"
München 8, Einsteinstr. 42, Tel. 44 03 50, bis 27.8. Surinda, v. Velde, Hüskens, Liese, Weber, werktags von 14 bis 18 Uhr

Galerie Thomas
8 München 22, Maximilianstr. 25 im Lenbachhaus, Luisenstr. 33, Tel. 52 14 21: Gernod Bubenik, neue Bilder

Franz Marc (1880–1916) Pferde auf der Heide

Paul Klee (1879–1940) Stadt R

BASIC MATERIAL I

Aus dem Schwarzwald[1]

1. Die Landschaft besteht aus dunklen Hügeln und Tannen.

2. Früher lebten die Bauern vom Acker und vom Vieh.

3. Sie melkten die Kühe und erneuerten ihre Höfe.

4. Viele waren Handwerker, und andere arbeiteten tagsüber in Webereien oder Fabriken.

5. Im Laufe der Zeit aber verrotteten die Höfe und Ställe, und die Strohdächer verfaulten allmählich.

Supplement

Was essen die Bauern?	Dicke Kartoffelsuppe.
	Ausgezeichnete Bachforellen und Pilzgerichte.
	Frische Himbeeren und Birnen.
Was für Tiere findet man auf einem Bauernhof?	Hühner und Truthähne.
	Enten und Gänse.
	Schweine, Schafe und Ziegen.

---

[1] **Der Schwarzwald** is a mountainous region in the southwestern part of Germany.

◀ *Im Schwarzwald.*

From the Black Forest

1. The countryside consists of dark hills with fir trees.

2. In the early days (earlier) the farmers lived off the fields and the livestock.

3. They milked the cows and renovated (renewed) their farms.

4. Many were craftsmen, and others worked during the day in (weaving) mills or factories.

5. In the course of time, however, their farms and stables became run-down (rotted), and the thatched (straw) roofs gradually became weather-beaten (decayed).

Supplement

What do the farmers eat?

Thick potato soup.
Excellent brook trout and mushroom dishes.
Fresh raspberries and pears.

What animals are found on a farm?

Chickens and turkeys.
Ducks and geese.
Pigs, sheep, and goats.

Vocabulary Exercises

1. QUESTIONS ON BASIC MATERIAL

1. Wie sieht die Landschaft im Schwarzwald aus?
2. Kauften die Bauern früher in der Stadt ein?
3. Was machten die Bauern mit den Kühen?
4. Was machten sie mit ihren Höfen?
5. Was waren viele Bauern?
6. Wo arbeiteten andere Bauern tagsüber?
7. Was passierte aber im Laufe der Zeit?
8. Was passierte mit den Strohdächern?

2. FREE RESPONSE

1. Essen Sie Fisch gern?
2. Haben Sie schon einmal Forelle gegessen?
3. Schmecken Ihnen Pilze?
4. Warum möchten Sie kein Pilzgericht essen?
5. Mögen Sie Kartoffelsuppe?
6. Essen Sie Himbeeren oder Birnen lieber?
7. Leben Sie zu Hause vom Acker und Vieh?
8. Was für Tiere können Sie auf einem Bauernhof sehen?

Noun Exercises

3. der, die, das

1. Der Schwarzwald hat eine herrliche Landschaft.
2. Die Bauern fahren um den Hügel.
3. Der Bauer hat einen grossen Acker.
4. Die Bauern haben gesundes Vieh.
5. Eine gute Kuh gibt viel Milch.
6. Er hat nur einen kleinen Hof.
7. Dort steht eine alte Weberei.
8. Der Bauer kommt aus der Fabrik.
9. Das Vieh geht in den Stall.
10. Das Haus hat ein altes Strohdach.
11. Ich esse noch eine Kartoffel.
12. Dieser kleine Bach hat viele Steine.
13. Ich habe einen grossen Pilz gefunden.
14. Mir schmeckt ein gutes Pilzgericht.
15. Ein altes Huhn schmeckt nicht gut.
16. Donnerstag essen wir einen Truthahn.
17. Eine weisse Gans schwimmt auf dem Wasser.
18. Das ist aber ein dickes Schwein!
19. Dieses kleine Schaf ist krank.

1. Ja, _____ Landschaft dort ist wirklich schön. *die*
2. Weisst du, wie _____ Hügel heisst? *der*
3. _____ Acker beginnt dort drüben. *der*
4. _____ Vieh ist im Stall. *das*
5. Wie alt ist _____ Kuh schon? *die*
6. Wie gross ist _____ Hof? *der*
7. Ist _____ Weberei offen? *die*
8. Wo steht _____ Fabrik? *die*
9. _____ Stall ist neben dem Haus. *der*
10. Ist _____ Strohdach noch gut? *das*
11. _____ Kartoffel ist zu heiss. *die*
12. Wie breit ist _____ Bach? *der*
13. Ist _____ Pilz auch gut? *der*
14. _____ Pilzgericht ist ausgezeichnet. *das*
15. _____ Huhn kostet DM 3,50. *das*
16. Wie gross ist _____ Truthahn? *der*
17. Hast du _____ Gans gesehen? *die*
18. _____ Schwein liegt im Stall. *das*
19. _____ Schaf ist schwach. *das*

4. SINGULAR → PLURAL

1. Der Hügel ist 100 Meter hoch.
2. Der Acker liegt neben dem Bauernhaus.
3. Die Kuh ist noch im Stall.
4. Der Hof verrottet.
5. Die Weberei ist tagsüber offen.
6. Die Fabrik ist ganz neu.
7. Der Stall verrottet allmählich.
8. Das Dach besteht aus Stroh.
9. Die Kartoffel ist noch warm.
10. Der Bach ist kalt.
11. Der Pilz schmeckt mir nicht.
12. Das Gericht besteht aus Pilzen. *VARIATION*
   1. **Die Hügel sind 100 Meter hoch.**

1. Die Hügel sind 100 Meter hoch.
2. Die Äcker liegen neben dem Bauernhaus.
3. Die Kühe sind noch im Stall.
4. Die Höfe verrotten.
5. Die Webereien sind tagsüber offen.
6. Die Fabriken sind ganz neu.
7. Die Ställe verrotten allmählich.
8. Die Dächer bestehen aus Stroh.
9. Die Kartoffeln sind noch warm.
10. Die Bäche sind kalt.
11. Die Pilze schmecken mir nicht.
12. Die Gerichte bestehen aus Pilzen.
   1. *Der Hügel ist 100 Meter hoch.*

Grammar

Narrative Past Tense of Strong Verbs
e → a

PRESENTATION

> Die Kühe **geben** viel Milch.
> Die Kühe **gaben** früher viel Milch.
> Diese Kuh **gab** früher viel Milch.

> Wir **helfen** dem Bauern[2] im Stall.
> Wir **halfen** dem Bauern gestern im Stall.
> Ich **half** dem Bauern gestern im Stall.

What is the tense of the second and third sentence in each set? How can you tell? Name the stem vowel of the verbs in these sentences. How do they differ from the stem vowel of the verb in the first sentence? Do the first and third person of the past tense have an ending?

> Die Schuhe **stehen** im Korridor.
> Die Schuhe **standen** im Korridor.

What additional change do you observe in the past tense form of the second sentence above?

DRILLS 5 and 6

STRUCTURE DRILLS

5. PRESENT → NARRATIVE PAST

In the following exercises all verbs have the **e** to **a** change in the past.

1. Wir lesen den Wetterbericht. ⊗   Wir lasen den Wetterbericht.
   Wir essen ein Pilzgericht.   Wir assen ein Pilzgericht.
   Wir sehen keine Forellen.   Wir sahen keine Forellen.
   Wir nehmen uns noch Kartoffelsuppe.   Wir nahmen uns noch Kartoffelsuppe.
   Wir helfen den Bauern gern.   Wir halfen den Bauern gern.
   Wir geben ihm die Himbeeren.   Wir gaben ihm die Himbeeren.

2. Die beiden betreten den Bauernhof.   Die beiden betraten den Bauernhof.
   Die beiden sprechen Deutsch.   *Die beiden sprachen Deutsch.*
   Die beiden stehlen nichts.   *Die beiden stahlen nichts.*
   Die beiden vergessen alles.   *Die beiden vergassen alles.*
   Die beiden verstehen Englisch.   *Die beiden verstanden Englisch.*
   Die beiden stehen an der Ecke.   *Die beiden standen an der Ecke.*

---

[2] Note that **Bauer** has an **-n** in all cases except the nominative singular.

VARIATION: Use the right-hand column as a cue for a Narrative Past → Present drill.

6. CONVERSATIONAL PAST → NARRATIVE PAST

1. Fritz hat die Fabrik gesehen. ⊗
   Fritz hat die Kartoffeln mitgenommen.
   Fritz hat seinen Schlüssel vergessen.
   Fritz hat die Handwerker getroffen.
   Fritz hat sein Wort gebrochen.

   Fritz sah die Fabrik.
   Fritz nahm die Kartoffeln mit.
   Fritz vergass seinen Schlüssel.
   Fritz traf die Handwerker.
   Fritz brach sein Wort.

2. Wer hat etwas gestohlen?
   Wer hat die Birnen gegessen?
   Wer ist gestorben?
   Wer hat tagsüber geholfen?
   Wer hat dir etwas versprochen?

   Wer stahl etwas?
   Wer ass die Birnen?
   Wer starb?
   Wer half tagsüber?
   Wer versprach dir etwas?

VARIATION: Use the right-hand column as a cue for a Narrative Past → Conversational Past drill.

GENERALIZATION

The Narrative Past of Strong Verbs

1. Unlike weak verbs, strong verbs have a stem vowel change in the past tense. The preceding Presentation and Structure Drills in this unit have concentrated on the stem vowel change of present **e** to past **a.** Those to follow will present other common patterns of stem vowel change. Since it is often impossible to predict just what this change will be for a given verb, the past tense of each strong verb must be learned the same way you have been learning past participles. The narrative past and the past participle are the essential "principal parts" that must be learned. For reference these principal parts, including present tense stem vowel changes, are listed in the Appendix.

2. The **ich**-form and the **er**-form of strong verbs are identical and have no ending. All other forms have the usual personal endings.

geben			
ich	**gab**	wir	**gaben**
du	**gabst**	ihr	**gabt**
er, sie, es	**gab**	sie, Sie	**gaben**

3. The principle parts of a strong verb with a prefix (separable or inseparable) are the same as the principle parts of that verb without the prefix: **Peter <u>kam</u> gestern. Peter <u>kam</u> gestern zurück. Sie <u>standen</u> dort. Sie <u>verstanden</u> es.**

4. The following is a summary of the verbs you have had which have the **e → a** vowel change in the narrative past. Note the additional consonant change in **stehen** and **treffen.**

Infinitive	Narrative Past	Infinitive	Narrative Past
betreten	**betrat**	sehen	**sah**
brechen	**brach**	sprechen	**sprach**
essen	**ass**	stehen	**stand**
geben	**gab**	stehlen	**stahl**
helfen	**half**	sterben	**starb**
lesen	**las**	treffen	**traf**
nehmen	**nahm**	vergessen	**vergass**

i → a

PRESENTATION

Wir **gewinnen** das Spiel.
Wir **gewannen** gestern das Spiel.
Ich **gewann** gestern das Spiel.

Die Kinder **singen** gern.
Die Kinder **sangen** gern.
Klaus **sang** gern.

What vowel change do you observe in the past tense sentences above? Do the **ich**- and **er**-form of the past tense verb have an ending?

Die beiden **sitzen** den ganzen Tag zu Hause.
Die beiden **sassen** den ganzen Tag zu Hause.

What additional change do you observe in the past tense form of the verb in the second sentence above? *DRILLS 7; 8*

GENERALIZATION

The following are the verbs you have had which follow the **i → a** pattern. Note the additional consonant change in **sitzen.**

Infinitive	Narrative Past	Infinitive	Narrative Past
beginnen	**begann**	schwimmen	**schwamm**
ertrinken	**ertrank**	singen	**sang**
finden	**fand**	sitzen	**sass**
gewinnen	**gewann**	trinken	**trank**
liegen	**lag**	versinken	**versank**

STRUCTURE DRILLS

7. PRESENT → NARRATIVE PAST

In the following exercises all verbs have the **i** to **a** change in the narrative past.

Wann beginnen die Vorstellungen? ⊗	Wann begannen die Vorstellungen?
Warum versinken so viele Schiffe?	Warum versanken so viele Schiffe?
Sie trinken kein Bier.	Sie tranken kein Bier.
Wo liegen meine Reifen?	Wo lagen meine Reifen?
Wo sitzen deine Geschwister?	Wo sassen deine Geschwister?
Mein Onkel besitzt schöne Gemälde.	Mein Onkel besass schöne Gemälde.

VARIATION: Use the right-hand column as a cue for a Narrative Past → Present drill.

8. CONVERSATIONAL PAST → NARRATIVE PAST

Die Lorelei hat ein Lied gesungen.	Die Lorelei sang ein Lied.
Viele Schiffer sind im Rhein ertrunken.	*Viele Schiffer ertranken im Rhein.*
Ihre Boote sind im Rhein versunken.	*Ihre Boote versanken im Rhein.*
Wir haben keine Pilze gefunden.	*Wir fanden keine Pilze.*
Einige Männer sind[3] ans Ufer geschwommen.	*Einige Männer schwammen ans Ufer.*
Wer hat das Spiel gewonnen?	*Wer gewann das Spiel?*

VARIATION: Use the right-hand column as a cue for a Narrative Past → Conversational Past drill.

ei → ie

PRESENTATION

Sie **schreiben** mir einen Brief.	Wir **leihen** ihm drei Mark.
Sie **schrieben** mir einen Brief.	Wir **liehen** ihm drei Mark.
Er **schrieb** mir einen Brief.	Ich **lieh** ihm drei Mark.

What vowel change do you observe in the past tense sentences above? Is the sound of the past tense marker long or short? Do the **ich**- and **er**-form of the past tense verb have an ending?

Wir **schneiden** das Brot mit einem Messer.
Wir **schnitten** das Brot mit einem Messer.

Die Jungen **pfeifen** den ganzen Tag.
Die Jungen **pfiffen** den ganzen Tag.

Name the vowel sound in the past tense sentences above. Is it long or short? What additional change do you observe? *DRILLS 9; 10; 11*

---

[3]Note that the auxiliary **sein** is used in the conversational past when direction is indicated; otherwise **haben** is used: **Ich bin ans Ufer geschwommen.** *but* **Ich habe heute morgen schon geschwommen.**

GENERALIZATION

The following are the verbs you have had which follow the **ei → ie** or **i** pattern. Note the additional consonant change in **pfeifen** and **schneiden**.

Infinitive	Narrative Past	Infinitive	Narrative Past
bleiben	**blieb**	schneiden	**schnitt**
heissen	**hiess**	schreiben	**schrieb**
leihen	**lieh**	schreien	**schrie**
pfeifen	**pfiff**	steigen	**stieg**
reiben	**rieb**	übertreiben	**übertrieb**
scheinen	**schien**		

STRUCTURE DRILLS

9. PRESENT → NARRATIVE PAST

In the following exercises all verbs have the **ie** to **ie (i)** change in the past.

Die Mädchen bleiben zu Hause. ⊗	Die Mädchen blieben zu Hause.
Die Kinder schreien laut.	Die Kinder schrien[4] laut.
Sie schneiden das Papier mit einer Schere.	Sie schnitten das Papier mit einer Schere.
Wir steigen aus dem Wagen.	Wir stiegen aus dem Wagen.
Sie reiben ihm Öl auf den Rücken.	Sie rieben ihm Öl auf den Rücken.
Wie heissen die Leute?	Wie hiessen die Leute?
Diese Bauern übertreiben gern.	Diese Bauern übertrieben gern.

VARIATION: Use the right-hand column as a cue for a Narrative Past → Present drill.

10. CONVERSATIONAL PAST → NARRATIVE PAST

Ich habe meinem Vetter geschrieben. ⊗	Ich schrieb meinem Vetter.
Die Sonne hat heute geschienen.	*Die Sonne schien heute.*
Otto hat mir das Rad geliehen.	*Otto lieh mir das Rad.*
Er hat ein Lied gepfiffen.	*Er pfiff ein Lied.*
Wie hat die Stadt geheissen?	*Wie hiess die Stadt?*
Der Wagen ist stehengeblieben.	*Der Wagen blieb stehen.*

VARIATION: Use the right-hand column as a cue for a Narrative Past → Conversational Past drill.

[4] Note that both the narrative past and the past participle of **schreien** usually omit the **-e** from the **-en** ending:
Die Kinder schrien laut. Die Kinder haben laut geschrien.

11. READING DRILL

Read each of the following sentences, changing all verb forms to the narrative past.

1. Günter sitzt in der Küche, trinkt Milch und isst Himbeeren.
2. Ich finde ein gutes Buch, leihe es meiner Kusine, und sie liest es gleich.
3. Die Diebe steigen durchs Fenster, betreten die Wohnung und stehlen mehrere wertvolle Gemälde.
4. Ursel bleibt zu Hause; sie nimmt ein Buch aus dem Wohnzimmer und beginnt zu lesen.

1. sass, trank, ass
2. fand, lieh, las
3. stiegen, betraten, stahlen
4. blieb, nahm, begann

Writing

CUED RESPONSE

Answer each of the following questions in the conversational past, using the cues given. Make any necessary changes. Then rewrite your answers, changing the verb to the narrative past.

BEISPIEL Was haben Sie Ihrem Onkel gegeben? (Schlüssel)
Ich habe meinem Onkel einen Schlüssel gegeben.
Ich gab meinem Onkel einen Schlüssel.

1. Mit wem haben die Handwerker gesprochen?   (Bauer)
2. Was haben die Kinder nicht gegessen?   (Kartoffelsuppe)
3. Wen haben Sie gestern getroffen?   (Lehrer)
4. Wann hat die Vorstellung begonnen?   (um 8 Uhr)
5. Was haben Sie Ihrem Onkel geliehen?   (Mäher)
6. Was haben Sie Ihrem Freund zurückgegeben?   (Illustrierte)

1. Die Handwerker haben mit den Bauern gesprochen. Die Handwerker sprachen . . .
2. Die Kinder haben die Kartoffelsuppe nicht gegessen. Die Kinder assen . . .
3. Ich habe gestern meinen Lehrer getroffen. Ich traf . . .
4. Die Vorstellung hat um 8 Uhr begonnen. Die Vorstellung begann . . .

BASIC MATERIAL II

SECTION B ⊗

Basic Material II and Supplement
Listening Comprehension: Exercise 23
Structure Drills: 18.1–18.2; 19.1; 20.1; 21.1

Bauern und Städter

1. Die ehemaligen Bauern zogen in die Stadt und mieteten Wohnungen.

2. Ihre Kinder waren nicht unglücklich. Sie wählten andere Berufe und wurden richtige Städter.

3. Abends ging die Jugend in Tanzlokale.

4. Die Städter nahmen andere Beschäftigungen an.

5. In ihrer Freizeit backten sie ihr eigenes Brot und sammelten Erdbeeren.

5. Ich habe meinem Onkel den Mäher geliehen. Ich lieh . . .
6. Ich habe meinem Freund die Illustrierte zurückgegeben. Ich gab . . . zurück.

Supplement

Was machen Sie in Ihrer Freizeit?   Ich gehe spazieren.
Ich gehe baden.

Ich wandere gern.
Ich turne gern.
Ich nähe gern.
Ich zeichne gern.

Nichts. Ich faulenze.

Farmers and City People

1. The former farmers moved into the city and rented apartments.
2. Their children were not unhappy. They chose different jobs (occupations) and became real city people.
3. In the evening the young people (youth) went dancing (to places where there was dancing).
4. The city people adopted (accepted) different activities.
5. In their leisure (free) time they baked their own bread and collected strawberries.

Supplement

What do you do in your spare time?   I take a walk. (I go walking).
I go swimming.

I like to hike.
I like to exercise.
I like to sew.
I like to draw.

Nothing. I loaf around.

Vocabulary Exercises

12. QUESTIONS ON BASIC MATERIAL

1. Was machten die ehemaligen Bauern in der Stadt?
2. Wurden die Bauernkinder auch wieder Bauern?
3. Wohin ging die Jugend?
4. Was nahmen die neuen Städter an?
5. Was machten sie in ihrer Freizeit?

13. FREE RESPONSE

1. Mieten Ihre Eltern eine Wohnung, oder haben sie ein eigenes Haus?
2. Haben Sie Erdbeeren in Ihrem Garten?
3. Bäckt Ihre Mutter selber, oder kauft sie den Kuchen beim Bäcker?
4. Was tun Sie in Ihrer Freizeit?

14. CUED RESPONSE

Was machen Sie, wenn das Wetter schön ist?   (spazierengehen) — Ich gehe spazieren.

Wenn es heiss ist?   (baden gehen) — *Ich gehe baden.*

Wenn es schneit?   (Schi laufen gehen) — *Ich gehe Schi laufen.*

Wenn Sie einen neuen Mantel brauchen? (einkaufen gehen) — *Ich gehe einkaufen.*

Wenn Sie Hunger haben?   (essen gehen) — *Ich gehe essen.*

Wenn Sie müde sind?   (schlafen gehen) — *Ich gehe schlafen.*

Noun Exercises

15. der, die, das

1. Der Bauer ist schon ein richtiger Städter.
2. Eine neue Jugend wächst jetzt auf.
3. Kennen Sie ein gutes Tanzlokal?
4. Meine Freizeit ist kostbar.

1. Wo kommt _____ Städter her?   *der*
2. Wie ist _____ Jugend von heute?   *die*
3. _____ Tanzlokal ist bekannt.   *das*
4. _____ Freizeit darf nicht langweilig sein.   *die*

16. SINGULAR → PLURAL

1. Ist der Städter unglücklich?
2. Das Lokal ist zu teuer.

1. Sind die Städter unglücklich?
2. Die Lokale sind zu teuer.

VARIATION

1. Sind die Städter unglücklich?

1. *Ist der Städter unglücklich?*

Verb Exercise

17. CUED RESPONSE

Wer **bäckt**[5] das Brot?   (Bäcker) — Der Bäcker **bäckt** das Brot.

Was haben Sie **gebacken?**   (Kuchen) — Ich habe einen Kuchen **gebacken.**

---

[5] **Backen** is a strong verb **(bäckt, gebacken),** but in the narrative past the weak form **backte** is usually used.

Grammar

Narrative Past of Strong Verbs (continued)
a, ä, o, u, au, e → i, ie

PRESENTATION

> Die Frachter **halten** in Bonn.
> Die Frachter **hielten** in Bonn.
>
> Die Schläuche **hängen** im Schuppen.
> Die Schläuche **hingen** im Schuppen.
>
> Zwei Autos **stossen zusammen.**
> Zwei Autos **stiessen zusammen.**
>
> Die beiden **rufen** die Lehrerin.
> Die beiden **riefen** die Lehrerin.
>
> Sie **laufen** wieder Schi.
> Sie **liefen** wieder Schi.
>
> Wir **gehen** gleich nach Hause.
> Wir **gingen** gleich nach Hause.

Study the vowel changes of the past tense forms in the sentences above carefully. Can you observe any other changes? Have students study the verb forms before beginning Structure Drills.

GENERALIZATION

The following are the verbs you have had whose stem vowel in the narrative past changes to **i** or **ie**. Note the additional consonant change in **gefallen** and **gehen**.

Infinitive	Narrative Past	Infinitive	Narrative Past
gefallen	**gefiel**	laufen	**lief**
gehen	**ging**	raten	**riet**
halten	**hielt**	rufen	**rief**
hängen	**hing**	schlafen	**schlief**
lassen	**liess**	stossen	**stiess**

STRUCTURE DRILLS

18. PRESENT → NARRATIVE PAST

1. Wo hängen die wertvollen Bilder? ⊗
   Wo schlafen die kleinen Jungen?
   Wem gefallen die alten Gemälde?
   Wohin laufen die blonden Mädchen?
   Wen rufen die beiden Kinder?

   Wo hingen die wertvollen Bilder?
   Wo schliefen die kleinen Jungen?
   Wem gefielen die alten Gemälde?
   Wohin liefen die blonden Mädchen?
   Wen riefen die beiden Kinder?

2. Ich rate eine falsche Zahl. ⊗
   Ich halte die Tasche für sie.
   Ich gehe zu meinem Vater.
   Ich lasse nie etwas übrig.
   Ich stosse mit einem Auto zusammen.

   Ich riet eine falsche Zahl.
   Ich hielt die Tasche für sie.
   Ich ging zu meinem Vater.
   Ich liess nie etwas übrig.
   Ich stiess mit einem Auto zusammen.

VARIATION: **Use the right-hand column as a cue for a Narrative Past → Present drill.**

19. CONVERSATIONAL PAST → NARRATIVE PAST

1. Hans ist gestern Schi gelaufen. ⊗
   Er hat heute lange geschlafen.
   Was hat er deinem Bruder geraten?
   Der Wagen hat an der Kreuzung gehalten.
   Der VW ist mit einem Lastwagen zusammengestossen.

   Hans lief gestern Schi.
   Er schlief heute lange.
   Was riet er deinem Bruder?
   Der Wagen hielt an der Kreuzung.

   Der VW stiess mit einem Lastwagen zusammen.

2. Mir hat der Film gut gefallen.
   Ich habe nichts übriggelassen.
   Ich bin in ein Tanzlokal gegangen.
   Ich habe meine Eltern angerufen.
   Meine Sachen haben dort gehangen.

   Mir gefiel der Film gut.
   Ich liess nichts übrig.
   Ich ging in ein Tanzlokal.
   Ich rief meine Eltern an.
   Meine Sachen hingen dort.

VARIATION: **Use the right-hand column as a cue for a Narrative Past → Conversational Past drill.**

a → u, o → a, ie → o, u → a

PRESENTATION

Wir **fahren** in den Schwarzwald.
Wir **fuhren** in den Schwarzwald.

Wir **kommen** durch einen Wald.
Wir **kamen** durch einen Wald.

Die Bauern **ziehen** in die Stadt.
Die Bauern **zogen** in die Stadt.

(continued)

(*continued*)

> Meine Brüder **tun** nichts.
> Meine Brüder <u>**taten**</u> nichts.

Study the vowel changes of the past tense forms in the sentences above carefully. Can you observe any other changes? Have students study the verb forms before beginning Structure Drills.

GENERALIZATION

The verbs in the following table follow the vowel changes just presented. Note the additional consonant changes in **kommen, tun,** and **ziehen.**

Infinitive	Narrative Past	Infinitive	Narrative Past
aufwachsen	**wuchs auf**	tragen	**trug**
einladen	**lud ein**	tun	**tat**
fahren	**fuhr**	verlieren	**verlor**
geniessen	**genoss**	waschen	**wusch**
giessen	**goss**	ziehen	**zog**
kommen	**kam**	zufrieren	**fror zu**
riechen	**roch**		

Use of the Narrative Past and the Conversational Past

1. When speaking of past events, the conversational past is usually used.

   > Ich **habe** meinen Bruder gestern **getroffen.**   *I met my brother yesterday.*

2. In a clause introduced by **als,** it is better to use the narrative past than the conversational past.

   > Als er in die Stadt **zog, mietete** er eine Wohnung.
   > *When he moved into the city, he rented an apartment.*

3. When using **haben, sein, werden,** and the modals, the narrative past is also preferred to the conversational past.

   > Wo **warst** du gestern?   Ich **konnte** nicht kommen.
   > *Where were you yesterday?*   *I couldn't come.*

4. As previously indicated in Unit 18, page 128, many German speakers often use the narrative past in relating a sequence of past events. Whether the narrative past or conversational past is used in speaking is a matter of style. Compare these sequences:

> Gestern **fuhren** wir in den Schwarzwald. Wir **besuchten** unsern Onkel und **besichtigten** seinen Bauernhof. Wir **gingen** auch durch die Ställe und **sahen** sein Vieh.

> Gestern **sind** wir in den Schwarzwald **gefahren.** Wir **haben** unsern Onkel besucht und seinen Bauernhof **besichtigt.** Wir **sind** auch durch die Ställe **gegangen** und **haben** sein Vieh **gesehen.**

Both styles are grammatically correct, but most Germans would feel that the second version, which uses the conversational past, is awkward. In writing, the first version is preferred.

5. Since the narrative past is used in relating a sequence of events, as, for example, in telling a story, the **du**-form and the **ihr**-form are rarely used.

STRUCTURE DRILLS

20. PRESENT → NARRATIVE PAST

1. Die Bauern tragen grüne Jacken. ⊗   Die Bauern trugen grüne Jacken.
   Die Städter ziehen aus der Stadt.   Die Städter zogen aus der Stadt.
   Sie geniessen die schöne Landschaft.   Sie genossen die schöne Landschaft.
   Sie laden ihre Freunde ein.   Sie luden ihre Freunde ein.
   Die Bauern kommen aus dem Stall.   Die Bauern kamen aus dem Stall.
   Sie tun tagsüber ihre Arbeit.   Sie taten tagsüber ihre Arbeit.
   Die Seen frieren selten zu.   Die Seen froren selten zu.

2. Wir wachsen im Schwarzwald auf.   Wir wuchsen im Schwarzwald auf.
   Wir fahren durch den Bach.   *Wir fuhren durch den Bach.*
   Wir waschen die Erdbeeren.   *Wir wuschen die Erdbeeren.*
   Wir verlieren unser Nummernschild.   *Wir verloren unser Nummernschild.*
   Wir giessen die Blumen und die Beeren.   *Wir gossen die Blumen und die Beeren.*
   Wir riechen die Tannen.   *Wir rochen die Tannen.*

VARIATION: Use the right-hand column as a cue for a Narrative Past → Present drill.

21. CONVERSATIONAL PAST → NARRATIVE PAST

1. Wer ist eben gekommen? ⊗   Wer kam eben?
   Wer hat das Armband verloren?   Wer verlor das Armband?
   Wer hat eine Bademütze getragen?   Wer trug eine Bademütze?
   Wer hat die Kollegen eingeladen?   Wer lud die Kollegen ein?
   Wer hat die Erdbeeren gegossen?   Wer goss die Erdbeeren?
   Wem hat der Kopf weh getan?   Wem tat der Kopf weh?

(*continued*)

(continued)

2. Inge hat die Kartoffelsuppe gerochen. Inge roch die Kartoffelsuppe.
   Sie ist auf dem Bauernhof aufgewachsen. *Sie wuchs auf dem Bauernhof auf.*
   Sie hat alle schönen Tage genossen. *Sie genoss alle schönen Tage.*
   Sie ist Freitag in die Stadt gefahren. *Sie fuhr Freitag in die Stadt.*
   Sie ist in eine eigene Wohnung gezogen. *Sie zog in eine eigene Wohnung.*

VARIATION: Use the right-hand column as a cue for a Narrative Past → Conversational Past drill.

22. READING EXERCISE

Read each of the following sentences, changing all verb forms to the narrative past.

1. Meine Mutter fährt nach Hause, trifft eine Freundin und lädt sie zum Kaffee ein.
2. Mein Bruder kommt in die Küche, riecht die Pilze und geht wieder weg.
3. Achim schläft bis acht, ruft dann seine Freunde an und läuft zu ihnen.
4. Der Wagen hält, und Jochen verlässt ihn, denn er bekommt Post.

EXERCISE BOOK: EXERCISES 3 AND 4

1. fuhr, traf, lud ein
2. kam, roch, ging weg
3. schlief, rief an, lief
4. hielt, verliess, bekam

Writing

SENTENCE REWRITE

Change all verbs in the following sentences from the conversational past to the narrative past.

BEISPIEL   Ich habe eine Einladung bekommen und bin gleich hingefahren.
<u>Ich bekam eine Einladung und fuhr gleich hin.</u>

1. Ich habe meine Freundin angerufen und bin mit ihr ins Kino gegangen.
2. Ich bin in die Stadt gefahren und spät am Abend zurückgekommen.
3. Ich habe meine Jacke verloren und nur ein Hemd getragen.
4. Ich habe meine Kusine eingeladen, aber wir haben den ganzen Tag nichts getan.
5. Ich habe um drei Uhr das Kino verlassen und bin nach Hause gelaufen.
6. Ich habe die ganze Nacht geschlafen, denn der Hals hat mir nicht mehr weh getan.

1. rief an, ging
2. fuhr, kam zurück
3. verlor, trug
4. lud ein, taten
5. verliess, lief
6. schlief, tat weh

READING

Word Study

SECTION C ⊗
Listening Comprehension: Exercises 24, 25, 26
Structure Drills 28.1–28.2
Additional Structure Drills

1. The prefix **un-** attached to an adjective is equivalent in meaning to the English word *not*. It corresponds to the English prefixes *un-, im-, in-,* or *dis-*. Thus if you know the adjective, it is possible to recognize the meaning of the prefixed adjective and vice versa.

bekannt	*known*	**unbekannt**	*unknown*
glücklich	*happy*	**unglücklich**	*unhappy*
sentimental	*sentimental*	**unsentimental**	*unsentimental*

2. Many nouns are related in form and in meaning to adjectives. Thus it is possible to recognize the meaning of the noun if you know the adjective and vice versa.

jung	*young*	**der Junge**	*the young boy*
reich	*rich*	**der Reiche**	*the rich* (*man*)

Die Schwarzwälder Rucksackbauern

In alten Zeiten, so erzählt man, gab es im Schwarzwald Ge-
spenster°, Waldgeister nannte[6] man sie, und es gab wohl bis in
unsere Tage bei den Bauern diesen Aberglauben[7]. Und wer weiß,
vielleicht gibt es Gespenster.

5   Der Schwarzwald, so heißt die ganze Gegend°, besteht aus
dunklen Hügeln mit riesigen Tannen, und die meisten Bewohner
waren einmal Bauern. Diese Bauern lebten in wunderschönen
Holzhäusern, besaßen eine eigene Quelle° neben dem Haus und
lebten schlecht und recht vom Vieh, von Obst und Gemüse. Alle
10 diese Dinge verkauften sie in den nahen Städten oder großen
Dörfern.

    Im Laufe der Zeit—fast wie in Amerika—waren aber diese
kleinen Bauernhöfe nicht mehr gewinnbringend°. In den Tälern,
zum Beispiel dem grünen Wiesental, entstanden° kleine Fabriken,
15 Webereien auch, und die Bauern verließen am Morgen ihren Hof
und fuhren mit dem Fahrrad in die Fabriken. Weil sie einen
Rucksack mit dem Mittagessen auf dem Rücken trugen, nannte
man sie Rucksackbauern. Sie arbeiteten tagsüber in der Fabrik,
kehrten erst° abends zurück und erledigten dann noch die Arbeiten
20 auf den Äckern und melkten die Kühe.

    Aber es ging nicht gut. Die Bauernhöfe verrotteten allmählich,
die Äcker verkümmerten° und die meterdicken Strohdächer verfaulten. Diese Strohdächer waren im Winter oft so hoch mit
Schnee bedeckt°, daß sie wie kleine, weiße Hügel in der Landschaft
25 aussahen. Diese Strohdächer konnten die Rucksackbauern im
Frühling nicht wieder reparieren, weil sie zu arm waren und zu
wenig Geld besaßen.

    Schließlich verkauften sie ihre Bauernhöfe an reiche Leute
aus der Stadt. Die Reichen benutzten° die schönen, alten Bauern-
30 häuser für Wochenende und Ferien, reparierten und erneuerten

das Gespenst, –er: *ghost, spirit*

die Gegend, –en: *area*

die Quelle, –n: *spring*

gewinnbringend: *profitable*

entstehen: *to emerge*

erst: *not only, until*

verkümmern: *waste away*

bedecken: *to cover*

benutzen: *to use*

---

[6] **Nennen** is a weak verb like **kennen** and **rennen.** These verbs have a vowel change from **e** to **a** in the narrative past tense and in the past participle.

[7] Note that **Aberglaube** has an **-n** in all cases except the nominative singular.

die alten Zimmer aus Holz und bauten moderne Küchengeräte in die großen Bauernküchen ein°.

    Der Beruf der Bauern wurde nun zu einer Freizeitbeschäftigung für die Städter. Sie fingen° Fische, sie kultivierten die Gemü-
35 segärten, sie sammelten Himbeeren und Erdbeeren, und es gefiel ihnen, ihr eigenes Brot in den alten Öfen zu backen.

    // Die Rucksackbauern zogen immer mehr in die Täler mit den Fabriken, bauten wieder kleine Häuser oder mieteten Wohnungen und wurden richtige Arbeiter./Das ist ein wenig traurig, doch kann
40 man den Lauf der Zeit nicht ändern°./Wer ganz unsentimental ist, nennt das Fortschritt°./Und Fortschritt war es ja auch./Die Kinder von den ehemaligen Rucksackbauern konnten nun höhere Schulen[8] besuchen./Sie nahmen aber auch Gewohnheiten° von den Städtern an, gingen ins Kino und besuchten Tanzlokale wie
45 die Stadtjugend./Später konnten sie—wenn sie wollten—die Universität in Freiburg[9], in Stuttgart oder Basel besuchen./Bauern wurden sie nicht mehr./Wenn sie nicht studierten, wurden sie Arbeiter, Handwerker oder Angestellte./Mit der Zeit konnten die ehemaligen Rucksackbauern auch Volkswagen kaufen, und sie
50 besuchten am Wochenende manchmal ihre alte Heimat.//

    So war eigentlich niemand unglücklich. Die Leute vom Land waren nicht mehr arm und erlebten den Komfort der Städte; die Stadtbewohner kamen wieder auf das Land und genossen die frische Luft, die Wälder und die Natur.

55   Aber etwas ist unverändert geblieben: Die alten Gasthöfe mit den Bachforellen, dem Bauernbrot, den ausgezeichneten Pilzgerichten und der dicken Kartoffelsuppe. Da kommen am Sonntag die ehemaligen Rucksackbauern aus den Tälern mit den Wochenendgästen aus den Städten zusammen und haben einander°
60 eigentlich gar nichts mehr zu erzählen. Sie kennen nun alle Stadt und Land. Aber natürlich geben sie einander Ratschläge, und die ehemaligen Bauern drohen° manchmal mit den Waldgeistern!

einbauen: *to build in, install*

fangen: *to catch*

ändern: *to change*

der Fortschritt, –e: *progress*

die Gewohnheit, –en: *habit*

einander: *each other*

drohen: *to threaten*

Dictionary Section

Aberglaube *Der Aberglaube erzählt von Gespenstern, Geistern und unheimlichen Sachen. Wenn Sie diese Geschichten glauben, sind Sie abergläubisch.*

besuchen hingehen: *In der Stadt und auf dem Land müssen die Kinder eine Schule besuchen.*

---

[8] **Höhere Schule** is a general term for secondary schools (**Oberschule, Gymnasium, etc.**).

[9] **Freiburg** is a small, picturesque city in the Black Forest. It is well-known for its Gothic cathedral and for its old university which was founded in 1457.

Ding ein Objekt, eine Sache, irgendetwas: *Die Bauern verkauften Obst und Gemüse. Für diese Dinge haben sie Geld bekommen.*

erledigen machen: *Die Bauern erledigten die Arbeit auf den Äckern, wenn sie aus der Fabrik kamen.*

Gasthof ein Gasthaus: *Im Schwarzwald gibt es viele Gasthöfe, wo man gute Bauerngerichte essen kann.*

Heimat wo ein Mensch geboren ist: *Für einen Deutschen ist Deutschland die Heimat, für einen Amerikaner ist Amerika die Heimat.*

immer mehr mehr und mehr: *Die Städter kamen immer mehr auf das Land. = Sie kamen mehr und mehr auf das Land.*

Land nicht Stadt; wo man Felder, Wiesen, Wälder, Bauernhöfe und frische Luft findet: *Wir wohnen in der Stadt, aber wir fahren jedes Wochenende auf das Land.*

nah nicht weit entfernt: *In die nahen Bergen können wir oft zum Schilaufen fahren.*

nennen einen Namen geben: *Dieses Tal nennt man Wiesental. = Das Tal heisst Wiesental.*

Ratschlag Rat: *Alte Leute geben oft gute Ratschläge.*

riesig sehr, sehr gross: *Der reiche Mann wohnt in einem riesigen Haus mit vierzig Zimmern.*

schlecht und recht so gut wie man kann: *Die Bauern haben wenig Geld und leben schlecht und recht vom Land.*

schliesslich am Ende: *Schliesslich hat er das alte Haus verkauft, denn er konnte es selber nicht erneuern.*

unverändert wie vorher: *Auch wenn viele Bauern in die Stadt ziehen, bleiben die alten Gasthäuser unverändert. = Sie sind, wie sie früher waren.*

vielleicht nicht bestimmt: *Vielleicht kommt er heute, vielleicht kommt er morgen.*

Waldgeist ein Gespenst: *Im dunklen Wald, wo wenig Menschen sind, findet man Waldgeister.*

23. QUESTIONS

1. Was gab es vielleicht im Schwarzwald?	1
2. Wie nannte man sie?	2
3. Wie sieht die Landschaft heute im Schwarzwald aus?	6
4. In was für Häusern lebten die Bauern?	7
5. Was besassen sie neben dem Haus?	8
6. Wie lebten sie?	9
7. Wo verkauften sie diese Dinge?	10
8. Was aber entstand allmählich in den Tälern?	14
9. Warum nannte man die Bauern „Rucksackbauern"?	17
10. Was taten sie noch, als sie aus der Fabrik nach Hause kamen?	19
11. Was passierte aber mit den Bauernhöfen?	21
12. Was passierte mit den Strohdächern? Und den Äckern?	22
13. Warum reparierten die Bauern die Dächer nicht?	26
14. Wer kaufte dann die Bauernhöfe?	28
15. Was machten die Städter mit den Höfen?	29
16. Was taten die Städter nun in ihrer Freizeit?	33
17. Was wurden die Bauern in der Stadt?	39
18. Was für Schulen besuchten jetzt die ehemaligen Bauernkinder?	45
19. Was für Berufe wählten sie?	48
20. Warum war eigentlich niemand unglücklich?	51
21. Was ist aber unverändert geblieben?	55
22. Was tun jetzt die Bauern oft mit den Städtern?	57
23. Mit wem drohen die Bauern manchmal?	62

Noun Exercises

24. der, die, das

1. Er trägt einen Rucksack auf dem Rücken.
2. Im Wald gibt es ein weisses Gespenst.
3. Ich kenne keinen Waldgeist.
4. Der Schwarzwald ist eine schöne Gegend.
5. Das ist ein seltenes Ding!
6. Sie bauen einen modernen Ofen ein.
7. Das ist keine schöne Gewohnheit.
8. Die Jugend besucht die alte Universität.
9. Sie besuchen ihre alte Heimat.
10. Sie erlebten grossen Komfort.
11. Wir fahren in die schöne Natur.
12. Ich gebe dir einen guten Ratschlag.

1. Ist ____ Rucksack schwer? *der*
2. Hast du ____ Gespenst gesehen? *das*
3. Wo lebt ____ Waldgeist? *der*
4. Wir fahren in ____ Gegend von München. *die*
5. Lass ____ Ding liegen! *das*
6. ____ Ofen wird schnell heiss. *der*
7. Nehmen sie ____ Gewohnheit an? *die*
8. Wie heisst ____ Universität? *die*
9. Sie fahren in ____ Heimat. *die*
10. ____ Komfort gefällt mir nicht. *der*
11. Geniesst du ____ Natur? *die*
12. ____ Ratschlag war gut. *der*

25. SINGULAR → PLURAL

1. Der Rucksack ist ganz leer.
2. Wo lebte das Gespenst?
3. Der Waldgeist lebt im Wald.
4. Die Gegend hier ist sehr schön.
5. Er hat das Ding immer noch im Wagen.
6. Der Ofen ist noch kalt.
7. Deine Gewohnheit gefällt mir nicht.
8. Die Universität ist sehr alt.
9. Dieser Ratschlag ist schlecht. *VARIATION*
   1. Die Rucksäcke sind ganz leer.

1. Die Rucksäcke sind ganz leer.
2. Wo lebten die Gespenster?
3. Die Waldgeister leben im Wald.
4. Die Gegenden hier sind sehr schön.
5. Er hat die Dinge immer noch im Wagen.
6. Die Öfen sind noch kalt.
7. Deine Gewohnheiten gefallen mir nicht.
8. Die Universitäten sind sehr alt.
9. Diese Ratschläge sind schlecht.
   1. Der Rucksack ist ganz leer.

Verb Exercises

26. CUED RESPONSE

Was **fangen** Sie im Bach?   (Forellen)
Was **fing** Ihr Bruder?   (Vogel)
Wer hat den Ball **gefangen?**   (Junge)

Ich **fange** Forellen im Bach.
Mein Bruder **fing** einen Vogel.
Der Junge hat den Ball **gefangen.**

27. READING EXERCISE

For practice with verb forms, read the entire story, changing all narrative past tense forms (except those of modals) to conversational past tense forms. Do not change the verb forms that are in the present tense.

EXERCISE BOOK: EXERCISE 5

RECOMBINATION EXERCISES

Some Time Expressions

Note that the following time expressions indicate a degree of repetitiveness: **abends,** *in the evening, evenings.*

28. ITEM SUBSTITUTION

1. Die Bauern kehrten abends zurück. ⊗   Die Bauern kehrten abends zurück.
   (Morgen)   Die Bauern kehrten morgens zurück.
   (Vormittag)   Die Bauern kehrten vormittags zurück.
   (Nachmittag)   Die Bauern kehrten nachmittags zurück.
   (Nacht)   Die Bauern kehrten nachts zurück.

Note that in the following time expressions the preposition **am** means *in the.*

2. Die Bauern verlassen am Morgen den Hof. ⊗   Die Bauern verlassen am Morgen den Hof.

   (Abend)   Die Bauern verlassen am Abend den Hof.
   (Montag)   Die Bauern verlassen am Montag den Hof.
   (Vormittag)   Die Bauern verlassen am Vormittag den Hof.
   (Nachmittag)   Die Bauern verlassen am Nachmittag den Hof.

Additional Structure Drills may be done at this point.

Erst

> **SECTION D** ⊗
>
> Listening Comprehension: Exercise 27
> Structure Drill 29
> Additional Structure Drills
> Listening Comprehension: Exercise 28

In statements of time or in statements which occur in a time sequence, the word **erst** means *not until, only.*

29. CUED RESPONSE

Kehren die Bauern schon nachmittags zurück? (abends) ⊗   Nein, sie kehren erst abends zurück.

Kommen die Städter schon am Donnerstag? (Samstag)   Nein, sie kommen erst am Samstag.

Hat er schon drei Eimer Himbeeren gesammelt? (zwei)   Nein, er hat erst zwei Eimer gesammelt.

Ist sein Bruder schon fünfzehn? (vierzehn)   Nein, er ist erst vierzehn.

Ist heute schon Mittwoch? (Dienstag)   Nein, heute ist erst Dienstag.

Additional Structure Drills may be done at this point.

30. CUED RESPONSE

1. Wo wohnten die Schwarzwälder Bauern? (in schönen Holzhäusern)

Die Schwarzwälder Bauern wohnten in schönen Holzhäusern.

Was hatten Sie neben dem Haus? (ihre eigene Quelle)

Sie hatten ihre eigene Quelle neben dem Haus.

Was entstand in den Tälern? (Fabriken und Webereien)

In den Tälern enstanden Fabriken und Webereien.

Wie fuhren die Bauern in die Fabriken? (mit ihren Rädern)

Die Bauern fuhren mit ihren Rädern in die Fabriken.

Wie nannte man die Bauern? (Rucksackbauern)

Man nannte die Bauern Rucksackbauern.

31. NARRATION

Tell the following series of events in German, using the narrative past forms. Use the English cues as a guide to the information to be included.

1

The Black Forest farmers used to live in pretty wooden houses. They had their own spring, and they lived off the livestock, off fruit and vegetables. In the course of time the farms were no longer profitable. New factories emerged, and the farmers left the farms in the morning and drove to the factories and mills.

2

They returned in the evening, and they had to do the many tasks. They milked the cows. But it didn't go well. The houses were rotting away, but they had little money and could not repair the thatched roofs. Finally, they sold their farms to the city folks.

3

The rich people used the farms for weekends and vacation. They renewed the old rooms and installed modern kitchen appliances. They cultivated vegetable gardens, and they liked to bake their own bread.

4

The farmers moved into the valleys, built little houses or rented apartments. Their children could attend high schools, and they adopted the habits of the city youngsters: they went to the movies and went dancing.

EXERCISE BOOK: EXERCISE 6

32. SUSTAINED TALK

Describe the changes in the lives of the Black Forest farmers. Use the following cues as a guide.

1. Schwarzwald–Hügel–Tannen
2. Bauern–Holzhäuser
3. Quelle–Vieh
4. Fabriken–Rucksackbauern
5. Höfe–Äcker–Strohdächer

6. Stadtbewohner–Freizeitbeschäftigung
7. Bauern–Arbeiter–Angestellte
8. Jugend–neue Gewohnheiten
9. Bauern–Autos–in die Heimat
10. Gasthöfe–unverändert

Conversation Buildup

I

LEHRER	Wo warst du denn in den Ferien, Lisel? Du siehst ja ganz braun aus!
LISEL	Ich war bei meinem Onkel im Schwarzwald.
LEHRER	So? Macht er Uhren?
LISEL	Mein Onkel ist Bauer. Er hat einen grossen Hof dort.
LEHRER	Dann erzähl mir doch mal, was du dort alles gemacht hast!
LISEL	Morgens half ich immer meiner Tante in der Küche, vormittags erledigten wir dann unsere Arbeit im Garten. Und abends half ich meinem Onkel immer im Stall. Ich durfte sogar die Kühe melken.
LEHRER	Das hat dir bestimmt grossen Spass gemacht, nicht?
LISEL	Und wie!

1. Wo war Lisel in den Ferien?
2. Wie hat Lisel ihrer Tante geholfen?
3. Wie hat sie ihrem Onkel geholfen?

REJOINDER

Ich möchte nicht auf dem Land wohnen. Es muss dort furchtbar langweilig sein.

Auf dem Land können Sie mehr tun, als in der Stadt. / Wo ich war, war es gar nicht langweilig.

CONVERSATION STIMULUS

Lisel ist aus den Sommerferien zurückgekommen, und sie erzählt ihrem Lehrer und ihren Schulfreundinnen, wie es im Schwarzwald gewesen ist.

LEHRER	Ich bin noch nie in Süddeutschland gewesen, und den Schwarzwald kenne ich nur von Bildern. Wie ist es denn dort wirklich?
LISEL	*Einfach herrlich! Die Bauernhöfe sehen ganz anders aus. Sie haben . . . . . dicke Strohdächer . . .*
LEHRER	*Was hast du denn den ganzen Tag gemacht?*

II

HORST	Was hast du denn alles in deinem Rucksack? Du kannst ihn doch gar nicht tragen!
KARL-HEINZ	Wir sind eine ganze Woche weg, und meine Mutter hat mir viel zu essen mitgegeben.

HORST   Ich hab' dir doch erklärt, dass wir nicht so viel mitnehmen brauchen. Jeder Bauer gibt uns ein Glas Milch, und Obst und Beeren gibt es an jeder Strasse.

KARL-HEINZ   Wir können doch nicht von Obst und Gemüse leben!

HORST   Das brauchen wir auch nicht! Wir fangen Fische, schöne Bachforellen, und backen sie auf einem heissen Stein.

1. Warum hat Karl-Heinz einen so grossen Rucksack?
2. Warum nimmt Horst nicht so viel zu essen mit?

REJOINDER

Ich weiss nicht, was ich alles mitnehmen soll. Mein Rucksack ist nicht gross genug.
Ein extra Hemd und noch einen Pullover. / *Nimm dir ja nichts zu essen mit!*

CONVERSATION STIMULUS

Karl-Heinz macht mit seinen Freunden eine Bergtour. Er will nicht viel zu essen mitnehmen, aber seine Mutter gibt ihm so viel mit.

KARL-HEINZ   Mutti, wer soll denn das nur alles essen?

MUTTER   Du kannst doch nicht immer im Gasthaus essen!

KARL-HEINZ   *Will ich auch nicht. Wir leben von Milch und Obst, ...*

MUTTER   *Du musst aber auch einmal etwas Warmes essen.*

EXERCISE BOOK: EXERCISES 7 AND 8

Writing

1. als kleine Fabriken entstanden, zogen die Bauern .
2. Als die Bauern . . . wohnten, konnten die Kinder . .
3. Als die Dorfjugend . . . war, nahm sie . . . an.

1. SENTENCE COMBINATION

Combine each of the following pairs of sentences. Begin each one with the conjunction **als,** and use narrative past tense forms.

BEISPIEL   Die Bauern wohnen im Schwarzwald. Sie leben von Obst und Gemüse.
            Als die Bauern im Schwarzwald wohnten, lebten sie von Obst und Gemüse.

1. Kleine Fabriken entstehen. Die Bauern ziehen in die Täler.
2. Die Bauern wohnen in der Stadt. Die Kinder können höhere Schulen besuchen.
3. Die Dorfjugend ist in der Stadt. Sie nimmt die Gewohnheiten von den Städtern an.
4. Die Bauern haben wieder Autos. Sie besuchen ihre alte Heimat.
5. Sie kommen auf das Land. Sie geniessen wieder die frische Luft.

4. Als die Bauern wieder Autos hatten, besuchten sie ihre alte Heimat.
5. Als sie auf das Land kamen, genossen sie wieder die frische Luft.

2. SENTENCE REWRITE

Rewrite each of the following sentences in the narrative past.

1. Die Bauern kommen spät nach Hause und erledigen dann noch ihre Arbeit auf dem Hof.
2. Man nennt sie Rucksackbauern, weil sie mit ihren Rucksäcken auf dem Rücken zur Arbeit fahren.

1. kamen, erledigten   2. nannte, fuhren

3. Die Bauern ziehen in die Stadt und nehmen die Gewohnheiten von den Städtern an.
4. Sie können die Dächer nicht reparieren, weil sie zu wenig Geld besitzen.
5. Den Städtern gefallen die Bauernhöfe; sie kaufen die Höfe, und der Bauernberuf wird eine Freizeitbeschäftigung für sie.

3. zogen, nahmen an   4. konnten, besassen   5. gefielen, kauften, wurde

REFERENCE LIST

Nouns

der Aberglaube, –n	der Fortschritt, –e	der Hügel, –	das Schaf, –e
der Acker, ⸚	die Forelle, –n	das Huhn, ⸚er	der Schwarzwald
der Arbeiter, –	die Freizeit	die Jugend	das Schwein, –e
der Bach, ⸚e	die Gans, ⸚e	die Kartoffel, –n	der Städter, –
die Beschäftigung, –en	der Gasthof, ⸚e	die Kuh, ⸚e	der Stall, ⸚e
der Bauernhof, ⸚e	die Gegend, –en	die Landschaft, –en	die Suppe, –n
der Bewohner, –	der Geist, –er	das Lokal, –e	die Tanne, –n
die Birne, –n	das Gericht, –e	die Natur	der Truthahn, ⸚e
das Dach, ⸚er	das Gespenst, –er	der Ofen, ⸚	die Universität, –en
das Ding, –e	die Gewohnheit, –en	der Pilz, –e	das Vieh
die Ente, –n	der Handwerker, –	die Quelle, –n	die Weberei, –en
die Erdbeere, –n	die Heimat	der Ratschlag, ⸚e	die Ziege, –n
die Fabrik, –en	die Himbeere, –n	der Rucksack, ⸚e	

Weak Verbs

ändern	benutzen	erledigen	melken	nähen	turnen	wählen
bauen	drohen	faulenzen	mieten	reparieren	verfaulen (ist)	wandern (ist)
bedecken	einbauen	leben	nennen	studieren	verrotten (ist)	zeichnen

Strong Verbs

annehmen (nimmt an, nahm an, angenommen)   entstehen (entsteht, entstand, ist entstanden)
backen (bäckt, backte, gebacken)   fangen (fängt, fing, gefangen)
bestehen (besteht, bestand, bestanden)   ziehen (zieht, zog, ist gezogen)
            baden gehen   spazierengehen

Adjectives and Adverbs

ausgezeichnet	eigen	nah	unglücklich	wunderschön	allmählich	tagsüber
dunkel	frei	riesig	unsentimental		erst	vielleicht
ehemalig	frisch	schwarz	unverändert		schliesslich	

Other Words and Expressions

auf das Land	eine Schule besuchen	im Laufe der Zeit	schlecht und recht
einander	höhere Schule	immer mehr	unter

Ein Besuch im Kino

Josef Huber und sein Bruder Erwin wohnen mit ihren Eltern auf dem Lande. In ihrem Dorf ist nicht viel los, und wenn sie einmal ins Kino gehen wollen, so müssen sie in die nächste Stadt fahren.

5   Heute sind die Jungen allein in München, und sie möchten hier einen Film sehen. In der Zeitung finden sie so viele Anzeigen°. Aber in einige Filme können sie nicht gehen, denn sie sind noch zu jung. Mehrere Kinos haben schon angefangen, und sie müssen warten, bis die Vorstellung aus ist. *Eisstation Zebra* fängt um 17.15
10 Uhr an, zu spät, denn sie müssen schon um 7 Uhr wieder nach Hause fahren. Sie gehen deshalb in einen Western, im Theater am Stachus. Es ist nur gut, daß die amerikanischen Filme synchronisiert sind, denn Josefs und Erwins Englisch ist noch furchtbar schlecht.

die Anzeige, –n: *ad*

Vor der Kinokasse

BASIC MATERIAL I

Vorm Picknick

MUTTER	Wo hast du denn die Thermosflasche hingestellt, Erika?
ERIKA	Auf den Gasherd, neben den Topf.
MUTTER	Hier, steck den Korken in die Flasche! Und leg sie dann in den Korb!
ERIKA	Kann ich die Schüssel mit dem Kartoffelsalat auch reinstellen?
MUTTER	Leg erst den Deckel drauf!
ERIKA	Haben wir dann alles?
MUTTER	Die Gabeln fehlen noch; sie sind in der Spülmaschine. Und wir brauchen vier Tassen. Nimm aber die Papiertassen!
ERIKA	Wo stehen sie?
MUTTER	Im Geschirrschrank. Ja, dort hinter den Tellern. Siehst du sie?

Supplement

Wohin hast du die Servietten gesteckt? — In die Papiertüte.
Wo sind die Messer und die Gabeln? — Das Besteck ist in der Schublade.

Wohin setzt Erika den Picknickkorb? — Auf die Tischdecke.
Auf die Erde.

Wo steht das Essen? — Im Kühlschrank.
Wo liegt die Tischdecke? — Im Wäscheschrank.
Wo hängt die Bluse? — Im Kleiderschrank[1].

Wo hängt die Lampe? — An der Wand zwischen dem Fenster und der Tür.
Über dem Tisch.

---

[1] In many apartments, closets are not built in. Clothes are hung in a special piece of furniture called a **Kleiderschrank** (wardrobe).

◀ *Auf dem Kurfürstendamm in Berlin*

Before the Picnic

MOTHER   Where did you put the thermos bottle, Erika?

ERIKA   On the (gas) stove, next to the pot.

MOTHER   Here, put (stick) the cork into the bottle. And then put it into the basket.

ERIKA   Can I put the bowl of potato salad in, too?

MOTHER   Put the top (cover) on it first.

ERIKA   Do we have everything now?

MOTHER   The forks are still missing; they're in the dishwasher. And we need four cups. But take the papercups.

ERIKA   Where are they?

MOTHER   In the cupboard. Yes, there behind the plates. Do you see them?

Supplement

Where did you put the napkins?	In the paperbag.
Where are the knives and the forks?	The silverware is in the drawer.
Where does Erika put the picnic basket?	On the tablecloth.
	On the ground.
Where is the food?	In the refrigerator.
Where is the tablecloth?	In the linen closet.
Where is the blouse?	In the (clothes) closet.
Where is the lamp (hanging)?	On the wall between the window and the door.
	Over (above) the table.

Vocabulary Exercises

1. QUESTIONS ON BASIC MATERIAL

1. Was sucht die Mutter?
2. Wohin hat Erika die Thermosflasche gestellt?
3. Was soll Erika mit dem Korken tun?
4. Wohin soll sie die Thermosflasche legen?
5. Was ist in der Schüssel?
6. Was soll Erika auf die Schüssel legen?
7. Was fehlt noch? Wo sind sie?
8. Was für Tassen nehmen sie mit?
9. Wo stehen die Tassen?
10. Wohin hat Erika die Servietten gelegt?
11. Wo liegt das Besteck?
12. Wohin setzt Erika den Picknickkorb?
13. Wo steht das Essen?
14. Wo liegt die Tischdecke?
15. Wo hängt das Kleid?
16. Wo hängt die Lampe?

2. FREE RESPONSE

1. Was nehmen Sie mit, wenn Sie ein Picknick machen?
2. Wie nehmen Sie den Kaffee mit?
3. Wohin stecken Sie die Gabeln?
4. Wo steht das Essen, wenn es kalt bleiben soll?
5. Was stellen Sie auf den Tisch, wenn Sie den Tisch decken?
6. Hängt die Lampe in Ihrem Zimmer, oder steht sie auf einem Tisch? (Auf dem Nachttisch? Auf dem Schreibtisch?)

Noun Exercises

3. der, die, das

1. Wir machen ein schönes Picknick.
2. Erika stellt die Flasche auf den Gasherd.
3. Nimm einen grossen Topf mit!
4. Ich finde keinen Korken.
5. Sie nehmen eine grosse Schüssel Kartoffelsalat mit.
6. Möchten Sie einen Obstsalat?
7. Die Schüssel hat keinen Deckel.
8. Darf ich diese Gabel nehmen?
9. Nimm altes Geschirr für das Picknick!
10. Hast du den Teller kaputtgemacht?
11. Ich brauche ein neues Besteck.
12. Ich habe gutes Essen gern.
13. Ich brauche einen neuen Kühlschrank.
14. Das Zimmer hat eine dünne Wand.

1. Findet ＿＿ Picknick heute statt?   *das*
2. Wo steht ＿＿ Gasherd?   *der*
3. Wie gross ist ＿＿ Topf?   *der*
4. Wo ist ＿＿ Korken?   *der*
5. Hast du ＿＿ Schüssel schon in den Korb gestellt?   *die*
6. ＿＿ Obstsalat ist ganz frisch.   *der*
7. ＿＿ Deckel ist zu klein.   *der*
8. Nein, nimm ＿＿ andere Gabel!   *die*
9. Steht ＿＿ alte Geschirr im Schrank?   *das*
10. ＿＿ Teller ist kaputt.   *der*
11. Wie teuer ist ＿＿ Besteck?   *das*
12. Ist ＿＿ Essen nicht ausgezeichnet?   *das*
13. ＿＿ Kühlschrank ist schon alt.   *der*
14. ＿＿ Wand ist viel zu dünn.   *die*

4. SINGULAR → PLURAL

1. Das Picknick ist im Juli.
2. Der Gasherd steht dort drüben.
3. Wohin stellst du den Topf?
4. Ich kann den Korken nicht finden.
5. Die Schüssel steht schon im Korb.
6. Der Salat ist fertig.
7. Dieser Deckel passt nicht.
8. Die Gabel ist schmutzig.
9. Wohin hat er den Teller gestellt?
10. Das Besteck ist aus Silber.
11. Der Kühlschrank ist modern.
12. Die Wand ist grün.

1. Die Picknicks sind im Juli.
2. Die Gasherde stehen dort drüben.
3. Wohin stellst du die Töpfe?
4. Ich kann die Korken nicht finden.
5. Die Schüsseln stehen schon im Korb.
6. Die Salate sind fertig.
7. Diese Deckel passen nicht.
8. Die Gabeln sind schmutzig.
9. Wohin hat er die Teller gestellt?
10. Die Bestecke sind aus Silber.
11. Die Kühlschränke sind modern.
12. Die Wände sind grün.

VARIATION

1. Die Picknicks sind im Juli.

1. *Das Picknick ist im Juli.*

Grammar

The Two-way Prepositions:
an, auf, in, hinter, neben, über, unter, vor, zwischen

PRESENTATION

> **Wohin** stellt Erika die Flasche?
> Erika stellt die Flasche **auf den Gasherd**.
>
> **Wo** steht die Flasche jetzt?
> Die Flasche steht jetzt **auf dem Gasherd**.

What interrogative is used in the first question? What case is used after **auf** in the reply? What interrogative is used in the second question? What case is used after **auf** in the reply?

> **Wohin** geht die Mutter?
> Die Mutter geht **in die Küche**.
>
> **Wo** steht jetzt die Mutter?
> Die Mutter steht jetzt **in der Küche**.

What interrogative is used in the first question? What case is used after **in** in the reply? What interrogative is used in the second question? What case is used after **in** in the reply?

> Wir tragen das Essen in einem Korb.
> Ich habe das Essen in den Korb gesteckt.

What case is used after **in** in the first sentence? In the second? In these sentences can you describe the relationship between the food and the basket in a way that might explain the choice of case after **in?**

> Wir warten auf dem Berg.
> Wir warten auf unseren Freund.

What case is used after **auf** in the first sentence? In the second? What is the difference in meaning? How does it affect the choice of case?

> Sie stellt den Stuhl **an den** Tisch.
> Der Stuhl steht **am** Tisch.
>
> Erika geht **ins** Wohnzimmer.
> Erika ist **im** Wohnzimmer.

Die beiden gehen **vors** Haus.
Die beiden stehen **vorm** Haus.

Look at the last six sentences carefully. What case is used after the preposition in the first sentence of each pair? In the second? What do you think the contracted forms **am, ins, im, vors,** and **vorm** stand for? *DRILLS 5–10*

GENERALIZATION

Thus far you have been using prepositions that always require accusative case forms (**durch, für, gegen, ohne, um**) or dative case forms (**aus, bei, mit, nach, von, zu, seit, gegenüber**). The following prepositions take either the accusative or the dative. The choice depends upon the intended meaning.

an	*at, to, on*	**über**	*over, above*
auf	*on, on top of*	**unter**	*under, below*
in	*in, into*	**vor**	*in front of, before*
hinter	*behind*	**zwischen**	*between*
neben	*next to, beside*		

The dative case is used in answer to the question **wo,** expressed or implied. **Wo** is used for *where* when someone or something is already <u>at</u> some location or moving around inside it.

Wo steht die Flasche?	**Auf <u>dem</u> Gasherd.**
Wo sind wir?	**In <u>der</u> Stadt.**
Wo schwimmt er?	<u>**Im**</u> **See.**

The accusative case is used after these prepositions in reply to a **wohin**-question, expressed or implied. **Wohin** is used for *where* when someone or something is <u>moving toward</u> a place or object.

Wohin stellst du die Flasche?	**Auf <u>den</u> Gasherd.**
Wohin fahren Sie?	Ich fahre **in <u>die</u> Stadt.**

The accusative is also generally used after these prepositions when they are used with a verb. In such instances the meaning of the preposition often has nothing to do with its literal meaning: **denken an,** *to think of;* **warten auf,** *to wait for.* Such verbs will be indicated in the Reference List and in the Vocabulary as follows: **warten auf A.**

When the prepositions **an, auf, in,** or **vor** precede the dative form **dem** or the accusative forms **den** or **das,** the preposition and the article are often contracted into one word. The following contractions are commonly used:

an dem = am	am Tisch	in das = ins	ins Zimmer
an das = ans	ans Fenster	vor dem = vorm	vorm Gasherd
auf das = aufs	aufs Haus	vor das = vors	vors Auto
in dem = im	im Korb		

Other contractions are used somewhat less frequently:

überm, übers, übern   unterm, unters, untern   hinterm, hinters, hintern

Several are often used in speaking but usually are not written (except when reporting actual dialog):

auf den = aufn   auf dem = aufm   vor den = vorn

The following verbs, similar in sound and in meaning, should not be confused when used with two-way prepositions:

1. **setzen, stellen, legen** are weak verbs (**setzte, gesetzt; stellte, gestellt; legte, gelegt**) and are always used with accusative forms, whereas **sitzen, stehen, liegen** are strong verbs (**sass, gesessen; stand, gestanden; lag, gelegen**) and are always used with dative forms.

> Die Mutter **setzt** das Kind **auf den Stuhl.**
> Jetzt **sitzt** das Kind **auf dem Stuhl.**

> Sie **stellt** den Stuhl **in die Ecke.**
> Jetzt **steht** der Stuhl **in der Ecke.**

> Sie **legt** die Gabel **neben das Messer.**
> Jetzt **liegt** die Gabel **neben dem Messer.**

2. **hängen** and **stecken** can be used with either dative or accusative forms. When **hängen** is used with dative forms, it is a strong verb.

> Das Bild hängt (hing, hat gehangen) an der Wand.

When **hängen** is used with accusative forms, it is a weak verb.

> Ich hänge (hängte, habe gehängt) das Bild an die Wand.

stecken is always weak.

> Ich stecke (steckte, habe gesteckt) den Korken in die Flasche.
> Der Korken steckt (steckte, hat gesteckt) in der Flasche.

STRUCTURE DRILLS

5. PATTERNED RESPONSE → PREPOSITION

an

1. (der Gasherd)	Wohin geht Erika? ⊗	An den Gasherd.
	Wo steht sie?	Am Gasherd.
(das Fenster)	Wohin geht die Mutter?	Ans Fenster.
	Wo steht sie?	Am Fenster.
(die Wand)	Wohin hängt er die Lampe?	An die Wand.
	Wo hängt die Lampe?	An der Wand.
(die Tische)	Wohin stellt sie die Stühle?	An die Tische.
	Wo stehen die Stühle?	An den Tischen.

auf

2. (der Teller)	Wohin legt sie die Kartoffeln? ⊗	Auf den Teller
	Wo liegen die Kartoffeln?	Auf dem Teller.
(die Serviette)	Wohin legt sie das Besteck?	Auf die Serviette.
	Wo liegt das Besteck?	Auf der Serviette.
(das Fernsehgerät)	Wohin stellt sie die Vase?	Aufs Fernsehgerät.
	Wo steht die Vase?	Auf dem Fernsehgerät.
(die Stühle)	Wohin legt sie die Decken?	Auf die Stühle.
	Wo liegen die Decken?	Auf den Stühlen.

in

3. (die Spülmaschine)	Wohin stellst du die Teller? ⊗	In die Spülmaschine.
	Wo stehen die Teller?	In der Spülmaschine.
(der Kühlschrank)	Wohin stellst du die Milch?	In den Kühlschrank.
	Wo steht die Milch?	Im Kühlschrank.
(das Zimmer)	Wohin stellst du die Tassen?	Ins Zimmer.
	Wo stehen die Tassen?	Im Zimmer.
(die Schränke)	Wohin hängst du die Mäntel?	In die Schränke.
	Wo hängen die Mäntel?	In den Schränken.

6. CUED RESPONSE

an

1. Wo haben Sie gewartet? (Ecke) ⊗	Ich habe an der Ecke gewartet.
Wo haben Sie geschlafen? (Strand)	Ich habe am Strand geschlafen.
Wo haben Sie studiert? (Universität)	Ich habe an der Universität studiert.
Wo haben Sie übernachtet? (Rhein)	Ich habe am Rhein übernachtet.
Wo haben Sie gestanden? (Fenster)	Ich habe am Fenster gestanden.

(continued)

VARIATION for Drills 6.1–6.2: Use the right-hand column as a stimulus and have the students produce the questions on the left.
(*continued*)

in

2. Wo steht das Essen? (Kühlschrank) ⊗   Das Essen steht im Kühlschrank.
   Wo ist der Kaffee? (Thermosflasche)   Der Kaffee ist in der Thermosflasche.
   Wo sind die Kühe? (Stall)   Die Kühe sind im Stall.
   Wo arbeitet Ihr Vater? (Fabrik)   Mein Vater arbeitet in der Fabrik.
   Wo wohnen Ihre Grosseltern? (Stadt)   Meine Grosseltern wohnen in der Stadt.

hinter

3. Wo steht dein Fahrrad? (Garage)   Hinter der Garage.
   Wo beginnt der Wald? (Dorf)   Hinter dem Dorf.
   Wo triffst du deine Freunde? (Schule)   Hinter der Schule.
   Wo wartet ihr? (Kirche)   Hinter der Kirche.
   Wo fotografierst du? (Zoo)   Hinter dem Zoo.

auf

4. Wohin legst du das Besteck? (Tisch)   Auf den Tisch.
   Wohin setzt du den Korb? (Stuhl)   *Auf den Stuhl.*
   Wohin stellst du den Teller? (Tischdecke)   *Auf die Tischdecke.*
   Wohin fährst du? (Land)   *Aufs Land.*
   Wohin bringst du den Brief? (Post)   *Auf die Post.*

vor

5. Wohin fahren Sie den Wagen? (Haus)   Vor das Haus.
   Wohin hängen Sie die Lampe? (Tür)   *Vor die Tür.*
   Wohin legen Sie den Löffel? (Teller)   *Vor den Teller.*
   Wohin tragen Sie den Eimer? (Garage)   *Vor die Garage.*
   Wohin stellen Sie den Stuhl? (Fenster)   *Vors Fenster.*

EXERCISE BOOK: EXERCISE 1

7. CUED RESPONSE

1. Wohin gehst du? (Land)   Aufs Land.   *auf die Post–auf den Bahnhof*
   (Post–Bahnhof–Bank–Universität–Land)   *auf die Bank–auf die Universität*
   Wo bist du? (Land)   Auf dem Land.   *auf der Post–auf dem Bahnhof*
   (Post–Bahnhof–Bank–Universität–Land)   *auf der Bank–auf der Universität*

2. Wohin fahrt ihr? (Stadt)   In die Stadt.   *in die Kirche–in die Schule*
   (Kirche–Schule–Berge–Kino–Stadt)   *in die Berge–ins Kino*
   Wo seid ihr? (Stadt)   In der Stadt.   *in der Kirche–in der Schule*
   (Kirche–Schule–Berge–Kino–Stadt)   *in den Bergen–im Kino*

3. Wohin führt er euch? (See)   An den See.   *an den Strand–ans Wasser*
   (Strand–Wasser–Ufer–Bahnhof–See)   *ans Ufer–an den Bahnhof*
   Wo bleiben wir? (See)   Am See.   *am Strand–am Wasser*
   (Strand–Wasser–Ufer–Bahnhof–See)   *am Ufer–am Bahnhof*

8. QUESTION FORMATION: **Wo?** OR **Wohin?**

1. Die Flasche steht auf dem Gasherd. ⊗   Wo steht die Flasche?
   Sie steckt den Korken in die Flasche.   Wohin steckt sie den Korken?
   Die Tassen stehen im Geschirrschrank.   Wo stehen die Tassen?
   Sie legt das Besteck in den Korb.   Wohin legt sie das Besteck?
   Sie steckt die Servietten in die Tüte.   Wohin steckt sie die Servietten?
   Die Lampe hängt an der Wand.   Wo hängt die Lampe?
   Sie legt das Messer auf den Teller.   Wohin legt die das Messer?

9. FREE SUBSTITUTION

Hast du die <u>Flasche</u> auf den <u>Korb</u> gestellt?   *Teller, Tasse, Butter / Tisch, Ofen, Kühlschrank*
Erika legt das Besteck <u>neben</u> den <u>Teller</u>.   *auf, unter, hinter / Tischdecke, Tüte, Servietten*
Die <u>Zeitung</u> liegt auf dem <u>Kühlschrank</u>.   *Äpfel, Messer, Deckel / Tisch, Stuhl, Gasherd*
Der Stuhl steht <u>in</u> der <u>Ecke</u>.   *unter, auf, vor / Tisch, Teppich, Garage*

EXERCISE BOOK: EXERCISE 2

10. FREE RESPONSE

1. Wo stehen die folgenden Sachen bei Ihnen zu Hause?

   Wo steht die Milch gewöhnlich?   Wo hängt die Küchenuhr?
   Wo stehen die Teller und Tassen?   Wo steht das Radio?
   Wo stehen die Töpfe?   Und wo steht das Fernsehgerät?

2. Wohin legen oder stellen Sie die folgenden Sachen zu Hause?

   Wohin stellen Sie immer Ihr Rad?   Wohin stellen Sie die Blumenvase?
   Wohin fährt Ihr Vater das Auto?   Wohin legen Sie die Servietten?
   Wohin legt Ihre Mutter das Fleisch?

Summary: Use of the Two-way Prepositions

In the preceding exercises, which concentrated on the correct use of dative and accusative case forms, you have used the two-way prepositions in various situations. The following is a summary of when to use which preposition:

an *on, onto* with vertical surfaces

Er hängt das Bild an die Wand.
Sein Mantel hängt an der Tür.

to, up to, toward with the accusative

Wir fahren an den Rhein.
Erika geht an den Kühlschrank.

at, by with the dative

Die Mutter steht am Fenster.
Wir warten am Fluss.

auf *on, on top of* with horizontal surfaces

Er stellt den Topf auf den Gasherd.
Wir bleiben auf dem Berg.

in *in* usually followed by the dative
Wir wohnen in diesem Haus.

in, into, to followed by the accusative
Wir gehen in dieses Gasthaus.

Ich gehe jetzt in die Schule.

hinter *behind, in back of*

Mein Fahrrad steht hinter dem Haus.
Mein Freund sitzt hinter mir.

neben *next to, beside*
Neben unserem Haus bauen sie eine
neue Garage.
Ich sitze heute neben dir.

über *over, above*
Die Lampe hängt über dem
Tisch.
across, on the other side
Wir schwimmen über den
Fluss.

unter *under, below*
Der Hund schläft unter dem
Stuhl.

vor *in front of, before*
Das Auto steht vor dem Haus.
Ich komme vor dem Essen.

zwischen *between*
Das Besteck liegt zwischen den
Tassen und den Tellern.

There are other uses of these prepositions, some of them idiomatic. You will have to learn those as you encounter them.

Have your students turn to page 130 and ask them the following questions: *Wo hängen die Bilder? Wo steht die Lampe? Wo steht die Uhr? Wo liegen die Teppiche? Wo stehen die Tische? Wo steht der Fernseher? Wo stehen die Vasen? Wo liegt die Tischdecke?*

Writing

EXERCISE BOOK: EXERCISE 3

1. SENTENCE REWRITE

A. Rewrite each of the following sentences supplying the appropriate endings where they have been omitted.

BEISPIEL Erika stellt die Tassen in d__ klein__ Korb.
Erika stellt die Tassen in den kleinen Korb.

1. Die schlecht__ Äpfel liegen in d__ braun__ Tüte.   *schlechten–der braunen*
2. Sie stellt d__ neu__ Topf auf d__ heiss__ Gasherd.   *den neuen–den heissen*
3. Hängst du d__ gross__ Uhr an d__ Wand neben d__ Tür?   *die grosse–die–der*
4. Erika sitzt zwischen ihr__ gross__ Bruder und mein__ Freundin.   *ihrem grossen–meiner*
5. Unser Auto steht neben d__ klein__, neu__ Volkswagen.   *dem kleinen, neuen*
6. Legst du d__ heiss__ Fleisch in d__ kalt__ Kühlschrank?   *das heisse–den kalten*

B. Now rewrite each of these sentences in the conversational past.
1. . . . haben gelegen   2. . . . hat gestellt   3. Hast . . . gehängt
4. . . . hat gesessen   5. . . . hat gestanden   6. Hast . . . gelegt

2. SENTENCE CONSTRUCTION

Write a sentence for each group of words given. Use appropriate determiners and make all necessary changes. Follow the example.

BEISPIEL Mutter / hängen / Lampe / über / Tisch
Die Mutter hängt die Lampe über den Tisch.

1. Erika / stellen / Flasche / in / Picknickkorb   *Erika stellt die F. in den P.*
2. Essen / stehen / in / alt / Kühlschrank   *Das Essen steht in dem alten K.*
3. Korken / liegen / hinter / gross / Topf   *Der K. liegt hinter dem grossen Topf.*
4. ich / fahren / Wagen / vor / neu / Haus   *Ich fahre den W. vor das neue Haus.*
5. Bild / hängen / an / grün / Wand / neben / weiss / Tür
6. Buch / liegen / zwischen / alt / Zeitungen   *Das Buch liegt zwischen den alten Z.*
7. er / legen / Besteck / auf / Tisch / neben / Teller
8. Auto / stehen / unter / gross / Brücke   *Das Auto steht unter der grossen B.*

5. Das Bild hängt an der grünen Wand neben der weissen Tür.
7. Er legt das Besteck auf den Tisch neben den Teller.

SECTION B ⊗

Basic Material II and Supplement
Listening Comprehension: Exercise 30
Structure Drills 17.1–17.2; 18; 20; 21

BASIC MATERIAL II

Picknick im Freien

MUTTER Wie friedlich es hier auf dem Trümmerberg[2] ist! Die Bäume blühen, die Schmetterlinge fliegen umher, und . . .

KURT . . . und die Mücken stechen mich! Und die Ameisen wollen auch was zu fressen. Autsch!

MUTTER Lass sie doch, Kurt!

KURT Ich denke lieber an den letzten Winter. Die vielen Schlitten auf der Rodelbahn! Da war was los!

VATER Ja, es freut mich, dass das alte Berlin der heutigen Jugend wieder Freude bereitet.

KURT Ach, Vater, denk nicht wieder daran! Der Krieg ist lange vorbei.

MUTTER Sprecht doch nicht schon wieder davon! –Hier, Kurt, iss noch ein Stück kaltes Huhn! Oder willst du lieber eine Schnitte?

KURT Ja, mit Schinken drauf.

Supplement

Was für Bäume wachsen dort?	Kastanienbäume, Weiden und Eichen.
Was blüht alles?	Viele Pflanzen und Blumen.
Was fliegt umher?	Spatzen und Rotkehlchen, Fliegen und Bienen.
Worüber spricht der Vater? Spricht er über den Krieg?	Ja, er spricht darüber.
Spricht er zum ersten Mal darüber?	Nein, er hat schon oft darüber gesprochen.

[2] The **Trümmerberg** in Berlin is an artificial mountain made from the rubble of the buildings destroyed in the second World War. The mountain is a favorite recreation spot for Berliners in both summer and winter.

Picnic Outdoors

MOTHER   How peaceful it is here on the rubble mountain! The trees are in bloom, the butterflies fly about, and . . .

KURT   . . . and the mosquitos are biting (stinging) me! And the ants want something to eat, too. Ouch!

MOTHER   Leave them alone, Kurt!

KURT   I'd rather think about last winter. The many sleds on the bobsled-run! That was exciting!

FATHER   I'm happy that old Berlin is fun (giving pleasure) again for today's youth.

KURT   Oh, Father, don't think about it again. The war has been over for a long time.

MOTHER   Don't talk about it again. –Here, Kurt, have another piece of cold chicken. Or would you rather have a sandwich?

KURT   Yes, with ham on it.

Supplement

What kind of trees grow there?

What (all) is in bloom?

What's flying around?

What is Father talking about? Is he talking about the war?

Is he talking about it for the first time?

Chestnut trees, willows, and oaks.

Many plants and flowers.

Sparrows and robins, flies and bees.

Yes, he's talking about it.

No, he has often spoken about it before.

Vocabulary Exercises

11. QUESTIONS ON BASIC MATERIAL

1. Was blüht alles auf dem Trümmerberg?
2. Was fliegt umher?
3. Was sticht Kurt?
4. Was wollen die Ameisen?
5. Woran denkt Kurt lieber?
6. Was war letzten Winter auf der Rodelbahn?
7. Wem bereitet das alte Berlin Freude?
8. Woran denkt der Vater wieder?
9. Was soll der Vater nicht tun?
10. Was möchte Kurt noch essen? Ein Stück Huhn?
11. Was für eine Schnitte möchte er haben?

12. FREE RESPONSE

1. Wissen Sie, wo der Trümmerberg ist?
2. Wo haben Sie immer Ihr Picknick?
3. Was essen Sie, wenn Sie ein Picknick haben?
4. Was für Bäume kennen Sie?
5. Was fliegt im Garten umher?
6. Warum können Sie Mücken nicht leiden?
7. Was machen Sie im Winter?
8. Fahren Sie gern Schlitten?

13. ITEM SUBSTITUTION

Note that **-mal** used as a suffix suggests repetition. It can be compared to the English word *time (s)*, as in **einmal,** *one time (once)* and **zweimal,** *two times (twice).*

Er hat einmal darüber gesprochen. (zwei–, drei–, zehn–, hundert–, tausend–)

Er hat einmal darüber gesprochen.

zweimal
dreimal
zehnmal
hundertmal
tausendmal

Noun Exercises

14. der, die, das

1. Vor dem Haus steht ein kleiner Baum.
2. Das ist aber ein schöner Schmetterling.
3. Hast du einen grossen Schlitten?
4. Ich möchte nur ein kleines Stück.
5. Ich mag kalten Schinken nicht.
6. Das ist ein frecher Spatz.
7. Dort fliegt ein junges Rotkehlchen.

1. Warum wächst ____ Baum nicht?   *der*
2. Wo sitzt ____ Schmetterling?   *der*
3. ____ Schlitten ist zu klein für mich.   *der*
4. Du kannst ____ Stück haben.   *das*
5. Schmeckt ____ Schinken gut?   *der*
6. Wo sitzt ____ kleine Spatz?   *der*
7. ____ Rotkehlchen gefällt mir.   *das*

15. SINGULAR → PLURAL

1. Der Baum blüht schon.
2. Der Schmetterling fliegt umher.
3. Der Schlitten ist kaputt.
4. Fressen die Ameisen das Stück Kuchen?
5. Der Schinken ist ausgezeichnet.
6. Der Spatz frisst das Brot.
7. Das Rotkehlchen kann nicht fliegen.

1. Die Bäume blühen schon.
2. Die Schmetterlinge fliegen umher.
3. Die Schlitten sind kaputt.
4. Fressen die Ameisen die Stücke Kuchen?
5. Die Schinken sind ausgezeichnet.
6. Die Spatzen fressen das Brot.
7. Die Rotkehlchen können nicht fliegen.

VARIATION

1. Die Bäume blühen schon.

1. Der Baum blüht schon.

Verb Exercises

16. CUED RESPONSE DRILL

1. Was **fressen** die Ameisen?   (Brot)
   Was **frisst** der Löwe?   (Fleisch)
   Was **frass** die Katze?   (Fisch)
   Was hat das Reh **gefressen?**   (Kastanien)

   Die Ameisen **fressen** Brot.
   Der Löwe **frisst** Fleisch.
   Die Katze **frass** Fisch.
   Das Reh hat Kastanien **gefressen.**

2. Wen **stechen** die Bienen?   (Kurt)
   Was **sticht** mich?   (Mücke)
   Wohin **stach** die Biene Sie?   (in die hand)
   Was hat Sie **gestochen?**   (eine Biene)

   Die Bienen **stechen** Kurt.
   Eine Mücke **sticht** Sie.
   Die Biene **stach** mich in die Hand.
   Eine Biene hat mich **gestochen.**

(continued)

(continued)

3. Wohin **fliegen** die Piloten? (nach Europa)

   Was **flog** durchs Fenster? (eine Biene)

   Was <u>ist</u> im Garten **umhergeflogen?** (Schmetterlinge)

Die Piloten **fliegen** nach Europa.

Eine Biene **flog** durchs Fenster.

Schmetterlinge <u>sind</u> im Garten **umhergeflogen.**

Grammar

Prepositional Compounds: da-*compounds*

PRESENTATION

Kurt denkt **an seinen Freund.**
Kurt denkt **an ihn.**

Kurt denkt **an den Krieg.**
Kurt denkt **daran.**

In the second sentence of the first pair, does **ihn** refer to a person or a thing? What does **an ihn** mean? –In the second sentence of the second pair, is **Krieg** a person or something else? What does **daran** mean here?

Kurt wartet **auf seine Eltern.**
Kurt wartet **auf sie.**

Kurt wartet **auf die Strassenbahn.**
Kurt wartet **darauf.**

In the second sentence of the first pair, does **sie** refer to persons or things? What does **auf sie** mean here? –In the second sentence of the second pair, is **Strassenbahn** a person or a thing? What does **darauf** mean here?

Sie sprechen **über den Krieg.**
Sie sprechen **darüber.**

Kurt möchte Schinken **auf die Schnitte.**
Kurt möchte Schinken **darauf.**

Die Mutter steht **neben dem Baum.**
Die Mutter steht **daneben.**

Do **Krieg, Schnitte, Baum** refer to persons or things? What do **darüber, darauf, daneben** mean?

DRILLS 17–19

GENERALIZATION

1. In the following sentences, the pronouns **ihn** and **sie** may refer to either persons or things.

Ich sehe ihn nicht.

ihn 〈 meinen Bruder: *person*
den Baum: *thing*

Hörst du sie?

sie 〈 seine Schwester: *person*
die Musik: *not a person*

2. However, in phrases in which a preposition is used with a pronoun, the pronouns refer only to persons, not to things.

Wartest du auf ihn?　　　　　　　**auf ihn:** auf seinen Bruder: *person*
Sprichst du über sie?　　　　　　**über sie:** über ihre Tante: *person*

3. When referring to things, the word **da** (**dar-** when the preposition begins with a vowel) is used instead of the usual pronoun. It is used before the preposition and connected to it.

Sie steht **neben dem Baum.**　　　　Sie steht **daneben.**
Wartest du **auf das Essen?**　　　　Wartest du **darauf?**
Sie sprechen **über die Geschichte.**　Sie sprechen **darüber.**

When using **da-**compounds, no distinction in gender, number, and case is made, as seen in these examples.

4. All dative (except **seit** and **gegenüber**), accusative (except **ohne**), and all two-way prepositions can form compounds with **da**.

DATIVE		ACCUSATIVE		TWO-WAY	
Preposition	**da**-*compound*	*Preposition*	**da**-*compound*	*Preposition*	**da**-*compound*
aus	daraus	durch	dadurch	an	daran
bei	dabei	für	dafür	auf	darauf
mit	damit	gegen	dagegen	in	darin
nach	danach	um	darum	hinter	dahinter
von	davon			neben	daneben
zu	dazu			über	darüber
				unter	darunter
				vor	davor
				zwischen	dazwischen

5. The compounds with **dar-** are very often contracted in speaking and sometimes in writing. The following contractions are very common:

$$
\begin{array}{llll}
\text{daraus} & = & \text{draus} & \quad \text{darin} & = & \text{drin} \\
\text{daran} & = & \text{dran} & \quad \text{darüber} & = & \text{drüber} \\
\text{darauf} & = & \text{drauf} & \quad \text{darunter} & = & \text{drunter}
\end{array}
$$

STRUCTURE DRILLS

17. PATTERNED RESPONSE

1. Sitzt der Schmetterling auf der Blume? ⊗   Ja, er sitzt darauf.
Sprechen die Eltern über den Krieg?   Ja, sie sprechen darüber.
Hat Kurt etwas gegen die Geschichte?   Ja, er hat etwas dagegen.
Steht der Korb auf dem Tisch?   Ja, er steht darauf.
Schreibst du mit dem Füller?   Ja, ich schreibe damit.
Glaubst du an Fortschritt?   Ja, ich glaube daran.

2. Hat der Onkel über den Verlust getrauert? ⊗   Ja, er hat darüber getrauert.
Hat er an das Picknick gedacht?   *Ja, er hat daran gedacht.*
Hat er auf die Strassenbahn gewartet?   *Ja, er hat darauf gewartet.*
Hat er Schinken zum Brot gegessen?   *Ja, er hat Schinken dazu gegessen.*
Ist er nach der Vorstellung gekommen?   *Ja, er ist danach gekommen.*
Ist er mit dem Wagen gefahren?   *Ja, er ist damit gefahren.*

18. PRONOUN OR da-COMPOUND

Warten Sie auf Ihren Vater? ⊗   Ja, ich warte auf ihn.
Warten Sie auf den Bus?   Ja, ich warte darauf.

Sprechen Sie über das Picknick?   Ja, ich spreche darüber.
Sprechen Sie über die Lehrerin?   Ja, ich spreche über sie.

Denken Sie an den letzten Winter?   Ja, ich denke daran.
Denken Sie an Ihren Kollegen?   Ja, ich denke an ihn.

Sitzen Sie neben Ihren Kindern?   Ja, ich sitze neben ihnen.
Sitzen Sie neben dem Picknickkorb?   Ja, ich sitze daneben.

19. RESPONSE DRILL

Answer each of the following questions in the affirmative.

Kommen Sie mit Ihrer Schwester?   Ja, ich komme mit ihr.
Zahlen Sie für das Essen?   Ja, ich zahle dafür.

Warten Sie auf den Zug?	*Ja, ich warte darauf.*
Schreiben Sie mit dem Bleistift?	*Ja, ich schreibe damit.*
Denken Sie an Ihre Ferien?	*Ja, ich denke daran.*
Sprechen Sie über das Picknick?	*Ja, ich spreche darüber.*
Warten Sie auf die anderen Handwerker?	*Ja, ich warte auf sie.*
Haben Sie etwas gegen diesen Ratschlag?	*Ja, ich habe etwas dagegen.*
Glauben Sie an Fortschritt?	*Ja, ich glaube daran.*
Hören Sie manchmal von den Städtern?	*Ja, ich höre manchmal von ihnen.*

EXERCISE BOOK: EXERCISE 4

Prepositional Compounds: wo-*compounds*

PRESENTATION

Die Eltern sprechen **über ihren Sohn.**
Über wen sprechen die Eltern?

Die Eltern sprechen **über die Reise.**
Worüber sprechen die Eltern?
Über was sprechen die Eltern?

In the second sentence, does **wen** refer to a person or a thing? What does **über wen** mean? –In the fourth sentence, what does **worüber** mean? Does **worüber** refer to a person or a thing? What does **über was** mean?

Kurt fährt **mit seinen Eltern.**
Mit wem fährt Kurt?

Kurt fährt **mit dem Fahrrad.**
Womit fährt Kurt?
Mit was fährt Kurt?

In the second sentence, does **wem** refer to persons or things? What does **mit wem** mean? –In the fourth sentence, what does **womit** mean? What does **mit was** mean in the fifth sentence? Does **womit** refer to a person or a thing? *DRILLS 20–23*

GENERALIZATION

1. In questions referring to things and containing a prepositional phrase, compounds similar to the **da**-compounds are used. The word **wo** (**wor**- when the preposition begins with a vowel) is used before the preposition and connected to it.

Worüber sprechen sie? (Sie sprechen **über die Reise.**)
Womit fährt er? (Er fährt **mit dem Fahrrad.**)

2. The same questions could have been asked by using the interrogative **was:**

Über was sprechen Sie?   **Mit was** fährt er?

However, in many cases these forms are considered less elegant than the **wo**-compounds. The more familiar you become with German, the easier it will be for you to recognize when to use the **wo**-compounds and when to use **was** and the preposition.

3. All dative, accusative, and two-way prepositions form compounds with **wo** except **ohne, gegenüber,** and **seit.**

REFERRING TO THINGS		REFERRING TO PEOPLE AND ANIMALS	
QUESTION	ANSWER	QUESTION	ANSWER
wo(r) + *Preposition*	**da(r)** + *Preposition*	*Preposition* + *Interrogative*	*Preposition* + *Pronoun*
woran?	daran (dran)	an wen?	an ihn (sie)
worauf?	darauf (drauf)	auf wen?	auf ihn (sie)
worüber?	darüber (drüber)	über wen?	über ihn (sie)
wofür?	dafür	für wen?	für ihn (sie)
womit?	damit	mit wem?	mit ihm (ihr)
wovon?	davon	von wem?	von ihm (ihr)
wozu?	dazu	zu wem?	zu ihm (ihr)

STRUCTURE DRILLS

20. QUESTION FORMATION

Ich habe an die Reise gedacht. ✖	Woran haben Sie gedacht?
Ich habe von Pilzen gelebt.	Wovon haben Sie gelebt?
Ich habe über den Ausflug geschrieben.	Worüber haben Sie geschrieben?
Ich habe mit dem Ball gespielt.	Womit haben Sie gespielt?
Ich habe auf die Ferien gewartet.	Worauf haben Sie gewartet?
Ich bin mit dem Zug gekommen.	Womit sind Sie gekommen?

VARIATION: Use the right-hand column as a cue and have the students provide a free response.

21. PRONOUN OR WO-COMPOUND

Kurt wartet auf seinen Vater. ✖	Auf wen wartet Kurt?
Kurt wartet auf einen Brief.	Worauf wartet Kurt?

Er denkt oft an seinen Onkel. *An wen denkt er oft?*
Er denkt oft an seine Ferien. *Woran denkt er oft?*
Er spricht von seiner Reise. *Wovon spricht er?*
Er spricht von seinen Eltern. *Von wem spricht er?*
Er gibt zehn Mark für das Essen aus. *Wofür gibt er zehn Mark aus?*
Er gibt zehn Mark für seine Mutter aus. *Für wen gibt er zehn Mark aus?*

22. CUED RESPONSE DRILL

Woran denkst du? (die Reise) Ich denke an die Reise.
Und du? Ich denke auch daran.

Worauf wartest du? (den Frachter) Ich warte auf den Frachter.
Und du? Ich warte auch darauf.

Worüber sprichst du? (die Prüfung) Ich spreche über die Prüfung.
Und du? Ich spreche auch darüber.

Wofür gibst du so viel aus? (das Ge- Ich gebe so viel für das Geschenk aus.
schenk)
Und du? Ich gebe auch so viel dafür aus.

23. FREE RESPONSE

Worüber sprechen Sie gern mit Ihren Freunden?
Wofür geben Sie Ihr Taschengeld aus?
Woran denken Sie gern?
Worüber haben Sie einen Bericht geschrieben?
Wovon haben die Bauern im Schwarzwald gelebt?
Woraus besteht der Schwarzwald?

1. Worüber hat er berichtet?
   Hast du auch darüber berichtet?
2. Woran hat er gedacht?
   Hast du auch daran gedacht?
3. Wofür hat er viel ausgegeben?
   Hast du auch viel dafür ausgegeben?
4. Wovon hat er gesprochen?
   Hast du auch davon gesprochen?
5. Womit ist er gefahren?
   Bist du auch damit gefahren?
6. Wofür hat er gearbeitet?
   Hast du auch dafür gearbeitet?

Writing

EXERCISE BOOK: EXERCISE 5
SENTENCE REWRITE

For each of the following sentences write two questions using a **wo**-compound in the first one
and a **da**-compound in the second. Follow the example, using the conversational past in the
first question and the present tense in the second question.

BEISPIEL Er hat auf den Frachter gewartet.
Worauf hat er gewartet? –Wartest du auch darauf?

1. Er hat über seine Ferien berichtet.
2. Er hat an den letzten Winter gedacht.
3. Er hat viel für die Reise ausgegeben.

4. Er hat von seiner Arbeit gesprochen.
5. Er ist mit der Strassenbahn gefahren.
6. Er hat für seine Prüfung gearbeitet.

READING

SECTION C ⊗

Listening Comprehension: Exercise 31, 32, 33
Additional Structure Drills

Word Study

1. The suffix **-in** attached to a masculine noun indicates the feminine equivalent. Thus if you know the masculine noun, it is possible to recognize the meaning of the feminine noun and vice versa. Sometimes the feminine form takes an umlaut.

der Freund	die Freundin	der Schüler	die Schülerin
der Lehrer	die Lehrerin	der Arzt	die Ärztin

2. The suffix **-er** attached to the name of a city indicates the male inhabitant of the city. Again, the female equivalent is formed by adding **-in.**

CITY	MALE INHABITANT	FEMALE INHABITANT
Hamburg	der/ein Hamburger	die/eine Hamburgerin
Berlin	der/ein Berliner	die/eine Berlinerin
Köln	der/ein Kölner	die/eine Kölnerin

3. The **-er** form of the name of the city is also used as an adjective. When used this way the adjective form does not take additional endings for the different genders or cases.

der Trümmerberg	der Berliner Trümmerberg
in einer Zeitung	in einer Hamburger Zeitung
für das Mädchen	für das Kölner Mädchen

Past Participles Used as Adjectives

In German, as in English, past participles are often used as adjectives. Past participles used this way add the regular adjective endings.

INFINITIVE	PAST PARTICIPLE	ADJECTIVE
schreiben	geschrieben	das geschriebene Wort
vergehen	vergangen	die vergangenen Jahre
verlassen	verlassen	ein verlassenes Dorf
schmelzen	geschmolzen	geschmolzenes Eis

Der Berliner[3] Trümmerberg

//Man nennt ihn auch Teufelsberg° oder Winterberg./Einen offiziellen Namen hat er noch nicht./Es ist ein neuer Berg in Berlin./Neu, das heißt°, er ist schon über zwanzig Jahre alt. Als der Krieg zu Ende war und die Berliner ihre Stadt neu erbauten,
5 wußte man nicht, wohin mit den Trümmern:/zerstörte° Häuser, zerbrochene oder verbrannte°[4] Möbel, Küchengeräte und Gartengeräte, Autos und Maschinen—tausend Dinge, einst neu und brauchbar, jetzt nur Trümmer./In vielen Städten Deutschlands gibt es heute diese Trümmerberge./
10 1950 beschloß° die Berliner Stadtregierung, die Trümmer Berlins in die Gegend zwischen Charlottenburg und den Teufelssee in Wilmersdorf[5] zu transportieren./Und so entstand dieser künstliche Berg./Er ist heute 110 Meter hoch./Und mitten° auf dem Berg kreist ein amerikanischer Radarspiegel./Vor und hinter dem
15 Trümmerberg sind neue Häuser und Parkanlagen, Bäume und Sträucher°./Auf den Trümmerberg führen Wanderwege zwischen Gras und Bäumen. An den Hängen blühen im Sommer Blumen, Schmetterlinge fliegen umher, und oben, neben dem amerikanischen Radarspiegel, beginnt ein Slalomhang für die Freunde des
20 Wintersports. Aus den traurigen Trümmern ist eine Art° von Touristenzentrum geworden. Wenn der Winter beginnt und Schnee gefallen ist, fahren die Berliner mit ihren Schlitten über eine Rodelbahn hinunter, Männer und Frauen, jung und alt. Wer mutig ist, kann über einen Schanzentisch° springen, unter blauem,
25 eiskaltem Himmel, Schnee unter den Schiern, dem Ziel entgegen°, wo die Zuschauer warten. Mitten in der Stadt Berlin! Im Winter 1961 fuhren Schifahrer zum ersten Mal den Berg hinab, ein großer Hügel eigentlich—wir wollen nicht übertreiben.
Wenn kein echter Schnee fällt, dann macht eine Maschine
30 künstlichen Schnee. Der Berliner Senat kaufte den Berg für DM 110 000 und verpachtete° ihn. Auch ein Restaurant gibt es auf dem Gipfel. Dort wählt man jedes Jahr eine „Miss Teufelsberg".

---

der Teufel, –: *devil*

das heißt: *that is to say*

zerstören: *to destroy*
verbrennen: *to burn*

beschließen: *to decide*

mitten: *in the middle of*

der Strauch, ̈-er: *bushes*

die Art, –en: *kind, type*

der Schanzentisch, –e: *ski jump*
entgegen: *toward*

verpachten: *to lease*

---

[3] **Berlin,** Germany's largest city and former capital, is isolated from the Federal Republic by 120 miles of East German territory. The city is divided into West Berlin, forming the eleventh state of the Federal Republic, and East Berlin, the capital of the German Democratic Republic. Berlin was heavily destroyed during the second World War.

[4] **Verbrennen** is a weak verb like **kennen** and **nennen.** These verbs have a vowel change from **e** to **a** in the narrative past tense and in the past participle.

[5] **Charlottenburg** and **Wilmersdorf** are two districts of West Berlin. The **Teufelssee** is a small lake at the southern foot of the **Trümmerberg.**

„Sie muß aber nicht nur mit Schiern Kurven fahren können",
sagte ein Berliner, „sie muß auch hübsch sein!"

35 Im Frühjahr erscheinen° die Wanderer. Viele bringen einen
Picknickkorb mit und essen ihr Mittag– oder Abendessen in der
frischen Luft am Rande° von der ehemaligen Hauptstadt—im
Grünen. Pappeln und Birken wachsen hier, auch wilde Kastanien,
Weiden, und viele Sträucher, worin die Vögel ihre Nester bauen.

40 Und noch immer bringen Lastwagen jeden Tag 5 000 Kubikmeter Schutt zum Trümmerberg, um eine Million und hundert-
tausend Quadratmeter° Boden im Grunewald[6] zu bedecken. Ja,
er ist nicht so hoch wie die Zugspitze, aber ein Paradies für
Berliner! Bei einem deutschen Dichter° liest man: „Und neues
45 Leben blüht aus den Ruinen ..."
Nicht alle Dichter sind heute so optimistisch.

erscheinen: *to appear*

der Rand, ⸚er: *edge*

der Quadratmeter, –:
square meter

der Dichter, –: *poet*

Dictionary Section

Boden Erde: *Wenn Sie ein Picknick machen, sitzen
Sie nicht auf einem Stuhl, sondern auf dem Boden.*

brauchbar etwas, was man noch brauchen kann:
*Die Waschmaschine ist noch brauchbar. = Man kann
die Waschmaschine noch benutzen.*

echt richtig: *Das sind echte Haare, keine falschen
Haare.*

einst einmal: *Einst waren die Geräte neu und brauchbar.*

Frühjahr Frühling: *Im Frühjahr blühen Gärten und
Wiesen.*

Hang die Seite von einem Berg: *Sie gehen langsam
den Hang hinauf. Die Schiläufer fahren die Hänge
hinunter.*

hübsch schön: *Das ist aber ein hübsches Mädchen!*

kreisen *Die Erde kreist um die Sonne.*

künstlich nicht echt: *Das ist kein echter Schnee, das
ist künstlicher Schnee.*

mutig keine Angst haben: *Die mutigen Jungen
sprangen über den hohen Schanzentisch.*

Schifahrer Leute, die Schifahren oder Schilaufen
gehen: *Die Schifahrer fuhren den Berg hinab.*

Schutt zerstörte und zerbrochene Dinge;
Trümmer: *Die Lastwagen fahren den Schutt zum
Trümmerberg.*

Ziel das Ende: *Die Kinder fahren mit dem Schlitten
die Rodelbahn hinunter und durchs Ziel.*

24. QUESTIONS

1. Wie heisst der Trümmerberg auch? | 1
2. Was für ein Berg ist er? | 2
3. Wann ist dieser Berg entstanden? | 3
4. Was liegt alles in diesem Berg? | 5
5. Gibt es einen Trümmerberg nur in Berlin? | 8
6. Was beschloss die Berliner Stadtregierung
1950? | 10
7. Wie hoch ist dieser Berg heute? | 13

8. Was kreist auf diesem Berg? | 13
9. Was gibt es vor und hinter dem Trüm-
merberg? | 14
10. Was führt auf den Berg? | 16
11. Was beginnt oben, neben dem Radar-
spiegel? | 18
12. Was ist aus den traurigen Trümmern
geworden? | 20

---

[6]**Grunewald** is a large forest area in the southwest part of West Berlin.

13. Was tun die Berliner im Winter?	*22*	19. Was gibt es auf dem Gipfel?	*31*
14. Was tun die Mutigen?	*24*	20. Wen wählt man dort oben jedes Jahr?	*32*
15. Was taten die Schifahrer 1961 zum ersten Mal?	*26*	21. Wie muss die Berlinerin sein?	*34*
		22. Was tun die Wanderer oft im Frühling?	*35*
16. Was tut man, wenn kein echter Schnee fällt?	*29*	23. Was für Bäume wachsen auf den Hängen?	*38*
17. Wem gehört der Berg?	*30*	24. Ist der Trümmerberg schon „fertig"?	*40*
18. Was machte der Berliner Senat damit?	*31*	25. Was kann man bei einem deutschen Dichter lesen?	*44*

Noun Exercises

25. der, die, das

1. Der Junge ist ein kleiner Teufel.
2. Der Berg hat noch keinen Namen[7].
3. Das nimmt kein gutes Ende.
4. Der Hund springt hinter den Strauch.
5. Sie gehen den steilen Hang hinauf.
6. Sehen Sie den amerikanischen Touristen[7]?
7. Die Schifahrer fahren durchs Ziel.
8. Kennen Sie jedes Restaurant in Berlin?
9. Sie fahren an den Rand von Berlin.
10. Ist der Baum eine Pappel?
11. Der Vogel fliegt in ein warmes Nest.
12. Sie setzen alles auf den Boden.
13. Ein junger Dichter verdient wenig.

1. ____ kleine Teufel macht alles kaputt.   *der*
2. Wie ist ____ Name, bitte?   *der*
3. ____ Ende kommt bald.   *das*
4. ____ Strauch ist schon grün.   *der*
5. Wie lang ist ____ Hang?   *der*
6. ____ Tourist kauft Ansichtskarten.   *der*
7. Wo ist ____ Ziel?   *das*
8. ____ Restaurant ist sehr bekannt.   *das*
9. ____ Rand vom Tisch ist schmutzig.   *der*
10. ____ Pappel ist lang und dünn.   *die*
11. Kannst du ____ Nest von hier sehen?   *das*
12. Ist ____ Boden nass?   *der*
13. ____ Dichter sieht arm aus.   *der*

26. SINGULAR → PLURAL

1. Schwimmt der Teufel im Teufelssee?
2. Der Name ist hier unbekannt.
3. Der Strauch blüht schon.
4. Der Hang besteht aus Trümmern.
5. Der Tourist besichtigt die Stadt.
6. Das Ziel ist noch weit entfernt.
7. Das Restaurant ist geschlossen.
8. Die Pappel ist im Winter gestorben.
9. Das Nest ist dort oben im Baum.
10. Der Dichter schreibt gern.

1. Schwimmen die Teufel im Teufelssee?
2. Die Namen sind hier unbekannt.
3. Die Sträucher blühen schon.
4. Die Hänge bestehen aus Trümmern.
5. Die Touristen besichtigen die Stadt.
6. Die Ziele sind noch weit entfernt.
7. Die Restaurants sind geschlossen.
8. Die Pappeln sind im Winter gestorben.
9. Die Nester sind dort oben im Baum.
10. Die Dichter schreiben gern.

VARIATION

1. Schwimmen die Teufel im Teufelssee?

1. *Schwimmt der Teufel im Teufelssee?*

[7] Note that **Name** and **Tourist** have an **-n** and **-en** respectively in all cases except the nominative singular.

Verb Exercises

27. CUED RESPONSE

1. Wann wollen Sie **springen?** (morgen)
Wohin **sprang** der Hund? (über den Tisch)
Wohin **ist** die Katze **gesprungen?** (in die Sträucher)

Ich will morgen **springen.**
Der Hund **sprang** über den Tisch.
Die Katze **ist** in die Sträucher **gesprungen.**

2. Wann **erscheinen** die ersten Rotkehlchen? (im Frühling)
Wann **erschienen** die Zuschauer? (früh am Morgen)
Wann **sind** die Wanderer **erschienen?** (gegen Mittag)

Im Frühling **erscheinen** die ersten Rotkehlchen.
Früh am Morgen **erschienen** die Zuschauer.
Gegen Mittag **sind** die Wanderer **erschienen.**

EXERCISE BOOK: EXERCISE 6

RECOMBINATION EXERCISES

28. PATTERNED COMPLETION

neben Wo steht dein Vater? (meine Tante)
Und deine Mutter?

Er steht neben meiner Tante.
Sie steht auch neben ihr.

in Wo ist deine Kusine? (ihr Haus)
Und dein Vetter?

Sie ist in ihrem Haus.
Er ist auch darin.

unter Wo liegt der Teppich? (der Tisch)
Und der Hund?

Er liegt unter dem Tisch.
Er liegt auch darunter.

an Wo hängt die Lampe? (die Wand)
Und die Uhr?

Sie hängt an der Wand.
Sie hängt auch daran.

zwischen Wo steht dein Grossvater? (die Kinder)
Und deine Grossmutter?

Er steht zwischen den Kindern.
Sie steht auch zwischen ihnen.

auf Wo sitzt denn dein Hund? (mein Stuhl)
Und deine Katze?

Er sitzt auf meinem Stuhl.
Sie sitzt auch darauf.

hinter Wo steht dein Onkel? (meine Mutter)
Und deine Tante?

Er steht hinter meiner Mutter.
Sie steht auch hinter ihr.

vor Wo blühen die Kastanienbäume? (unser Haus)
Und die Weiden?

Sie blühen vor unserm Haus.
Sie blühen auch davor.

über Wo wohnen die Meiers? (unsere Wohnung)
Und die Müllers?

Sie wohnen über unserer Wohnung.
Sie wohnen auch darüber.

Additional Structure Drills may be done at this point.

SECTION D ⊗

Listening Comprehension: Exercise 34
Structure Drills 29.1–29.3
Additional Structure Drills
Listening Comprehension: Exercise 35

29. CUED RESPONSE

In your answers choose an appropriate preposition.

1. Wo ist der Trümmerberg?   (Stadt) ⊗   In der Stadt.
   Wo blühen die Blumen?   (Hänge)   *An den Hängen.*
   Wo stehen neue Häuser?   (Trümmerberg)   *Hinter dem Trümmerberg.*
   Wo kreist der Radarspiegel?   (Berg)   *Auf dem Berg.*
   Wo beginnt der Slalomhang?   (Radarspiegel) *Neben dem Radarspiegel.*

2. Wohin stellen Sie den Schlitten?   (Garage) ⊗   In die Garage.
   Wohin hängen Sie das Bild?   (Wand)   *An die Wand.*
   Wohin stellen Sie den Stuhl?   (Tisch)   *Neben den Tisch.*
   Wohin stecken Sie die Servietten?   (Tüte)   *In die Tüte.*
   Wohin setzen Sie den Topf?   (Gasherd)   *Auf den Gasherd.*

3. Wo kreist der Radarspiegel?   (ein hoher Berg) ⊗   *Auf einem hohen Berg.*
   Wo blühen die Blumen?   (ein steiler Hang)   *An einem steilen Hang.*
   Wohin springt der Hund?   (das kalte Wasser)   *Ins kalte Wasser.*
   Wo haben Sie Ihr Picknick?   (die frische Luft)   *In der frischen Luft.*
   Wohin fahren die Jungen?   (der schöne See)   *An den schönen See.*

Additional Structure Drills may be done at this point.

30. QUESTION FORMATION

Stell den Stuhl hinter mich!   Wohin?
Das Ziel ist direkt vor dir.   Wo?
Leg das Buch neben sie!   Wohin?
Das Tal liegt vor uns.   Wo?
Meine Geschwister wohnen über mir.   Wo?
Ich stelle den Korb hinter dich.   Wohin?

EXERCISE BOOK: EXERCISES 7 AND 8

1. Worüber staunt Hans-Jochen?
2. Was erzählt ihm seine Kusine über den Berg?
3. Warum glaubt Hans-Jochen, dass der Berg furchtbar aussieht?
4. Wie sieht er wirklich aus?
5. Wann ist auf dem Berg viel los?

Conversation Buildup

HANS-JOCHEN   Ich hab' nie gedacht, dass Berlin so grün ist. So viele
              Anlagen gibt es hier, und Parks und Seen . . .
SEINE KUSINE Wir haben sogar einen Berg in der Stadt.
HANS-JOCHEN   Wirklich? Wie hoch?
SEINE KUSINE Über hundert Meter! Es ist eigentlich kein richtiger
              Berg, sondern ein künstlicher.
HANS-JOCHEN   Was? Ein künstlicher Berg?
SEINE KUSINE Hast du noch nie von unserm Trümmerberg gehört?
HANS-JOCHEN   Das ist neu für mich.

SEINE KUSINE   Nach dem Krieg hat man die Trümmer Berlins nach Grunewald gebracht, und so ist der Berg entstanden.

HANS-JOCHEN   Das muss ja dort furchtbar aussehen!

SEINE KUSINE   Dummkopf, du! Da siehst du nichts mehr von den Trümmern. Da wachsen Bäume und Sträucher auf den Hängen—es ist so schön dort, besonders im Frühling, wenn alles blüht.

HANS-JOCHEN   Den Berg möcht' ich gern mal sehen.

SEINE KUSINE   Vati kann uns mit dem Wagen hinbringen. Vielleicht kriegen wir sogar dieses Wochenende Schnee, und dann ist dort viel los! Es gibt eine tolle Rodelbahn.–Fährst du gern Schlitten?

REJOINDERS

In unsrer Stadt gibt es einen künstlichen Berg.

Ich kann schon nicht mehr warten, bis es Schnee gibt.

Was ist ein künstlicher Berg?
Woraus besteht er?
Warum? Laufen Sie Schi?
Ich auch nicht. Ich habe neue Schier bekommen.

CONVERSATION STIMULUS

Brigitte ist zu ihren Verwandten nach Berlin geflogen. Ihr Vetter Kurt zeigt ihr die Stadt. Die beiden besuchen ein Kunstmuseum, und später fährt Kurt mit seiner Kusine nach Grunewald. Er möchte ihr den Trümmerberg zeigen.

KURT   Ich habe eine tolle Idee, Brigitte. Morgen zeige ich dir . . .

BRIGITTE   *Trümmerberg? Was ist denn das?* . . . .

Writing

CUED RESPONSE

Answer the following questions using the words in parentheses with an appropriate preposition. Write complete sentences.

BEISPIEL   Wo liegt der Deckel? (die letzte Schublade)
<u>Der Deckel liegt in der letzten Schublade.</u>

1. Wo liegen die Schnitten? (der grosse Teller)   *. . . auf dem grossen Teller.*
2. Wohin steckst du den Schinken? (der kleine Korb)   *. . . in den kleinen Korb.*
3. Wohin stellst du den Teller? (die saubere Tischdecke)   *. . . auf die saubere Tischdecke.*
4. Wohin legst du das Fleisch? (der kleine Kühlschrank)   *. . . in den kleinen Kühlschrank.*
5. Wo beginnt der Slalomhang? (der amerikanische Radarspiegel) *. . . neben dem amerikanischen R.*
6. Wo warten die Zuschauer? (ein nahes Gasthaus)   *. . . in einem nahen Gasthaus.*

REFERENCE LIST

Nouns

die Ameise, –n	das Frühjahr, –e	das Picknick, –s	der Strauch, ⸚er
die Art, –en	die Gabel, –n	der Rand, ⸚er	das Stück, –e
der Baum, ⸚e	der Gasherd, –e	das Restaurant, –s	der Teller, –
das Besteck, –e	das Geschirr	das Rotkehlchen, –	der Teufel, –
die Biene, –n	der Hang, ⸚e	der Salat, –e	die Tischdecke, –n
die Birke, –n	die Kastanie, –n	der Schifahrer, –	der Topf, ⸚e
der Boden, ⸚	die Kleider, pl.	der Schinken, –	der Tourist, –en
der Deckel, –	der Kühlschrank, ⸚e	der Schlitten, –	die Trümmer, pl.
der Dichter, –	die Kurve, –n	der Schmetterling, –e	die Tüte, –n
die Eiche, –n	die Lampe, –n	die Schnitte, –n	die Wand, ⸚e
das Ende, –n	die Maschine, –n	der Schrank, ⸚e	der Wanderer, –
die Erde	die Mücke, –n	die Schublade, –n	die Wäsche
das Essen	der Name, –n	die Schüssel, –n	die Weide, –n
die Flasche, –n	das Nest, –er	die Serviette, –n	das Ziel, –e
die Fliege, –n	die Pappel, –n	der Spatz, –en	der Zuschauer, –
die Freude, –n	die Pflanze, –n	die Spülmaschine, –n	

Weak Verbs

bereiten	fehlen	legen	stecken	verpachten
blühen	kreisen	setzen	verbrennen	zerstören
			denken an A	

Strong Verbs

beschliessen (beschliesst, beschloss, beschlossen)   fressen (frisst, frass, gefressen)
erscheinen (erscheint, erschien, ist erschienen)   springen (springt, sprang, ist
fallen (fällt, fiel, ist gefallen)   gesprungen)
fliegen (fliegt, flog, ist geflogen)   wachsen (wächst, wuchs, ist gewachsen)
    sprechen über A   sprechen von

Adjectives and Adverbs

brauchbar	friedlich	kühl	mutig	einst
echt	hübsch	künstlich	optimistisch	mitten

Other Words and Expressions

Autsch!	es freut mich, dass ...	im Freien	umher	zum ersten Mal
das heisst	Freude bereiten	im Grünen	vorbei	zwischen
entgegen	hinter	rein	zu Ende	

Buntes Allerlei

Berlin

Sie fragen, warum ich in Berlin bleibe? Berlin, Weltstadt, aber wie eine Insel 180 Kilometer vom Festland entfernt, mit nur wenigen Strassen, die in die Bundesrepublik führen.

Ich wohne in West-Berlin: Stadt voller Kontraste, voller Humor, voller Hoffnung. Grossstadt: so gross wie Frankfurt, Stuttgart und München zusammen. Industriestadt: sie produziert vieles, von schweren Maschinen bis zu feinen Musikinstrumenten. Kulturzentrum: die vielen Theater, Museen und Galerien bringen Künstler aus aller Welt nach Berlin, auch Maler und Architekten, Sänger und Komponisten, Schauspieler und Dichter. Berlin, die grüne Stadt: Parks und Anlagen, Wälder und Wiesen — überall Grün!

Berlin ist eine Weltstadt: von überall her kommen die Menschen, um die berühmte ,,Berliner Luft'' zu geniessen — für viele nur Westberliner Luft. Wenn sie kommen, sehen sie die Mauer zwischen Ost-Berlin und West-Berlin. Dann ist Berlin eine traurige Stadt.

Aber von den Berlinern selbst bekommt man wieder Mut, denn die Berliner—mutig, humorvoll, wunderbar — geniessen ihre Stadt, sie geniessen das Leben, sie geben nicht auf.

Deshalb bleibe ich in Berlin.

Ausflugslokal an einem der vielen Berliner Seen

Wintersport auf dem Teufelsberg

*Die Mauer am Kontrollpunkt
Friedrichstrasse*

Schloss Charlottenburg

Europazentrum im Herzen Berlins

BASIC MATERIAL I

Wichtige Entscheidungen

ONKEL HANS	Nun, mein lieber Wolfgang, freust du dich, dass du bald aus der Schule kommst?
WOLFGANG	Ja und nein. Ich werde mich erst an die Arbeit gewöhnen müssen.
ONKEL HANS	Hast du dich schon entschieden, was du werden willst? Wofür interessierst du dich denn?
WOLFGANG	Oh, für technische Dinge, Motoren, und so weiter.
ONKEL HANS	Dein Vater und ich haben uns oft über unsere Pläne gestritten. Ich kann mich noch gut daran erinnern.
WOLFGANG	Du, Onkel, ich muss mich beeilen. Ich treffe mich mit einem Freund von mir. Er will sich bei Siemens[1] bewerben, und ich gehe nur so mit. Tschüs[2]!

Supplement

Worum bewirbt er sich?	Um eine Stellung.
Worauf freuen Sie sich?	Auf die Ferien.
Worüber freuen Sie sich?	Über das Zeugnis.
Was macht Wolfgang, bevor er sich mit seinem Freund trifft?	Er wäscht sich.
	Er rasiert sich.
	Er zieht sich an.
	Er kämmt sich.

---

[1] **Siemens** is Germany's largest electrical manufacturing company, comparable in size and product to General Electric.

[2] **Tschüs!** is a casual way of saying **Auf Wiedersehen.**

◀ *Im Schulhof*

Important Decisions

UNCLE HANS Well, my dear Wolfgang, are you happy that you're getting out of school?

WOLFGANG Yes and no. I'll have to get used to work first.

UNCLE HANS Have you already decided what you want to be? What are you interested in?

WOLFGANG Oh, in technical things, motors, and so on.

UNCLE HANS Your father and I often argued about our plans. I can still remember it well.

WOLFGANG Say, uncle, I have to hurry. I'm meeting a friend of mine. He wants to apply at Siemens, and I'm just going along. So long.

Supplement

What is he applying for? For a position.
What are you looking forward to? (To) the vacation.
What are you happy about? About the (my) report card.

What does Wolfgang do before he meets his friend? He washes himself.
He shaves.
He gets dressed.
He combs his hair.

Vocabulary Exercises

1. QUESTIONS ON BASIC MATERIAL

1. Wann kommt Wolfgang aus der Schule?
2. Freut er sich darüber?
3. Woran wird er sich gewöhnen müssen?
4. Wofür interessiert er sich?
5. Worüber haben sich Wolfgangs Vater und Onkel Hans oft gestritten?
6. Warum muss sich Wolfgang beeilen?
7. Was will Wolfgangs Freund tun?
8. Will sich Wolfgang auch bewerben?
9. Was macht Wolfgang, bevor er sich mit seinem Freund trifft?

2. SENTENCE TRANSFORMATION

Das ist mein Freund. ⊗ Das ist ein Freund von mir.
Das ist ihre Freundin. Das ist eine Freundin von ihr.
Das ist unser Lehrer. Das ist ein Lehrer von uns.
Das sind seine Kollegen. Das sind Kollegen von ihm.
Das ist meine Kusine. Das ist eine Kusine von mir.
Das ist ihr Vetter. Das ist ein Vetter von ihr.

Verb Exercises

3. CUED RESPONSE

1. Wofür **entscheiden** sich die Jungen? (für ein kleines Auto)

   Die Jungen **entscheiden** sich für ein kleines Auto.

   Wofür **entschieden** sich Ihre Kollegen? (für eine gute Jazzplatte)

   Meine Kollegen **entschieden** sich für eine gute Jazzplatte.

   Wofür haben sich Ihre Eltern **entschieden?** (für ein Picknick)

   Meine Eltern haben sich für ein Picknick **entschieden.**

2. Worüber **streiten** sich die Jungen? (über technische Dinge)

   Die Jungen **streiten** sich über technische Dinge.

   Worüber **stritten** sich die beiden? (über ihre Pläne)

   Die beiden **stritten** sich über ihre Pläne.

   Worüber haben sich die beiden Schüler **gestritten?** (über die Deutschprüfung)

   Die beiden Schüler haben sich über die Deutschprüfung **gestritten.**

3. Wo **bewerben** sich die Jungen? (bei Siemens)

   Die Jungen **bewerben** sich bei Siemens.

   Wann **bewirbt** er sich? (heute)

   Er **bewirbt** sich heute.

   Worum **bewarben** sie sich? (um eine Stellung)

   Sie **bewarben** sich um eine Stellung.

   Worum haben sich Ihre beiden Vettern **beworben?** (um eine Arbeit)

   Meine beiden Vettern haben sich um eine Arbeit **beworben.**

Grammar

The Reflexive Construction: Accusative

PRESENTATION

Ich wasche **ihn** jeden Morgen.
Ich wasche **mich** jeden Morgen.

Name the direct object pronoun in these sentences. How do these sentences differ in meaning? Which word means *myself?* In which sentence do subject and object refer to the same person?

> **Ich** ziehe **mich** jetzt an.
> Zieht **ihr euch** nicht an?

In each of these sentences, do subject and object refer to the same person? How do you know? Are **mich, dich, uns, euch** different from the object pronouns which you have already learned? What case are these pronouns in?

> **Wolfgang** rasiert **sich.**
> **Die beiden Jungen** rasieren **sich.**
> Rasieren **Sie sich** nicht?

Which pronoun is used to refer to **Wolfgang?** To **die beiden Jungen?** To the formal **Sie-Form?**

DRILLS 5.1–5.3; 6

> Kämm **dich!**
> Wascht **euch** jetzt!
> Ziehen wir **uns** warm an!
> Rasieren Sie **sich!**

Name the pronouns that are used for the different command forms. What case are they in?

DRILLS 11.1–11.6

GENERALIZATION

1. In English, the words *myself, yourself, himself, herself, ourselves, themselves* are used in several ways. One of these is called the reflexive construction, and the identifying forms ending in *-self* or *-selves* are often called reflexive pronouns. The term "reflexive" implies that these object pronouns refer to the same physical person as the subject does: *I'm working myself. They're dressing themselves. Are you enjoying yourself? Is he behaving himself?*

   In the first sentence, the object pronoun *myself* refers to the same person as *I,* and is therefore a reflexive pronoun. The whole construction—subject, pronoun, verb, and object pronoun—is called a reflexive construction. Similarly in the second sentence, *themselves* refers to the same person as *they. Themselves* is therefore a reflexive pronoun and again the construction is a reflexive construction.

   Compare the reflexive construction *She's washing herself* with the non-reflexive construction *She's washing her.* In the second construction *her* does not refer to the same person as the subject does, making the meaning of the second sentence quite different from the meaning of the first. In the first two of the preceding examples, the reflexive construction has a literal meaning, i.e. when you wash yourself you are literally performing an action upon yourself. Note, however, that some reflexive constructions have the reflexive form, although the meaning is not literal, as in *Are you enjoying yourself?* or *Is he behaving himself?*

2. German also uses this construction. For the first and second person singular and plural, the reflexive pronouns are the same as the accusative form of the personal pronouns **(mich, dich, uns, euch).** In the third person singular and plural and in the **Sie-Form** the reflexive pronoun is **sich.**

		Reflexive Pronoun	
SINGULAR			
1st person	Ich rasiere	**mich**	jeden Morgen.
2nd person	Rasierst du	**dich**	. · jeden Morgen?
3rd person	Er rasiert	**sich**	jeden Morgen.
PLURAL			
1st person	Wir rasieren	**uns**	jeden Morgen.
2nd person	Rasiert ihr	**euch**	jeden Morgen?
3rd person	Sie rasieren	**sich**	jeden Morgen.
FORMAL ADDRESS	Rasieren Sie	**sich**	jeden Morgen?

3. In German, as in English, many verbs can be used either reflexively or non-reflexively. The following are some important verbs you have already learned which can be used either way. Note that in reference lists, such as the one below, reflexive verbs are always listed with the pronoun **sich** (often abbreviated **s.**) preceding the verb. You will observe that the given English meanings, too, are usually, although not always, expressed reflexively.

anziehen (*to put on clothes*)
    Die Mutter zieht das Kind an.
ärgern (*to tease*)
    Ärgerst du die Affen?
fragen (*to ask*)
kämmen (*to comb*)
legen (*to place, to put*)
rasieren (*to shave*)
säubern (*to clean*)
schneiden (*to cut*)
setzen (*to place, to put*)
vorstellen (*to introduce*)

sich anziehen (*to get dressed*)
    Ich ziehe mich jetzt an.
sich ärgern (*to be annoyed*)
    Warum ärgerst du dich darüber?
s. fragen (*to ask oneself*)
s. kämmen (*to comb one's hair*)
s. legen (*to lie down*)
s. rasieren (*to shave oneself*)
s. säubern (*to clean oneself*)
s. schneiden (*to cut oneself*)
s. setzen (*to sit down*)
s. vorstellen (*to introduce oneself*)

4. Some verbs are always reflexive. They must be learned as they occur. Many of these reflexives require the use of a preposition followed by the accusative case forms. The following verbs of this type have appeared thus far.

s. beeilen (*to hurry*)
s. bewerben um (*to apply for*)
s. entscheiden für (*to make up one's mind*)
s. erinnern an A (*to remember*)

s. freuen über A (*to be happy about*)
s. gewöhnen an A (*to get used to*)
s. interessieren für (*to be interested in*)
s. treffen mit (*to meet with*)

5. In the command form of the reflexive construction, the reflexive pronoun must be used.

Beeil **dich!**	*Hurry up!*
Setzt **euch!**	*Sit down!*
Bewerben wir **uns** darum!	*Let's apply for it!*
Rasieren Sie **sich!**	*Shave!*

Note: Also accept
. . . sich die beiden
(see position of
unstressed pronouns,
Unit 14, page 34.)

STRUCTURE DRILLS

4. PERSON-NUMBER SUBSTITUTION

1. Ich treffe mich mit einem Freund. ⊗
   Wir _____.
   Wolfgang_____.
   Die Jungen _____.
   Helga_____.
   Ich _____.

   Ich treffe mich mit einem Freund.
   Wir treffen uns mit einem Freund.
   Wolfgang trifft sich mit einem Freund.
   Die Jungen treffen sich mit einem Freund.
   Helga trifft sich mit einem Freund.
   Ich treffe mich mit einem Freund.

2. Wofür interessierst du dich? ⊗
   (er–ihr–Sie (Sie-Form)–die beiden–du)

   Wofür interessiert er sich?–ihr euch?–interessieren
   Sie sich?–die beiden sich?–interessierst du dich?

3. Wir müssen uns beeilen.
   (ich–Wolfgang–du–die Mädchen–wir)

   Ich muss mich–W. muss sich–du musst dich–die M.
   müssen sich–wir müssen uns beeilen.

5. CONTRAST DRILL

Wohin setzen Sie den Topf? (auf den Gasherd) ⊗	Ich setze den Topf auf den Gasherd.
Wohin setzen Sie sich? (auf die Erde)	Ich setze mich auf die Erde.
Wohin stellen Sie die Flasche? (in die Ecke)	Ich stelle die Flasche in die Ecke.
Wohin stellen Sie sich? (vor die Tür)	Ich stelle mich vor die Tür.
Wohin legen Sie die Decke? (auf den Stuhl)	Ich lege die Decke auf den Stuhl.
Wohin legen Sie sich? (auf den Boden)	Ich lege mich auf den Boden.

6. PRESENT → CONVERSATIONAL PAST

Wann wäschst du dich? ⊗	Ich habe mich schon gewaschen.
Wann kämmst du dich?	Ich habe mich schon gekämmt.
Wann rasierst du dich?	Ich habe mich schon rasiert.
Wann stellst du dich vor?	Ich habe mich schon vorgestellt.
Wann triffst du dich mit Kurt?	Ich habe mich schon mit Kurt getroffen.

EXERCISE BOOK: EXERCISE 1

7. CUED RESPONSE

Wofür interessieren Sie sich? (Musik)

Worum bewerben Sie sich? (eine Stellung)

Worüber streiten Sie sich? (die Prüfung)

Worauf freuen Sie sich? (die Ferien)

Woran gewöhnen Sie sich? (das Wetter)

Wofür entscheiden Sie sich? (ein VW)

Ich interessiere mich für Musik.

Ich bewerbe mich um eine Stellung.

Ich streite mich über die Prüfung.

Ich freue mich auf die Ferien.

Ich gewöhne mich an das Wetter.

Ich entscheide mich für einen VW.

8. FREE COMPLETION

Worauf freuen Sie sich?

Und Ihre Schwester?

Worüber streiten Sie sich?

Und Ihr Vetter?

Wofür interessieren Sie sich?

Und Ihre Eltern?

Woran erinnern Sie sich gern?

Und Ihr Bruder?

Ich freue mich *auf Weihnachten*.

Sie freut sich auch darauf.

Ich streite mich über das Fussballspiel.

Er streitet sich auch darüber.

Ich interessiere mich für Sport (Kunst, Musik).

Sie interessieren sich auch dafür.

Ich erinnere mich gern an die Ferien.

Er erinnert sich auch gern daran.

9. FAMILIAR VS. FORMAL

Direct each of the following statements to the persons indicated by the given cues.
Vary order of cues.

1. Setzen Sie sich doch!

(Was sagen Sie zu Ihrem Freund?)

(Was sagen Sie zu Ihren Eltern?)

(Was sagen Sie zu Ihrem Lehrer?)

(Was sagen Sie zu Ihren Freunden und zu sich selbst?)

Setz dich doch!

Setzt euch doch!

Setzen Sie sich doch!

Setzen wir uns doch!

2. Freuen Sie sich darauf!

3. Ziehen Sie sich warm an!

4. Beeilen Sie sich!

5. Stellen Sie sich neben den Wagen!

6. Streiten Sie sich nicht darüber!

2. *Freu dich d . . . ! Freut euch d . . . ! Freuen wir uns d . . . !*

3. *Zieh dich . . . an! Zieht euch . . . an! Ziehen wir uns . . . an!*

4. *Beeil dich! Beeilt euch! Beeilen wir uns!*

5. *Stell dich . . . ! Stellt euch . . . ! Stellen wir uns . . . !*

6. *Streit dich . . . ! Streitet euch . . . ! Streiten wir uns . . . !*

10. FREE RESPONSE

Was tun Sie alles, bevor Sie morgens zur Schule kommen?

Mit wem treffen Sie sich nach der Schule?

Woran erinnern Sie sich gern?

Wofür interessieren Sie sich besonders?

Wo möchten Sie sich um Arbeit bewerben?

Mit wem streiten Sie sich oft?

Woran können Sie sich nicht gewöhnen?

EXERCISE BOOK: EXERCISE 2

Writing

1. Hast du dich auf deinen G. gefreut?
2. Wir haben uns an das Essen gewöhnt.
3. Ich habe mich für diesen M. entschieden.
4. Die beiden haben sich über den K. gestritten.
5. Habt ihr euch um die Arbeit beworben?
6. Haben Sie sich für technische D. interessiert?

SENTENCE CONSTRUCTION

Write sentences or questions in the conversational past, using all the words in each of the given groups. Do not forget to use an appropriate preposition and to make all necessary changes.

BEISPIEL   ich / s. treffen / mein Vater
Ich habe mich mit meinem Vater getroffen.

1. du / s. freuen / dein Geburtstag?
2. wir / s. gewöhnen / das Essen
3. ich / s. entscheiden / dieser Mantel

4. die beiden / s. streiten / der Krieg
5. ihr / s. bewerben / die Arbeit?
6. Sie / s. interessieren / technische Dinge?

BASIC MATERIAL II

SECTION B ⊗

Basic Material II and Supplement
Listening Comprehension: Exercise 37
Structure Drills 15.1–15.2; 16.1–16.2;
    17; 18

Der fesche Egon

HORST	Mensch, Egon! Du Nichtsnutz! Fesch siehst du aus. Du hast dir einen neuen Anzug angeschafft.
EGON	Von meinem ersten Gehalt als Geselle[3]. So etwas kannst du dir noch nicht leisten, du Stubenhocker! –Gefällt er dir wenigstens?
HORST	Über deinen Geschmack kann ich mich nicht streiten.
EGON	Danke! –Stell dir vor, ich suche mir bald einen anderen Job! Ich gehe zur Bundeswehr.
HORST	Freiwillig?
EGON	Klar!
HORST	Du spinnst ja.
EGON	Wieso denn? In Uniform sehe ich noch besser aus.
HORST	Ach, du eingebildeter Affe, du!

Supplement

Wie sieht Egon aus?
Ist er eingebildet?

Gross und schlank.
Er ist nicht nur eingebildet, sondern auch ziemlich eitel.

Wie sieht seine Freundin aus?
Ist sie nett?

Klein und zierlich.
Sie ist lieb und süss. Ein reizendes Mädchen.

[3] A **Geselle** is a journeyman who has completed a three-year apprenticeship during which he has been trained for his future job.

Stylish Egon

HORST	Boy, Egon! You good-for-nothing! You look sharp. You bought yourself a new suit.
EGON	From my first salary as a journeyman. You can't afford anything like this yet, you stay-at-home. –Do you like it at least?
HORST	I can't quarrel about your taste.
EGON	Thanks.–Just think (imagine), soon I'll be looking for another job. I'm going to join the army.
HORST	You're volunteering? (Voluntarily?)
EGON	Sure.
HORST	You're nuts.
EGON	How come? I'll look even better in uniform.
HORST	Oh, you conceited ape, you.

Supplement

What does Egon look like?	Tall and slim.
Is he conceited?	He is not only conceited, but he's also rather vain.
What does his girl friend look like?	Petite. (Short and delicate-looking.)
Is she nice?	She is dear and sweet. A charming girl.

Vocabulary Exercises

11. QUESTIONS

1. Welchen Namen gibt Horst seinem Freund Egon?
2. Wie sieht Egon aus?
3. Was hat er sich angeschafft?
4. Was ist Egon jetzt?
5. Was hat er eben bekommen?
6. Welchen Namen gibt Egon seinem Freund Horst?
7. Warum kann Egon sich keinen neuen Anzug leisten?
8. Worüber kann sich Horst nicht streiten?
9. Was will Egon sich bald suchen?
10. Was will er tun?
11. Was fragt Horst seinen Freund?
12. Was sagt Egon dazu?
13. Was antwortet Horst?
14. Was meint Egon?
15. Was sagt Horst jetzt zu seinem Freund?
16. Wie sieht Egons Freundin aus?

12. FREE RESPONSE

1. Haben Sie einen Job nach der Schule?
2. Wie sieht Ihr Freund (oder ihre Freundin) aus?
3. Was für ein Mensch ist er (oder sie)?

Noun Exercises

13. der, die, das

1. Das ist ein schlechter Plan.
2. Hat er ein gutes Zeugnis?
3. Ich bekomme heute mein erstes Gehalt
4. Ich erinnere mich an Ihren Gesellen[4].
5. Sie hat keinen guten Geschmack.
6. Er sucht sich einen anderen Job.
7. Egon geht zur deutschen Bundeswehr.
8. Er trägt eine neue Uniform.

1. ____ Plan gefällt mir nicht.
2. ____ Zeugnis ist ausgezeichnet.
3. Wie hoch ist ____ Gehalt?
4. Wieviel verdient ____ Geselle?
5. ____ süsse Geschmack gefällt mir nicht.
6. ____ Job ist zu langweilig.
7. ____ Bundeswehr braucht junge Leute.
8. Hängt ____ Uniform im Kleiderschrank?

14. SINGULAR → PLURAL

1. Dieser Plan kostet zu viel Geld.
2. Das Zeugnis ist schlecht.
3. Das Gehalt ist sehr niedrig.
4. Der Geselle hat drei Jahre gelernt.
5. Dieser Job gefällt mir nicht.
6. Die Uniform ist ganz neu.

1. Diese Pläne kosten zu viel Geld.
2. Die Zeugnisse sind schlecht.
3. Die Gehälter sind sehr niedrig.
4. Die Gesellen haben drei Jahre gelernt.
5. Diese Jobs gefallen mir nicht.
6. Die Uniformen sind ganz neu.

VARIATION

1. *Diese Pläne kosten zu viel Geld.*

1. *Dieser Plan kostet zu viel Geld.*

Grammar

The Reflexive Construction: Dative

PRESENTATION

Ich kaufe **dir** einen neuen Anzug.
Ich kaufe **mir** einen neuen Anzug.

Name the direct object in these two sentences. Name the indirect object. What case is the indirect object in? Why? How do these two sentences differ in meaning? In which sentence do the subject and the indirect object refer to the same person? What do we call such a construction?

Ich kaufe **mir** einen Anzug.   **Wir** schaffen **uns** ein Haus an.
Kannst **du dir** das leisten?   Kauft **ihr euch** etwas?

In each of these sentences, do the subject and indirect object refer to the same person? How do you know? What case is each of the indirect objects in? Why?

---

[4] Note that **Geselle** has an **-n** in all cases except the nominative singular.

Egon sucht **sich** einen anderen Job.
Die Jungen putzen **sich** sie Schuhe.
Ziehen **Sie sich** einen Mantel an!

Which pronoun is used to refer to **Egon?** To **die Jungen?** To the formal **Sie-Form?** What case is **sich** in? How can you tell? *DRILLS 17.1–17.2*

Putz **dir** die Schuhe!
Zieht **euch** einen Pullover an!
Nehmen wir **uns** genug Geld mit!
Reiben Sie **sich** doch Öl auf die Schultern!

Name the reflexive pronouns that are used for the different command forms. What case are they in? *DRILL 22*

GENERALIZATION

1. You have practiced, thus far, many sentences which contained an indirect object pronoun and a direct object noun phrase.

   Wir erklären dir die Geschichte.
   Ich gebe euch das Sonnenöl nicht.

2. In the dative reflexive construction, in which subject and indirect object refer to the same person, the dative pronouns **mir, dir, uns, euch** are used for the first and second persons respectively, and **sich** for the third persons and the formal form of address.

		Reflexive Pronoun	
SINGULAR			
1st person	Ich kaufe	**mir**	einen Anzug.
2nd person	Kannst du	**dir**	das leisten?
3rd person	Er sucht	**sich**	einen anderen Job.
PLURAL			
1st person	Wir schaffen	**uns**	ein Haus an.
2nd person	Kauft ihr	**euch**	etwas?
3rd person	Können Sie	**sich**	das leisten?
FORMAL ADDRESS	Sie suchen	**sich**	eine neue Stellung.

3. In the command, the reflexive pronouns are also used for all persons.

>Stell **dir** das vor!
>Stellt **euch** das vor!
>Stellen wir **uns** das einmal vor!
>Stellen Sie **sich** das einmal vor!

Uses of the Reflexive Construction

1. Some of the preceding sentences would also be correct without the reflexive pronoun, and the meaning would be essentially the same.

>Ich kaufe einen Anzug. *I'm buying a suit.*

However, German usually prefers the reflexive construction to call attention to an element of personal interest by using the reflexive construction.

>Ich kaufe **mir** einen Anzug. *I'm buying myself a suit.*
>Sie holen **sich** den Wagen. *They're getting the car (for themselves).*

2. The dative reflexive plus the definite article is often used in German where English would use a possessive adjective, especially with parts of the body and articles of clothing.

>Ich wasche mir **die** Füsse. *I wash my feet.*
>Er zieht sich **den** Mantel an. *He puts on his coat.*

3. Some verbs always require the use of the dative reflexive construction: **sich leisten, sich weh tun.**

>Ich leiste mir keine Ferien. *I cannot afford a vacation.*
>Hast du dir weh getan? *Did you hurt yourself?*

Reflexive and non-reflexive verbs that always require the dative case will be indicated on the Reference List and in the Vocabulary as follows: **s. leisten D, helfen D.**

STRUCTURE DRILLS

15. NONREFLEXIVE → REFLEXIVE

1. Ich suche eine neue Stellung. ⊗   Ich suche mir eine neue Stellung.
Er kauft einen Wagen.   Er kauft sich einen Wagen.
Wir holen das Geschirr.   Wir holen uns das Geschirr.
Die beiden reparieren das Radio.   Die beiden reparieren sich das Radio.
Ich miete ein ruhiges Zimmer.   Ich miete mir ein ruhiges Zimmer.

2. Was ziehst du an? ⊗   Was ziehst du dir an?
Was reibt er auf den Rücken?   *Was reibt er sich auf den Rücken?*

Welchen Film sehen wir an?   *Welchen Film sehen wir uns an?*
Wieviel Geld nehmt ihr mit?   *Wieviel Geld nehmt ihr euch mit?*
Was bestellst du im Café?   *Was bestellst du dir im Café?*

16. CUED RESPONSE

1. Was waschen Sie sich?   (die Hände) ⊗   Ich wasche mir die Hände.
   Was ziehen Sie sich an?   (einen Mantel)   Ich ziehe mir einen Mantel an.
   Was putzen Sie sich?   (die Zähne)   Ich putze mir die Zähne.
   Was kaufen Sie sich?   (eine neue Platte)   Ich kaufe mir eine neue Platte.
   Was suchen Sie sich aus?   (ein Geschenk)   Ich suche mir ein Geschenk aus.

2. Was schafft sich Egon an?   (einen Anzug) ⊗ Egon schafft sich einen Anzug an.
   Was nehmt ihr euch mit?   (einen Koffer)   *Wir nehmen uns einen Koffer mit.*
   Was reibt sich Eva auf die Stirn?   (Salbe)   *Eva reibt sich Salbe auf die Stirn.*
   Was mietet ihr euch?   (einen Wagen)   *Wir mieten uns einen Wagen.*
   Was holen sich die beiden?   (einen Stuhl)   *Die beiden holen sich einen Stuhl.*

VARIATION: Use the right-hand column as a cue to elicit the questions in the left-hand column.

17. CONTRAST DRILL

Wann waschen Sie sich?   (morgens) ⊗   Ich wasche mich morgens.
Was waschen Sie sich?   (das Gesicht)   Ich wasche mir das Gesicht.

Wann ziehen Sie sich an?   (jetzt)   Ich ziehe mich jetzt an.
Was ziehen Sie sich an?   (einen Anzug)   Ich ziehe mir einen Anzug an.

Wohin setzen Sie sich?   (den Stuhl)   Ich setze mich auf den Stuhl.
Was setzen Sie sich auf den Kopf?   (einen Hut)   Ich setze mir einen Hut auf den Kopf.

VARIATION: Use the right-hand column as a cue to elicit the questions in the left-hand column.

18. PRESENT → CONVERSATIONAL PAST

Kaufen Sie sich ein Auto? ⊗   Ich habe mir schon ein Auto gekauft.
Schaffen Sie sich einen Hund an?   Ich habe mir schon einen Hund angeschafft.
Holen Sie sich eine Zeitung?   Ich habe mir schon eine Zeitung geholt.
Bestellen Sie sich eine Limonade?   Ich habe mir schon eine Limonade bestellt.
Mieten Sie sich ein Auto?   Ich habe mir schon ein Auto gemietet.

19. ENGLISH CUE DRILL

Ich habe mir die Hände gewaschen.   Ich habe mir die Hände gewaschen.
I combed my hair.   Ich habe mir die Haare gekämmt.
I broke my leg.   Ich habe mir das Bein gebrochen.
I brushed my teeth.   Ich habe mir die Zähne geputzt.
I put on my coat.   Ich habe mir den Mantel angezogen.
I washed my hands.   Ich habe mir die Hände gewaschen.

EXERCISE BOOK: EXERCISE 3

2. Schaff dir . . . ! Schafft euch . . . ! Schaffen wir uns . . . !
3. Such dir . . . ! Sucht euch . . . ! Suchen wir uns . . . !
4. Zieh dir . . . an! Zieht euch . . . an! Ziehen wir uns . . . an!
5. Sieh dir . . . an! Seht euch . . . an! Sehen wir uns . . . an!

20. FAMILIAR VS. FORMAL

Direct each of the following statements to the person indicated by the given cue.
Vary order of cues.

1. Stellen Sie sich das nur vor!

(Was sagen Sie zu Ihrem Freund?)   Stell dir das nur vor!
(Was sagen Sie zu Ihren Eltern?)   Stellt euch das nur vor!
(Was sagen Sie zu Ihrem Lehrer?)   Stellen Sie sich das nur vor!
(Was sagen Sie Zu Ihren Freunden   Stellen wir uns das nur vor!
    und zu sich selbst?)

2. Schaffen Sie sich etwas Neues an!   4. Ziehen Sie sich eine Jacke an!
3. Suchen Sie sich eine neue Stellung!   5. Sehen Sie sich einen Film an!

21. FREE SUBSTITUTION

Ich kann mir das nicht leisten.   *anschaffen, abholen, mitnehmen*
Wir kaufen uns jetzt etwas.   *ich, er, sie* (pl) / *aussuchen, bestellen, leisten*

22. FREE RESPONSE

Was haben Sie sich angeschafft?
Was für einen Mantel haben Sie sich gekauft?
Was für eine Platte haben Sie sich ausgesucht?
Wann haben Sie sich die Zeitung gekauft?
Was können Sie sich nicht leisten?
Wann haben Sie sich weh getan?   *1. Ich habe mir eine tolle Platte ausgesucht.*
Wo haben Sie sich weh getan?   *2. Sie haben sich einen blauen Anzug gekauft.*
                                        3. Hast du dir ein sauberes Handtuch mitgenommen?
                                        4. Die beiden haben sich einen lustigen Film angesehen.
                                        5. Hat sich Egon ein ruhiges Zimmer gemietet?
                                        6. Habt ihr euch den schnittigen Wagen angesehen?
                                        7. Ich habe mir eine grosse Schnitte bestellt.
                                        8. Hast du dir einen warmen Pullover angezogen?

Writing

EXERCISE BOOK: EXERCISE 4
SENTENCE CONSTRUCTION

Write sentences or questions in the conversational past, using all the words in each of the
following groups. Make all necessary additions and changes.

BEISPIEL   wir / s. anschaffen / neu, Radio
           Wir haben uns ein neues Radio angeschafft.

1. ich / s. aussuchen / toll, Platte   5. Egon / s. mieten / ruhig, Zimmer?
2. Sie (Sie-Form) / s. kaufen / blau, Anzug 6. ihr / ansehen / schnittig, Wagen?
3. du / s. mitnehmen / sauber, Handtuch?   7. ich / s. bestellen / gross, Schnitte
4. die beiden / s. ansehen / lustig, Film   8. du / s. anziehen / warm, Pullover?

READING

Word Study

The meaning of a noun that ends in the suffix **-ung** can be recognized if the related verb is known. Likewise, the meaning of a verb can be recognized if the related noun is known.

VERB		NOUN	
einladen	*to invite*	**die Einladung**	*invitation*
s. entscheiden	*to decide*	**die Entscheidung**	*decision*

NOUN		VERB	
die Wohnung	*apartment*	**wohnen**	*to live*

If you know the noun **Beschäftigung,** you should be able to recognize the meaning of **sich beschäftigen;** if you know **Ausstellung,** you should be able to guess the meaning of **ausstellen.**

Das Informationsbüro° für junge Deutsche

das Büro, –s: *office*

Eines Tages fand jemand in München, daß die Jugend so etwas wie ein Informationsbüro haben sollte, wo sie Fragen—auch über sich selbst—stellen kann, ohne sich lächerlich zu machen°.

s. lächerlich machen: *to make oneself look ridiculous*

Deutschland war früher ein sehr patriarchalisches Land. Der
5   Mann spielte die Hauptrolle in der Familie, und die Anzahl seiner Lebensjahre war für ihn weise Lebenserfahrung°. Die Frau, so sagte man damals, durfte dreimal den Buchstaben K für sich beanspruchen°: Küche, Kirche, Kinder. Vor 50 Jahren gab es noch ein viertes K: den Kaiser.

die Erfahrung, –en: *experience*
beanspruchen: *to claim*

10   //Nun, die Zeit hat sich verändert./Noch mehr veränderte sich die Stellung der Frau nach dem zweiten Weltkrieg./Damals muß- ten sich Millionen von Frauen selber erhalten, nicht nur sich, meistens auch die Kinder./So hat sich die Situation der Frau in Deutschland sehr verändert, denn viele Vorurteile° aus früheren

das Vorurteil, –e: *prejudice*

15   Jahren existieren nicht mehr./Auch bei der Jugend ist es anders geworden./Sie beansprucht heute mehr Freiheit° als früher./Das ist gut und richtig, denn zu Hause wie auch in der Schule durften die Jugendlichen bis jetzt fast nie ihre eigene Meinung aus- sprechen./

die Freiheit, –en: *freedom*

20   Da die Jugend mehr Rechte verlangt°, damit aber auch selber mehr Pflichten hat, braucht und verlangt sie auch mehr Informa- tion./Deshalb gibt es in München dieses Zentrum, das Gasthaus des Hotels „Paul Heyse". Seine Besitzerin hat es für die Jugend zur Verfügung gestellt°./Jeden Tag kommen dorthin rund 70

sein Recht verlangen: *to demand one's right*

zur Verfügung stellen: *to put at one's disposal*

25 Jugendliche und fragen um Rat, etwa 50 erkundigen sich telefonisch, aber diese Zahlen steigen Woche für Woche. Es ist nicht schwer, viele Fragen zu beantworten, doch für einige Fragen gibt es keine leichte Antwort. Die Themen sind praktisch unbeschränkt°.

unbeschränkt: *unlimited*

30 „Wo findet man in München ein gutes Jazzlokal?"

„Wo kann ich für eine Hochzeit° ein ganzes Lokal mieten?"

die Hochzeit, –en: *wedding*

„Wer macht mich mit der spanischen Sprache und Kultur bekannt°?"

bekannt machen: *to acquaint with*

„Ich habe eine billige Flugkarte nach Tokio? Wer will sie
35 kaufen?"

Viele Fragen klingen° naiv, doch sind sie fast immer ernst gemeint.

klingen: *to sound*

„Wie kann ich eine Beschäftigung als Elektriker in der Türkei[5] finden?"

40 „Was muß ich alles lernen, um Flugzeugingenieur zu werden?"

„Ich bin Kindermädchen und möchte eine Fremdsprache lernen, wenn möglich° Französisch. Wie bewerbe ich mich um eine Stellung in der französischen Schweiz[5]?"

möglich: *possible*

„Für mich ist der Krieg ein Übel. Gibt es einen Weg, daß ich
45 nicht zur Bundeswehr gehen muß, ohne daß man mich vors Gericht stellt° und einen Feigling nennt?"

vors Gericht stellen: *to bring into court*

„Ich bin 21. Wieviel Taschengeld darf ich für mich beanspruchen? Meine Eltern sind reich, halten sich jedoch für arm."

„Meine Freundin sucht einen Freund. Er muß intelligent sein
50 und Humor haben°. Sie ist schlank, blond und blauäugig. Doch sie hält sich für unattraktiv."

Humor haben: *to have a sense of humor*

„Mit wem kann ich mich jeden Dienstagabend zwei Stunden lang französisch unterhalten?"

„Ich habe ein Mädchen kennengelernt, und wir gehen oft
55 zusammen aus. Muß ich immer für sie zahlen?"

So oder ähnlich° fragt die Jugend.

ähnlich: *similar*

Jede Woche gibt es dort auch Diskussionsabende. Sie beschäftigen sich mit allen Fragen der Existenz. Prominente Leute aus dem öffentlichen° und kulturellen Leben stellen sich zur Verfü-
60 gung. Man stellt Bilder von jungen Künstlern in den Räumen aus. Ein großer Erfolg° war der Kosmetikkurs für junge Mädchen.

öffentlich: *public*

der Erfolg, –e: *success*

Diese Institution ist neu in Deutschland. Von allen Städten kommen Anfragen, und dem Vorbild von München werden jetzt wohl auch andere Städte folgen.

---

[5] Names of countries are not usually used with the definite article. **Die Türkei** and **die Schweiz,** however, are always used with the article **die.**

Dictionary Section

anders   *Die Jugend ist heute anders. = Die Jugend ist heute nicht so, wie sie früher war.*

ausstellen   eine Ausstellung machen: *Sie stellen die Bilder von den jungen Künstlern aus.*

blauäugig   blaue Augen haben: *Meine Schwester ist blauäugig, aber mein Bruder ist braunäugig.*

erhalten   arbeiten, Geld verdienen, Essen und Kleider kaufen: *Ein Mann muss seine Frau und Kinder erhalten.*

s. erkundigen   fragen: *Viele Jugendliche erkundigen sich telefonisch.*

Feigling   jemand, der nicht mutig ist: *Der Junge hat immer Angst. = Er ist ein Feigling.*

Fragen stellen   fragen: *Hans stellt seinem Lehrer eine Frage. = Hans fragt seinen Lehrer.*

Fremdsprache   was die Leute in einem anderen Land sprechen: *Französisch und Deutsch sind für einen Amerikaner Fremdsprachen.*

Flugkarte   *Wenn man mit einem Flugzeug fliegen will, muss man sich vorher eine Flugkarte kaufen.*

Jugendliche   junge Leute: *Die Jugendlichen stellen heute viele Fragen, denn sie brauchen Information.*

mehr als   *Gestern hatte er DM 5, heute hat er DM 10. = Heute hat er mehr Geld als gestern.*

Raum   Zimmer: *Sie stellen die Bilder in einem großen Raum aus.*

rund   etwa: *Rund 50 Jugendliche rufen jeden Tag an.*

Sprache   was die Leute in einem Land sprechen: *Deutsch, Englisch und Französisch sind Sprachen.*

Übel   etwas Schlechtes: *Krieg ist ein furchtbares Übel.*

s. unterhalten   ein Gespräch führen: *Der Junge unterhält sich mit seinem Lehrer.*

s. verändern   s. ändern: *Ich habe ihn seit Jahren nicht mehr gesehen; er hat sich sehr verändert.*

Vorbild   ein gutes Beispiel: *Das Informationsbüro in München ist ein Vorbild für andere Städte.*

23. QUESTIONS

1. Was für ein Büro gibt es in München für die Jugend?   *2*
2. Warum braucht die Jugend so ein Informationsbüro?   *3*
3. Was für ein Land war Deutschland früher?   *4*
4. Was durfte die Frau damals für sich beanspruchen?   *7*
5. Wofür stehen die drei K?   *8*
6. Wie hat sich die Stellung der Frau nach dem zweiten Weltkrieg verändert?   *11*
7. Was beansprucht die Jugend heute? Warum ist das gut und richtig?   *16*
8. Warum braucht die Jugend heute mehr Information? Woher weiss man das?   *20*
9. Wo gibt es dieses Informationsbüro?   *22*
10. Wofür möchte ein Jugendlicher ein ganzes Lokal mieten?   *31*
11. Was für eine Beschäftigung sucht ein Jugendlicher in der Türkei?   *38*
12. Warum möchte ein Jugendlicher nicht zur Bundeswehr gehen?   *44*
13. Warum möchte jemand wissen, wieviel Taschengeld er für sich beanspruchen darf?   *48*
14. Warum sucht ein Mädchen einen Freund für ihre Freundin?   *50*
15. Was möchte der Junge wissen, der oft mit seiner Freundin ausgeht?   *55*
16. Was gibt es jede Woche in dem Informationszentrum?   *57*
17. Womit beschäftigen sich die Jugendlichen an diesen Abenden?   *58*
18. Wer stellt sich für diese Abende zur Verfügung?   *58*
19. Was stellt man in den Räumen aus?   *60*
20. Was war ein grosser Erfolg?   *61*
21. Was werden wohl andere Städte jetzt tun?   *63*

Note: You may want to briefly point out that certain nouns which are derived from adjectives retain their adjective endings: *jugendlich: der Jugendliche* but *ein Jugendlicher*. This grammatical point will be developed fully in Level Three together with participles used as nouns.

Noun Exercises

24. der, die, das

Nouns ending in **-ion** are always feminine and form their plural by adding **-en: die Situation, die Situationen; die Institution, die Institutionen.**

1. Die Jungen haben ein kleines Büro.	1. Wo liegt ____ Büro?	*das*
2. Sein Nummernschild hat nur einen Buchstaben[6].	2. ____ Buchstabe ist schwarz.	*der*
3. Sein naives Vorurteil ist lächerlich.	3. ____ Vorurteil ist furchtbar.	*das*
4. Sie geniessen eine neue Freiheit.	4. Sie schenken ihm ____ Freiheit.	*die*
5. Die Jugend hat ein gewisses Recht.	5. Sie verlangt jetzt ____ Recht.	*das*
6. Das Büro ist für jeden Jugendlichen[6].	6. ____ Jugendliche stellt Fragen.	*der*
7. Sie fragen um guten Rat.	7. ____ Rat ist wertvoll.	*der*
8. Das ist ein sehr beschränktes Thema.	8. Was ist ____ Thema heute?	*das*
9. Das ist aber eine grosse Hochzeit.	9. Wo findet ____ Hochzeit statt?	*die*
10. Ich bin mit der spanischen Kultur bekannt.	10. ____ spanische Kultur ist alt.	*die*
11. Er ist ein ausgezeichneter Ingenieur.	11. ____ Ingenieur ist intelligent.	*der*
12. Das ist nur ein kleines Übel.	12. ____ Übel ist schwer zu ertragen.	*das*
13. Du bist ein richtiger Feigling.	13. Wohin läuft ____ Feigling?	*der*
14. Er hat keinen Humor.	14. ____ Humor macht das Leben leicht.	*der*
15. Was für ein dunkler Raum!	15. Aber ____ Raum ist hell!	*der*
16. Das war ein grosser Erfolg.	16. ____ Erfolg kam nicht.	*der*
17. Ich besuche einen interessanten Kurs.	17. Um wieviel Uhr beginnt ____ Kurs?	*der*

25. SINGULAR → PLURAL

1. Die Büros sind schon geschlossen.

1. Das Büro ist schon geschlossen.
2. Der erste Buchstabe ist gross.
3. Das Vorurteil existiert nicht mehr.
4. Das Recht verlangt Pflichten.
5. Der Jugendliche will mehr wissen.
6. Das Thema ist furchtbar langweilig.
7. Die Hochzeit ist schon morgen.
8. Die andere Kultur ist auch wichtig.
9. Der Ingenieur stellt sich vor.
10. Dieser Feigling wartet nicht.
11. Der helle Raum ist attraktiv.
12. Der Erfolg kam zu spät.
13. Der Kurs hat mir viel geholfen.

VARIATION

1. Das Büro ist schon geschlossen.

1. Die Büros sind schon geschlossen.
2. Die ersten Buchstaben sind gross.
3. Die Vorurteile existieren nicht mehr.
4. Die Rechte verlangen Pflichten.
5. Die Jugendlichen wollen mehr wissen.
6. Die Themen sind furchtbar langweilig.
7. Die Hochzeiten sind schon morgen.
8. Die anderen Kulturen sind auch wichtig.
9. Die Ingenieure stellen sich vor.
10. Diese Feiglinge warten nicht.
11. Die hellen Räume sind attraktiv.
12. Die Erfolge kamen zu spät.
13. Die Kurse haben mir viel geholfen.

---

[6] Note that **der Buchstabe** and **der Jugendliche** have an **-n** in all cases except the nominative singular.

Verb Exercise

26. CUED RESPONSE

Wie **klingen** die Fragen? (naiv)
Was **klang** lächerlich? (das Gedicht)
Wie haben die Lieder **geklungen?** (herr-lich)

Die Fragen **klingen** naiv.
Das Gedicht **klang** lächerlich.
Die Lieder haben herrlich **geklungen.**

EXERCISE BOOK: EXERCISE 5

RECOMBINATION EXERCISES

27. ITEM SUBSTITUTION

1. Du machst dich lächerlich.
   (wir–die Jungen–ihr–Hans–ich)

   *wir machen uns–die Jungen machen sich–ihr macht
   euch–Hans macht sich–ich mache mich*

2. Die Zeit hat sich verändert.
   (ich–wir alle–du–die beiden–ihr)

   *ich habe mich–wir alle haben uns–du hast dich–
   die beiden haben sich–ihr habt euch*

3. Er hat sich eine gute Beschäftigung gesucht.
   (ich–wir–die Jungen–Peter–du)
   *ich habe mir–wir haben uns–die Jungen haben sich–
   Peter hat sich–du hast dir*

SECTION D
Listening Comprehension: Exercise 41
Structure Drills 28.1–28.2
Additional Structure Drills
Listening Comprehension: Exercise 42

28. CUED RESPONSE

1. Wer will sich nicht lächerlich machen?
   (die Jugend)

   Was hat sich verändert? (die Zeit)

   Wer musste sich selber erhalten? (die
   Frauen)

   Wer durfte die eigene Meinung nicht
   aussprechen? (die Schüler)

   Wie viele Jugendliche erkundigen sich
   jeden Tag? (etwa fünfzig)

Die Jugend will sich nicht lächerlich machen.

Die Zeit hat sich verändert.

Die Frauen mussten sich selber erhalten.

*Die Schüler durften ihre eigene Meinung
   nicht aussprechen.*

*Etwa fünfzig Jugendliche erkundigen sich
   jeden Tag.*

2. Womit möchten Sie sich bekannt machen? (mit der spanischen Sprache)

   Wofür halten sich Ihre Freunde? (für
   lustig)

   Wo können Sie sich deutsch unterhalten?
   (in der Schule)

   Womit beschäftigen sich die Diskussionsabende? (mit vielen Fragen)

   Wer stellt sich gern zur Verfügung?
   (prominente Leute)

*Ich möchte mich mit der spanischen Sprache
   bekannt machen.*

Meine Freunde halten sich für lustig.

*Ich kann mich in der Schule deutsch
   unterhalten.*

*Die Diskussionsabende beschäftigen sich
   mit vielen Fragen.*

*Prominente Leute stellen sich gern zur
   Verfügung.*

Additional Structure Drills may be done at this point.

29. DIRECTED DIALOG

Fragen Sie *Helga*, warum die Jugend ein Informationsbüro braucht!

Sagen Sie, dass die Jugend heute mehr Fragen hat als früher!

Fragen Sie *Peter*, was sich in Deutschland nach dem zweiten Weltkrieg verändert hat!

Sagen Sie, dass sich die Stellung der Frau sehr verändert hat!

Fragen Sie *Jochen*, warum die Jugend heute mehr Rechte verlangt!

Sagen Sie, dass die Schüler früher die eigene Meinung nicht aussprechen durften!

Warum braucht die Jugend ein Informationsbüro?

Die Jugend hat heute mehr Fragen als früher.

Was hat sich in Deutschland nach dem zweiten Weltkrieg verändert?

Die Stellung der Frau hat sich sehr verändert.

Warum verlangt die Jugend heute mehr Rechte?

Die Schüler durften früher die eigene Meinung nicht aussprechen.

EXERCISE BOOK: EXERCISE 6

30. CUED QUESTIONS

Stellen Sie sich vor, dass Sie ein Jugendlicher sind und beim Informationsbüro anrufen und um Rat fragen.

1. (Sie möchten ein gutes Lokal finden.)
2. (Sie möchten, dass jemand Sie mit der deutschen Sprache bekannt macht.)
3. (Sie haben eine Flugkarte und möchten sie verkaufen.)
4. (Sie suchen eine Beschäftigung in Deutschland.)

Wo finde ich ein gutes Lokal?

Wer macht mich mit der deutschen Sprache bekannt?

Wer will sich eine Flugkarte von mir kaufen?

Wo finde ich eine Beschäftigung in Deutschland?

Conversation Buildup

INGE	Stell dir vor, ich hab' mir eine neue Stellung gesucht!
RENATE	Was?–Wo denn?
INGE	Ich fange nächsten Monat bei der Firma Weiss an.
RENATE	Maschinenfabrik Weiss?
INGE	Ja. Und sogar als Sekretärin!
RENATE	Das ist ja prima. Hat es dir bei deiner alten Firma nicht mehr gefallen?
INGE	Ich verdiene hier mehr. Und in meiner alten Stellung ist es mir zu langweilig geworden. Ich wollte auch mal wieder etwas anderes tun.

1. Was hat Inge getan?
2. Wo wird sie nächsten Monat arbeiten?
3. Warum hat sie sich eine neue Stellung gesucht?
4. Durch wen hat sie die Stellung gefunden?

RENATE   Warum hast du dich denn bei Weiss beworben?
INGE   Du erinnerst dich doch bestimmt noch an die Ulla Jakobi.
Sie arbeitet auch bei Weiss, und sie hat mir letztes Wochenende erzählt, dass die Firma jemand sucht.

REJOINDER

Mir gefällt meine Stellung nicht mehr.   *Dann such dir doch etwas anderes! / Ja, was willst du tun? / Ich möchte für deine Firma auch nicht arbeiten.*

CONVERSATION STIMULUS

Frau Walter streitet sich mit Konrad. Er möchte jetzt gern die Schule verlassen und lieber einen Beruf lernen. Konrad interessiert sich für technische Dinge, und er will Elektriker werden. Frau Walter aber möchte, dass Konrad auf die höhere Schule geht und Ingenieur wird.

FRAU WALTER   Ich kann deine neuen Pläne einfach nicht verstehen!
KONRAD   *Aber Mutti! Günter hat schon eine Stellung gefunden . . . . und bekommt bald sein erstes Gehalt.*

Writing

EXERCISE BOOK: EXERCISES 7 AND 8

1. SENTENCE CONSTRUCTION

Write an answer to each of the following questions, using the cue in parentheses as part of your answer. Make all other necessary changes.

BEISPIEL   Mit wem streitest du dich? (mein grosser Bruder)
Ich streite mich mit meinem grossen Bruder.

1. Wonach erkundigst du dich? (eine neue Stellung)   *Ich erkundige mich nach einer neuen S.*
2. Mit wem unterhältst du dich? (die Jugendlichen)   *Ich unterhalte mich mit den J.*
3. Womit beschäftigst du dich? (meine Briefmarken)   *Ich beschäftige mich mit meinen B.*
4. Wofür interessierst du dich? (technische Dinge)   *Ich interessiere mich für technische D.*
5. Mit wem triffst du dich? (mein neuer Freund)   *Ich treffe mich mit meinem neuen F.*
6. Worum bewirbst du dich? (eine gute Stellung)   *Ich bewerbe mich um eine gute S.*
7. An wen erinnerst du dich nicht? (der alte Schulfreund)   *Ich erinnere mich nicht an den alten S.*
8. Woran gewöhnst du dich nicht? (die schwere Arbeit)   *Ich gewöhne mich nicht an die schwere A.*

2. SENTENCE REWRITE

Now rewrite each of your answers as a question in the conversational past, using the **Sie-Form.**

BEISPIEL   Ich streite mich mit meinem grossen Bruder.
Mit wem haben Sie sich gestritten?

1. Wonach haben Sie sich erkundigt?   2. Mit wem haben Sie sich unterhalten?
3. Womit haben Sie sich beschäftigt?   4. Wofür haben Sie sich interessiert?
5. Mit wem haben Sie sich getroffen?   6. Worum haben Sie sich beworben?
7. An wen haben Sie sich nicht erinnert?   7. Woran haben Sie sich nicht gewöhnt?

REFERENCE LIST

Nouns

der Buchstabe, –n	die Frage, –n	der Job, –s	die Sprache, –n
die Bundeswehr	die Freiheit, –en	die Kultur, –en	die Stellung, –en
das Büro, –s	die Fremdsprache, –n	der Kurs, –e	der Stubenhocker, –
der Elektriker, –	das Gehalt, ¨er	der Nichtsnutz, –e	das Thema, –men
die Entscheidung, –en	der Geschmack, ¨e	der Plan, ¨e	die Türkei
die Erfahrung, –en	der Geselle, –n	der Rat	das Übel, –
der Erfolg, –e	die Hochzeit, –en	der Raum, ¨e	die Uniform, –en
die Familie, –n	der Humor	das Recht, –e	das Vorbild, –er
der Feigling, –e	der Ingenieur, –e	die Schweiz	das Vorurteil, –e
die Flugkarte, –n	der Jugendliche, –n	die Situation, –en	das Zeugnis, –se

Weak Verbs

s. anschaffen	s. beschäftigen mit	s. freuen auf A	spinnen
ausstellen	s. erinnern an A	s. gewöhnen an A	s. verändern
beanspruchen	s. erkundigen (nach)	s. interessieren für	verlangen
beantworten	existieren	s. leisten D	s. vorstellen D
s. beeilen	s. freuen (über A)	rasieren	

Strong Verbs

s. bewerben um (bewirbt, bewarb, beworben) s. streiten (über A) (streitet, stritt, gestritten)
s. entscheiden (für) (entscheidet, entschied, s. unterhalten (unterhält, unterhielt, unterhalten)
  entschieden)   erhalten
klingen (klingt, klang, geklungen)
      aussprechen

Adjectives and Adverbs

ähnlich	eingebildet	intelligent	naiv	schlank	wichtig	anders	ziemlich
attraktiv	eitel	kulturell	öffentlich	süss	zierlich	freiwillig	
besser	fesch	lieb	prominent	unbeschränkt		rund	
blauäugig	fremd	möglich	reizend	weise		wenigstens	

Other Words and Expressions

bekannt machen	s. lächerlich machen	sein Recht verlangen	vors Gericht stellen
eines Tages	mehr als	Tschüs!	wieso?
Fragen stellen	nicht nur . . . sondern auch	um Rat fragen	s. zur Verfügung stellen
Humor haben			

STELLENANGEBOTE MÄNNLICH

Neuguinea

Autofirma bietet tüchtigem Automechaniker gutbezahlte Stellung. Für Überfahrt und Wohnung ist gesorgt. Englische Sprachkenntnisse erwünscht, jedoch nicht Bedingung. Bewerbungen mit Lebenslauf sind zu richten an Herrn Georg Manghofer, 8261 Erharting, Siedlung 4

LONDON

Küchenchef, Sous-Chef, Köche, Konditor, Bäcker, Kellner, Büfetttöchter, Wurstmacher für mind. 1 Jahr gesucht. Übl. Bewerbungsunterlagen an Schmidt's (London) Ltd., 33, Charlotte Street, London, W. I.

Wir suchen
tüchtige Männer

für unsere Expedition oder zum Anlernen an neuen Maschinen bei gutem Lohn und Sozialleistungen.

Carl Schwendemann

Kartonagenfabrik - Druckerei
8 München 2, Albrechtstraße 14
Telefon 5161053

Fernsehtechniker mit guten Reparaturkenntn. zu besten Bedingungen in oberbayer. Kleinstadt gesucht. Telefonische Anfragen 08803/774 von 18-19 Uhr od. schriftl. Bewerbungen unt. A 789219 an die SZ

Ingenieur od. Architekt

ab sof. für Architekturbüro ges Architekt Christian v. Teppner Mü.-Harlaching, Tel. 6422821

Studentenjob

Freie Arbeitszeit, beste Bezahlung, 2 Jahre Führersch. nötig, T. 332842

Taxifahrer für Funktaxi gesucht. Tel. 885772

Bäcker - Fahrer

gesucht. Bäckerei Limbrunner, Mü. 19, Hirschgartenallee 48, Tel. 570367

Elektriker

gesucht. Unterkunft vorh. W. Häußler, Mü. 71, Fritz-Baer-Str. 52, Tel. 751744

Programmierer f. IBM-Computer ges. Heninger, Mü. 3, Postfach 225

Junger Bauingenieur

(auch Anfänger) für Arch.-Büro in Bogenhausen baldmögl. gesucht. Angebote erbeten unter A 129111 an SZ

Tankwart

ges., BP, Mü. 83, Putzbrunner Str. 33, Tel. 457107

2 Mechaniker

f. Lkw-Merc. LP 1620, bei bester Bezahlung u. Auslöse f. sof. ges. Martin Eicher & Sohn, 8042 Oberschleißheim, Lagerhausstr. 1, Telefon 321633

Junge, intelligente
Metzger

für Verkauf u. Fabrikation bei besten Bedingungen gesucht.
Vinzenz Murr GmbH, München 13, Schellingstr. 21, Tel. 282463

Herrenfriseur

ges. Telefon 540123

STELLENANGEBOTE WEIBLICH

Konditorei-verkäuferin Büfettkraft und Serviererinnen

für Tagescafé für sof. od. auch später ges., gereg. Arbeitszeit., gute Bezahlg. **Café am Dom**, Mü. 2, Marienplatz 2, Tel. 222766

Patentanwaltskanzlei sucht
Sekretärinnen und Stenotypistinnen

mit Engl.-Kenntn., für sof. od. später. bei günst. Arbeitsbeding. **Tel. 266060**

Tüchtige Verkäuferin für sof. gesucht. Bäckerei Werner Schwaiger, Mü. 23, Kaiserstr. 49, Telefon 337374

Tüchtige Lebensmittelverkäuferin u. tüchtige Obstverkäuferin zum 1. 10. gesucht. Geboten: gutes Grundgehalt, 13. Monatsgehalt zu Weihnachten, geregelte Arbeitszeit und andere soziale Leistungen. Angebote unter A 767077 an die SZ

Mitarbeiterin

mit guten Schreibmaschinenkenntnissen, für Halbtagstätigkeit gesucht. Angebote mit Gehaltsansprüchen erbeten an Wirtschaftswerbung, 8 München 2, Brienner Str. 10, Telefon 281010

Halbtags-Drogistin

ges. Gute Bezahlung, jeden 2. Sa. frei, Ickstatt-Drogerie, Tel. 266687

NUR SAMSTAG! 9—13 Uhr. Nette, jüngere **LADENHILFE** gesucht. Gute Bezahlung. A 772030 an SZ

BASIC MATERIAL I

Zwei Studenten[1] im Lokal

OBER   Guten Tag, die Herren! Sie wünschen?

OSKAR   Die Speisekarte, bitte!

OBER   Bitteschön!

OSKAR   Ich zahle heute; ich bin an der Reihe. Such dir also das Beste aus, was du finden kannst!–Was nimmst du?

WILLI   Immer mit der Ruhe! Ich kann nicht so schnell lesen wie du.

OSKAR   Was mir hier am besten gefällt ist, dass die Portionen grösser sind als in der Mensa[2].

WILLI   Dafür auch teurer!

OSKAR   Ich habe Appetit auf Huhn. Ein halbes Brathuhn mit Reis und Gurkensalat für DM 4,50[3].

WILLI   Ich such' mir etwas Billigeres aus. Hier, für DM 2,20: ein Paar Bratwürste mit Kartoffelsalat und Sauerkraut.

Note: **Point out the difference in meaning between ein paar,** *a few,* **and ein Paar,** *a pair of.*

Supplement

Worauf haben Sie Appetit?	Auf ein Wiener Schnitzel.
	Auf Klösse.
Was essen Sie am liebsten?	Kalbsbraten.
	Pfannkuchen mit Apfelmus.
Essen Sie Pudding lieber als Kompott?	Ich esse Pudding genauso gern wie Kompott.
Was essen Sie zum Frühstück?	Ein weichgekochtes Ei.
	Ein hartgekochtes Ei.

---

[1] The word **Student** refers to a university student only. When speaking about secondary school students the word **Schüler** is used.

[2] **Mensa** is the name of the student restaurant at a university.

[3] **DM 4,50** read: **vier Mark fünfzig. DM** is the abbreviation for **Deutsche Mark.**

◀ *Studenten in einem Restaurant*

Two Students in a Restaurant

WAITER   Hello, gentlemen. What would you like?

OSKAR   The menu, please.

WAITER   Here you are.

OSKAR   I'm paying today, it's my turn. So pick out the best you can find. –What are you having?

WILLI   Take it easy. I can't read as fast as you can.

OSKAR   What I like best here is that the servings are larger than at the mensa.

WILLI   Also more expensive.

OSKAR   I feel like having chicken. Half a fried chicken with rice and cucumber salad for 4.50 marks.

WILLI   I'll find something cheaper. Here, for 2.20 marks: a pair of fried sausages with potato salad and sauerkraut.

Supplement

What do you feel like having?

> A veal cutlet.
> Dumplings.

What do you like to eat best of all?

> Roast veal.
> Pancakes with applesauce.

Do you like pudding better than stewed fruit (compote)?

> I like pudding just as much (as well) as stewed fruit.

What do you eat for breakfast?

> A soft-boiled egg.
> A hard-boiled egg.

Vocabulary Exercises

1. QUESTIONS ON BASIC MATERIAL

1. Wo sind die beiden Studenten?
2. Was sagt der Ober, als er an den Tisch kommt?
3. Was wünscht Oskar?
4. Was soll sich Willi aussuchen?
5. Warum soll er sich das Beste aussuchen, was er finden kann?
6. Was sagt Willi? Warum?
7. Was gefällt Oskar in diesem Lokal so gut?
8. Worauf hat Oskar Appetit?
9. Was bestellt er?
10. Wie teuer ist das Essen?
11. Was sucht sich Willi aus?
12. Was bestellt er?

2. FREE RESPONSE

1. Wohin gehen Sie zum Essen?
2. Was brauchen Sie, bevor Sie das Essen bestellen können?
3. Wer bringt Ihnen die Speisekarte?
4. Worauf haben Sie Appetit?
5. Essen Sie Kartoffelsalat gern?
6. Was essen Sie am liebsten?
7. Essen Sie Bratwurst lieber als Schinken?
8. Was essen Sie zum Frühstück?

3. ENGLISH CUE DRILL

Wer ist an der Reihe?   Wer ist an der Reihe?
It's my turn.   Ich bin an der Reihe.
Is it your turn? (du)   Bist du an der Reihe?
It's Willi's turn.   Willi ist an der Reihe.
It's our turn now.   Wir sind jetzt an der Reihe.
Whose turn is it?   Wer ist an der Reihe?

Noun Exercises

4. der, die, das

1. Wir laden einen jungen Studenten[4] ein.
2. Wir essen heute in der Mensa.
3. Den Reis kann ich nicht essen.
4. Bratwürste? Was für ein grosses Paar!
5. Kaltes Sauerkraut schmeckt mir nicht.
6. Bringen Sie mir ein schönes Schnitzel!
7. Ich kann den Kloss nicht essen.
8. Ich rieche den Braten.
9. Heute gibt es frisches Apfelmus.
10. Möchtest du noch einen Pudding?
11. Ich esse ein kleines Kompott.

1. Wie heisst _____ junge Student?   *der*
2. _____ Mensa ist in der Universität.   *die*
3. Wieso? Mir schmeckt _____ Reis!   *der*
4. _____ Paar kostet DM 2.20.   *das*
5. _____ Sauerkraut ist nicht sauer!   *das*
6. Wie gross soll _____ Schnitzel sein?   *das*
7. _____ Kloss ist gut, aber hart.   *der*
8. Ist _____ Braten fertig?   *der*
9. _____ Apfelmus ist zu süss.   *das*
10. _____ Pudding schmeckt gut.   *der*
11. Mir schmeckt _____ Kompott nicht.   *das*

5. SINGULAR → PLURAL

1. Der Student isst in der Mensa.
2. Das Schnitzel ist schon braun.
3. Der Kloss ist viel zu hart.   *VARIATION*
1. Die Studenten essen in der Mensa.

1. Die Studenten essen in der Mensa.
2. Die Schnitzel sind schon braun.
3. Die Klösse sind viel zu hart.
1. *Der Student isst in der Mensa.*

---

[4] Note that **Student** has an **-en** in all cases except the nominative singular.

Grammar

Comparisons: -er and -st *Forms of Adjectives and Adverbs*

PRESENTATION

> Das Huhn ist **billig,** aber zwei Bratwürste sind **billiger.**
> Kartoffelsalat ist **am billigsten.**

Name the adjectives in each clause of the first sentence. How does **billig** differ from **billiger** in form? In meaning? In the second sentence, how does **billigsten** differ in form from both **billig** and **billiger?** What do you think **am billigsten** means? Why?

> Ich lerne **leicht,** aber Willi lernt **leichter.**
> Oskar lernt **am leichtesten.**

Name the adverbs in each clause of the first sentence. How do they differ in form? In meaning? In the second sentence, how does **am leichtesten** differ from both **leicht** and **leichter?** What do you think **am leichtesten** means? DRILL 6.1

> Meine Portion ist **gross,** aber deine Portion ist **grösser.**
> Oskars Portion ist **am grössten.**

> Mein Schnitzel ist **warm,** aber dein Essen ist **wärmer.**
> Die Würste sind **am wärmsten.**

How do **grösser** and **wärmer** differ in form from **gross** and **warm?** What do **grösser** and **wärmer** mean? What do you think **am grössten** and **am wärmsten** mean? DRILL 6.2

> Ich esse Schinken **gern.**
> Willi isst Huhn **lieber.**
> Oskar isst Schnitzel **am liebsten.**

How does the adverb in the second sentence differ in form from the adverb in the first sentence? What does each of the three sentences mean? Go over the forms in the Generalization first before presenting the remaining drills.

GENERALIZATION

1. In English, adjective forms like *smaller, more expensive* and adverbial forms like *more easily, more cheaply,* are called <u>comparative</u> forms. Adjectives and adverbs like *cheapest, smallest* are called <u>superlative</u> forms. The forms without ending like *small, cheap, easy* are sometimes called <u>positive</u> forms.

In German all adjectives and adverbs use the **-er** and **-st** to form the comparative and superlative respectively (**-est** for adjectives ending in **-t, -d, ss, z,** or **-sch**).

Positive	Comparative	Superlative
klein	kleiner	. . . kleinst-
billig	billiger	. . . billigst-
hübsch	hübscher	. . . hübschest-
dunkel	dunkler*	. . . dunkelst-
teuer	teurer*	. . . teuerst-

*Note that adjectives ending in **-el** and **-er** omit the **-e** before the **l** or **r** in the comparative form: **dunkel—dunkler; teuer—teurer.**

2. Most one syllable adjectives take an umlaut in the comparative and superlative. The following adjectives of this group have appeared so far:

Positive	Comparative	Superlative	Positive	Comparative	Superlative
alt	älter	. . . ältest-	lang	länger	. . . längst-
arm	ärmer	. . . ärmst-	oft	öfter	. . . öftest-
dumm	dümmer	. . . dümmst-	scharf	schärfer	. . . schärfst-
hart	härter	. . . härtest-	schwach	schwächer	. . . schwächst-
jung	jünger	. . . jüngst-	schwarz	schwärzer	. . . schwärzest
kalt	kälter	. . . kältest-	stark	stärker	. . . stärkst-
krank	kränker	. . . kränkst-	warm	wärmer	. . . wärmst-
kurz	kürzer	. . . kürzest-			

Note that there are some adjectives which may or may not take the umlaut in the comparative and superlative form:

blass	blässer	*or*	blasser
gesund	gesünder	*or*	gesunder
nass	nässer	*or*	nasser
schmal	schmäler	*or*	schmaler
rot	röter	*or*	roter

There are also some one syllable adjectives which never take the umlaut, such as **blond, braun, faul, froh, klar, toll, wahr.** From now on, adjectives that take the umlaut in the comparative and superlative form will be listed in the Reference List as: **scharf (ä).**

3. Several adjectives and adverbs have irregular comparative and superlative forms.

Positive	Comparative	Superlative
gern	lieber	. . . liebst-
gross	grösser	. . . grösst-
gut	besser	. . . best-
hoch	höher	. . . höchst-
nah	näher	. . . nächst-
viel	mehr	. . . meist-

4. Superlative forms used as adverbs after verbs require the special phrase:

am *adjective* **+ st + en**

Oskar liest am schnellsten.   *Oscar reads (the) fastest.*
Kartoffelsalat ist am billigsten.   *Potato salad is (the) cheapest.*

STRUCTURE DRILLS

6. PATTERNED RESPONSE

1. Ich bin hungrig. ⊗   Ich bin hungrig.
   Und Willi?   Willi ist hungriger.
   Und Oskar?   Oskar ist am hungrigsten.

   Ich lese langsam.   Ich lese langsam.
   Und Willi?   Willi liest langsamer.
   Und Oskar?   Oskar liest am langsamsten.

   Huhn ist teuer.   Huhn ist teuer.
   Und Braten?   Braten ist teurer.
   Und Schnitzel?   Schnitzel ist am teuersten.

   Diese Vase ist wertvoll.   Diese Vase ist wertvoll.
   Und dieser Teppich?   Dieser Teppich ist wertvoller.
   Und dieses Gemälde?   Dieses Gemälde ist am wertvollsten.

   Inge spricht schnell.   Inge spricht schnell.
   Und Ursel?   Ursel spricht schneller.
   Und Monika?   Monika spricht am schnellsten.

2. Mein Onkel ist alt. ⊗   Mein Onkel ist alt.
   (mein Vater)   Mein Vater ist älter.
   (mein Grossvater)   Mein Grossvater ist am ältesten.

Kurt ist stark.	*Willi ist stärker.*
(Willi-Oskar)	*Oskar ist am stärksten.*
Vorgestern war es warm.	*Gestern war es wärmer.*
(gestern–heute)	*Heute ist es am wärmsten.*
Im November ist es kalt.	*Im Dezember ist es kälter.*
(im Dezember–im Januar)	*Im Januar ist es am kältesten.*
Im Oktober sind die Nächte lang.	*Im November sind die Nächte länger.*
(im November–im Dezember)	*Im Dezember sind die Nächte am längsten.*

3. Ich esse Bratwürste gern.

3. Ich esse Bratwürste gern.	Ich esse Bratwürste gern.
(Schinken)	Ich esse Schinken lieber.
(Schnitzel)	Ich esse Schnitzel am liebsten.
Dieser Berg ist hoch.	*Der Trümmerberg ist höher.*
(der Trümmerberg–die Zugspitze)	*Die Zugspitze ist am höchsten.*
In Frankreich haben wir viel gesehen.	*In Österreich haben wir mehr gesehen.*
(in Österreich–in Bayern)	*In Bayern haben wir am meisten gesehen.*
Meinen Eltern gefällt es hier gut.	*Meiner Tante gefällt es hier besser.*
(meiner Tante–mir)	*Mir gefällt es hier am besten.*
Mein Onkel ist gross.	*Mein Vater ist grösser.*
(mein Vater–aber ich)	*Aber ich bin am grössten.*

7. ITEM SUBSTITUTION

1. Mein Bruder ist kleiner. ⊗   *fleissiger–jünger–grösser–stärker–mutiger*
   (fleissig–jung–gross–stark–mutig)

2. Wo ist es in Deutschland am schönsten? ⊗   *am wärmsten–am ruhigsten–am billigsten–am*
   (warm–ruhig–billig–interessant–lustig)   *interessantesten–am lustigsten*

8. PATTERNED RESPONSE

In Unit 12 you learned that an adjective after **etwas** and **nichts** has the ending **-es** and is always capitalized. The same holds true for the comparative form of the adjective.

Ist das zu teuer?	Ja, ich suche mir etwas Billigeres aus.
Ist das zu hässlich?	Ja, ich suche mir etwas Schöneres aus.
Ist das zu klein?	Ja, ich suche mir etwas Grösseres aus.
Ist das zu leicht?	Ja, ich suche mir etwas Schwereres aus.
Ist das zu neu?	Ja, ich suche mir etwas Älteres aus.

9. FREE SUBSTITUTION

Ein Schnitzel ist teurer.	*Pfannkuchen, Pudding, Forelle / billig, gut, genug*
Oskars Portion ist am grössten.	*Brathuhn, Klösse, Gericht / klein, hart, weich*

10. FREE RESPONSE

Was für ein Lokal gefällt Ihnen am besten?

Was essen Sie am liebsten, wenn Sie in einem Lokal sind?

Warum gehen Sie nicht oft in berühmte Restaurants?

Warum haben Sie den Sommer lieber als den Winter?

An welchen Tagen können Sie länger schlafen?

An welchem Schultag kommen Sie später nach Hause?

Welche Sprache sprechen Sie am besten?

Writing

1. *Hilde ist jung, Inge ist jünger, und Uschi ist am jüngsten.*
2. *Jochen weiss viel . . . , Dieter weiss mehr . . . , und Rolf weiss am meisten.*
3. *Ursel kennt B. gut, Helga kennt B. besser, und Eva kennt B. am besten.*
4. *Willi isst B. gern, Oskar isst B. lieber, und Georg isst B. am liebsten.*
5. *Achim fragt oft, Kurt fragt öfter, und Peter fragt am öftesten.*

SENTENCE EXPANSION

Rewrite each of the following sentences, expanding each one as shown in the example.

BEISPIEL   Gerda, Bärbel und Heidi warten lange.

Gerda wartet lange, Bärbel wartet länger, und Heidi wartet am längsten.

1. Hilde, Inge und Uschi sind jung.
2. Jochen, Dieter und Rolf wissen viel über Deutschland.
3. Ursel, Helga und Eva kennen Bayern gut.
4. Willi, Oskar und Georg essen Bratwurst gern.
5. Achim, Kurt und Peter fragen oft.

EXERCISE BOOK: EXERCISE 1

Equal and Unequal Comparisons

GENERALIZATION

In making comparisons. **so . . . wie** is used with the positive form of the adjective or adverb; **als** is used with the comparative form.

| POSITIVE | Willi liest **so schnell wie** Oskar. | *Willi reads as fast as Oskar.* |
| COMPARATIVE | Oskar liest **schneller als** Willi. | *Oskar reads faster than Willi.* |

STRUCTURE DRILLS

11. POSITIVE → COMPARATIVE

Die Portionen sind so gross wie in der Mensa. ⊗

Die Portionen sind grösser als in der Mensa.

Der Salat ist hier so gut wie zu Hause.
Ich esse Bratwürste so gern wie Schinken.
Meine Jacke ist so lang wie dein Mantel.
Dein Rücken ist so rot wie ein Krebs.

Der Salat ist hier besser als zu Hause.
Ich esse Bratwürste lieber als Schinken.
Meine Jacke ist länger als dein Mantel.
Dein Rücken ist röter als ein Krebs.

12. PATTERNED RESPONSE

Note: **Make sure that students use nominative case forms after** *so . . . wie* **and** *als.*

1. Ist Oskar so hungrig wie Willi? ⊗
   Ist Otto so stark wie Franz?
   Verdient Ursel so viel wie Monika?
   Ist Eva so hübsch wie Helga?
   Schreibt Max so gern wie Herbert?

   Ich glaube, Oskar ist hungriger als Willi.
   Ich glaube, Otto ist stärker als Franz.
   Ich glaube, Ursel verdient mehr als Monika.
   Ich glaube, Eva ist hübscher als Helga.
   Ich glaube, Max schreibt lieber als Herbert.

2. Essen Sie Fisch so gern wie Fleisch? ⊗
   Gefällt Ihnen München so gut wie Köln?
   Schreibt Hilde so viel wie Ursel?
   Ist Hans so gross wie Helmut?
   Ist Inge so blond wie Renate?

   Ich esse Fisch lieber als Fleisch.
   München gefällt mir besser als Köln.
   Hilde schreibt mehr als Ursel.
   Hans ist grösser als Helmut.
   Inge ist blonder als Renate.

3. Ist Paul stärker als Erich?
   Ist die Kirche höher als das Haus?
   Sind die Tage jetzt länger als die Nächte?
   Kosten die Hühner mehr als der Schinken?
   Lernen die Jungen besser als die Mädchen?

   Nein, Paul ist genauso stark wie Erich.
   Nein, die Kirche ist genauso hoch wie das Haus.
   Nein, die Tage sind jetzt genauso lang wie die Nächte.
   Nein, die Hühner kosten genauso viel wie der Schinken.

   Nein, die Jungen lernen genauso gut wie die Mädchen.

13. FREE SUBSTITUTION

Helga ist so gesund wie ihre Schwester.
Ich esse mehr als mein Bruder.

gross, hübsch, blass / Bruder, Kusine, Mutter

spielen, laufen, faulenzen / weniger, schneller, besser / Vetter, Schwester, Freund

Writing

EXERCISE BOOK: EXERCISE 2

SENTENCE CONSTRUCTION

Using the information given, write a sentence in which you describe the items mentioned in terms of their equality and inequality. Follow the example.

BEISPIEL Der Pudding und das Kompott kosten eine Mark, aber der Käse DM 1,50.
    Der Pudding ist genauso teuer wie das Kompott, aber der Käse ist teurer als der Pudding und das Kompott.

1. *Hans ist genauso alt wie Kurt, aber Fritz ist älter als Hans und Kurt.*
2. *Helga ist genauso gross wie Eva, aber Inge ist grösser als Helga und Eva.*

1. Hans und Kurt sind 5 Jahre alt, aber Fritz ist 7.
2. Helga und Eva sind 1,40 Meter gross, aber Inge ist 1,50.
3. Der Hausberg und der Trümmerberg sind 300 Meter hoch, aber die Zugspitze ist 3 000 Meter hoch.
4. Jochen und Achim bekommen 4 Mark Taschengeld, aber Franz bekommt 5 Mark.

3. *Der Hausberg ist genauso hoch wie der Trümmerberg, aber die Zugspitze ist höher als der Hausberg und der Trümmerberg.*
4. *Jochen bekommt genauso viel Taschengeld wie Achim, aber Franz bekommt mehr Taschengeld als Jochen und Achim.*

BASIC MATERIAL II

SECTION B ⊗

Basic Material II and Supplement
Listening Comprehension: Exercise 44
Structure Drills 21.1–21.2; 22.1–22.2;
  23.1–23.2

In einer kleinen Konditorei[5]

USCHI	Es ist furchtbar nett hier, aber sicher sehr teuer! Wollen wir nicht in ein billigeres Café gehen?
TANTE	Hier ist es doch so gemütlich, Uschi! –Und ausserdem gibt es hier die schönsten Torten und die beste Schlagsahne in der Stadt. Komm, gehen wir ans Büffet[6] und suchen wir uns ein paar Leckerbissen aus!

Note: The *t* in *Büffet* is usually silent.

VERKÄUFERIN	Was darf es sein, bitte?
TANTE	Was können Sie uns empfehlen?
VERKÄUFERIN	Unseren Käsekuchen, frisch aus dem Ofen. Oder Obsttorte?
TANTE	Ja, die müssen wir probieren. Geben Sie uns bitte ein Stück Erdbeertorte mit Sahne und ein Stück Käsekuchen! –Sei nicht so bescheiden, Uschi! Nimm doch das grössere Stück!
USCHI	Aber Tante Erna! Ich muss auf meine schlanke Linie achten. –Aber heute ist es mir egal, auch wenn ich zwei Pfund[7] zunehme.

Supplement

Ist Uschi faul?	Nein, sie ist tüchtig.
Ist sie frech?	Nein, sie ist höflich.
Gibt sie gern Geld aus?	Nein, sie ist geizig.
Wieviel wiegst du?	Ich wiege 120 Pfund.
Hast du wieder zugenommen?	Nein, ich habe abgenommen.

---

[5] A **Konditorei** is a cafe that specializes in fine pastries. They are popular places for afternoon coffee and cake as well as light suppers.

[6] In a **Konditorei** the patrons must often select the pastry at the counter and it is then brought to the table.

[7] **Ein Pfund** is about 10% heavier than the American pound. It has 500 grams, while the American pound has 454.

In a little Konditorei

USCHI It's awfully nice here, but I'm sure it's very expensive. Shouldn't we go to a cheaper cafe?

AUNT But it's so cozy here, Uschi! –And besides, they have the most beautiful cakes and the best whipped cream in town. Come, let's go over to the counter and pick out a few goodies.

SALESGIRL May I help you?

AUNT What can you recommend?

Note: Obstkuchen is cake with fruit on top.

SALESGIRL Our cheese cake, fresh from the oven. Or fruitcake?

AUNT Yes, we'll have to try that. May we have a piece of strawberry cake with whipped cream and a piece of cheese cake? –Don't be so modest, Uschi! Take the bigger piece.

USCHI But Aunt Erna! I have to watch my figure. –But today, I don't care (it's all the same to me), even if I gain two pounds.

Note: The word Torte usually refers to a richer, more elaborate cake than the word Kuchen. A Torte is always round.

Supplement

Is Uschi lazy?

Is she fresh?

Does she like to spend money?

No, she's hard-working.

No, she's polite.

No, she's stingy.

How much do you weigh?

Have you gained weight again?

I weigh 120 pounds.

No, I lost weight.

Vocabulary Exercises

14. QUESTIONS ON BASIC MATERIAL

1. Wohin geht Ursel mit ihrer Tante?
2. Woher weiss man, dass Uschi ein bescheidenes Mädchen ist?
3. Warum ist die Tante in dieses Café gekommen?
4. Wo müssen sich die beiden die Torte aussuchen?
5. Was sagt die Verkäuferin zu der Tante?
6. Was fragt Uschis Tante?
7. Was empfiehlt die Verkäuferin?
8. Was für Torte nimmt die Tante?
9. Was für ein Stück soll Uschi essen?
10. Worauf achtet Uschi gewöhnlich?
11. Was ist ihr heute egal?

15. FREE RESPONSE

1. Wohin gehen Sie, wenn Sie Kaffee trinken und Kuchen essen wollen?
2. Was für Leckerbissen essen Sie gern?
3. Warum essen Sie keine Schlagsahne?

(*continued*)

(continued)

4. Worauf achten die Mädchen gewöhnlich?
5. Wer ist in dieser Klasse tüchtig? Höflich?

16. ENGLISH CUE DRILL

Es ist mir egal.   Es ist mir egal.
He doesn't care.   Es ist ihm egal.
Don't you care? (du)   Ist es dir egal?
We don't care.   Es ist uns egal.
Do you care? (Sie-Form)   Ist es Ihnen egal?
I don't care.   Es ist mir egal.

17. QUESTION FORMATION

Uschi achtet auf ihre kleine Schwester.   Auf wen achtet Uschi?
Uschi achtet auf ihre schlanke Linie.   Worauf achtet Uschi?
Uschi achtet auf den Verkehr.   *Worauf achtet Uschi?*
Uschi achtet auf die alte Grossmutter.   *Auf wen achtet Uschi?*
Uschi achtet auf die Zeit.   *Worauf achtet Uschi?*
Uschi achtet auf ihren kranken Bruder.   *Auf wen achtet Uschi?*

Noun Exercises

18. der, die, das

1. Sie essen in einer kleinen Konditorei.
2. Gehen wir ans Büffet!
3. Gib mir einen kleinen Leckerbissen!
4. Ein halbes Pfund Kaffee, bitte!

1. Wo ist ＿＿ Konditorei?   *die*
2. ＿＿ Büffet steht in der Ecke.   *das*
3. Schmeckt dir ＿＿ Leckerbissen?   *der*
4. Wie teuer ist ＿＿ Pfund?   *das*

19. SINGULAR → PLURAL

1. Die Konditorei ist am Marktplatz.
2. Das Büffet ist leer.
3. Dieser Leckerbissen schmeckt gut.   **VARIATION**
   1. Die Konditoreien sind am Marktplatz.

1. Die Konditoreien sind am Marktplatz.
2. Die Büffets sind leer.
3. Diese Leckerbissen schmecken gut.
   1. Die Konditorei ist am Marktplatz.

Verb Exercises

20. CUED RESPONSE

1. Was können Sie mir **empfehlen?** (ein Wiener Schnitzel)

Ich kann Ihnen ein Wiener Schnitzel **empfehlen.**

Was **empfiehlt** Ihnen die Verkäuferin? (die Erdbeertorte)

Die Verkäuferin **empfiehlt** mir die Erdbeertorte.

Was **empfahl** Ihnen der Ober? (die Bratwürste)

Der Ober **empfahl** mir die Bratwürste.

Was haben Sie mir **empfohlen?** (das Brathuhn)

Ich habe Ihnen das **Brathuhn** empfohlen.

2. Wieviel **wiegen** Sie? (140 Pfund)

Ich **wiege** 140 Pfund.

Wieviel **wog** das Sauerkraut? (2 Pfund)

Das Sauerkraut **wog** zwei Pfund.

Wieviel hat das Brot **gewogen?** (3 Pfund)

Das Brot hat 3 Pfund **gewogen.**

Grammar

Comparative and Superlative Forms of Adjectives before Nouns

PRESENTATION

Nimm doch **das grosse Stück!**
Nimm doch **das grössere Stück!**
Nimm doch **das grösste Stück!**

Name each of the adjectives in these sentences. What is the meaning of each in the entire noun phrase? What can you tell about the ending? What kind of word precedes each adjective?

Paul ist **ein guter Student.**
Erich ist **kein besserer Student.**
Fritz ist **unser bester Student.**

Name each of the adjectives in these sentences. What is the meaning of each in the entire noun phrase? What can you say about ending? What kind of word precedes each adjective?

DRILLS 21–25

GENERALIZATION

Comparative and superlative adjective forms used before a noun have the same ending as the positive form of the adjective. For a review of adjective endings see page 73.

	Adjective preceded by **der**	*Adjective preceded by* **ein**-*words*
POSITIVE	das **grosse** Stück	ein **guter** Student
COMPARATIVE	das **grössere** Stück	kein **besserer** Student
SUPERLATIVE	das **grösste** Stück	unser **bester** Student

STRUCTURE DRILLS

21. PATTERNED RESPONSE

1. Isst du das kleine Stück? ⊗   Nein, ich esse das grössere Stück.
   Kaufst du das neue Modell?   Nein, ich kaufe das ältere Modell.
   Nimmst du den frühen Zug?   Nein, ich nehme den späteren Zug.
   Bringst du das schwache Fernglas?   Nein, ich bringe das stärkere Fernglas.
   Isst du die sauren Äpfel?   Nein, ich esse die süsseren Äpfel.
   Nimmst du den kurzen Weg?   Nein, ich nehme den längeren Weg.

2. Das Schnitzel ist so klein. ⊗   Ich gebe Ihnen ein grösseres Schnitzel.
   Der Mantel ist so lang.   *Ich gebe Ihnen einen kürzeren Mantel.*
   Das Gehalt ist so niedrig.   *Ich gebe Ihnen ein höheres Gehalt.*
   Der Motor ist so schwach.   *Ich gebe Ihnen einen stärkeren Motor.*
   Die Torte ist so teuer.   *Ich gebe Ihnen eine billigere Torte.*
   Der Koffer ist so schwer.   *Ich gebe Ihnen einen leichteren Koffer.*

22. PATTERNED RESPONSE

1. Welches Stück möchten Sie?   (klein) ⊗   Das kleinste Stück.
   Welchen Anzug kaufen Sie?   (teuer)   Den teuersten Anzug.
   Welche Zeitung bestellen Sie?   (gut)   Die beste Zeitung.
   Welches Zimmer möchten Sie?   (gross)   Das grösste Zimmer.
   Welche Autos gefallen Ihnen?   (schnell)   Die schnellsten Autos.

2. Ist die Schlagsahne hier gut? ⊗   Klar! Hier gibt es die beste Schlagsahne.
   Ist der Schinken hier gut?   *Klar! Hier gibt es den besten Schinken.*
   Ist das Fleisch hier gut?   *Klar! Hier gibt es das beste Fleisch.*
   Sind die Bratwürste hier gut?   *Klar! Hier gibt es die besten Bratwürste.*
   Ist der Salat hier gut?   *Klar! Hier gibt es den besten Salat.*
   Ist die Torte hier gut?   *Klar! Hier gibt es die beste Torte.*

23. ITEM SUBSTITUTION

1. Probieren Sie mal das grössere Stück! ⊗   Probieren Sie mal das grössere Stück!
   _____ Forelle!   Probieren Sie mal die grössere Forelle!
   _____ Huhn!   Probieren Sie mal das grössere Huhn!
   _____ Schnitzel!   Probieren Sie mal das grössere Schnitzel!
   _____ Schinken!   Probieren Sie mal den grösseren Schinken!
   _____ Portion!   Probieren Sie mal die grössere Portion!

2. Ich kann Ihnen keine bessere Torte
   empfehlen. ⊗
   (Kuchen–Huhn–Bratwürste–Schinken–Obst) *keinen besseren Kuchen–kein besseres Huhn–keine bessere*
   Bratwürste–keinen besseren Schinken–kein besseres Obst

24. FREE SUBSTITUTION

Zu Weihnachten kaufe ich dir ein grösseres Rad. *gut, scharf, teuer / Schlitten, Fernrohr, Kamera*

Uschi ist das hübscheste Mädchen. *bescheiden, tüchtig, eingebildet / Kind, Verkäuferin, Schülerin*

25. FREE RESPONSE

Was ist die Zugspitze?
Was ist das Empire State Gebäude?
Was ist der Rhein?
Was ist Hamburg?
Was ist der Bodensee?

Writing

EXERCISE BOOK: EXERCISES 3 AND 4

SENTENCE EXPANSION

1. *Uschi kauft sich ein teures Kostüm, Bärbel kauft sich ein teureres Kostüm, und Brigitte kauft sich das teuerste Kostüm.*
2. *Fritz ist ein junger Bäcker, Hans ist ein jüngerer Bäcker, und Rolf ist der jüngste Bäcker.*
3. *Der Main ist ein langer Fluss, der Rhein ist ein längerer Fluss, und die Donau ist der längste Fluss.*
4. *Dieter spricht ein gutes Deutsch, Ilse spricht ein besseres Deutsch, und Jochen spricht das beste Deutsch.*
5. *Die Schule ist ein hohes Gebäude, die Post ist ein höheres Gebäude, und die Kirche ist das höchste Gebäude.*

Rewrite each of the following sentences, expanding each one as shown in the example.

BEISPIEL Stuttgart, München und Hamburg sind grosse Städte.
Stuttgart ist eine grosse Stadt, München ist eine grössere Stadt, und Hamburg ist die grösste Stadt.

1. Uschi, Bärbel und Brigitte kaufen sich teure Kostüme.
2. Fritz, Hans und Rolf sind junge Bäcker.
3. Der Main, der Rhein und die Donau sind lange Flüsse.
4. Dieter, Ilse und Jochen sprechen ein gutes Deutsch.
5. Die Schule, die Post und die Kirche sind hohe Gebäude.

READING

```
SECTION C  ⊗
Listening Comprehension: Exercises 45, 46, 47
Structure Drills 30.1–30.2
Additional Structure Drills
```

Word Study

1. Nouns and adjectives (or adverbs) are often so closely related in form that it is possible to determine the meaning of one if the other is known. The adjective (or adverb) may have one of the following forms:

a. Noun plus ending **-ig.** This ending is usually equivalent to the English adjective ending *-y, -ful,* or *ous.*

NOUN		ADJECTIVE	
der Durst	*thirst*	**durstig**	*thirsty*
der Hunger	*hunger*	**hungrig**	*hungry*

b. Noun plus ending **-lich.** This ending is usually equivalent to the English adjective ending *-al, -ly, -ous,* and *-ful.*

die Natur	*nature*	**natürlich**	*natural*
der Freund	*friend*	**freundlich**	*friendly*

c. Noun plus ending **-isch.** This ending is usually equivalent to the English adjective ending *-ish,* or *-al.*

das Kind	*child*	**kindisch**	*childish*
der Aberglaube	*superstition*	**abergläubisch**	*superstitious*

If you know the adjectives **geizig** and **ruhig,** you should be able to recognize the meaning of the related nouns **Geiz** and **Ruhe.**

2. The meaning of nouns that end in the suffixes **-heit** and **-keit** can easily be recognized if the related adjective is known, and vice versa.

ADJECTIVE		NOUN	
frei	*free*	**die Freiheit**	*freedom*

If you know the words **dumm** and **höflich** you should be able to recognize the meaning of the related nouns **Dummheit** and **Höflichkeit.**

Wer ist dümmer?

Wenn ein Mechaniker zehn Jahre lang fleißig und voll Energie gearbeitet hat, jeden Morgen pünktlich erschienen ist und abends fast immer eine halbe Stunde länger gearbeitet hat, dann wird sein Meister[8] wohl zufrieden° sein. So hatte ein Garagenbesitzer
5 in Hamburg einen Automechaniker. Dieser Mechaniker war nicht nur fleißiger, pünktlicher und bescheidener als die anderen, er war auch am freundlichsten, und die Kunden des Garagenbesitzers lobten die Gründlichkeit° seiner Arbeit. Der Meister hörte das gern, bezahlte den gewöhnlichen Lohn, aber er gab ihm nie ein Extra-
10 geld[9], auch nicht zu Weihnachten oder zu Neujahr[9]. Daß der Mechaniker in all den Jahren nicht ein einziges Mal krank war und im Bett bleiben mußte, das war diesem Meister egal.

Eines Tages jedoch hatte es der tüchtigste Mechaniker satt°, und er sagte zu seinem Meister: „Ich habe nun zehn Jahre lang
15 beste und gründlichste Arbeit für Sie getan, und wie Sie bin ich zehn Jahre älter geworden. Ich bekam zwar Trinkgelder° von den reicheren Kunden, doch von Ihnen hörte ich nie den kleinsten

zufrieden: *satisfied*

die Gründlichkeit: *thoroughness*

satt haben: *to have enough, to be fed up with*

das Trinkgeld, –er: *tip*

---

[8] **Ein Meister** of a trade can train apprentices and journeymen. A journeyman may have to practice his trade for as long as five years before he himself may become a **Meister.**

[9] It is a wide-spread custom in German business and industry to pay a special Christmas bonus to all employees.

Dank. Am 1. Mai trete ich eine andere Stellung an.“

Der Garagenbesitzer erschrak und bat um Entschuldigung°.
20 Er versprach ihm einen höheren Lohn, doch der Mechaniker
wollte nicht mehr.

„Sie kriegen den höchsten Lohn!“, versprach der Meister, und
seine Stimme wurde immer lauter.

Der Mann schüttelte° den Kopf.

25 „Wo kriegen Sie mehr Lohn?“ fragte der Garagenbesitzer.

„Das geht Sie nichts an°!“ antwortete der Mechaniker.

„Der Mechaniker ist wohl größer und stärker als ich“, dachte
der Garagenbesitzer, aber ich bin schlauer°.“

So kam er am nächsten Tag zum Mechniker und sagte: „Ich
30 will noch einmal mit Ihnen reden und lade Sie heute abend zum
Abendessen ein, in das teuerste, schönste und berühmteste Restaurant in dieser Stadt.“

„Teuer, teurer, am teuersten,—das ist mir gleich°“, antwortete
der Mechaniker. „Hauptsache das Essen ist gut.“

35 „Besser als bei dir zu Hause“, dachte der Meister.

Abends fuhren sie zusammen zu einem Restaurant, das gut,
aber keineswegs° das beste war. Weil der Garagenbesitzer sich für
viel zivilisierter hielt als sein Mechaniker, bestellte er den Wein.
„Rheinwein ist besser als Moselwein[10]“, erklärte er seinem Gast.

40 „Ein guter Rheinwein wird wohl besser sein als ein schlechter
Moselwein, du Dummkopf!“, dachte der Mechaniker, und er
dachte auch, daß sein Meister wohl geizig war aber daß seine
Dummheit noch größer als sein Geiz war.

Der Garagenbesitzer bestellte nun zwei Forellen. „Die zar-
45 testen“, sagte er. Dann machte er dem Mechaniker neue Vor-
schläge°, versprach mehr Lohn, ja den allerhöchsten Lohn, doch
der Mechaniker schwieg.

Schließlich stießen sie mit den Weingläsern an°, und der
Kellner brachte die beiden Forellen. Eine war groß, die andere
50 etwas kleiner.

„Bedienen Sie sich°“, sagte der Garagenbesitzer.

„Nein Sie, Sie sind älter“, sagte der Mechaniker.

„Ich bitte Sie“, sagte der andere.

„Gut, besten Dank“, sagte der Arbeiter und legte die größere
55 Forelle auf seinen Teller.

„Das war nicht gerade höflich “, sagte der Meister.

„Was?“

„Daß Sie sich die größere Forelle genommen haben.“

---

[10] The areas around the middle Rhine and along the Moselle are Germany's largest wine-producing regions.

**um Entschuldigung
bitten:** *to apologize, to
beg someone's pardon*

schütteln: *to shake*

Das geht Sie nichts an:
*That's none of your
business.*

schlau: *clever*

Das ist mir gleich: Das
ist mir egal.

keineswegs: *by no means*

der Vorschlag, ̈e:
proposal

anstoßen: *to touch*

s. bedienen: *to help
(serve) oneself*

60 „Welche Forelle wollen denn Sie haben?", fragte der schlaue
Mechaniker. /

„Nun, aus Höflichkeit die kleinere", antwortete der andere. /

„Sie haben sie ja", sagte der Mechaniker kalt und begann zu
essen. //

Der Garagenbesitzer konnte den Mechaniker nicht mehr zu-
65 rückholen, doch konnte der Mechaniker wenigstens beweisen, daß
der Garagenbesitzer nicht nur dümmer, sondern auch unhöflicher
war.

Dictionary Section

antreten beginnen: *Der Mechaniker verläßt seine alte Stellung und tritt eine neue Stellung an.*

ein einziges Mal einmal: *Der Arbeiter war nur ein einziges Mal krank. = Er war nur einmal krank.*

erschrecken Angst bekommen: *Als der Mechaniker weggehen wollte, erschrak der Garagenbesitzer.*

etwas kleiner ein bißchen kleiner: *Bärbel ist etwas kleiner als Sigrid.*

gerade ganz; sehr: *Das war nicht gerade richtig. = Das war nicht ganz richtig.*

Kellner Ober: *Der Kellner brachte das Essen. = Der Ober brachte das Essen.*

loben *Ihre Eltern loben Sie, wenn Sie ein gutes Zeugnis bekommen.*

Lohn Geld, das man verdient: *Der Arbeiter bekommt jede Woche seinen Lohn.*

pünktlich zur rechten Zeit: *Hans kommt nie zu spät zur Schule. = Er ist immer pünktlich.*

schweigen kein Wort sagen, ganz ruhig sein: *Der Mechaniker schwieg. = Er sagte nichts.*

Stimme *Die Sängerin hat eine gute Stimme. = Sie singt schön.*

zart nicht hart, sondern weich: *Das Fleisch ist so zart wie Butter.*

26. QUESTIONS

1. Warum kann der Meister mit seinem Mechaniker zufrieden sein?   *1*
2. War dieser Automechaniker auch so fleissig, pünktlich und bescheiden wie die anderen Kollegen?   *5*
3. Was lobten die Kunden?   *8*
4. Bekam der Mechaniker einen höheren Lohn als die anderen Mechaniker?   *9*
5. Was war dem Meister auch egal?   *11*
6. Was sagte der Mechaniker seinem Meister eines Tages?   *14*
7. Was versprach der Garagenbesitzer dem Mechaniker?   *20*
8. Ist der Mechaniker mit einem höheren Lohn zufrieden?   *21*
9. Was sagt der Mechaniker, als der Besitzer wissen möchte, wo er mehr Lohn kriegt?   *26*
10. Was denkt der Garagenbesitzer, und was tut er am nächsten Tag?   *27,29*
11. In was für ein Restaurant will er mit seinem Mechaniker gehen?   *31*
12. War es wirklich das beste Restaurant?   *37*
13. Warum bestellte der Garagenbesitzer den Wein?   *36*
14. Was erzählte er dem Mechaniker über Rheinwein?   *39*
15. Was denkt der Mechaniker über seinen Meister?   *42*
16. Was bestellte der Besitzer zu essen?   *44*

17. Worüber sprachen die beiden wieder? *45*
18. Was taten die beiden, bevor sie den Wein tranken? *48*
19. Was für Forellen brachte der Kellner? *49*
20. Welche Forelle nahm der Mechaniker? *54*
21. Was sagte der Besitzer, als er das sah? *56*
22. Was fragte deshalb der Mechaniker? *59*
23. Und was antwortete der Garagenbesitzer? *61*
24. Was konnte der Besitzer nicht tun? *64*
25. Aber was konnte der Mechaniker wenigstens beweisen? *65*

Noun Exercises

27. der, die, das

Nouns ending in **-heit** and **-keit** are always feminine and form their plural by adding **-en**: **die Dummheit, die Dummheiten; die Höflichkeit, die Höflichkeiten.**

1. Bekommen Sie einen höheren Lohn?	1. ＿＿ Lohn ist zu niedrig. *der*
2. Er war nur ein einziges Mal krank.	2. ＿＿ eine Mal war er krank. *das*
3. Wo steht sein altes Bett?	3. In der Ecke steht ＿＿ Bett. *das*
4. Er hörte nie den kleinsten Dank.	4. ＿＿ Dank kam zu spät. *der*
5. Er bestellte einen leichten Wein.	5. ＿＿ Wein hat einen sauren Geschmack. *der*
6. Ich mache Ihnen einen Vorschlag.	6. ＿＿ Vorschlag ist nicht gut. *der*

28. SINGULAR → PLURAL

1. Der Lohn wird immer besser.	1. Die Löhne werden immer besser.
2. Das Bett steht vor dem Fenster.	2. Die Betten stehen vor dem Fenster.
3. Der Wein aus dieser Gegend ist süss.	3. Die Weine aus dieser Gegend sind süss.
4. Der Vorschlag gefällt mir nicht. *VARIATION*	4. Die Vorschläge gefallen mir nicht.
1. Die Löhne werden immer besser.	1. Der Lohn wird immer besser.

Verb Exercises

29. CUED RESPONSE

1. Worüber **erschrecken** die Kinder? (der Hund)	Die Kinder **erschrecken** über den Hund.
Worüber **erschrickt** der Junge? (der Unfall)	Der Junge **erschrickt** über den Unfall.
Warum **erschrak** der Meister? der Mechaniker wollte weggehen)	Der Meister **erschrak,** weil der Mechaniker weggehen wollte.
Wann **ist** er darüber **erschrocken?** (gestern)	Er **ist** gestern darüber **erschrocken.**

2. Wen **bitten** Sie um Entschuldigung? (der Lehrer)

Ich **bitte** den Lehrer um Entschuldigung.

Wen **bat** der Meister um Entschuldigung? (der Mechaniker)

Der Meister **bat** den Mechaniker um Entschuldigung.

Wen haben die Kinder um Entschuldigung **gebeten?** (ihre Eltern)

Die Kinder haben ihre Eltern um Entschuldigung **gebeten.**

3. Worüber **schweigt** der Mechaniker? (der Vorschlag)

Der Mechaniker **schweigt** über den Vorschlag.

Wer **schwieg** auch? (seine Frau)

Seine Frau **schwieg** auch.

Worüber hat der Angestellte **geschwiegen?** (der Lohn)

Der Angestellte hat über den Lohn **geschwiegen.**

4. Wem **beweist** er, dass er mutig ist? (seine Freunde)

Er **beweist** seinen Freunden, dass er mutig ist.

Was **bewies** der Geselle? (seine Gründlichkeit)

Der Geselle **bewies** seine Gründlichkeit.

Was hat der Plan **bewiesen?** (nichts)

Der Plan hat nichts **bewiesen.**

EXERCISE BOOK: EXERCISE 5

RECOMBINATION EXERCISES

30. PATTERNED RESPONSE

1. Das ist aber ein geiziger Mann! ⊗
   Das ist aber ein hübsches Mädchen!
   Das ist aber eine tüchtige Verkäuferin!
   Das ist aber ein lustiger Briefträger!
   Das ist aber eine gute Ärztin!
   Das ist aber ein dicker Kellner!

   Ich kenne einen geizigeren Mann.
   Ich kenne ein hübscheres Mädchen.
   Ich kenne eine tüchtigere Verkäuferin.
   Ich kenne einen lustigeren Briefträger.
   Ich kenne eine bessere Ärztin.
   Ich kenne einen dickeren Kellner.

2. Was für ein hoher Berg! ⊗
   Was für eine breite Strasse!
   Was für ein guter Wein!
   Was für eine lange Brücke!
   Was für ein altes Lokal!
   Was für ein grosser Zoo!

   Bei uns gibt es einen höheren Berg.
   Bei uns gibt es eine breitere Strasse.
   Bei uns gibt es einen besseren Wein.
   Bei uns gibt es eine längere Brücke.
   Bei uns gibt es ein älteres Lokal.
   Bei uns gibt es einen grösseren Zoo.

Additional Structure Drills may be done at this point.

31. POSITIVE → COMPARATIVE → SUPERLATIVE

1. Peter bekommt einen hohen Lohn.
   Jürgen _____.
   Winfried _____.

   Peter bekommt einen hohen Lohn.
   Jürgen bekommt einen höheren Lohn.
   Winfried bekommt den höchsten Lohn.

2. Peter tritt eine gute Stelle an.

   Jürgen tritt eine bessere Stelle an.
   Winfried tritt die beste Stelle an.

3. Peter probiert ein kleines Stück Torte.

Jürgen probiert ein kleineres Stück.
Winfried probiert das kleinste Stück.

4. Peter empfiehlt einen teuren Leckerbissen.

Jürgen empfiehlt einen teureren Leckerbissen.
Winfried empfiehlt den teuersten Leckerbissen.

5. Peter nimmt eine grosse Portion.

Jürgen nimmt eine grössere Portion.
Winfried nimmt die grösste Portion.

32. SITUATIONAL RESPONSE

Was können Sie in folgenden Situationen sagen!

1. Herbert arbeitet bis fünf Uhr, Kurt bis halb sechs.
2. Fritz kommt um fünf Minuten vor acht zur Arbeit, Hans fünf nach acht.
3. Inge nimmt sich gleich drei Klösse vom Teller, Ursel nur einen Kloss.
4. Helga wird immer mit ihrer Arbeit fertig, Ursel nie.
5. Der Rheinwein kostet zwei Mark, der Moselwein 3 Mark.
6. Der Mechaniker ist 30 Jahre alt, der Meister ist 60.

EXERCISE BOOK: EXERCISE 6

> ## SECTION D ⊗
> Listening Comprehension: Exercise 48
> Structure Drills 33; 34.1–34.2
> Additional Structure Drills
> Listening Comprehension: Exercise 49

immer + *Comparative Forms of Adjectives and Adverbs*

In German, the word **immer** is used with the comparative form of the adjective or adverb where English would use two comparative forms connected by *and,* as in the following example: **Er spricht immer lauter.** *He speaks louder and louder,* or where English would use *more and more* with the comparative form, as in the following example: **Das Essen wird immer teurer.** *Food is getting more and more expensive.*

33. PATTERNED RESPONSE

Stefan wird so gross! ⊗

Ach, er wird immer grösser!

Stefan wird so geizig!

Ach, er wird immer geiziger!

Stefan arbeitet so lange!

Ach, er arbeitet immer länger!

Stefan fährt so schnell!

Ach, er fährt immer schneller!

Stefan spricht so gut!

Ach, er spricht immer besser!

Stefan lernt so fleissig!

Ach, er lernt immer fleissiger!

34. ENGLISH CUE DRILL

1. Inge wird immer hübscher. ⊗

Inge wird immer hübscher.

Hans is getting stronger and stronger.

Hans wird immer stärker.

You're getting older and older. (du)

Du wirst immer älter.

You're getting redder and redder. (du)

Du wirst immer röter.

We're getting richer and richer.

Wir werden immer reicher.

We're getting poorer and poorer.

Wir werden immer ärmer.

Inge is getting prettier and prettier.

Inge wird immer hübscher.

2. Uwe wird immer bescheidener. ⊗

Uwe is getting more and more popular.

Uwe is getting more and more famous.

Uwe is getting more and more unhappy.

Uwe is getting more and more courageous.

Uwe is getting more and more conceited.

Uwe is getting more and more modest.

Uwe wird immer bescheidener.

Uwe wird immer populärer.

Uwe wird immer berühmter.

Uwe wird immer unglücklicher.

Uwe wird immer mutiger.

Uwe wird immer eingebildeter.

Uwe wird immer bescheidener.

Additional Structure Drills may be done at this point.

35. DIRECTED DIALOG

Fragen Sie *Jürgen,* warum die Kunden den Mechaniker lobten!

Sagen Sie, dass er fleissiger und freundlicher als die anderen war!

Warum lobten die Kunden den Mechaniker?

Er war fleissiger und freundlicher als die anderen.

Fragen Sie *Ulrike,* warum es der Mechaniker plötzlich satt hatte!

Sagen Sie, dass ihm sein Meister keinen höheren Lohn gab!

Warum hatte es der Mechaniker plötzlich satt?

Sein Meister gab ihm keinen höheren Lohn.

Fragen Sie *Horst,* was der Mechaniker nun tun will!

Sagen Sie, dass er eine andere Stelle antreten will!

Was will der Mechaniker nun tun?

Er will eine andere Stelle antreten.

36. SUSTAINED TALK

Describe some of the situations between the garage owner and the mechanic. Use the following cues as a guide.

1. beste Arbeit, zehn Jahre älter, neue Stelle
2. höherer Lohn, höchsten Lohn
3. satt haben, nie den kleinsten Dank
4. Restaurant: teuer, schön, berühmt
5. teuer?, egal
6. zarte Forellen, Vorschlag, mehr Lohn
7. Mechaniker, grosse Forelle
8. aus Höflichkeit die kleinere

Conversation Buildup

KELLNER Haben Sie sich schon für etwas entschieden, mein Herr?

ROLF Was können Sie mir empfehlen?

KELLNER Ein Schnitzel ist immer etwas Gutes. Aber unser Brathuhn ist auch ausgezeichnet, in guter Butter gebacken.

ROLF Hm—ein ganzes Huhn ist ein bisschen zu viel für mich. Ich darf nämlich nicht mehr zunehmen, sonst passen mir meine Sachen nicht mehr.

1. Was empfiehlt der Kellner?
2. Warum bestellt Rolf kein Huhn?
3. Was sagt der Kellner über seine schlanke Linie?
4. Warum darf Rolf nicht zunehmen?
5. Was bestellt Rolf schliesslich?

KELLNER   Sie müssen reden! So schlank wie Sie bin ich in meinem ganzen Leben nie gewesen, auch nicht, als ich so jung war wie Sie. Und das war im Krieg.

ROLF   Ich bin Sportler. Und wenn ich auch nur ein einziges Pfund zunehme, so darf ich nicht zum Sportfest mitfahren.

KELLNER   Ja, worauf haben Sie denn Appetit? Essen Sie Fisch gern? Wir haben heute frische Forellen.

ROLF   Prima! Warum haben Sie mir das nicht gleich gesagt. Forelle ist mein Lieblingsessen!

REJOINDERS

Hast du schon wieder zugenommen?

Du wirst zu dick! Du isst zu viel!

Du kannst mir eine neue Jacke schenken. Meine alte passt mir nicht mehr.

Nein, Bratkartoffeln darf ich nicht essen.

Warum nicht? Achtest du vielleicht auf deine schlanke Linie?

Ich esse auch keine Kartoffeln mehr. Sie machen dick.

CONVERSATION STIMULUS

Fritz führt seine Freundin Dorothea zum Geburtstag in ein nettes Restaurant. Fritz ist schon oft mit seinen Eltern hier gewesen; er kennt also fast alle Gerichte, und er empfiehlt seiner Freundin viele gute Dinge. Dorothea aber achtet so sehr auf ihre schlanke Linie, dass es ziemlich lange dauert, bis sie etwas gefunden hat, was sie essen kann.

FRITZ   Gefällt es dir hier, Dorothea?

DOROTHEA   *Ganz ausgezeichnet. Es ist sehr gemütlich hier.*

FRITZ   *Ich komme oft mit meinen Eltern hierher.*

EXERCISE BOOK: EXERCISE 7

1. Bratwurst schmeckt mir gut . . .
   Bratwurst esse ich gern . . .
2. Diese Vase ist wertvoll . . .
   Diese Vase ist teuer . . .

SENTENCE CONSTRUCTION

Writing

3. November ist ein kalter Monat . . .
   Im November schneit es bei uns viel . . .
4. Birken brauchen viel Regen . . .
   Diese Birke ist alt . . .
5. Dieser Pullover ist warm . . .
   Der Pullover sieht hübsch aus . . .

For each of the following cues given in parentheses, write two sentences expressing various relationships of the words to one another. Supply any appropriate verb.

BEISPIEL   (Peter, Jürgen, Kurt)
   a. Peter ist 18 Jahre alt. Jürgen ist 1 Jahr älter. Kurt ist 19, er ist am ältesten.
   b. Peter läuft schnell, Jürgen läuft schneller, und Kurt läuft am schnellsten. *or* Peter ist ein guter Schüler, Jürgen ist ein besserer Schüler, aber Kurt ist der beste Schüler.

1. (Bratwurst, Schnitzel, Forelle)
2. (Vase, Gemälde, Teppich)
3. (November, Dezember, Januar)

4. (Birke, Eiche, Pappel)
5. (Pullover, Jacke, Mantel)

REFERENCE LIST

Nouns

das Apfelmus
das Bett, –en
die Bratwurst, ¨e
das Büffet, –s
der Dank
die Dummheit, –en
der Dummkopf, ¨e
die Energie
die Entschuldigung, –en
der Geiz
die Gründlichkeit, –en
die Gurke, –n

die Hauptsache, –n
die Höflichkeit, –en
der Kalbsbraten, –
der Kellner, –
der Kloss, ¨e
das Kompott, –e
die Konditorei, –en
der Leckerbissen, –
die Linie, –n
der Lohn, ¨e
das Mal, –e
der Mechaniker, –

der Meister, –
die Mensa
der Ober, –
das Paar, –e
der Pfannkuchen, –
das Pfund, –e
die Portion, –en
der Pudding, –s
die Reihe, –n
der Reis
die Ruhe
das Sauerkraut

die Schlagsahne
das Schnitzel, –
die Speisekarte, –n
die Stimme, –n
der Student, –en
die Torte, –n
das Trinkgeld, –er
der Vorschlag, ¨e
der Wein, –e

Weak Verbs

achten auf A
s. bedienen

kochen
loben

probieren
schütteln

wünschen

Strong Verbs

bitten um (bittet, bat, gebeten)
beweisen (beweist, bewies, bewiesen)
empfehlen (empfiehlt, empfahl, empfohlen)

erschrecken (erschrickt, erschrak, ist erschrocken)
schweigen (schweigt, schwieg, geschwiegen)
wiegen (wiegt, wog, gewogen)

abnehmen   anstossen   antreten   zunehmen

Adjectives and Adverbs

allerhöchst-
bescheiden
einzig
gemütlich

geizig
gründlich
hart(ä)
höflich

laut
pünktlich
sauer
schlau

tüchtig
voll
weich
zart

zivilisiert
zufrieden

ausserdem   sicher
genauso
gerade
keineswegs

Other Words and Expressions

also
am l. Mai

an der Reihe
Appetit haben auf

Bitteschön!
Das geht Sie nichts an!

ein Paar
Es ist mir egal.

Immer mit der Ruhe.
Ich habe es satt.

Notes for page 255:
Leberkäs is a loaf-shaped type of sausage, somewhat similiar to Bologna.
It is cut into thick slices and served warm.
Pfälzer are thick, spicy sausages usually served in pairs.
Salzkartoffeln are peeled potatoes boiled in salt water and served with melted butter and parsley.
Steinpilze are the most popular type of edible mushrooms.
Schnitzel „Holstein" is a breaded veal cutlet served with a fried egg and an anchovy on top.
Tatar-Beefsteak is very good quality chopped meat served raw with a raw egg yolk,
salt, pepper, chopped onions and sometimes capers.

Buntes Allerlei

Tel. 6731952   Inhaber: Fritz Mair

Speisekarte

Suppen

Tagessuppe	−.50
Nudelsuppe	−.60
Goulaschsuppe	−.80

Fische

Schellfisch gebacken m. Salat	2.80
Heilbutt vom Rost	4.50
Forelle blau m. frischer Butter	ab 5.50

Tages-Karte

Hausgemachte Leberwurst	1.80
Schweinefleisch m. Kraut und Kartoffeln	2.80
Schweinebraten mit Klössen und Salat	3.20
Ochsenfleisch, Gemüse u. Salzkartoffeln	3.50
Rinderbraten, Gemüse, Klösse	3.50
Saftgoulasch mit Nudeln und Salat	3.50
Kalbsleber mit Zwiebeln und Kartoffeln	4.50
Rostbraten mit feinen Pilzen, pommes frites und Butterbohnen	5.—
Frische Steinpilze in Rahm m. Klössen	5.—
Rehrücken mit Nudeln, Blaubeeren	5.50

Pfannengerichte

Wiener Schnitzel mit Salatplatte	4.50
Schweinskotelette gebacken m. Salat	4.50
Kalbsschnitzel natur mit pommes frites	4.80
Schnitzel „Holstein"	5.50

Vom Grill

Wiener Rostbraten m. Bratkartoffeln	4.80
Rumpsteak, pommes frites	5.—
Filetsteak mit Ei, Bohnen, pommes frites	6.50

Wurstwaren

1 Portion Leberkäs	1.50
1 Paar Weisswürste	1.60
2 Paar Wiener mit Kraut	1.80
1 Paar Pfälzer	1.80

Eier- u. Mehlspeisen

3 Spiegeleier, Kartoffeln	2.50
Schinkenspaghetti m. Salat	2.50
Pfannkuchen, gefüllt	3.—
Omelette, natur	3.80

Kalte Speisen

Schinkenbrot	1.80
Überraschungsbrot	2.—
Aufschnitt mit Butter	2.40
Kalter Schweinebraten	3.20
Roastbeef, kalt	4.—
Tatar-Beefsteak m. Ei, Butter	4.—

Kompott

Apfelmus	−.80
Pflaumen	−.80
Kirschen	1.—
Fruchtsalat	1.80

Kaffee und Kuchen

Tasse Bohnenkaffee	−.75
1 Kännchen Tee	1.50
Englischer Kuchen	.80
Obstkuchen	1.—
Obstkuchen mit Schlagsahne	1.40
Torte	1.—

EXERCISE BOOK: EXERCISE 8

BASIC MATERIAL I

Törichtes Geplapper

URSEL	Hallo!
RENATE	Ja? Wer ist am Apparat?
URSEL	Ich bin's. Ursel.
RENATE	Warum sagst du's nicht gleich, Ursel[1]? Was gibt's?
URSEL	Ich bin noch ganz aufgeregt, Renate. Ich bin gerade im Wagen meines zukünftigen Schwagers gefahren.
RENATE	Na, und? Magst du ihn? Ich meine den Bräutigam deiner Schwester.
URSEL	Und wie! Hans–Bernd ist totschick. Gross, blond, klug, Sohn eines Professors.
RENATE	Ein Klassenkamerad meines Bruders kennt deinen Schwager übrigens. Er sagt, er ist ein grosser Angeber.
URSEL	Ach, hör auf! –Er ist sicher nur neidisch auf ihn.

Supplement

Ist das ihr Wagen?	Nein, das ist der Wagen ihrer Schwägerin.
	Nein, das ist der Wagen ihrer Tochter.
Ist das ihr Kleid?	Nein, das ist das Kleid der Braut.
Ist das ihre Mutter?	Nein, ihre Schwiegermutter.
	Nein, die Mutter ihres Mannes.
Was ist los mit dir?	Ich bin böse auf dich.
	Ich bin stolz auf dich.

---

[1] In Germany it is customary to give one's name immediately when answering the phone.

◀ *Ich bin's. Ursel.*

Silly Chitchat

URSEL	Hello!
RENATE	Yes? Who is speaking?
URSEL	It's me, Ursel.
RENATE	Why don't you say so right away, Ursel? What's up?
URSEL	I'm still so excited, Renate. I've just had a ride in my future brother-in-law's car.
RENATE	Well and? Do you like him? I mean your sister's fiancé (bridegroom).
URSEL	And how! Hans–Bernd is a sharp guy. Tall, blonde, smart, a professor's son.
RENATE	A classmate of my brother's knows your brother-in-law, by the way. He says he's a big bragger.
URSEL	Oh, stop! –He's just envious of him.

Supplement

Is that her car?	No, that's her sister-in-law's car.
	No that's her daughter's car.
Is that her dress?	No, that's the fiancée's (bride's) dress.
Is that her mother?	No, her mother-in-law.
	No, her husband's mother.
What's the matter with you?	I'm mad at you.
	I'm proud of you.

Vocabulary Exercises

1. QUESTIONS ON BASIC MATERIAL

1. Wer ist am Apparat?
2. Warum sagt Ursel nicht sofort ihren Namen?
3. Warum ist sie noch ganz aufgeregt?
4. Mag Ursel den Bräutigam ihrer Schwester?
5. Wie sieht der junge Mann aus?
6. Was ist sein Vater?
7. Wer kennt den zukünftigen Schwager?
8. Was sagt dieser Klassenkamerad über den zukünftigen Schwager?
9. Was glaubt Ursel?

2. FREE RESPONSE

1. Haben Sie schon einen Schwager oder eine Schwägerin?
2. Hat Ihr Bruder eine Braut?
3. Kennen Sie einen grossen Angeber?
4. Auf wen sind Sie manchmal neidisch?
5. Warum sind Sie auf Ihre Schwester böse?
6. Wie nennt man ein Gespräch über etwas, was nicht sehr wichtig ist?

Noun Exercises

3. der, die, das

1. Was für ein törichtes Geplapper!
2. Hol Ursel an den Apparat!
3. Kennst du meinen Bräutigam?
4. Ich warte auf einen Klassenkameraden[2].
5. Meine Braut ist böse auf mich.

1. ____ Geplapper macht mich müde.   *das*
2. Ist ____ Apparat kaputt?   *der*
3. Wie heisst ____ Bräutigam?   *der*
4. ____ Klassenkamerad heisst Uwe.   *der*
5. ____ Braut sieht hübsch aus.   *die*

4. SINGULAR → PLURAL

1. Der Apparat ist im Wohnzimmer.
2. Der Schwager ist klug.
3. Der Bräutigam sieht totschick aus.
4. Der Sohn ist am Apparat.
5. Die Braut steht vor der Kirche.
6. Der Professor ist ganz aufgeregt.
7. Die Tochter studiert noch.   *VARIATION*
1. Die Apparate sind im Wohnzimmer.

1. Die Apparate sind im Wohnzimmer.
2. Die Schwäger sind klug.
3. Die Bräutigame sehen totschick aus.
4. Die Söhne sind am Apparat.
5. Die Bräute stehen vor der Kirche.
6. Die Professoren sind ganz aufgeregt.
7. Die Töchter studieren noch.
1. Der Apparat ist im Wohnzimmer.

Grammar

The Genitive Case

PRESENTATION

Ist das **der Wagen ihres Bräutigams?**
Ist das **die Schwester des Arztes?**

Name the two noun phrases in each of the sentences above. What is the meaning of **der Wagen ihres Bräutigams?** Of **die Schwester des Arztes?** Name the determiner preceding the second noun in each sentence. What is the gender of the nouns which these determiners precede? How do these nouns differ from their nominative form? How many syllables does the noun have that adds only **-s?** That adds **-es?**

Kennen Sie **die Mutter dieses Mädchens?**
Das ist **ein Bild seines Kindes.**

What is the meaning of the phrase **die Mutter dieses Mädchens?** Of **ein Bild seines Kindes?**

---

[2] Note that **Kamerad** has an **-en** in all cases except the nominative singular.

Name the determiner preceding the second noun in each sentence. What is the gender of the nouns which these determiners precede? How do these nouns differ from their nominative form? How many syllables does the noun have that adds only **-s?** That adds **-es?**

> Ist das **die Schwester dieser Frau?**
> Kennen Sie **den Mann unserer Lehrerin?**

Name the determiners before the second noun in each sentence? What is the gender of these nouns? Are these nouns different from their nominative form? *DRILLS 5.1, 7, 8*

> Dieser Bauer hat einen eigenen Hof.
> Das ist **der Hof dieses Bauern.**

> Der Pilot steuert das Flugzeug.
> Das ist **das Flugzeug des Piloten.**

In the second sentence of each group name the determiners before the words **Bauer** and **Pilot.** What ending do **Bauer** and **Pilot** have? *DRILLS 5.2, 6.1–6.2*

> Dort liegen **die Bücher meiner Brüder.**
> Kennst du **den Studenten dieser Professoren?**

What is the meaning of the phrase **die Bücher meiner Brüder?** Of **den Studenten dieser Professoren?** Is the last word in each sentence singular or plural? Name the determiner preceding the last word in each sentence.

> Das ist die Prüfung **eines guten Schülers.**
> Dort steht der Kapitän **des amerikanischen Schiffes.**
> Hier ist die Kirche **unserer kleinen Stadt.**
> Dort steht das Auto **meiner älteren Brüder.**

Name the last three words in each of the sentences above. What is the gender of each noun? Are they singular or plural? What can you say about the adjective endings? *DRILL 9*

GENERALIZATION

You have learned that nominative case forms can signal "subject," accusative case forms "direct object," and dative case forms "indirect object." Similarly, genitive case forms can signal an "*of*-relationship" between two nouns. This *of*-relationship is variously expressed in English. The preposition *of* occurs frequently, as in *the color of the book* or *the study of language.* The *of*-relationship is sometimes one of actual possession, usually signalled in English by *'s,* as in *my aunt's house, my father's coat, Max's car.* Family relationships are also expressed in English by *'s,* as in *my brother's wife,* occasionally by *of,* as in *the mother of his children,* and even, in informal style by both *of* and *'s,* as in *a friend of my father's.* In German, any of these relationships may be signalled by the genitive case.

The genitive case and the *of*-relationship it signals may be marked by

—the determiner alone: **das Kind dieser Frau**
—both determiner and noun: **die Farbe des Buches**

In noun phrases in the genitive case

a. the genitive endings of **der, dieser**-words and **ein**-words are **-es** for the masculine and neuter singular, **-er** for the feminine singular and the plural of all genders.

SINGULAR		PLURAL
masculine and neuter	*feminine*	*all genders*
des	der	der
dieses	dieser	dieser
eines	einer	—
keines	keiner	keiner
meines	meiner	meiner
usw.	usw.	usw.

b. masculine and neuter nouns indicate the genitive singular form by adding **-s** to nouns with two or more syllables. Nouns with one syllable add **-es** although **-s** alone is often used with many common ones. Masculine and neuter one-syllable nouns which end in **-s, -ss, -sch, -st, -x, -z,** or **-tz** usually add **-es**.

MASCULINE   Ist das **die Schwester des Arztes?**

NEUTER   Kennen Sie **die Mutter dieses Mädchens?**

c. feminine nouns do not add an ending in the genitive singular, nor do the plural forms of nouns add an ending in the genitive.

FEMININE   Ist das **der Mantel seiner Frau?**

PLURAL   Erinnerst du dich an **das Auto meiner Brüder?**

d. masculine nouns that take the ending **-n** or **-en** in the dative and accusative take the same ending in the genitive[3].

Das ist **der Sohn meines Nachbarn.**
Das ist **das Flugzeug des Piloten.**

---

[3] Note that the genitive forms of these nouns do not add **-s**, although it is sometimes added in casual speech. However, the genitive form of **der Name** is **des Namens**; the genitive form of **der Bauer** can be either **des Bauern** or **des Bauers.**

Nouns that add **-n:**

Aberglaube	Geselle	Junggeselle	Nachbar
Affe	Herr	Kollege	Name
Angestellte	Jugendliche	Löwe	Verwandte
Bauer	Junge	Matrose	Zeuge
Buchstabe			

Nouns that add **-en:**

Elefant	Komponist	Pilot	Student
Kamerad	Mensch	Seebär	Tourist

e. the **-s** in the genitive as it is commonly used in English (*Helmut's friend, the teacher's book*) may only be used with proper nouns in German: **Helmuts Buch, Marias Vater, Hamburgs Hafen.**

f. all adjectives following the genitive form of **der, dieser**-words, or **ein**-words end in **-en.**

> Das ist die Prüfung **eines guten Schülers.**
> Dort steht das Auto **meiner älteren Brüder.**

Use of the Genitive

1. The genitive is used to express various *of*-relationships between two nouns.

> **Die Farbe des Autos** ist grün.   *The color of the car is green.*
> Ich kenne **den Bräutigam deiner Schwester.**   *I know your sister's fiancé.*

2. The genitive may also be used to denote possession.

> Das ist **der Wagen ihres Schwagers.**   *That is her brother-in-law's car.*

3. In spoken German the preposition **von** followed by dative forms is very often used instead of the genitive form.

> **Die Farbe vom Auto** ist grün.
> Ich kenne **den Bräutigam von deiner Schwester.**
> Das ist **der Wagen von ihrem Schwager.**

STRUCTURE DRILLS

5. ITEM SUBSTITUTION

1. Ist das der Wagen deiner Schwester? ⊗   Ist das der Wagen deiner Schwester?
_____ Schwager?   Ist das der Wagen deines Schwagers?

_____ Arzt?	Ist das der Wagen deines Arztes?
_____ Eltern?	Ist das der Wagen deiner Eltern?
_____ Onkel?	Ist das der Wagen deines Onkels?
_____ Braut?	Ist das der Wagen deiner Braut?

2. Ich fahre ins Geschäft meines Schwagers. ⊗   *. . . meiner Schwägerin–meines Bräutigams–*
(Schwägerin–Bräutigam–Bruder–Kollege–Tante)   *meines Bruders–meines Kollegen–meiner Tante*

6. SENTENCE TRANSFORMATION

1. Mein Schwager besitzt einen Laden. ⊗   Das ist der Laden meines Schwagers.
Meine Kusine besitzt ein Lokal.   Das ist das Lokal meiner Kusine.
Mein Nachbar besitzt eine Weberei.   Das ist die Weberei meines Nachbarn.
Meine Tante besitzt einen Bauernhof.   Das ist der Bauernhof meiner Tante.
Mein Sohn besitzt eine Fabrik.   Das ist die Fabrik meines Sohnes.
Meine Tochter besitzt ein Geschäft.   Das ist das Geschäft meiner Tochter.

2. Der Briefträger hat ein Rad. ⊗   Das ist das Rad des Briefträgers.
Der Pilot hat ein Flugzeug.   *Das ist das Flugzeug des Piloten.*
Die Ärztin hat einen Volkswagen.   *Das ist der Volkswagen der Ärztin.*
Das Mädchen hat eine Handtasche.   *Das ist die Handtasche des Mädchens.*
Der Bauer hat eine Kuh.   *Das ist die Kuh des Bauern.*
Der Fleischer hat ein Gasthaus.   *Das ist das Gasthaus des Fleischers.*

7. SENTENCE TRANSFORMATION

Das Nummernschild ist weiss. ⊗   Die Farbe des Nummernschildes ist weiss.
Der Wagen ist grün.   Die Farbe des Wagens ist grün.
Die Vase ist blau.   Die Farbe der Vase ist blau.
Der Wein ist rot.   Die Farbe des Weines ist rot.
Das Hemd ist grau.   Die Farbe des Hemdes ist grau.
Die Bluse ist weiss.   Die Farbe der Bluse ist weiss.

8. COMPOUND NOUN → GENITIVE FORM

der Bauernhof   der Hof des Bauern
(die Autotür–der Schiffskapitän–   *die Tür des Autos–der Kapitän des Schiffes–*
der Hotelmanager–der Hausbesitzer–   *der Manager des Hotels–der Besitzer des Hauses–*
das Kinderheim–die Stadtbewohner)   *das Heim der (für) Kinder–die Bewohner der Stadt*

9. SENTENCE TRANSFORMATION

Das Rad gehört meinem kleinen Bruder. ⊗   Das ist das Rad meines kleinen Bruders.

(continued)

(continued)

Der Laden gehört meiner kranken Tante.	Das ist der Laden meiner kranken Tante.
Das Auto gehört meiner älteren Schwester.	Das ist das Auto meiner älteren Schwester.
Die Tasche gehört meiner frechen Kusine.	Das ist die Tasche meiner frechen Kusine.
Der Mäher gehört meinem neuen Nachbarn.	Das ist der Mäher meines neuen Nachbarn.
Die Sachen gehören meinen kleinen Geschwistern.	Das sind die Sachen meiner kleinen Geschwister.

10. FREE SUBSTITUTION

Die Farbe des Hauses ist weiss.

Wagen, Flasche, Augen / blau, grün, braun

Ist das der Wagen deiner Schwester?

Handtasche, Schirm, Fernrohr / Tante, Kollege, Klassenkamera

Das ist die Katze meines kleinen Bruders.

Hund, Bräutigam, Zeugnis / früher, hübscher, älter /
Lehrer, Kusine, Vetter

11. FREE RESPONSE

Wer ist Ihre Tante? (die Frau meines Onkels)

Wer ist Ihr Onkel? *(der Mann meiner Tante; der Bruder meiner Mutter)*

Wer ist Ihre Kusine? *(die Tochter meiner Tante und meines Onkels)*

Wer ist Ihr Vetter? *(der Sohn meines Onkels und meiner Tante)*

Writing →

1. . . . Bruder deiner kleinen Freundin.
2. . . . Freundin seines älteren Bruders?
3. Die Mutter meines neuen Kollegen . . .
4. Die Braut meines jüngeren Vetters . . .
5. Der Bräutigam meiner älteren Schwester . . .
6. Das Geplapper meiner kleinen Geschwister . . .

EXERCISE BOOK: EXERCISE 1

SENTENCE REWRITE

Rewrite each of the following sentences, changing the **von** + dative construction to a genitive form.

BEISPIEL Das ist der Wagen von seinem zukünftigen Schwager.
Das ist der Wagen seines zukünftigen Schwagers.

1. Ich bin böse auf den Bruder von deiner kleinen Freundin.
2. Bist du neidisch auf die Freundin von seinem älteren Bruder?
3. Die Mutter von meinem neuen Kollegen ist ganz aufgeregt.
4. Die Braut von meinem jüngeren Vetter ist totschick.
5. Der Bräutigam von meiner älteren Schwester ist klug.
6. Das Geplapper von meinen kleinen Geschwistern ist töricht.

BASIC MATERIAL II

Sorgen

VATER   Was soll denn bloss eines Tages aus dir werden, mein lieber Knut? Als Sohn eines
              Rechtsanwaltes solltest du . . .

KNUT   Ich bin froh, dass ich eine Vier[4] statt einer Fünf gekriegt habe.

VATER   Du hast wirklich nicht den Ehrgeiz unserer Familie geerbt.

KNUT   Ehrgeiz? Trotz meiner schlechten Zensuren bin ich Sprecher[5] unserer Klasse geworden!

VATER   Du hast den praktischen Sinn deines Urgrossvaters, und das ist ganz gut und schön.
              Aber es ist ebenso wichtig, dass du nicht wegen deiner schlechten Noten in Latein
              ein schlechtes Abitur[6] machst!

Supplement

Was hat Knut nicht geerbt?	Die Weisheit seines Grossvaters.
Was ist Jürgens Vater?	Er ist Zahnarzt.
Wann lernt Knut nicht?	Während der Ferien lernt er nicht.
Wie ist er in Latein?	Seine Lateinkenntnisse sind nicht gut.
	Latein ist nicht sein Lieblingsfach.
	Er macht seine Aufgaben nicht gern.

Worries

FATHER   What will become of you some day, my dear Knut? As the
          son of a lawyer you should . . .

KNUT   I'm glad that I got a Four instead of a Five.

FATHER   You really haven't inherited the ambition of our family.

KNUT   Ambition? I became the speaker of my class in spite of my bad
          grades!

FATHER   You've got your grandfather's practical sense and that's all well
          and good. But it is just as important that you don't do poorly
          in your Abitur because of your poor marks in Latin!

---

[4] The grading system in German schools is 1, 2, 3, 4, 5, 6, that is, **sehr gut, gut, befriedigend** (satisfactory), **ausreichend** (fair, just passing), **mangelhaft** (unsatisfactory), and **ungegnügend** (failing)—corresponding to A, B, C, D, and F in American schools.

[5] A **Klassensprecher** is elected by his classmates to represent them whenever the occasion arises, for example, discussing class affairs, arranging trips, etc.

[6] **Das Abitur** is the final comprehensive high school examination which a student must pass in order to be admitted to a university.

Supplement

What didn't Knut inherit?	His grandfather's wisdom.
What is Jürgen's father?	He is a dentist.
When doesn't Knut study?	During his vacation.
How is he in Latin?	His knowledge of Latin is not good.
	Latin is not his favorite subject.
	He doesn't like to do his assignments.

Vocabulary Exercises

12. QUESTIONS ON BASIC MATERIAL

1. Was ist Knuts Vater?
2. Worüber sprechen Knut und sein Vater?
3. Was für eine Zensur hat Knut bekommen?
4. Was hat Knut nicht geerbt?
5. Worauf ist Knut stolz?
6. Was hat Knut von seinem Urgrossvater geerbt?
7. Warum wird er wahrscheinlich ein schlechtes Abitur machen?

13. FREE RESPONSE

1. Was möchten Sie eines Tages werden?
2. Was für Zensuren bekommen Sie in Deutsch?
3. Wann bekommen Sie Ihre Zensuren?
4. Wie sind Ihre Deutschkenntnisse? Ihre Mathematikkenntnisse?
5. Was ist Ihr Lieblingsfach?
6. Machen Sie Ihre Aufgaben gern?
7. Was haben Sie von Ihren Eltern geerbt? (Sind Sie tüchtig? Pünktlich? Geizig? Ehrgeizig?)

Noun Exercises

14. der, die, das

1. Er hat eine schlechte Zensur bekommen.
2. Das hat keinen Sinn.
3. Er hat ein gutes Abitur gemacht.
4. Ist Mathematik ein schweres Fach?

1. Wie schlecht war ＿＿ Zensur? *die*
2. Was ist ＿＿ Sinn des Lebens? *der*
3. Wann machst du ＿＿ Abitur? *das*
4. Was ist ＿＿ beste Fach? *das*

15. SINGULAR → PLURAL

1. Die Zensur ist zu schlecht.
2. Dieses Fach ist interessant.
1. Die Zensuren sind zu schlecht.

VARIATION

1. Die Zensuren sind zu schlecht.
2. Diese Fächer sind interessant.
1. *Die Zensur ist zu schlecht.*

Grammar

The Prepositions
(an) statt, trotz, während, wegen

PRESENTATION

Knut hat eine Vier **statt einer Fünf** gekriegt.
Ich bin Sprecher **trotz meiner schlechten Zensuren.**
Wegen deiner Gründlichkeit machst du ein gutes Abitur!
Er lernt **während der Sommerferien.**

In each of these sentences identify the noun phrase that follows the preposition. What **case** is each of these noun phrases in?

GENERALIZATION

Genitive case forms must be used after the following prepositions:

(an)	statt	*instead of*	**während**	*during*
	trotz	*in spite of*	**wegen**	*because, on account of*

STRUCTURE DRILLS

16. PATTERNED RESPONSE

Sollte nicht dein Schwager fahren? ⊗	Nein, ich fahre anstatt meines Schwagers.
Sollte nicht deine Kusine fahren?	Nein, ich fahre anstatt meiner Kusine.
Sollte nicht dein Lehrer fahren?	Nein, ich fahre anstatt meines Lehrers.
Sollte nicht dein Kollege fahren?	Nein, ich fahre anstatt meines Kollegen.
Sollte nicht deine Mutter fahren?	Nein, ich fahre anstatt meiner Mutter.
Sollte nicht dein Vater fahren?	Nein, ich fahre anstatt meines Vaters.

17. SENTENCE COMBINATION I—trotz

Das Wetter ist schlecht. Peter kommt. ⊗　　Peter kommt trotz des schlechten Wetters.
Der Gesang ist laut. Peter schläft.　　　　Peter schläft trotz des lauten Gesanges.
Die Ferien sind kurz. Peter fährt.　　　　Peter fährt trotz der kurzen Ferien.
Das Abitur ist schlecht. Peter spricht.　　Peter spricht trotz des schlechten Abiturs.
Die Augen sind schwach. Peter liest.　　　Peter liest trotz der schwachen Augen.
Das Wasser ist kalt. Peter schwimmt.　　　Peter schwimmt trotz des kalten Wassers.

18. SENTENCE COMBINATION II—wegen ⊗

Inge kommt nicht; ihre Mutter ist krank.　　Inge kommt nicht wegen ihrer kranken Mutter.

Inge kommt nicht; das Wetter ist furchtbar.　　*Inge kommt nicht wegen des furchtbaren Wetters.*
Inge kommt nicht; der Weg ist lang.　　　　*Inge kommt nicht wegen des langen Weges.*
Inge kommt nicht; ihre Noten sind schlecht.　　*Inge kommt nicht wegen ihrer schlechten Noten.*

Inge kommt nicht; ihr Bruder ist klein.　　*Inge kommt nicht wegen ihres kleinen Bruders.*
Inge kommt nicht; die Aufgaben sind schwer.　　*Inge kommt nicht wegen der schweren Aufgaben.*

19. CUED RESPONSE

Wann kommst du zu uns?　(die Ferien)　　Ich komme während der Ferien zu euch.
Wann schläfst du bei uns?　(die Woche)　　*Ich schlafe während der Woche bei euch.*
Wann bleibst du bei uns?　(der Regen)　　*Ich bleibe während des Regens bei euch.*
Wann wohnst du bei uns?　(die Hochzeit)　　*Ich wohne während der Hochzeit bei euch.*
Wann denkst du an uns?　(der Tag)　　　*Ich denke während des Tages an euch.*
Wann fährst du mit uns?　(die Woche)　　*Ich fahre während der Woche mit euch.*

20. RESTATEMENT

Er kauft keine Platte. Er kauft ein Tonband.　　Er kauft ein Tonband anstatt einer Platte.

Er isst keine Semmel. Er isst Kuchen.　　*Er isst Kuchen anstatt einer Semmel.*
Er möchte keine Apfelsine. Er möchte einen Apfel.　　*Er möchte einen Apfel anstatt einer Apfelsine.*
Er braucht kein Rad. Er braucht ein Auto.　　*Er braucht ein Auto anstatt eines Rades.*
Er kauft keinen Hut. Er kauft einen Schal.　　*Er kauft einen Schal anstatt eines Hutes.*
Er mietet keine Wohnung. Er mietet ein Haus.　　*Er mietet ein Haus anstatt einer Wohnung.*

21. FREE SUBSTITUTION

Ich komme trotz meiner <u>schlechten</u> Zensuren.   *schwer, gross, kaputt / Verletzung, Sorgen, Schier*
Er fährt wegen seiner <u>kranken</u> Urgrossmutter.   *töricht, dumm, unglücklich / Kusine, Schwager, Tochter*

Writing

EXERCISE BOOK: EXERCISE 2

SENTENCE CONSTRUCTION

Construct sentences in the conversational past using each of the words in the following groups. Make all other necessary changes.

    BEISPIEL   Knut / machen / das Abitur / trotz / eine Fünf
                 <u>Knut hat das Abitur trotz einer Fünf gemacht.</u>

1. Inge / fahren / anstatt / ihr jüngerer Bruder / nach Hamburg
2. Er / kommen / trotz / der Regen / heute / nach München
3. Knut / zu Hause bleiben / wegen / seine schlechten Zensuren
4. Der See / zufrieren / während / die grosse Kälte
5. Er / antreten / wegen / sein geiziger Meister / eine neue Stelle
6. Die beiden / arbeiten / trotz / das heisse Wetter

  1. Inge ist anstatt ihres jüngeren Bruders nach Hamburg gefahren.
  2. Er ist trotz des Regens heute nach München gekommen.
  3. Knut ist wegen seiner schlechten Zensuren zu Hause geblieben.

Time Expressions in the Genitive Case

  4. Der See ist während der grossen Kälte zugefroren.
  5. Er hat wegen seines geizigen Meisters eine neue Stelle angetreten.
  6. Die beiden haben trotz des heissen Wetters gearbeitet.

GENERALIZATION

Genitive case forms are used in time expressions with **ein** to indicate "sometime" rather than a specific time when something happened or will happen. The following are some common genitive expressions.

    Eines Morgens kam er nach Hause.   *One morning he came home.*
    Eines Vormittags rief sie mich an.   *She called me up one afternoon.*
    Wir trafen ihn **eines Abends.**   *We met him one evening.*
    Eines Nachts[7] gab es ein Gewitter.   *One night there was a storm.*
    Wir bekamen **eines Tages** Besuch.   *One day we had visitors.*

22. ITEM SUBSTITUTION

Eines Morgens blieb ich zu Hause. ✪   Eines Morgens blieb ich zu Hause.
(Abend–Nacht–Nachmittag–Tag)   *Eines Abends–eines Nachts–eines Nachmittags–eines Tages*

---

[7] Note the special masculine genitive form of this feminine noun. It is used only in certain time expressions.

The Interrogative Pronoun wessen

GENERALIZATION

You remember that **wer** (*who*), **wen** (*whom*), and **wem** (*to whom*) are interrogative pronouns that are used in questions as the subject, direct object, and indirect object respectively. **Wessen** is the genitive form of these interrogatives and is used in questions asking about ownership.

Wessen Buch ist das?   *Whose book is that?*

Wessen is being used less and less frequently. The following construction is usually preferred to express the same question.

Wem gehört dieses Buch?   *Who does this book belong to?*

23. QUESTION FORMATION ⊗

Das ist das Haus seines Vaters.	Wessen Haus ist das?
Das ist der Hof seiner Tante.	Wessen Hof ist das?
Das ist die Weberei seiner Eltern.	Wessen Weberei ist das?
Das ist der Wagen seines Schwagers.	Wessen Wagen ist das?
Das ist die Garage seines Meisters.	Wessen Garage ist das?
Das ist das Boot seiner Freundin.	Wessen Boot ist das?

EXERCISE BOOK: EXERCISE 3

READING

SECTION C ⊗

Listening Comprehension: Exercises 52, 53, 54
Structure Drills 28.1–28.2

Word Study

In German the infinitive of a verb may be nominalized, that is, be changed into a noun, by capitalizing it. The gender is always neuter. The meaning of such a noun can easily be determined if the verb is known. The English equivalent of a nominalized verb is the *-ing* form.

VERB	**essen**	*to eat*	**lesen**	*to read*
NOUN	**das Essen**	*eating, food*	**das Lesen**	*reading*

When the verb phrase consists of a noun plus a verb, the nominalized noun is capitalized and written as one word: **Schi laufen,** *to ski;* **das Schilaufen,** skiing.

If you know the verbs **können** and **zwinkern,** you should be able to guess the meaning of **Können** and **Zwinkern.**

Ein Brief

München, den 9. März

Lieber Kurt!

Schade, daß Du nicht mehr in München wohnst, aber ich seh'
Dich ja bestimmt im Sommer dieses Jahres, weil meine Eltern
unbedingt° das neue Haus meines Onkels (der jüngere Bruder
5 meiner Mutter) sehen wollen.

//Da ich Dir gerade von meiner Familie berichte: Meine
Schwester Brigitte, die Du ja gut kanntest, heiratet° Anfang des
nächsten Jahres, wahrscheinlich im Februar, einen Zahnarzt./Sein
Vater ist auch Zahnarzt./Aber nicht nur der Vater, nein, auch
10 der Vater des Vaters, also der Großvater, und sogar der Urgroßva-
ter übten den Beruf eines Zahnarztes aus./Ich wollte einmal meine
Schwester ärgern und habe ausgerechnet°, in wieviele Münder
die Vorfahren° ihres Bräutigams schon geschaut haben./Mensch,
das gibt eine mittlere Großstadt!/

15 Mein zukünftiger Schwager—er ist neun Jahre älter als ich,
übrigens stolzer Besitzer eines Gebrauchtwagens°, denn er hat sein
Studium eben erst beendet—will zuerst für zwei Jahre in die
Schweiz gehen, weil man dort die Wichtigkeit seines Könnens
mehr schätzt°, wie er behauptet./(Er verdient dort einfach mehr!)/
20 Aber sonst mag ich ihn ganz gut, ehrlich°.//

Seit Wochen warte ich auf einen Brief von Dir. Gefällt Dir
Hamburg? Hamburgs Umgebung ist sehr schön, behauptet mein
Vater, es erinnert ihn ab und zu an London, und die Luft, die
von der See herkommt, ist einfach: „Aaah!" Es muß herrlich sein,
25 in einer Stadt zu leben, wo die Schiffe aus aller Herren Ländern°
ankommen.

Erinnerst Du Dich noch an jenen Burschen, der das erste Jahr
mit uns aufs Gymnasium[8] ging, dann aber rausflog°? Horst Bäumler hieß er. Du kannst Dich bestimmt an ihn erinnern. Er war
30 ein furchtbarer Angeber, und wir nannten ihn deswegen Baron
Münchhausen[9]! Er gibt noch mehr an als früher. (Du erkennst°
ihn aber nicht mehr—er trägt jetzt einen Bart.)

„Wozu willst Du das Abitur machen?" fragte er mich. „Sprachen lernen, dem Gerede der Lehrer zuhören, Hunderte von

unbedingt: *by all means*

heiraten: *to marry*

ausrechnen: *to figure out*
der Vorfahre, –n:
  ancestor

der Gebrauchtwagen, –:
  used car

schätzen: *to value*
ehrlich: *honest(ly)*

aus aller Herren
  Ländern: *from all over*
  the world
rausfliegen: *to flunk out*

erkennen: *to recognize*

---

[8] **Das Gymnasium** is a German secondary school. There are several types of **Gymnasien,** some emphasizing classical
languages (Greek and Latin), others modern languages, and still others math and science.

[9] **Baron von Münchhausen** (1720–1797) was a retired army officer who loved to exaggerate and brag about his wild
adventures as a soldier and sportsman. Rudolf Raspe, a friend of the Baron's, collected these extraordinary stories
and had them published.

Note: The expression *wert sein* requires genitive case forms. Other examples of uses of the genitive will appear in later units.

35 Büchern lesen." Ich antwortete, daß ich einst Arzt sein will.

„Arzt?" sagte er. „Was geht Dich die Gesundheit anderer Leute an?" Dann lachte er. Natürlich war diese Bemerkung° keiner Antwort wert.

die Bemerkung, –en: *remark, comment*

Meine Zensuren in Englisch und Französisch sind jetzt viel
40 besser als früher, nur Latein lieb' ich noch immer nicht. Wir übersetzen° jetzt Cäsars „De Bello Gallico". Julius Cäsar ist meiner Meinung nach auch ein Angeber. Er spricht von seiner Person immer in der dritten Person Einzahl°.

übersetzen: *to translate*

die Einzahl: *singular*

Na ja.

45 Ich bin am Ende meiner Weisheit.

Morgen, Sonntag, muß ich den ganzen Tag auf den Hund unserer Nachbarn aufpassen°. Herr Meier, der Besitzer des lieben Tieres, versprach mir drei Mark, doch mein Vater hat das verboten. Eine Mark ist genug, erklärte er mir und Herrn Meier.

aufpassen auf: *to look after*

50 Herr Meier lachte und nur zwinkerte mir zu. Eigentlich genügt° ein Pfennig, sagte mein Vater, der das Zwinkern wohl gesehen hatte. Aber mein Vater ist wirklich von der alten Generation, die immer mit dem altmodischen Sprichwort° „Wer den Pfennig nicht ehrt, ist des Talers[10] nicht wert" daherkommt. Ich kann
55 diesen Genitiv sowieso nicht leiden. Es klingt immer wie übersetztes Latein. „Nimm des Berges Last° von meiner Brust° . . ." und so weiter.

genügen: *genug sein*

das Sprichwort, ⸚er: *saying, proverb*

die Last, –en: *burden*
die Brust, ⸚e: *chest*

Nun hoffe ich aber, bald von Dir zu hören.

Mit herzlichen Grüßen

Dein Peter

Dictionary Section

ab und zu manchmal; nicht regelmäßig: *Ab und zu besucht er uns. = Manchmal besucht er uns.*

altmodisch unmodern: *Das ist ein altmodisches Kleid. = Das ist ein unmodernes Kleid.*

ankommen *Der Onkel kommt um 7 Uhr an, und wir holen ihn am Bahnhof ab.*

Bart *Wenn ein Mann sich nicht rasiert, wächst ihm ein Bart.*

behaupten sagen, meinen: *Mein Vater behauptet, daß Hamburg schön ist. = Seiner Meinung nach ist Hamburg schön.*

Bursche Junge: *Er ist ein netter Bursche.*

deswegen deshalb: *Wegen des schlechten Wetters kommt er nicht. Deswegen kommt er nicht.*

ehren respektieren: *Man ehrt die Vorfahren.*

einst eines Tages: *Er möchte einst Arzt werden.*

Gerede das Reden: *Die Leute sprechen zusammen; wir hören das Gerede.*

hoffen *Ich hoffe, daß Sie kommen werden. = Hoffentlich werden Sie kommen.*

lieben gern haben, mögen: *Er liebt Latein nicht. = Er hat Latein nicht gern.*

---

[10] The **Taler** was an old-fashioned silver coin used from the 16th to the 18th century.

mittler– nicht sehr groß und nicht sehr klein: *Augsburg ist eine mittlere Großstadt.*

Mund *Wenn Sie zum Zahnarzt gehen, sieht er Ihnen in den Mund.*

raus heraus: *Er ist aus der Schule herausgeflogen.*

Umgebung die Gegend: *Hamburgs Umgebung = die Gegend um Hamburg.*

24. QUESTIONS

1. Wer ist Kurt? Wo hat Kurt früher gewohnt, und wo wohnt er jetzt?	*1*
2. Wann sieht Kurt seinen Freund wieder?	*3*
3. Was wollen Peters Eltern unbedingt sehen?	*4*
4. Was tut Peters Schwester Anfang dieses Jahres?	*7*
5. Ist Brigittes Bräutigam der erste Zahnarzt in seiner Familie?	*9*
6. Wie hat Peter seine Schwester einmal geärgert?	*12*
7. Wieviel Jahre jünger ist Peter als sein zukünftiger Schwager?	*16*
8. Was hat der Schwager eben erst beendet?	*17*
9. Warum will er für zwei Jahre in die Schweiz gehen?	*18*
10. Was ist der wirkliche Grund?	*19*
11. Mag Peter seinen zukünftigen Schwager?	*20*
12. Was behauptet Peters Vater?	*22*
13. Woran erinnert ihn Hamburgs Umgebung ab und zu?	*23*
14. Warum ist es so herrlich, wenn man in einer Hafenstadt wohnt?	*25*
15. Über welchen Klassenkameraden schreibt Peter etwas?	*29*
16. Was für ein Junge ist Horst Bäumler?	*30*
17. Warum wird Peter den Horst nicht mehr erkennen?	*32*
18. Was fragte Horst den Peter einmal?	*33*
19. Was will Peter einst werden? Was sagt Horst dazu?	*35*
20. Wie ist Peter in Sprachen? Welche Sprache liebt er noch immer nicht?	*39*
21. Was sagt Peter über Cäsar? Warum?	*42*
22. Was muss Peter am Sonntag tun?	*46*
23. Was hat Peters Vater verboten?	*48*
24. Warum sagt Peter: „Mein Vater ist von der alten Generation"?	*53*
25. Wie heisst ein altes Sprichwort?	*53*
26. Was kann Peter sowieso nicht leiden? Warum nicht?	*55*

Noun Exercises

25. der, die, das

Nouns ending in **-ium** are always neuter and form their plurals by changing the final **-um** to **-en: das Gymnasium, die Gymnasien; das Studium, die Studien.**

1. Das ist kein guter Anfang.	1. ___ Anfang war schlecht.	*der*
2. Der Zahnarzt sah mir in den Mund.	2. Mir tut ___ Mund weh.	*der*

3. Er hat einen englischen Vorfahren[11].
4. Erinnerst du dich an diesen Burschen[11]?
5. Horst trägt jetzt einen Bart.
6. Wir hörten ein lautes Gerede.
7. Sie ist eine nette Person.
8. Er trägt eine grosse Last.

3. Wie heisst ____ Vorfahre von Peter? *der*
4. Wo wohnt ____ Bursche? *der*
5. Gefällt dir ____ Bart? *der*
6. Hast du auch ____ Gerede gehört? *das*
7. Ich kenne ____ Person nicht. *die*
8. ____ Last ist furchtbar schwer. *die*

26. SINGULAR → PLURAL

1. Der Anfang ist immer schwer.
2. Der Mund ist zu gross.
3. Der Bart ist zu lang.
4. Die Person kenne ich nicht.
5. Die Last ist gross und schwer. *VARIATION*
   1. Die Anfänge sind immer schwer.

1. Die Anfänge sind immer schwer.
2. Die Münder sind zu gross.
3. Die Bärte sind zu lang.
4. Die Personen kenne ich nicht.
5. Die Lasten sind gross und schwer.
   1. *Der Anfang ist immer schwer.*

Verb Exercises

27. CUED RESPONSE

Was **verbieten** Ihnen Ihre Eltern? (das Studium in der Schweiz)

Was **verbot** Ihnen Ihr Vater? (das Schilaufen)

Was hat Ihnen Ihre Mutter **verboten?** (das Geplapper am Telefon)

Meine Eltern **verbieten** mir das Studium in der Schweiz.

Mein Vater **verbot** mir das Schilaufen.

Meine Mutter hat mir das Geplapper am Telefon **verboten.**

EXERCISE BOOK: EXERCISE 4

RECOMBINATION EXERCISES

28. SENTENCE TRANSFORMATION

1. Mein Onkel hat ein Haus. ⊗
   Meine Schwester hat einen Wagen.
   Mein Nachbar hat eine Katze.
   Meine Lehrerin hat einen VW.
   Mein Kollege hat eine Garage.
   Mein Schwager hat einen Laden.

   Das ist das Haus meines Onkels.
   Das ist der Wagen meiner Schwester.
   Das ist die Katze meines Nachbarn.
   Das ist der VW meiner Lehrerin.
   Das ist die Garage meines Kollegen.
   Das ist der Laden meines Schwagers.

2. Ihr jüngerer Bruder hat eine Braut. ⊗
   Ihre freche Kusine hat einen Bräutigam.

   Das ist die Braut ihres jüngeren Bruders.
   Das ist der Bräutigam ihrer frechen Kusine.

---

[11] Note that **Vorfahre** und **Bursche** have an **-n** in all cases except the nominative singular.

Ihr alter Kollege hat ein Restaurant.   *Das ist das Restaurant ihres alten Kollegen.*
Ihre nette Tante hat einen Sohn.   *Das ist der Sohn ihrer netten Tante.*
Ihr neuer Nachbar hat einen Mäher.   *Das ist der Mäher ihres neuen Nachbarn.*
Ihr zukünftiger Schwager hat ein Auto.   *Das ist das Auto ihres zukünftigen Schwagers.*

Additional Structure Drills may be done at this point.

29. ITEM SUBSTITUTION

→ 1. Er ist der Sohn eines Professors. ✪
    (Zahnarzt–Rechtsanwalt–Lehrerin–Bauer–Ärztin)

2. Ich passe auf den Hund unserer Nachbarn auf. ✪
    (Lehrer–Tante–Klassenkamerad–Ärztin–Kollege)

3. Ich bin am Ende meiner Weisheit. ✪
    (Können–Energie–Studium–Gesundheit–Gespräch)

——— *eines Zahnarztes–eines Rechtsanwalts–einer*
    Lehrerin–eines Bauern–einer Ärztin

SECTION D ✪

Listening Comprehension: Exercise 55
Structure Drills 29.1–29.3
Additional Structure Drills
Listening Comprehension: Exercise 56

unseres Lehrers–unserer Tante–unseres
    Klassenkameraden–unserer Ärztin–unseres Kollegen

meines Könnens–meiner Energie–meines
    Studiums–meiner Gesundheit–meines Gesprächs

30. DOUBLE ITEM SUBSTITUTION

Er ist der Besitzer des lieben Tieres.   Er ist der Besitzer des lieben Tieres.
    (klein, Löwe)   Er ist der Besitzer des kleinen Löwen.
    (weiss, Katze)   Er ist der Besitzer der weissen Katze.
    (krank, Vieh)   Er ist der Besitzer des kranken Viehs.
    (alt, Kuh)   Er ist der Besitzer der alten Kuh.
    (jung, Pferd)   Er ist der Besitzer des jungen Pferdes.

31. CUED RESPONSE

Was ist kaputt?
  (Tür–Volkswagen)   Die Tür des Volkswagens.
  (Motor–Rasenmäher)   Der Motor des Rasenmähers.
  (Dach–Haus)   *Das Dach des Hauses.*
  (Stossstange–Auto)   *Die Stossstange des Autos.*
  (Schloss–Koffer)   *Das Schloss des Koffers.*

32. SENTENCE TRANSFORMATION

Was ist noch kaputt?
  das Verdeck vom grünen Auto   Das Verdeck des grünen Autos.
  der Korken von der leeren Flasche   *Der Korken der leeren Flasche.*
  der Motor vom grossen Kühlschrank   *Der Motor des grossen Kühlschranks.*
  das Bein vom kleinen Tisch   *Das Bein des kleinen Tisches.*
  die Dächer von den alten Häusern   *Die Dächer der alten Häuser.*

Additional Structure Drills may be done at this point.

EXERCISE BOOK: EXERCISES 5, 6, AND 7

Conversation Buildup

INGE Hast du die Monika eben gesehen? Ich hab' sie fast nicht erkannt.

RENATE Sie sieht so schick aus in ihrem langen Mantel.

INGE Schick, sagst du? Dumm sieht sie darin aus. Aber sie zieht doch alles an, was Mode ist.

RENATE Ich mag Monika gern. Du bist wohl nur ein bisschen neidisch auf sie.

INGE Ich möchte wirklich nicht so umherlaufen, wie diese Angeberin.

RENATE O, lass sie doch tun, was sie will! Wer angibt, hat mehr vom Leben!

1. Warum hat Inge die Monika fast nicht erkannt?
2. Was zieht sich Monika gewöhnlich an?
3. Warum mag Inge die Monika nicht?
4. Was sagt Renate über Monika?

REJOINDER

Monika behauptet, dass sie sich schon wieder ein neues Kleid gekauft hat.

Sie trägt doch immer nur schicke Sachen.

CONVERSATION STIMULUS *Es ist ihr Geld. Sie kann sich damit kaufen, was sie will!*

Inge und Renate sitzen auf der Wiese vor der Schule. Sie unterhalten sich über Monika und ihren neuen Freund. Monikas Freund, Horst heisst er, geht aufs Gymnasium. Sein Vater ist Rechtsanwalt und ziemlich reich. Horst fährt sogar einen Wagen, einen Gebrauchtwagen (er hat ihn zum 18. Geburtstag von seinem Vater bekommen). Er gibt damit gern ein wenig an. Aber sonst ist Horst ein netter junger Mann und ein guter Schüler.

INGE Die Monika sieht uns gar nicht mehr an.

RENATE *Sie ist furchtbar eingebildet!* . . . .

INGE *Kennst du ihren neuen Freund?*

Writing

EXERCISE BOOK: EXERCISE 8

PARAGRAPH REWRITE

Rewrite the following paragraph, using genitive forms instead of the **von** plus dative forms.

. . . Meine Schwester heiratet diesen Sommer einen Zahnarzt. Jochen—das ist der Name von meinem zukünftigen Schwager—ist der Sohn von einem Zahnarzt. Aber nicht nur der Vater von Jochen, sondern auch der Vater von seinem Vater übten diesen Beruf aus. Jochen ist nicht arm. Schade, dass Du nicht das Haus von seinen Eltern sehen kannst. Der Garten ist dreimal so gross wie der Hof von unserer Schule! Ich mag Jochen gern. Ich kann aber nicht verstehen, wie er dem Gerede von meiner Schwester zu-hören kann.

der Name meines zukünftigen Schwagers / der Sohn eines Zahnarztes / Jochens Vater / der Vater seines Vaters /
das Haus seiner Eltern / der Hof unserer Schule / dem Gerede meiner Schwester

REFERENCE LIST

Nouns

das Abitur, –e	die Einzahl	die Last, –en	die Sorge, –n
der Anfang, ⁝e	das Fach, ⁝er	der Mann, ⁝er	das Sprichwort, ⁝er
der Angeber, –	der Gebrauchtwagen, –	der Mund, ⁝er	das Studium,
das Apparat, –e	die Generation, –en	die Note, –n	die Studien
die Aufgabe, –n	das Geplapper	die Person, –en	die Tochter, ⁝
der Bart, ⁝e	die Gesundheit	der Professor, –oren	die Umgebung, –en
die Bemerkung, –en	das Gymnasium,	der Rechtsanwalt, ⁝e	der Vorfahre, –n
die Braut, ⁝e	die Gymnasien	der Schwager, ⁝	die Weisheit, –en
der Bräutigam, –e	der Kamerad, –en	die Schwägerin, –nen	die Wichtigkeit
die Brust, ⁝e	die Kenntnis, –se	die Schwiegermutter, ⁝	der Zahnarzt, ⁝e
der Bursche, –n	die Klasse, –n	der Sinn, –e	die Zensur, –en
der Ehrgeiz	das Können	der Sohn, ⁝e	

Weak Verbs

aufhören	ausüben	ehren	genügen	lieben
aufpassen auf A	beenden	erben	heiraten	schätzen
ausrechnen	behaupten	erkennen	hoffen	übersetzen

Strong Verbs

ankommen (kommt an, kam an, ist angekommen)   verbieten (verbietet, verbot, verboten)

Adjectives and Adverbs

altmodisch	ehrlich	neidisch	töricht	bloss	übrigens
aufgeregt	klug (ü)	praktisch	totschick	ebenso	unbedingt
böse	mittler–	stolz	zukünftig	gerade	

Other Words and Expressions

ab und zu	das Abitur machen	einst	während
aus aller Herren Ländern	keiner Antwort wert	statt	wegen
aus der Schule rausfliegen	deswegen	trotz	

Noun Prefix

Ur–

Der Lattenzaun

Es war einmal ein Lattenzaun,
mit Zwischenraum, hindurchzuschaun.

Ein Architekt, der dieses sah,
stand eines Abends plötzlich da—

und nahm den Zwischenraum heraus
und baute draus ein grosses Haus.

Der Zaun indessen stand ganz dumm,
mit Latten ohne was herum.

Ein Anblick grässlich und gemein.
Drum zog ihn der Senat auch ein.

Der Architekt jedoch entfloh
nach Afri– od– Ameriko.

CHRISTIAN MORGENSTERN
(1871-1914)

der Lattenzaun *picket fence*	**grässlich** *hideous*	**drum** *therefore*
der Zwischenraum *space in between*	**gemein** *cruel*	**einziehen** *remove*
indessen *meanwhile*		**entfliehen** *flee*

Es sitzt ein Vogel auf dem Leim

Es sitzt ein Vogel auf dem Leim,
Er flattert sehr und kann nicht heim.
Ein schwarzer Kater schleicht herzu,
Die Krallen scharf, die Augen gluh.
Am Baum hinauf und immer höher
Kommt er dem armen Vogel näher.
Der Vogel denkt: Weil das so ist
Und weil mich doch der Kater frisst,
So will ich keine Zeit verlieren,
Will doch ein wenig quinquilieren
Und lustig pfeifen wie zuvor.
Der Vogel, scheint mir, hat Humor.

WILHELM BUSCH
(1832-1908)

der Leim *glue*	**die Kralle** *claw*	**lustig** *gaily*
heim *home*	**gluh** *burning*	**zuvor** *before*
der Kater *tomcat*	**quinquilieren** *sing*	**scheinen** *seem*
herzuschleichen *creep toward*		

Sprichwörter

Neue Besen kehren gut.
Durch Schaden wird man klug.
Schweigen ist auch eine Kunst.
Gleiche Rechte, gleiche Pflichten.
Es ist nicht alles Gold, was glänzt.
Was Hänschen nicht lernt, lernt Hans nimmermehr.
Glücklich ist, wer vergisst, was nicht mehr zu ändern ist.
Allen Menschen recht getan, ist eine Kunst, die niemand kann.
Wer den Pfennig nicht ehrt, ist des Talers nicht wert.
Wer nicht sehen will, dem hilft keine Brille.
Reden ist Silber, Schweigen ist Gold.
Wer zuletzt lacht, lacht am besten.
Auf Regen folgt Sonnenschein.
Arbeit macht das Leben süss.
Ende gut, alles gut.

Note: Point out that the suffix *–chen* is a diminutive and indicates smallness or affection: *Hans, Hänschen.* The gender is always neuter: *das Hänschen, das Mädchen.*

BASIC MATERIAL I

Aufregung im Zirkus
Keine Panik—Unglück verhütet

Aalen, 17. März—Im Circus Krone, der seit letzter Woche in Aalen gastiert, ist letzte Nacht eine Bestie entkommen. Astra, eine junge Löwin, die im ersten Auftritt erschien, brach während der Vorstellung der Clowns aus ihrem Käfig. Sie erschien für nur einen kurzen Augenblick im Zelt, das bis auf den letzten Platz gefüllt war.

Die Zuschauer, die ihren Augen zuerst nicht trauten und denen dann aber das Lachen schnell verging, verhielten sich vorbildlich ruhig und gerieten nicht in Panik. Sie verhüteten damit vielleicht ein grosses Unglück.

Der Wärter, den die Löwin schon einmal gebissen hatte, berichtet, dass er einen verdächtigen Burschen gesehen hat, der schnell durch einen Ausgang verschwand.

Die Gefahr, die für die Bevölkerung dieser Stadt herrschte, dauerte aber nicht lange. Schon eine halbe Stunde nach dem Ausbruch haben Zirkuswärter das Tier in einem alten Haus ausserhalb[1] der Stadt aufgespürt, in dem angeblich niemand wohnte. Die Polizei, mit deren Hilfe man die Löwin fand, wollte nicht sagen, wieviel Schaden das Tier angerichtet hatte.

| Note: *Circus* spelled with *c* is found only in the name *Circus Krone*. The common spelling is now *Zirkus*.

Supplement

Hatten Sie vom Unglück gehört?

Wann ist die Löwin entkommen?

Wo hat man sie aufgespürt?

Nein, was war geschehen?

Während der Pause.

Innerhalb[1] der Stadt.

---

[1] **Ausserhalb** and **innerhalb** are prepositions which require genitive case forms.

◄ *Auftritt der Clowns im Zirkus*

Excitement in the Circus
No Panic—Disaster Prevented

AALEN, March 17—Last night an animal escaped from the Krone Circus which has been giving performances in Aalen since last week. Astra, a young lioness that appeared in the first act, broke out of her cage during the clowns' performance. She appeared briefly in the tent, which was filled to the last seat.

The spectators, who did not believe their eyes at first, stopped laughing very quickly. They remained very calm and did not get panicky. Thus they probably prevented a big disaster.

The keeper, whom the lioness had already bitten once before, reports that he saw a suspicious looking fellow quickly disappear through an exit.

The danger (which prevailed) for the population of this city did not last long. Just half an hour after the escape, circus guards tracked down the animal outside of town in an old house where supposedly nobody lived. The police who helped to find the lioness would not say how much damage the animal had done.

Supplement

Had you heard about the accident?	No, when did it happen?
When did the lioness escape?	During the intermission.
Where did they track her down?	Inside the city.

Vocabulary Exercises

1. QUESTIONS ON BASIC MATERIAL

1. Wo gastiert der Circus Krone?
2. Wie lange gastiert er schon dort?
3. Was ist entkommen?
4. Wer ist Astra?
5. Wann erschien die Löwin für die Zuschauer?
6. Wann brach sie aus ihrem Käfig?
7. Wohin kam die Löwin?
8. Waren nur wenige Leute im Zelt?
9. Was verging den Zuschauern schnell?
10. Wie verhielten sie sich?
11. Gerieten sie in Panik?
12. Was verhüteten sie damit?
13. Was hatte die Löwin schon einmal mit dem Wärter getan?
14. Wen hat der Wärter bei den Tieren gesehen?
15. Hat er mit dem Burschen gesprochen?
16. Was dauerte nicht lange?
17. Wo haben die Wärter die Löwin aufgespürt?
18. Was wollte die Polizei nicht sagen?

2. FREE RESPONSE

1. Sind Sie schon einmal in einem Zirkus gewesen?
2. Wo gehen Sie in den Zirkus?
3. Welche Vorstellung gefällt Ihnen am besten?
4. Ist hier im Zirkus schon einmal etwas passiert?
5. Warum können die wilden Tiere, die Löwen und Tiger, nicht so schnell ausbrechen?

3. ITEM SUBSTITUTION

1. Das Tier bleibt innerhalb des Gartens.
(Stadt–Hof–Garage–Haus–Stall)

Das Tier bleibt innerhalb des Gartens.
Das Tier bleibt innerhalb der Stadt.

2. Sie fanden die Löwin ausserhalb der Stadt.
(Dorf–Käfig–Zelt–Fabrik–Wald)

ausserhalb des Dorfes, des Käfigs, des Zeltes,
der Fabrik, des Waldes

Noun Exercises

4. der, die, das

1. Ein grosser Zirkus kommt zu uns.
2. Die Zuschauer verhüteten eine Panik.
3. Ein grosses Unglück ist geschehen.
4. Ich habe den ersten Auftritt gesehen.
5. Die Löwin hat einen kleinen Käfig.
6. Der Zirkus hat ein riesiges Zelt.
7. Haben Sie einen guten Platz?
8. Er ist durch den Ausgang verschwunden.
9. Eine grosse Gefahr herrschte im Zelt.
10. Die Burschen sahen den Ausbruch.
11. Sie hat keinen grossen Schaden angerichtet.

1. Wo gastiert ____ Zirkus?	*der*
2. ____ Panik ist gefährlich.	*die*
3. Wo ist ____ Unglück passiert?	*das*
4. Wann findet ____ erste Auftritt statt?	*der*
5. Wo steht ____ Käfig?	*der*
6. Ist ____ Zelt nie leer?	*das*
7. ____ Platz ist frei.	*der*
8. Wo ist ____ Ausgang?	*der*
9. Ist ____ Gefahr vorbei?	*die*
10. Wann fand ____ Ausbruch statt?	*der*
11. Wie hoch war ____ Schaden?	*der*

5. SINGULAR → PLURAL

1. Der Zirkus gastiert in Aalen.
2. Er hat das Unglück verhütet.
3. Der Auftritt war ausgezeichnet.
4. Der Clown ist lustig.
5. Der Käfig war nicht geschlossen.
6. Das Zelt ist gefüllt.
7. Der Platz ist mir zu teuer.
8. Der Ausgang ist dort drüben.
9. Die Gefahr ist noch nicht vorbei.
10. Der Ausbruch geschah gestern. *VARIATION*

1. Die Zirkusse gastieren in Aalen.

1. Die Zirkusse gastieren in Aalen.
2. Er hat die Unglücke verhütet.
3. Die Auftritte waren ausgezeichnet.
4. Die Clowns sind lustig.
5. Die Käfige waren nicht geschlossen.
6. Die Zelte sind gefüllt.
7. Die Plätze sind mir zu teuer.
8. Die Ausgänge sind dort drüben.
9. Die Gefahren sind noch nicht vorbei.
10. Die Ausbrüche geschahen gestern.

1. *Der Zirkus gastiert in Aalen.*

Verb Exercises

6. CUED RESPONSE

1. Wer darf nicht in Panik **geraten?** (die Polizei)

   Die Polizei darf nicht in Panik **geraten.**

   Wer **geriet** in Panik? (die Bevölkerung)

   Die Bevölkerung **geriet** in Panik.

   Wer **ist** nicht in Panik **geraten?** (die Zuschauer)

   Die Zuschauer **sind** nicht in Panik **geraten.**

2. Wer will Sie **beissen?** (der kleine Hund)

   Der kleine Hund will mich **beissen.**

   Wer **biss** den Wärter? (die junge Löwin)

   Die junge Löwin **biss** den Wärter.

   Wer hat den Clown **gebissen?** (die Bestie)

   Die Bestie hat den Clown **gebissen.**

3. Wann dürfen die Wärter **verschwinden?** (nach dem letzten Auftritt)

   Nach dem letzten Auftritt dürfen die Wärter **verschwinden.**

   Wer **verschwand** durch den Ausgang? (ein verdächtiger Bursche)

   Ein verdächtiger Bursche **verschwand** durch den Ausgang.

   Wer **ist** auch **verschwunden?** (ein Kind)

   Ein Kind **ist** auch **verschwunden.**

4. Wo **geschehen** viele Unfälle? (an der Kreuzung)

   An der Kreuzung **geschehen** viele Unfälle.

   Was **geschieht,** wenn Sie nicht vorsichtig sind? (ein Unfall)

   Wenn ich nicht vorsichtig bin, **geschieht** ein Unfall.

   Was **geschah** beim Auftritt? (nichts)

   Nichts **geschah** beim Auftritt.

   Wann **ist** das Unglück **geschehen?** (gestern abend)

   Das Unglück **ist** gestern abend **geschehen.**

Grammar

Relative Clauses
The Relative Pronouns der, die, das *Used in Relative Clauses*

PRESENTATION

Das ist **der Circus Krone. Der Zirkus** gastiert hier jedes Jahr.
Das ist der Circus Krone, **der** hier jedes Jahr gastiert.

Name the noun phrase in the first sentence. Name the corresponding noun phrase in the second sentence. What is the function of the noun phrase in the second sentence? What case is it in?–In the second part of the third sentence, what word is used to refer to **der Zirkus?** What case is it in? What function does it perform?–What do we usually call a word that refers or "relates" to a noun? Is the clause introduced by **der** a main clause or a dependent clause? How do you know? What do we call a pronoun that introduces a dependent clause and relates to a noun in the main clause? What do we call a dependent clause introduced by a relative pronoun?

> Das ist **der Circus Krone.** Ich kenne **ihn** gut.
> Das ist der Circus Krone, **den** ich gut kenne.

Name the relative pronoun in the third sentence. What case is it in? What function does this pronoun perform? Which noun phrase could be used instead of **den?** What gender does **den** reflect?

> Dort sitzen **die Zuschauer.** Das Lachen verging **ihnen** schnell.
> Dort sitzen die Zuschauer, **denen** das Lachen schnell verging.

Name the relative pronoun in the third sentence. What case is it in? What function does this pronoun perform? Which noun phrase could be used instead of **denen?** Does **denen** refer to a singular noun phrase or a plural noun phrase? How does the word **denen** compare with the dative plural form of the definite article?

> Astra ist **eine Löwin, die** im ersten Auftritt erschien.
> Die Löwin erschien im **Zelt, das** bis auf den letzten Platz gefüllt war.
> Das ist **die Löwin, der** der Wärter das Fleisch gegeben hat.
> Ich rufe **den Wärter, dem** wir geholfen haben.

For each of the relative pronouns in these sentences, identify (a) the function of the relative pronoun in the clause, and (b) the gender and number of the relative pronoun.
DRILLS 7.1, 8.1–8.4

> Die Wärter, **die das Tier gesucht haben,** kehren zurück.
> Die Zuschauer, **die ihren Augen nicht trauten,** verhielten sich ruhig.

Identify the relative clause in each of these sentences. What is the position of the relative clause in relation to the noun phrase it refers to?

> Sie fanden die Löwin in einem Haus, **in dem** niemand wohnte.
> Dort ist der Ausgang, **durch den** der Bursche verschwand.

Which words introduce the relative clause in these sentences?   *DRILLS 7.2–7.4, 9*

> Dort steht **der Wärter. Die Löwin des Wärters** ist verschwunden.
> Dort steht **der Wärter, dessen** Löwin verschwunden ist.

What noun phrase does **dessen** refer to? What case is **dessen** in? What gender does **dessen** reflect? Why?

Die Polizei kam schnell. Man fand die Löwin **mit der Hilfe der Polizei.**
Die Polizei, mit deren Hilfe man die Löwin fand, kam schnell.

What noun phrase does **mit deren** refer to? What case does **deren** reflect? What gender? Why?–
Does **mit** function as a dative preposition here? *DRILLS 10.1–10.3, 11–13*

GENERALIZATION

1. Relative clauses are generally introduced by relative pronouns. These are identical in form
   with the definite article, with the exception of all genitive forms and the dative plural form.
   The following chart compares the definite articles with the relative pronouns.

DEFINITE ARTICLES AND RELATIVE PRONOUNS			
	masculine	*feminine*	*neuter*	*plural*
NOMINATIVE	der	die	das	die
GENITIVE	des dessen	der deren	des dessen	der deren
DATIVE	dem	der	dem	den denen
ACCUSATIVE	den	die	das	die

2. Gender (**der, die, das**) and number (singular, plural) of relative pronouns are determined
   by the noun phrase or pronoun to which they refer. Case is determined by the function
   of the relative pronoun in the relative clause.

Die Löwin erschien im Zelt, **das** bis auf den letzten Platz gefüllt war.

das ⟨ GENDER, NUMBER: *neuter, singular* – **das Zelt**
FUNCTION: *subject (nominative case)* – **das Zelt war . . .**

Das ist die Löwin, **der** der Wärter Fleisch gegeben hat.

der ⟨ GENDER, NUMBER: *feminine, singular* – **die Löwin**
FUNCTION: *indirect object (dative)* – **der Wärter hat der Löwin . . .**

Morgen kommt ein Zirkus, **den** ich wirklich gern habe.

den ⟨ GENDER, NUMBER: *masculine, singular* – **der Zirkus**
FUNCTION: *direct object (accusative)* – **ich habe den Zirkus gern**

Wo ist der Wärter, **dessen** Löwin entkommen ist?

dessen ⎰ GENDER, NUMBER: *masculine, singular* – **der Wärter**
⎱ FUNCTION: *possession (genitive)* – **die Löwin <u>des Wärters</u>** ...

3. When the relative pronoun refers to an object of a preposition, the preposition precedes the relative pronoun in the relative clause.

Sie fanden die Löwin in einem Haus. In dem Haus wohnte niemand.
Sie fanden die Löwin in einem Haus, **in dem** niemand wohnte.

4. Relative clauses are dependent clauses and require verb-last position.

Das ist der Zirkus, **der hier jedes Jahr <u>gastiert</u>.**

5. A relative clause generally follows the noun phrase or pronoun to which it refers.

Astra ist **eine Löwin, die** im ersten Auftritt erschien.
Die Löwin, die im ersten Auftritt erschien, brach aus dem Käfig.

6. For stylistic reasons, however, the relative clause is often separated from the noun phrase or pronoun to which it refers by a word or two, often a separable prefix or an infinitive.

Der Wärter spürte **die Löwin** auf, **die** am Abend entkommen war.
Die Zuschauer können **die Vorstellung** nicht vergessen, **die** sie gestern gesehen haben.

7. Relative pronouns, which are frequently omitted in English, are never omitted in German.

That's a performance (which) we'd like to see.
Das ist eine Vorstellung, **die** wir gern sehen möchten.

8. The genitive forms **dessen** and **deren** occur more often in writing than in speaking.

Dort steht **der Wärter, dessen Löwin** aus dem Käfig verschwunden ist.
or Dort steht **der Wärter. Seine Löwin** ist aus dem Käfig verschwunden.

STRUCTURE DRILLS

7. SENTENCE COMBINATION

1. Wo ist der Zirkus? Der Zirkus gastiert hier. ⊗

Wo ist der Zirkus, der hier gastiert?

Wo ist die Löwin? Die Löwin ist gestern entkommen.

Wo ist die Löwin, die gestern entkommen ist?

(continued)

(*continued*)

Wo ist das Zelt? Das Zelt ist bis auf den letzten Platz gefüllt.

Wo sind die Zuschauer? Die Zuschauer haben eine Panik verhütet.

Ist das der Bursche? Der Bursche verschwand durch den Ausgang.

Wo ist das Zelt, das bis auf den letzten Platz gefüllt ist?

Wo sind die Zuschauer, die eine Panik verhütet haben?

Ist das der Bursche, der durch den Ausgang verschwand?

2. Dort steht der Wärter. Die Löwin hat den Wärter gebissen. ⊗

Dort steht der Wärter. Die Zuschauer haben dem Wärter geholfen.

Dort steht der Wärter. Ich bin mit dem Wärter zum Käfig gegangen.

Dort steht der Wärter. Ich kann den Wärter nicht verstehen.

Dort steht der Wärter. Ich habe dem Wärter geantwortet.

Dort steht der Wärter, den die Löwin gebissen hat.

Dort steht der Wärter, dem die Zuschauer geholfen haben.

Dort steht der Wärter, mit dem ich zum Käfig gegangen bin.

Dort steht der Wärter, den ich nicht verstehen kann.

Dort steht der Wärter, dem ich geantwortet habe.

3. Ist das dein Schwager? Du bist neidisch auf ihn.

Ist das deine Tante? Du bist böse auf sie.

Ist das dein Onkel? Du bist mit ihm nach Hamburg geflogen.

Ist das dein Kollege? Du magst deinen Kollegen nicht gern.

Ist das dein Hund? Du sollst auf ihn aufpassen.

Ist das dein Schwager, auf den du neidisch bist?

Ist das deine Tante, auf die du böse bist?

Ist das dein Onkel, mit dem du nach Hamburg geflogen bist?

Ist das dein Kollege, den du nicht gern magst?

Ist das dein Hund, auf den du aufpassen sollst?

4. Ist das Ihr Zahnarzt? Sie haben sich mit ihm getroffen.

Ist das Ihre Braut? Sie haben sich mit ihr gestritten.

Ist das Ihr Urgrossvater? Sie haben sich mit ihm unterhalten.

Sind das Ihre Kinder? Sie haben sich über sie gefreut.

Ist das Ihr Kollege? Sie haben sich für ihn interessiert.

Ist das Ihr Zahnarzt, mit dem Sie sich getroffen haben?

Ist das Ihre Braut, mit der Sie sich gestritten haben?

Ist das Ihr Urgrossvater, mit dem Sie sich unterhalten haben?

Sind das Ihre Kinder, über die Sie sich gefreut haben?

Ist das Ihr Kollege, für den Sie sich interessiert haben?

EXERCISE BOOK: EXERCISE 1

8. ITEM SUBSTITUTION

1. Das ist ein Zirkus, der mir gefällt. ⊗
   _____ Vorstellung _____ .

Das ist ein Zirkus, der mir gefällt.

Das ist eine Vorstellung, die mir gefällt.

_____ Fach _____.		Das ist ein Fach, das mir gefällt.
_____ Sprichwort _____.		Das ist ein Sprichwort, das mir gefällt.
_____ Kamerad _____.		Das ist ein Kamerad, der mir gefällt.
_____ Zensur _____.		Das ist eine Zensur, die mir gefällt.

2. Das ist eine Ärztin, die Sie bestimmt kennen. ⊗
(Rechtsanwalt–Gymnasium–Konditorei–Tanzlokal–Gegend)

*ein R, den–ein G, das–eine K, die–
ein T, das–eine G, die*

3. Ist das nicht die Frau, der ich geholfen habe?
(Mädchen–Kellnerin–Wärter–Kind–Leute)

*das M, dem–die K, der–der W, dem–
das K, dem–sind . . . die L, denen*

4. Das war eine Vorstellung, die ich noch mal sehen möchte.
(Film–Kino–Gegend–Anblick–Spiel)

*ein F, den–ein K, das–eine G, die–
ein A, den–ein S, das*

9. CLAUSE AT END → CLAUSE IN THE MIDDLE

Der Schaden war nicht gross, den das Tier angerichtet hat.

Ich habe mit dem Wärter lange gesprochen, den die Löwin gebissen hat.

Die Gefahr dauerte nicht lange, die für die Bewohner herrschte.

Der Ausgang war in der Nähe, durch den der Bursche entkommen ist.

Das Haus war leer, in dem angeblich niemand wohnte.

Der Schaden, den das Tier angerichtet hat, war nicht gross.

Ich habe mit dem Wärter, den die Löwin gebissen hat, lange gesprochen.

Die Gefahr, die für die Bewohner herrschte, dauerte nicht lange.

Der Ausgang, durch den der Bursche entkommen ist, war in der Nähe.

Das Haus, in dem angeblich niemand wohnte, war leer.

10. SENTENCE COMBINATION

1. Das ist Herr Müller. Ich kenne seinen Schwager. ⊗

Das ist Herr Müller. Ich wohne bei seinem Schwager.

Das ist Herr Müller. Ich arbeite für seinen Schwager.

Das ist Herr Müller. Ich wohne hinter seinem Haus.

Das ist Herr Müller. Ich habe mich mit seinem Bruder getroffen.

Das ist Herr Müller, dessen Schwager ich kenne.

Das ist Herr Müller, bei dessen Schwager ich wohne.

Das ist Herr Müller, für dessen Schwager ich arbeite.

Das ist Herr Müller, hinter dessen Haus ich wohne.

Das ist Herr Müller, mit dessen Bruder ich mich getroffen habe.

2. Das ist Frau Meier. Sie haben ihre Schwester gekannt.

Das ist Frau Meier. Sie haben bei ihrer Schwester gewohnt.

Das ist Frau Meier, deren Schwester Sie gekannt haben.

Das ist Frau Meier, bei deren Schwester Sie gewohnt haben.

(continued)

(*continued*)

Das ist Frau Meier. Sie sind für ihre Schwester nach München geflogen.

Das ist Frau Meier, für deren Schwester Sie nach München geflogen sind.

Das ist Frau Meier. Sie haben sich mit ihrer Schwester gestritten.

Das ist Frau meier, mit deren Schwester Sie sich gestritten haben.

Das ist Frau Meier. Ihre Schwester ist plötzlich verschwunden.

Das ist Frau Meier, deren Schwester plötzlich verschwunden ist.

3. Das ist Frau Wolf. Ihre Kinder sind frech.

Das ist Frau Wolf, deren Kinder frech sind.

Das sind die Freunde. Ihr Wagen ist kaputt.

Das sind die Freunde, deren Wagen kaputt ist.

Das sind die Schüler. Ihr Lehrer fehlt heute.

Das sind die Schüler, deren Lehrer heute fehlt.

Das ist der Zirkus. Seine Clowns sind sehr lustig.

Das ist der Zirkus, dessen Clowns sehr lustig sind.

Das sind die Wärter. Ihre Löwen sind entkommen.

Das sind die Wärter, deren Löwen entkommen sind.

Das ist der Klassenkamerad. Seine Noten sind nicht gut.

Das ist der Klassenkamerad, dessen Noten nicht gut sind.

EXERCISE BOOK: EXERCISE 2

11. FREE COMPLETION

Ich bin im Zirkus gewesen, der . . .
Eine Löwin ist entkommen, die . . .
Dort steht der Käfig, aus dem . . .
Die Bestie erschien im Zelt, das . . .
Dort sitzen die Zuschauer, denen . . .
Herr Walter ist der Wärter, den . . .
Sie sahen einen verdächtigen Burschen, der . . .
Das war eine grosse Gefahr, die . . .
Ausserhalb der Stadt war das Haus, in dem . . .
Der Schaden war nicht gross, den . . .

Answers to Writing Exercise, page 291:

1. Dort drüben ist der Ausgang, der in den Hof führt.
2. Wie alt ist der Wärter, dessen Löwe gestern entkommen ist?
3. Wir sassen im Zelt, das bis auf den letzten Platz gefüllt war.
4. Die Zuschauer, denen das Lachen schnell verging, gerieten in Panik.
5. Der Schaden, den die Löwin angerichtet hat, war nicht gross.
6. Sie fanden die Bestie in einem Haus, in dem angeblich niemand wohnte.
7. Die Polizei, mit deren Hilfe die Wärter das Tier gefangen haben, sagte nichts.
8. Die Löwin, die den Wärter schon einmal gebissen hatte, kehrte in den Käfig zurück.

12. FREE SUBSTITUTION

Das ist ein <u>Haus</u>, das mir gefällt.
Das ist ein <u>Mantel</u>, den ich mir leisten kann.
Hier kommt die <u>Lehrerin</u>, der ich geholfen habe.
Das war mein <u>Vetter</u>, dessen Freund Sie kennen.

Zirkus, Aufgabe, Gymnasium, Wagen, Modell
Jacke, Hemd, Kamera, Anzug, Kostüm
Wärter, Verkäuferin, Student, Ärztin, Ober
Kusine, Klassenkamerad, Schwester, Zahnarzt
(you may also want to give some of these nouns in the plural)

13. SUSTAINED TALK

Describe what happened at the circus last night. Use the following cues as a guide.

1. Zirkus–eine Löwin entkommt
2. Astra bricht aus dem Käfig
3. Zelt–Zuschauer verhalten sich ruhig
4. keine Panik–kein Unglück
5. Wärter–Bursche–Ausgang
6. Wärter spüren Löwin auf
7. Polizei–Schaden?

Writing

SENTENCE COMBINATION   For answers to this exercise, see preceding page.

Combine each of the following sentence pairs, using the appropriate form of the relative pronoun. Make all other necessary changes.

BEISPIEL   Wann kommt der Zirkus? Er gastiert jetzt in Hamburg.
Wann kommt der Zirkus, der jetzt in Hamburg gastiert?

1. Dort drüben ist der Ausgang. Er führt in den Hof.
2. Wie alt ist der Wärter? Sein Löwe ist gestern entkommen.
3. Wir sassen im Zelt. Es war bis auf den letzten Platz gefüllt.
4. Die Zuschauer gerieten in Panik. Ihnen verging das Lachen schnell.
5. Der Schaden war nicht gross. Die Löwin hat den Schaden angerichtet.
6. Sie fanden die Bestie in einem Haus. In dem Haus wohnte angeblich niemand.
7. Die Polizei sagte nichts. Die Wärter haben das Tier mit der Hilfe der Polizei gefangen.
8. Die Löwin kehrte in den Käfig zurück. Sie hatte den Wärter schon einmal gebissen.

BASIC MATERIAL II

SECTION B

Basic Material II and Supplement
Listening Comprehension: Exercise 58
Structure Drills 19.1–19.3

Ein Schulausflug[2] in die Oper

STUDIENRAT	Köhler!
KÖHLER	Ja, Herr Studienrat[3]!
STUDIENRAT	Haben Sie das Geld schon eingesammelt? Das ist etwas, woran ich Sie schon das dritte Mal erinnern muss.
KÖHLER	Entschuldigung, Herr Studienrat! Ich kann aber nichts dafür, dass letzte Woche so viele gefehlt haben.

---

[2] It is quite customary for high school classes to have theater subscriptions. Students usually attend performances with their music teacher.

[3] **Studienrat** is the title of a German high school teacher. **Herr** and **Frau** with names of occupations are often used as forms of address: **Herr Studienrat, Herr Ober, Frau Doktor,** etc.

STUDIENRAT	Haben Sie das Geld nun beisammen?
KÖHLER	Ja, hier im Umschlag. Ich bin gerade dabei, es noch mal zu zählen.
STUDIENRAT	Übrigens hab' ich schlechte Nachrichten. Der Opernplan hat sich geändert. Wir hören „Figaros Hochzeit⁴".
KÖHLER	Schade! –Es gibt nichts, worauf wir uns mehr gefreut haben als auf die „Meistersinger⁵". Und Sie haben uns doch alles erzählt, was wir darüber wissen müssen.
STUDIENRAT	Ich bin auch enttäuscht. Ich bin aber gern bereit, euch die Geschichte von „Figaros Hochzeit" heute in der Musikstunde zu erzählen.
KÖHLER	Und die Klassenarbeit?
STUDIENRAT	Die verschiebe ich auf nächste Woche.
KÖHLER	Prima!

Note: You may want to assign individual students to report on operas and/or composers mentioned. See also Conversation Buildup, page 302.

Supplement

Wissen Sie, wer heute abend singt?

Der Herr Studienrat verschiebt die Klassenarbeit auf nächste Woche, nicht wahr?

Moment mal! Ich habe zufällig den Opernplan dabei.

Offensichtlich. Heute müssen wir „Figaros Hochzeit" besprechen.

A School Trip to the Opera

STUDIENRAT	Köhler.
KÖHLER	Yes, Herr Studienrat.
STUDIENRAT	Have you already collected the money? That's something I've had to remind you of for the third time.
KÖHLER	Excuse me, Herr Studienrat. But I can't help it that so many were absent last week.
STUDIENRAT	Do you have all the money together now?
KÖHLER	Yes, here in the envelope. I'm just in the process of counting it again.
STUDIENRAT	By the way, I have bad news. The opera schedule has changed. We'll hear *The Marriage of Figaro.*
KÖHLER	Too bad!–There is nothing we looked forward to more than to the *Meistersinger.* And you've been telling us everything we have to know about it.
STUDIENRAT	I'm disappointed too. But I'll be glad to tell you the story of *The Marriage of Figaro* in our music class today.
KÖHLER	And the test?
STUDIENRAT	I'll postpone it until next week.
KÖHLER	Great!

⁴ **Figaros Hochzeit** is an opera by Mozart (1756–1791).

⁵ **Die Meistersinger** is an opera by Wagner (1813–1883).

Supplement

Do you know who's singing this evening?

Just a moment, I happen to have the opera schedule with me.

The teacher is postponing the test until next week, isn't he?

Obviously. Today we have to discuss *The Marriage of Figaro.*

Vocabulary Exercises

14. QUESTIONS ON BASIC MATERIAL

1. Wer ist Köhler?
2. Was macht er?
3. Wofür sammelt er Geld ein?
4. Warum muss ihn der Herr Studienrat so oft daran erinnern, dass er das Geld einsammeln soll?
5. Wo ist das Geld jetzt?
6. Warum gibt der Köhler seinem Lehrer das Geld nicht sofort?
7. Was sind die schlechten Nachrichten, die der Lehrer hat?
8. Worauf hat sich die ganze Klasse gefreut?
9. Was hat der Lehrer den Schülern erzählt?
10. Wozu ist der Lehrer gern bereit?
11. Was macht der Lehrer mit der Klassenarbeit?

15. FREE RESPONSE

1. Gehen Sie manchmal mit Ihrer Klasse ins Konzert oder in die Oper?
2. Was für Opern kennen Sie?
3. Wann haben Sie Ihre Musikstunde?
4. Wann schreiben Sie Ihre nächste Klassenarbeit?
5. Was für Ausflüge machen Sie mit Ihrer Klasse?

Noun Exercises

16. der, die, das

1. Er erinnert mich an einen Studienrat.
2. Er steckt das Geld in einen Umschlag.
3. Er bringt keine gute Nachricht.
4. Warten Sie einen Moment, bitte!

1. Wie heisst ＿＿ Studienrat? *der*
2. Weisst, du, wo ＿＿ Umschlag liegt? *der*
3. Wie schlecht war ＿＿ Nachricht? *die*
4. Das ist für ihn ＿＿ richtige Moment. *der*

17. SINGULAR → PLURAL

1. Der Studienrat erscheint pünktlich.
2. Der Umschlag ist zu klein.
3. Die Nachricht war wichtig.   *VARIATION*
1. Die Studienräte erscheinen pünktlich.

1. Die Studienräte erscheinen pünktlich.
2. Die Umschläge sind zu klein.
3. Die Nachrichten waren wichtig.
1. *Der Studienrat erscheint pünktlich.*

Verb Exercise

18. CUED RESPONSE

Bis wann will der Lehrer die Klassenarbeit **verschieben?**   (bis Montag)

Warum **verschoben** Sie Ihre Ferien? (weil Sie keine Zeit hatten)

Was haben Sie **verschoben?**   (Berufspläne)

Der Lehrer will die Klassenarbeit bis Montag **verschieben.**

Ich **verschob** meine Ferien, weil ich keine Zeit hatte.

Ich habe meine Berufspläne **verschoben.**

Grammar

Was *and* Wo-*compounds in Relative Clauses*

PRESENTATION

Ich habe Ihnen **alles** erzählt, **was** ich weiss.
Verstehst du **das, was** er dir sagt?
Das war **etwas, was** mich sehr enttäuscht hat.
Es gibt noch **viel, was** Sie lernen müssen.
Es gibt **nichts, was** ich lieber esse.
Er erzählt **wenig, was** mich wirklich interessiert.

Name the relative pronoun used in these sentences. What word in each sentence does the relative pronoun refer to? *DRILL 19.1*

Sie konnten nicht die Oper hören, was sie sehr enttäuscht hat.

Name the relative pronoun in this sentence. What idea does the relative pronoun refer to? *DRILL 19.2*

Das ist **etwas, woran** ich mich gern erinnere.
Es gibt **nichts, worauf** ich mich mehr freue.
Es gibt **viel, womit** ich mich beschäftigen möchte.

Name the relative pronouns in the sentences above. What do they refer to? Why do you think **wo**-compounds are used in these sentences instead of **was?** *DRILLS 19.3, 20*

GENERALIZATION

1. The relative pronoun **was** is used to refer to such indefinite pronouns as **alles, das, etwas, nichts, viel,** and **wenig. Was** is also used to refer to the entire idea of the preceding sentence.

> Das ist **alles, was** ich sagen möchte.
>
> Was ist **das, was** du in der Hand hast?
>
> Das ist **etwas, was** ich nicht gern habe.
>
> Es gibt **nichts, was** er nicht erklären kann.
>
> Es gibt **viel, was** sie nicht versteht.
>
> Es gibt **wenig, was** ich nicht tun kann.
>
> **Er verliert das Spiel, was** ihn sehr traurig macht.

2. **Wo**-compounds are used to introduce a relative clause whose verb is usually followed by a preposition, such as **sich freuen auf,** or **sich erinnern an. Wo**-compounds are used with such verbs especially when the reference is to the indefinite pronouns.

> Es gibt **nichts, worauf** ich mich mehr gefreut habe.

In spoken German, the **wo**-compound is often replaced by the preposition and **was.**

> Es gibt **nichts, auf was** ich mich mehr gefreut habe.

STRUCTURE DRILLS

19. SENTENCE COMBINATION

1. Verstehen Sie alles? Der Studienrat hat es gesagt. ⊗

   Verstehen Sie alles, was der Studienrat gesagt hat?

   Können Sie das lesen? Ich habe es geschrieben.

   Können Sie das lesen, was ich geschrieben habe?

   Wollen Sie etwas kaufen? Die Verkäuferin hat es Ihnen empfohlen.

   Wollen Sie etwas kaufen, was die Verkäuferin Ihnen empfohlen hat?

   Möchten Sie noch etwas haben? Sie möchten es gern mitnehmen.

   Möchten Sie noch etwas haben, was Sie gern mitnehmen möchten?

   Gibt es nichts? Sie haben es noch nicht gesehen.

   Gibt es nichts, was Sie noch nicht gesehen haben?

2. Er hat das Geld eingesammelt. Ich finde es fast unglaublich. ⊗

   Er hat das Geld schon eingesammelt, was ich fast unglaublich finde. (continued)

(*continued*)

Er spart das Geld in einem Umschlag. Ich finde es sehr lächerlich.

Er spart das Geld in einem Umschlag, was ich sehr lächerlich finde.

Er hat letzte Woche gefehlt. Ich kann es nicht glauben.

Er hat letzte Woche gefehlt, was ich nicht glauben kann.

Er bringt schlechte Nachrichten. Ich kann es nicht verstehen.

Er bringt schlechte Nachrichten, was ich nicht verstehen kann.

Er verschiebt die Klassenarbeit auf nächste Woche. Es hat uns sehr gefreut.

Er verschiebt die Klassenarbeit auf nächste Woche, was uns sehr gefreut hat.

3. Das ist etwas. Ich habe mich schon oft darüber gestritten. ⊗

Das ist etwas, worüber ich mich schon oft gestritten habe.

Das ist etwas. Ich passe nicht gern darauf auf.

Das ist etwas, worauf ich nicht gern aufpasse.

Das ist etwas. Ich erinnere mich gern daran.

Das ist etwas, woran ich mich gern erinnere.

Das ist etwas. Ich möchte mich damit beschäftigen.

Das ist etwas, womit ich mich beschäftigen möchte.

Das ist etwas. Ich habe lange darauf gewartet.

Das ist etwas, worauf ich lange gewartet habe.

20. FREE SUBSTITUTION

Es gibt viel, was wir nicht ändern können.
Das ist etwas, worüber ich mich gern streite.

wenig, nichts, etwas / machen, reparieren, annehmen

nichts, etwas / s. unterhalten, s. beschäftigen, s. erinnern

Writing

EXERCISE BOOK: EXERCISE 3

SENTENCE COMBINATION

Combine each of the following sentence pairs, using an appropriate relative pronoun. Make any other necessary changes.

BEISPIEL Es gibt wenig. Ich trauere darüber.
Es gibt wenig, worüber ich traure.

1. Das ist alles. Ich kann mich daran erinnern. *Das ist alles, woran ich mich erinnern kann.*
2. Das ist nichts. Er will sich darum bewerben. *Das ist nichts, worum er sich bewerben will.*
3. Es gibt etwas. Ich interessiere mich sehr dafür. *Es gibt etwas, wofür ich mich sehr interessiere.*
4. Es gibt wenig. Wir können uns daran nicht gewöhnen.
5. Das ist etwas. Ich beschäftige mich gern damit.
6. Das ist etwas. Die Kinder freuen sich sehr darauf.

4. Es gibt wenig, woran wir uns nicht gewöhnen können.
5. Das ist etwas, womit ich mich gern beschäftige.
6. Das ist etwas, worauf sich die Kinder sehr freuen.

READING

Word Study

Many feminine nouns are related in form and meaning to adjectives. Such nouns end in **-e** and have an umlaut whenever possible.

ADJECTIVE		NOUN	
kalt	*cold*	**die Kälte**	*cold, coldness*
nah	*near*	**die Nähe**	*nearness, vicinity*
tief	*deep*	**die Tiefe**	*depth*

If you know the adjective **weit,** you should be able to recognize the meaning of **die Weite.**

Eine fast wahre Geschichte

Eines Tages, der für viele Leute unvergeßlich bleibt, mußte ein Flugzeug, dessen Chefpilot lange Erfahrung hatte, auf einer Straße mitten in der Lüneburger Heide[6] notlanden°. Die Lüne-

notlanden: *to make an emergency landing*

burger Heide ist weltberühmt für ihre Schönheit, vor allem wegen

5 ihrer lila° Blume, Erika oder Heidekraut genannt, und auch

lila: *lavender*

wegen der Blaubeeren. Die Lüneburger Heide also, die besonders im Herbst in allen Farben schimmert, war Schauplatz eines Ereignisses°, das die Bewohner der Gegend, trotz des schrecklichen

das Ereignis, –se: *event, occurrence*

Augenblicks, noch heute belustigt.

10 In einem Städtchen der Lüneburger Heide gastierte während dieses Tages der Circus Krone, der schon unsern Großvätern und Urgroßvätern bekannt war. In der Nacht, die der Notlandung des Flugzeugs vorausging°, entkamen zufällig zwei der zwölf Tiger

vorausgehen: *to precede*

und drei der zehn Löwen. Es herrschte eine schreckliche Aufre-

15 gung in der Gegend, und die Besitzer des Zirkus waren voller Angst. (Wer will schon in der Lüneburger Heide statt eines Schmetterlings plötzlich einem Tiger oder einem Löwen begegnen?)

Ein Zufall war, daß die meisten Flugzeuginsassen Mitglieder°

das Mitglied, –er: *member*

20 des Winterthurer[7] Stadtorchesters waren, Geiger, Cellisten, ein

---

[6] **Die Lüneburger Heide,** formerly a large area overgrown with heather, is situated between the river Aller and the lower Elbe. Today, parts of the heath are used for agriculture and forestry, and a small part is preserved as a National park.

[7] **Winterthur** is a Swiss city between Zürich and Lake Constance (Bodensee).

Pianist, Flötisten° und auch der Dirigent, der so berühmt war **der Flötist, –en:** *flutist*
wie der Circus Krone selber.

Nun, ein besonders ängstlicher Geiger, der alles im Flugzeug
zurückließ, Hut, Mantel und Koffer, geriet in Panik, packte° seine **packen:** *to grab*
25 Geige und verschwand, trotz der Rufe seiner Kollegen, in der
Weite der Lüneburger Heide.

Erschöpft° stand er schließlich still. Und als er um sich sah, **erschöpft:** *exhausted*
was erblickte er? Löwen und Tiger!

//Der Geiger erschrak zu Tode°, doch dann dachte er://Wenn **der Tod:** *death*
30 das mein Ende sein muß, so kann ich es nicht ändern, doch ich
will als der große Künstler sterben, der ich immer war./

Und er packte sein Instrument aus und begann zu spielen./
Die wilden Tiere hörten aufmerksam° zu./Wie im Konzertsaal **aufmerksam:** *attentive(ly)*
saßen sie in einer Reihe° da./ Der angsterfüllte und doch mutige **die Reihe, –n:** *row*
35 Geiger spielte und spielte, Mozart, Haydn[8], Beethoven./ Er spielte
weiter und weiter./

Plötzlich sprang ein sehr alter Löwe auf—gerade während
einer wundervollen Sonate—und verschlang° den armen Geiger./ **verschlingen:** *to devour*
Die andern Tiere, die Löwen und die Tiger, deren Ohren
40 offensichtlich musikalischer waren, schimpften° und riefen: „Du **schimpfen:** *to scold*
dummes Tier!/ Wie kannst du so unmenschlich sein?/ Endlich
haben wir etwas Kultur, etwas Musik, die ein großer Künstler
vortrug und obwohl°[9] dessen Kunst uns gefiel, frißt du den Mann!"// **obwohl:** *although*
„Was?" fragte der Löwe und hielt eine Pfote hinter das Ohr.
45 „Wie! sagt man in Deutschland, nicht was", bemerkte ein
gebildeter° Tiger. **gebildet:** *educated*

„Was?" wiederholte der Löwe, und da fiel den Kollegen plötz-
lich ein, daß die alte Bestie taub° war. Er war so alt, daß er **taub:** *deaf*
überhaupt nichts hörte, und sie hatten das ganz vergessen!
50 Noch während des Gesprächs erschienen die Wärter des Circus
Krone und baten die Tiere, doch wieder in die Käfige zu gehen.
Sie gehorchten. Sie schämten sich über° ihren unmusikalischen **s. schämen über:** *to be*
Kollegen. *ashamed of*

Kein Mensch glaubt eine Geschichte, die von einem alten,
55 tauben Löwen erzählt, der in der Lüneburger Heide ein Mitglied
des Winterthurer Stadtorchesters verspeiste°. Innerhalb des **verspeisen:** *to eat up*
Städtchens lachten die Einwohner über das Erlebnis, außerhalb
des Städtchens glaubte niemand daran, trotz der Artikel, die in
der Zeitung erschienen.

---

[8] **Joseph Haydn** (1732–1809) is known for his symphonies and chamber music.

[9] **Obwohl** is a conjunction like **weil** and **dass** and requires verb-last position.

Dictionary Section

angsterfüllt voller Angst: *Der angsterfüllte Mann lief schnell weg.*

ängstlich Angst haben: *Der Geiger war ein ängstlicher Mann.*

begegnen treffen: *Er ist dem Mann begegnet. = Er hat den Mann getroffen.*

bekannt sein *Der Zirkus war ihnen bekannt. = Sie haben den Zirkus gekannt.*

belustigen jemand zum Lachen bringen: *Das war eine lustige Geschichte; sie hat die Kinder belustigt.*

Chef der Boß: *Mein Onkel besitzt eine Fabrik. Er ist der Chef.*

Dirigent *Der Dirigent dirigiert das Orchester.*

endlich jetzt, nach langer Zeit: *Nach zehn Jahren ist er endlich wieder nach Hause gekommen.*

Erlebnis etwas, was man erlebt: *Für uns war die Reise ein schönes Erlebnis.*

Flugzeuginsassen die Leute, die im Flugzeug sind: *Bei schlechtem Wetter wurden die Flugzeuginsassen ängstlich.*

Pfote Fuß von einem Tier: *Ein Löwe hat vier Pfoten.*

Saal ein sehr großes Zimmer: *Das Orchester spielte im Konzertsaal.*

schrecklich furchtbar: *Das war eine schreckliche Sache!*

Städtchen eine kleine Stadt: *Wir wohnen in keiner Großstadt, sondern in einem kleinen Städtchen.*

überhaupt nichts gar nichts: *Die Diebe haben überhaupt nichts zurückgelassen.*

vortragen eine Vorstellung geben: *Der Geiger hat für die Tiere vorgetragen.*

wiederholen nochmals sagen: *Wiederholen Sie das Wort! = Sagen Sie das Wort noch einmal!*

21. QUESTIONS

1. Was musste ein Flugzeug einmal tun? 3
2. Hatte der Pilot schon Erfahrung? 2
3. Wo musste das Flugzeug notlanden? 3
4. Wofür ist die Lüneburger Heide bekannt? 4
5. Was wächst alles in der Heide? 5
6. Was belustigt die Bewohner noch heute? 8
7. Was gastierte in einem kleinen Städtchen in der Heide? 11
8. Wer entkam in der Nacht? 13
9. Was herrschte in der ganzen Gegend? 14
10. Was waren die meisten Flugzeuginsassen? 19
11. Wer geriet in Panik? 23
12. Was tat der Geiger? 24
13. Warum erschrak der Geiger zu Tode? 27

14. Was tat er, als er die wilden Tiere sah? 32
15. Was machten die Tiere? 33
16. Was tat ein Löwe aber? 38
17. Gefiel das den anderen Tieren? 40
18. Was sagten sie zu dem alten Löwen? 41
19. Woran erkennt man, dass der alte Löwe nicht sehr gebildet ist? 44
20. Was fällt den andern Tieren plötzlich ein? 48
21. Wer erschien dann in der Heide? 50
22. Was wollten die Wärter? 51
23. Über wen schämten sich die Tiere? 52
24. Was erschien in der Zeitung? 58
25. Was glaubten die Leute von dieser Geschichte? 58

Noun Exercises

22. der, die, das

1. Es war ein wichtiges Ereignis.
2. Lüneburg ist ein niedliches Städtchen.

1. Wir warten auf ____ Ereignis. *das*
2. Haben Sie ____ Städtchen schon gesehen? *das*

(continued)

(*continued*)

3. Das war ein glücklicher Zufall.	3. ＿＿ Zufall wollte es, dass ich ihn traf. *der*
4. Ich habe nur einen Insassen[10] erblickt.	4. ＿＿ Insasse war offensichtlich taub. *der*
5. Er ist ein altes Mitglied des Orchesters.	5. Ich bin ＿＿ neue Mitglied des Klubs. *das*
6. Winterthur hat ein gutes Orchester.	6. ＿＿ Orchester spielte eine Sonate. *das*
7. Das Orchester braucht noch einen Cellisten, einen Pianisten, einen Flötisten und einen Dirigenten[10].	7. ＿＿ Cellist, ＿＿ Pianist, ＿＿ Flötist *der* und ＿＿ Dirigent sind noch nicht *der* gekommen.
8. Er hat den Ruf nicht gehört.	8. ＿＿ Ruf klang unheimlich. *der*
9. Der Komponist kommt in den grossen Saal.	9. ＿＿ Saal ist bis auf den letzten Platz *der* gefüllt.
10. Er verschlingt den Artikel in der Zeitung.	10. ＿＿ Artikel ist interessant. *der*
11. Der Geiger hat ein schönes Instrument.	11. Können Sie ＿＿ Instrument spielen? *das*

23. SINGULAR → PLURAL

1. Der Chef verlangt gute Arbeit.	1. Die Chefs verlangen gute Arbeit.
2. Das Ereignis fand in Köln statt.	2. Die Ereignisse fanden in Köln statt.
3. Das Städtchen ist hübsch.	3. Die Städtchen sind hübsch.
4. Der Zufall war unglaublich.	4. Die Zufälle waren unglaublich.
5. Das Mitglied hört aufmerksam zu.	5. Die Mitglieder hören aufmerksam zu.
6. Das Orchester gastiert in Deutschland.	6. Die Orchester gastieren in Deutschland.
7. Der Ruf war nicht laut genug.	7. Die Rufe waren nicht laut genug.
8. Der Saal ist nicht gross genug.	8. Die Säle[11] sind nicht gross genug.
9. Der Artikel ist schrecklich langweilig.	9. Die Artikel sind schrecklich langweilig.
10. Das Instrument ist sehr wertvoll.	10. Die Instrumente sind sehr wertvoll.

VARIATION

1. **Die Chefs verlangen gute Arbeit.**   *1. Der Chef verlangt gute Arbeit.*

Verb Exercises

24. CUED RESPONSE

1. Was **verschlingen** die Tiere? (Fleisch)	Die wilden Tiere **verschlingen** Fleisch.
Wen **verschlang** der Löwe? (Geiger)	Der Löwe **verschlang** den Geiger.
Was hat die Katze eben **verschlungen**? (Fisch)	Die Katze hat eben den Fisch **verschlungen.**
2. Was <u>ist</u> dem Geiger in der Heide **begegnet?** (ein Löwe)	Ein Löwe <u>ist</u> dem Geiger in der Heide **begegnet.**

---

[10] Note that **Insasse** has **-n** and **Cellist, Dirigent, Flötist,** and **Pianist** have **-en** in all cases except the nominative singular.

[11] Note that **Saal** has only one **a** in the plural form: **die Säle.**

EXERCISE BOOK: EXERCISE 4

RECOMBINATION EXERCISES

25. SENTENCE COMBINATION

1. Das ist ein Tag. Er bleibt für viele Leute unvergesslich. ⊗

   Dort liegt das Flugzeug. Sein Pilot musste notlanden.

   Das geschah in der Lüneburger Heide. Sie ist bekannt für ihre Schönheit.

   Die Heide war Schauplatz eines Ereignisses.[12] Es belustigt die Bewohner noch heute.

   Das ist ein Tag, der für viele Leute unvergesslich bleibt.

   Dort liegt das Flugzeug, dessen Pilot notlanden musste.

   Das geschah in der Lüneburger Heide, die für ihre Schönheit bekannt ist.

   Die Heide war Schauplatz eines Ereignisses, das die Bewohner noch heute belustigt.

26. ITEM SUBSTITUTION

1. Das war ein Ereignis, das uns belustigte. ⊗

   _____ Vorstellung, _____ .

   _____ Vorschlag, _____ .

   _____ Situation, _____ .

   _____ Thema, _____ .

   _____ Anblick, _____ .

   Das war ein Ereignis, das uns belustigte.

   Das war eine Vorstellung, die uns belustigte.

   Das war ein Vorschlag, der uns belustigte.

   Das war eine Situation, die uns belustigte.

   Das war ein Thema, das uns belustigte.

   Das war ein Anblick, der uns belustigte.

2. Das ist mein Onkel, mit dessen Wagen ich fahre. ⊗
   (Kusine–Grosseltern–Bruder–Tante–Geschwister)

   meine K, mit deren–sind meine G, mit deren–
   mein B, mit dessen–meine T, mit deren–
   sind meine G, mit deren

3. Wann entkam die Löwin, von der er sprach?
   (Tiger–Bestie–Elefant–Kuh–Tier)

   der T, von dem–die B, von der–der E,
   von dem–die K, von der–das T, von dem

4. Das ist ein Geiger, den ich gut kenne.
   (Lehrerin–Mädchen–Dirigent–Orchester–Zirkus)

   eine L, die–ein M, das–ein D, den–
   ein O, das–ein Z, den

27. FREE SUBSTITUTION

Das ist ein Pianist, der sehr berühmt ist.   *Orchester, Mitglied, Mädchen / alt, eingebildet, ängstlich*
Hier kommen die Löwen, deren Wärter ich kenne.

EXERCISE BOOK: EXERCISES 5 AND 6   *Kinder, Bauern, Ärztin / Eltern, Hühner, Haus /*
28. SUSTAINED TALK   *suchen, kaufen, mieten*

Describe what happened in the Heide. Use the following cues as a guide.

1. Flugzeug–notlanden
2. Lüneburger Heide–Schönheit
3. Insassen–Stadtorchester
4. Zirkus–Löwen und Tiger
5. Geiger–erschrickt zu Tode
6. Tiere–wie im Konzertsaal
7. Löwe–verschlingt Geiger
8. die anderen Tiere–Kultur
9. taub–sich schämen
10. wahre Geschichte?–Artikel

---

[12] Note that neuter nouns ending in **-nis** double the final **-s** before adding the genitive ending **-es**.

The Past Perfect Tense

GENERALIZATION

SECTION D ⊗

Listening Comprehension: Exercise 62
Structure Drill 29
Additional Structure Drills
Listening Comprehension: Exercise 63

The German past perfect corresponds in use and in meaning to the English past perfect. In both languages the past perfect is used to report events that happened prior to other past events. It is formed the same way as the conversational past, except that **haben** and **sein** are used in the past tense instead of in the present tense.

PAST EVENT	Die Wärter **spürten** die Löwin **auf.**
	The guards tracked down the lioness.
EVENT BEFORE PAST EVENT	Sie **war** aus dem Käfig **ausgebrochen.**
	She had broken out of the cage.

29. PRESENT → PAST PERFECT

Die Zuschauer verhüten ein Unglück. ⊗   Die Zuschauer hatten ein Unglück verhütet.
Die Wärter geraten in Panik.   Die Wärter waren in Panik geraten.
Die Löwin verschwindet aus dem Käfig.   Die Löwin war aus dem Käfig verschwunden.
Die Polizei spürt sie auf.   Die Polizei hatte sie aufgespürt.
Sie richtet keinen Schaden an.   Sie hatte keinen Schaden angerichtet.

VARIATION: Use the right-hand column as stimulus for a Past Perfect → Conversational Past drill.

Additional Structure Drills may be done at this point.

EXERCISE BOOK: EXERCISE 7

Conversation Buildup

KLASSENSPRECHER	Was haben Sie für unsern nächsten Schulausflug geplant, Herr Studienrat?
STUDIENRAT	Wir haben drei Möglichkeiten: wir können in den Zirkus gehen, ins Konzert oder in die Oper. Was glauben Sie, was die andern tun wollen?
KLASSENSPRECHER	In den Zirkus geht jeder selber oder mit den Eltern. Im Konzert sind wir letztes Mal gewesen. Ich glaube also, dass sich die meisten für die Oper entscheiden. Übrigens, was können wir denn hören?

1. Was für Möglichkeiten hat die Klasse für den nächsten Ausflug?
2. Warum glaubt der Klassensprecher, dass sich die meisten Schüler für die Oper entscheiden?
3. Was für eine Oper kann die Klasse am Montag hören? Am Mittwoch?

4. Warum möchte der Klassensprecher lieber eine Wagner Oper hören?

5. Was will der Klassensprecher dem Studienrat in der nächsten Musikstunde sagen?

STUDIENRAT	Wenn wir an einem Montag gehen, hören wir den „Rosenkavalier[13]" Wenn wir an einem Mittwoch gehen, so hören wir den „Fliegenden Holländer[14]".
KLASSENSPRECHER	„Der Rosenkavalier" ist so schrecklich lang, und eine Wagner Oper haben wir noch nie gehört.
STUDIENRAT	Wann können Sie mir sagen, wofür sich die Klasse entschieden hat?
KLASSENSPRECHER	In der nächsten Musikstunde.

REJOINDERS

Frag doch mal den Herrn Studienrat, wann wir den nächsten Ausflug haben!

Mir ist das gleich. Die Ausflüge sind sowieso immer schrecklich langweilig.

Wir haben schon lange keinen Ausflug mehr gehabt.

Ich will nicht schon wieder in die Oper gehen.

Hörst du Opern nicht gern?

Nun, dann geh doch mal in ein Konzert!

CONVERSATION STIMULUS

Hans möchte dieses Wochenende seine Freundin ausführen. Käthe ist ein sehr gebildetes Mädchen, das sich besonders für Musik interessiert.

KÄTHE	Es ist nett von dir, dass du mich eingeladen hast.
HANS	*Ich hab' mir vorgestellt, dass wir uns zusammen etwas ansehen können. Wozu hast du Lust?*

EXERCISE BOOK: EXERCISE 8

Writing

SENTENCE COMBINATION

1. Es war eine Vorstellung, an die ich mich nicht gewöhnen kann.

2. Ich schäme mich über unser Schulorchester, das furchtbar schlecht gespielt hat.

3. Sie gastieren eine Woche hier, was ich nicht glauben kann.

Combine each of the following sentence pairs, using an appropriate relative pronoun. Make all other necessary changes.

BEISPIEL   Ich war in einem Zirkus. Er hat mir gut gefallen.

Ich war in einem Zirkus, der mir gut gefallen hat.

1. Es war eine Vorstellung. Ich kann mich daran nicht gewöhnen.

2. Ich schäme mich über unser Schulorchester. Es hat furchtbar schlecht gespielt.

3. Sie gastieren eine Woche hier. Ich kann es nicht glauben.

4. Sie spielen im Zirkus. Das Zirkuszelt ist bis auf den letzten Platz gefüllt.

5. Herr Müller ist der Besitzer. Mit seinem Flugzeug musste der Pilot notlanden.

6. Das ist etwas. Er erinnert sich gern daran.

---

[13] „**Der Rosenkavalier**" is an opera by Richard Strauss (1864–1949).

[14] „**Der Fliegende Holländer**" is an opera by Richard Wagner.

4. Sie spielen im Zirkus, dessen Zelt bis auf den letzten Platz gefüllt ist.

5. Herr Müller, mit dessen Flugzeug der Pilot notlanden musste, ist der Besitzer.

6. Das ist etwas, woran er sich gern erinnert.

REFERENCE LIST

Nouns

der Artikel, –	das Ereignis, –se	die Möglichkeit, –en	der Schaden, ∺
die Aufregung, –en	der Flötist, –en	der Moment, –e	der Saal, Säle
der Auftritt, –e	die Gefahr, –en	die Musikstunde, –n	der Schauplatz, ∺e
der Ausbruch, ∺e	der Geiger, –	die Nachricht, –en	die Schönheit, –en
der Ausgang, ∺e	die Heide, –n	die Notlandung, –en	der Studienrat, ∺e
die Bestie, –n	das Heidekraut	das Orchester, –	der Tod
die Bevölkerung	die Hilfe, –n	die Panik	der Umschlag, ∺e
die Blaubeere, –n	der Insasse, –n	die Pause, –n	das Unglück, –e
der Cellist, –en	das Instrument, –e	der Pianist, –en	der Wärter, –
der Chefpilot, –en	der Käfig, –e	die Pfote, –n	das Zelt, –e
der Clown, –s	die Klassenarbeit, –en	der Platz, ∺e	der Zirkus, –se
der Dirigent, –en	das Mitglied, –er	der Ruf, –e	der Zufall, ∺e

Weak Verbs

anrichten	begegnen D (ist)	gastieren	packen	schimmern	verspeisen
aufspüren	belustigen	herrschen	s. schämen (über A)	trauen D	wiederholen
auspacken	einsammeln	notlanden	schimpfen	verhüten	zählen
	s. erinnern an A		erzählen von		lachen über A

Strong Verbs

ausbrechen (bricht aus, brach aus, ist ausgebrochen)

beissen (beisst, biss, gebissen)

geraten (gerät, geriet, ist geraten)

geschehen D (geschieht, geschah, ist geschehen)

verschieben (auf A) (verschiebt, verschob, verschoben)

verschlingen (verschlingt, verschlang, verschlungen)

verschwinden (verschwindet, verschwand, ist verschwunden)

besprechen	entkommen	vergehen	s. verhalten	vorausgehen D	vortragen
		lesen über A	wissen über A		

Adjectives and Adverbs

angsterfüllt	gefüllt	still	unvergesslich	angeblich	endlich
ängstlich	lila	taub	verdächtig	aufmerksam	offensichtlich
enttäuscht	musikalisch	tot	wundervoll	beisammen	vorbildlich
erschöpft	schrecklich	unmenschlich		bereit	zufällig
gebildet					

Other Words and Expressions

ausserhalb	Ich bin gerade dabei.	innerhalb	vor allem
bis auf	Ich bin bereit.	Moment mal!	zu Tode
Entschuldigung!	Ich habe den Plan dabei.	obwohl	
Es war ihm bekannt.	Ich kann nichts dafür.	überhaupt nichts	

Buntes Allerlei

❶ MUSIKALISCHER AUFTAKT
Das Krone-Orchester unter Otto Kolmsee

❷ KRONE BEGRÜSST SIE
Patricia Stutz heißt Sie im Namen der
Familie Sembach-Krone willkommen

❸ JEAN LEMOINE UND PARTNER
Eine rasante Revue tanzender Teller

❹ DIE GRIGORESCUS
Rumäniens beste Clowns starten einen Angriff auf die
Lachmuskeln

❺ THE FLYING OSCAS
Eine artistische Weltattraktion am Fliegenden Trapez
unter der Circus-Kuppel

PAUSE

❻ ROSALIE DE PORTIER
Eine anmutige junge Frau unter gefährlichen
Berber-Löwen

❼ LES ARATA
Weltklasse-Artistik auf dem Drahtseil

❽ WALGARDI-BROTHERS
Unerreichte Präzision auf dem Schleuderbrett

❾ CHICKY & CO.
Schweizer Clowns von internationalem Format mit einem
neuen großen Clown-Entree

❿ DAS GROSSE FINALE
Alle Mitwirkenden verabschieden sich von Ihnen und
danken für Ihren Applaus

BASIC MATERIAL I

Ein Telefongespräch

FRÄULEIN	Reisebüro Hauck. Guten Morgen!
KUNDE	Verbinden Sie mich bitte mit Herrn Dörfler!
FRÄULEIN	Einen Moment, bitte!

DÖRFLER	Dörfler.
DR. WIRTZ	Herr Dörfler! Hier Dr. Wirtz.
DÖRFLER	Guten Morgen, Herr Doktor!
DR. WIRTZ	Ich habe gestern abend leider nicht vorbeikommen können, und das war Ihr Glück!
DÖRFLER	Aber Herr Doktor! Ich habe Sie gewarnt. In der Hochsaison ist an der Nordsee alles belegt. Sie haben's mir nicht glauben wollen.
DR. WIRTZ	Was soll ich bloss tun? Meinen Urlaub kann ich nicht verschieben. –Können Sie mir etwas anderes vorschlagen?
DÖRFLER	Eine Gesellschaftsreise ans Schwarze Meer, oder . . .
DR. WIRTZ	Nach Rumänien kann ich nicht. Ich habe vor zwei Jahren fahren wollen, aber ich habe kein Visum bekommen können.
DÖRFLER	Fliegen Sie an die Riviera, oder machen Sie doch mal eine Reise nach Österreich—ins Zillertal[1] vielleicht.
DR. WIRTZ	Hm, wie lange? Und wie teuer?
DÖRFLER	Zwei Wochen. Ab 1800 Schillinge[2] pro Person, Vollpension—sehr preiswert.
DR. WIRTZ	Ich hab' dieses Jahr eigentlich weiter weg fahren wollen. –Nun ja, versuchen Sie's doch, ob Sie mir und meiner Frau noch ein Zimmer besorgen können. Rufen Sie mich an, sobald Sie Bescheid haben!
DÖRFLER	Schön. Ich rufe Sie zurück. Bis nachher, Herr Doktor!

---

[1] **Das Zillertal** is a picturesque valley along the Ziller, a small river that flows into the Inn River. The main industry is tourism. Mayrhofen, the largest village in this area, is at the foot of the towering Zillertaler Alpen.

[2] **Der Schilling** is the name of the Austrian monetary unit. Today there are approximately 24 **Schillinge** to one U.S. dollar.

◄ *Friedliches Tal in den österreichischen Alpen*

Supplement

Wo möchten Sie Ihren Urlaub verbringen? Ich möchte ins Ausland fahren.

Haben Sie einen Ausweis? Ja, ich habe einen Pass.

A Phone Conversation

OPERATOR	Hauck Travel Agency. Good morning.
CUSTOMER	May I speak with (connect me with) Mr. Dörfler, please.
OPERATOR	Just a moment, please.

DÖRFLER	Dörfler.
DR. WIRTZ	Mr. Dörfler. This is Dr. Wirtz.
DÖRFLER	Good morning, Doctor.
DR. WIRTZ	I'm sorry that I couldn't come by last night. You were lucky!
DÖRFLER	But Doctor! I warned you. During the high season everything is occupied at the North Sea. You didn't want to believe me.
DR. WIRTZ	What am I supposed to do now? I can't postpone my vacation. –Can you suggest something else?
DÖRFLER	A group trip to the Black Sea or . . .
DR. WIRTZ	I can't go to Rumania. I wanted to go two years ago but I couldn't get a visa.
DÖRFLER	Why don't you fly to the Riviera, or take a trip to Austria— perhaps to the Zillertal.
DR. WIRTZ	Hm, how long? And how much?
DÖRFLER	Two weeks. Starting at (from) 1800 shillings per person, room and board—very reasonable.
DR. WIRTZ	Actually, I wanted to go further away this year. –Oh well, why don't you see (try) if you can still get a room for me and my wife. Call me as soon as you have an answer.
DÖRFLER	All right. I'll call you back. Until later, Doctor.

Supplement

Where would you like to spend your vacation? I would like to go abroad (to another country).

Do you have an identification card? Yes, I have a passport.

Vocabulary Exercises

1. QUESTIONS ON BASIC MATERIAL

1. Mit wem spricht Dr. Wirtz zuerst?
2. Was soll das Fräulein für ihn tun?
3. Was war Herrn Dörflers Glück?
4. Wo wollte Dr. Wirtz seinen Urlaub verbringen?
5. Was wollte er aber nicht glauben?
6. Was für eine andere Reise schlägt Herr Dörfler zuerst vor?
7. Warum kann Dr. Wirtz nicht nach Rumänien fahren?
8. Für was für eine Reise entscheidet er sich?
9. Wie lange dauert die Reise, und wie teuer ist sie?
10. Was soll Herr Dörfler versuchen?
11. Wann soll Herr Dörfler Dr. Wirtz zurückrufen?

2. FREE RESPONSE

1. Wohin gehen Sie, wenn Sie eine Reise machen wollen?
2. Was kann Ihnen der Angestellte eines Reisebüros vorschlagen?
3. Wohin möchten Sie gern einmal reisen?
4. Wann ist es schwer, einen Schiffsplatz oder einen Platz im Flugzeug zu bekommen?
5. Was brauchen Sie, wenn Sie ins Ausland fahren?
6. Waren Sie schon einmal im Ausland? Wo?

Noun Exercises

3. der, die, das

1. Er ruft einen alten Kunden[3] an.	1. Wann ruft ____ Kunde zurück? *der*
2. Wir haben eine lange Saison.	2. Wann beginnt ____ Hochsaison? *die*
3. Ich kann den Urlaub nicht verschieben.	3. ____ Urlaub ist die schönste Zeit. *der*
4. Wir hatten eine nette Gesellschaft.	4. Hier verliess uns ____ Gesellschaft. *die*
5. Fahren Sie ans Schwarze Meer?	5. ____ Meer ist heute sehr still. *das*
6. Sie brauchen ein neues Visum.	6. Wo bekomme ich ____ Visum? *das*
7. Er hat nur noch einen Schilling.	7. ____ Schilling ist österreichisches Geld. *der*
8. Ich habe noch keinen Bescheid.	8. ____ Bescheid kommt erst morgen. *der*
9. Wir fahren ins Ausland.	9. Gefällt Ihnen ____ Ausland? *das*
10. Haben Sie einen Ausweis?	10. ____ Ausweis ist weg. *der*
11. Brauchen wir einen Pass?	11. ____ Pass gehört mir. *der*

---

[3] Note that **Kunde** has an **-n** in all cases except the nominative singular.

4. SINGULAR → PLURAL

1. Wie heisst das Meer?	1. Wie heissen die Meere?
2. Das Visum bekommen Sie morgen.	2. Die Visa bekommen Sie morgen.
3. Der Schilling ist in seiner Tasche.	3. Die Schillinge sind in seiner Tasche.
4. Der Bescheid liegt auf dem Tisch.	4. Die Bescheide liegen auf dem Tisch.
5. Der Ausweis genügt.	5. Die Ausweise genügen.
6. Der Pass ist verschwunden.	6. Die Pässe sind verschwunden.

VARIATION

1. Wie heissen die Meere?   *1. Wie heisst das Meer?*

Verb Exercises

5. CUED RESPONSE

1. Mit wem können Sie mich **verbinden?** (Herr Dörfler)

Ich kann Sie mit Herrn Dörfler **verbinden.**

Wer **verband** Sie mit ihm? (Fräulein)

Das Fräulein **verband** mich mit ihm.

Mit wem haben Sie mich **verbunden?** (Reisebüro)

Ich habe Sie mit dem Reisebüro **verbunden.**

2. Was können Sie mir **vorschlagen?** (eine Gesellschaftsreise)

Ich kann Ihnen eine Gesellschaftsreise **vorschlagen.**

Wem **schlägt** er die Reise **vor?** (Familie)

Er **schlägt** der Familie die Reise **vor.**

Wer **schlug** Ihnen die Reise **vor?** (der Angestellte)

Der Angestellte **schlug** mir die Reise **vor.**

Was hat er Ihnen **vorgeschlagen?** (eine Reise nach Österreich)

Er hat mir eine Reise nach Österreich **vorgeschlagen.**

Grammar

The Perfect Forms of Modals and of
helfen, hören, lassen, sehen

PRESENTATION

Ich **kann** nicht **vorbeikommen.**
Ich **habe** gestern nicht **vorbeikommen können.**

What time is expressed in the first sentence? In the second? How can you tell?—How many verb forms are used in the second sentence? Which one is the auxiliary verb? Which one seems to be the past participle?

Er **will** nicht so viel **ausgeben.**
Er **hat** nicht so viel **ausgeben wollen.**

Name the infinitive in the first sentence. Name the same infinitive in the second sentence. Name the past participle in the second sentence. What other form of **wollen** does this past participle look like?   *DRILLS 6.1–6.2*

Ich **sehe** Herrn Dörfler ins Büro **gehen.**
Ich **habe** Herrn Dörfler ins Büro **gehen sehen.**

Name the corresponding infinitives in each of the sentences above. Name the past participle in the second sentence. What other form of **sehen** is this past participle identical with? In what position is the inflected verb form? The past participle?   *DRILLS 6.3, 7.1–7.2, 8*

Er **hat** kein Visum **bekommen können.**
Ich habe gehört, dass er kein Visum <u>**hat**</u> **bekommen können.**

Name the past participle in the first sentence. Name the dependent infinitive. –Name the past participle in the **dass**-clause. Name the dependent infinitive. In what position is the past participle? What precedes it? What precedes both the past participle and the infinitive?
DRILLS 9–10

GENERALIZATION

1. The modal verbs and the verbs **helfen, hören, lassen, sehen** have a past participle which is identical with the infinitive of these verbs.

Infinitive	Past Participle	Infinitive	Past Participle*
dürfen	dürfen	helfen	helfen
können	können	hören	hören
mögen	mögen	lassen	lassen
müssen	müssen	sehen	sehen
sollen	sollen		*besides geholfen,
wollen	wollen		gehört, gelassen, gesehen

2. In the perfect tense, this form of the past participle must be used whenever there is an infinitive in the sentence. A verb sequence such as **bekommen können** or **gehen sehen** is often called a double infinitive.

Er **hat** kein Visum **bekommen können.**
Ich **habe** ihn ins Büro **gehen sehen.**

3. The auxiliary verb is always **haben.** It is used in verb-second position, as shown in these sentences. However, when the double infinitive is used in a dependent clause, such as a **dass**-clause, the auxiliary is not in verb-last position as one might expect, but precedes the double infinitive.

> Ich habe gehört, **dass er kein Visum hat bekommen können.**

4. In speaking, the narrative past tense of these verbs is generally used instead of the conversational past, especially in dependent clauses, to avoid the accumulation of so many verbs at the end.

> Ich habe gehört, **dass sie kein Visum haben bekommen können.**
> Ich habe gehört, **dass sie kein Visum bekommen konnten.**

STRUCTURE DRILLS

6. NARRATIVE PAST → CONVERSATIONAL PAST

1. Dr. Wirtz wollte Herrn Dörfler anrufen. ⊗
   Dr. Wirtz hat Herrn Dörfler anrufen wollen.

   Das Fräulein konnte ihn nicht verbinden.
   Das Fräulein hat ihn nicht verbinden können.

   Er musste deshalb zurückrufen.
   Er hat deshalb zurückrufen müssen.

   Dr. Wirtz konnte gestern nicht vorbeikommen.
   Dr. Wirtz hat gestern nicht vorbeikommen können.

   Er wollte es Herrn Dörfler nicht glauben.
   Er hat es Herrn Dörfler nicht glauben wollen.

   Herr Dörfler konnte ein Zimmer besorgen.
   Herr Dörfler hat ein Zimmer besorgen können.

2. Die Reise konnte nicht stattfinden. ⊗
   Die Reise hat nicht stattfinden können.

   Die Leute konnten kein Visum bekommen.
   Die Leute haben kein Visum bekommen können.

   Sie mussten deshalb ihren Urlaub verschieben.
   Sie haben deshalb ihren Urlaub verschieben müssen.

   Sie mochten aber nicht an die Riviera fliegen.
   Sie haben aber nicht an die Riviera fliegen mögen.

   Sie konnten nicht so viel Geld ausgeben.
   Sie haben nicht so viel Geld ausgeben können.

   Sie wollten lieber das Zillertal sehen.
   Sie haben lieber das Zillertal sehen wollen.

3. Ich sah Herrn Dörfler ins Büro gehen.
   Ich habe Herrn Dörfler ins Büro gehen sehen.

   Ich hörte ihn mit einem Kunden reden.
   Ich habe ihn mit einem Kunden reden hören.

   Er half mir eine Reise planen.
   Er hat mir eine Reise planen helfen.

   Er liess mich vorher meine Frau anrufen.
   Er hat mich vorher meine Frau anrufen lassen.

7. PATTERNED RESPONSE

1. Wollten Sie nicht ans Schwarze Meer reisen? ⊗

   Ja, ich habe ans Schwarze Meer reisen wollen.

   Konnten Sie ein Visum bekommen?

   Ja, ich habe ein Visum bekommen können.

   Liessen Sie die beiden an die Riviera reisen?

   Ja, ich habe die beiden an die Riviera reisen lassen.

   Mussten Sie mit dem Zug fahren?

   Ja, ich habe mit dem Zug fahren müssen.

   Durften Sie den Urlaub verschieben?

   Ja, ich habe meinen Urlaub verschieben dürfen.

2. Willst du heute wegreisen? ⊗

   Ich habe schon gestern wegreisen wollen.

   Darfst du heute fahren?

   Ich habe schon gestern wegfahren dürfen.

   Musst du heute vorbeigehen?

   Ich habe schon gestern vorbeigehen müssen.

   Kannst du ihn heute anrufen?

   Ich habe ihn schon gestern anrufen können.

   Sollst du ihn heute abholen?

   Ich habe ihn schon gestern abholen sollen.

   EXERCISE BOOK: EXERCISE 1

8. PRESENT → NARRATIVE PAST → CONVERSATIONAL PAST

Ich kann leider nicht vorbeikommen.

1st Student Er konnte leider nicht vorbeikommen.
2nd Student Er hat leider nicht vorbeikommen können.

Ich kann Herrn Dörfler nicht glauben.

Er konnte Herrn Dörfler nicht glauben.
Er hat Herrn Dörfler nicht glauben können.

Ich sehe ihn ins Büro gehen.

Er sah ihn ins Büro gehen.
Er hat ihn ins Büro gehen sehen.

Ich darf nicht nach Rumänien fahren.

Er durfte nicht nach Rumänien fahren.
Er hat nicht nach Rumänien fahren dürfen.

Ich soll nicht so viel ausgeben.

Er sollte nicht so viel Geld ausgeben.
Er hat nicht so viel Geld ausgeben sollen.

Ich mag diesen Sommer nicht verreisen.

Er mochte diesen Sommer nicht verreisen.
Er hat diesen Sommer nicht verreisen mögen.

9. STATEMENT → dass-CLAUSE

Er hat keinen Platz bekommen können. ⊗

Er sagt, dass er keinen Platz hat bekommen können.

Er hat an die Nordsee fahren wollen.

Er sagt, dass er an die Nordsee hat fahren wollen.

Er hat das Meer sehen mögen.

Er sagt, dass er das Meer hat sehen mögen.

Er hat seine Familie kommen lassen.

Er sagt, dass er seine Familie hat kommen lassen.

Er hat seine Reise selber planen dürfen.

Er sagt, dass er seine Reise selber hat planen dürfen.

Er hat den Urlaub verschieben müssen.

Er sagt, dass er seinen Urlaub hat verschieben müssen.

10. FREE RESPONSE

Wann haben Sie dieses Jahr Ferien machen können?
Wo haben Sie hinfahren wollen?
Mit wem haben Sie Ihre Reise planen können?
Was hat Ihnen der Angestellte im Reisebüro empfehlen können?
Wieviel Geld haben Sie für Ihre Reise ausgeben müssen?
Wielange haben Sie auf Ihr Visum warten müssen?

1. Er hat zuerst in ein Reisebüro gehen müssen.
2. Er hat dort seine Reise planen wollen.

Writing

3. Herr Dörfler hat ihm eine Reise an die Riviera empfehlen mögen.
4. Herr Wirtz hat aber nicht so viel Geld ausgeben wollen.

1. SENTENCE RE-WRITE

5. Herr Dörfler hat ihm eine Reise nach Österreich besorgen können.

Rewrite each of the following sentences in the conversational past.

> BEISPIEL   Dr. Wirtz will eine Reise machen.
> Dr. Wirtz hat eine Reise machen wollen.

1. Er muss zuerst in ein Reisebüro gehen.
2. Er will dort seine Reise planen.
3. Herr Dörfler möchte ihm eine Reise an die Riviera empfehlen.
4. Herr Wirtz will aber nicht so viel Geld ausgeben.
5. Herr Dörfler kann ihm eine Reise nach Österreich besorgen.

2. SENTENCE COMBINATION

Combine each pair of sentences, using the conjunction given in parentheses.

> BEISPIEL   Dr. Wirtz geht ins Reisebüro. (weil) Er hat eine Reise machen wollen.
> Dr. Wirtz geht ins Reisebüro, weil er eine Reise hat machen wollen.

1. Es tut ihm leid. (dass)   Er hat gestern nicht vorbeikommen können.
2. Er spricht mit Herrn Dörfler. (denn)   Er hat ihm etwas anderes besorgen müssen.
3. Er kann nicht nach Rumänien. (weil)   Er hat letztes Jahr kein Visum bekommen können.
4. Es tut ihm leid. (dass)   Seine Frau hat nicht an die Riviera fliegen mögen.
5. Er fährt jetzt ins Zillertal. (obwohl)   Er hat eigentlich an die Nordsee fahren wollen.

1. Es tut ihm leid, dass er gestern nicht hat vorbeikommen können.
2. Er spricht mit Herrn Dörfler, denn er hat ihm etwas anderes besorgen müssen.
3. Er kann nicht nach Rumänien, weil er letztes Jahr kein Visum hat bekommen können.

BASIC MATERIAL II

SECTION B ⊗

Basic Material II and Supplement
Listening Comprehension: Exercise 65
Structure Drills 15.1–15.3; 16

Geduld muss man haben!

FRAU MOSER	Fred, fahr nicht so langsam! Siehst du nicht: Mindestgeschwindigkeit 60 km!
HERR MOSER	Du Witzbold! Willst du raus?
FRAU MOSER	Heute kommst du schneller zu Fuss voran. –Wenn das so weitergeht, brauchen wir zwei Tage bis zum Brenner[4]. –Warum bist du hier nicht rausgefahren?
HERR MOSER	Hab' ich nicht gekonnt. Das war eine Einfahrt. Aber an der nächsten Ausfahrt fahr' ich von der Autobahn runter.
FRAU MOSER	Woran es nur liegt, dass die Autobahn sogar in der Woche verstopft ist?
HERR MOSER	Jeder will dorthin, wohin wir auch wollen: in den sonnigen Süden.

---

[4] The **Brenner** is a pass on the main route between Austria and Italy. During vacation time and on weekends this route is always congested.

4. Es tut ihm leid, dass seine Frau nicht an die Riviera hat fliegen mögen.
5. Er fährt jetzt ins Zillertal, obwohl er eigentlich an die Nordsee hat fahren wollen.

Supplement

Was ist die Höchstgeschwindigkeit?

> 120 km pro Stunde.
> Es gibt hier keine Geschwindigkeits-
> begrenzung[5].

Auf welcher Strasse will er fahren?

> Auf einer Landstrasse.
> Auf einer Hauptstrasse.
> Auf einer Nebenstrasse.

In welche Richtung fahren sie?

> Nach Osten? Norden? Westen?

Warum ist alles verstopft?

> Wir kommen an die Grenze.

Was bedeutet das gelbe Schild?

> Keine Ahnung.

You Have to Have Patience!

MRS. MOSER Fred, don't drive so slowly. Don't you see: minimum speed 60 km!

MR. MOSER You joker. Want to get out?

MRS. MOSER You can move ahead faster by walking today. –If it keeps up like this it'll take two days to get to the Brenner. –Why didn't you get off here?

MR. MOSER I couldn't. That was an entrance. But I'll get off the Autobahn at the next exit.

MRS. MOSER How come the Autobahn is so congested even during the week?

MR. MOSER Everybody wants to go where we're going: to the sunny south.

Supplement

What's the maximum speed?

> 120 km per hour.
> There is no speed limit here.

What road does he want to take?

> A highway.
> A main street.
> A side street.

Which direction are they going in?

> East? North? West?

Why is everything congested?

> We're coming to the border.

What does the yellow sign mean?

> (I have) no idea.

---

[5] There is no speed limit on the **Autobahn,** although an introduction of a speed limit has been considered due to the high rate of traffic accidents.

Vocabulary Exercises

11. QUESTIONS ON BASIC MATERIAL

1. Was sagt Frau Moser zu ihrem Mann?
2. Meint sie das, oder macht sie nur Spass?
3. Was nennt Herr Moser seine Frau?
4. Wohin wollen die Mosers fahren?
5. Warum geht der Verkehr nicht schnell voran?
6. Wann will Herr Moser von der Autobahn runterfahren?

12. FREE RESPONSE

1. Fahren Sie auf einer Autobahn zur Schule?
2. Wohnen Sie an einer Hauptstrasse oder an einer Nebenstrasse?
3. Was ist die Höchstgeschwindigkeit dort?
4. In welche Richtung geht die Strasse?
5. Ist die Strasse immer leer, oder ist sie manchmal verstopft?

Noun Exercises

13. der, die, das

1. Herr Moser hat keine Geduld.
2. Fred ist ein grosser Witzbold.
3. Das hier ist keine Einfahrt.
4. Er fährt an der nächsten Ausfahrt raus.
5. Fährst du von der Autobahn runter?
6. Wir fahren in den sonnigen Süden[6].
7. Was bedeutet ein gelbes Schild?

1. Verlieren Sie nicht ＿＿ Geduld!   *die*
2. ＿＿ Witzbold macht immer Spass.   *der*
3. ＿＿ Einfahrt ist dort drüben.   *die*
4. ＿＿ Ausfahrt kommt gleich.   *die*
5. ＿＿ Autobahn ist oft gefährlich.   *die*
6. ＿＿ sonnige Süden ist herrlich.   *der*
7. Weisst du, was ＿＿ Schild bedeutet?   *das*

14. SINGULAR → PLURAL

1. Der Witzbold ist manchmal töricht.
2. Die Einfahrt ist viel zu kurz.
3. Diese Ausfahrt ist neu.
4. Die Autobahn ist verstopft.
5. Ich kann das Schild nicht lesen.

1. Die Witzbolde sind manchmal töricht.
2. Die Einfahrten sind viel zu kurz.
3. Diese Ausfahrten sind neu.
4. Die Autobahnen sind verstopft.
5. Ich kann die Schilder nicht lesen.

VARIATION

1. **Die Witzbolde sind manchmal töricht.**

1. *Der Witzbold ist manchmal töricht.*

---

[6] In German the directions, **Norden, Süden, Osten, Westen,** are always masculine.

Grammar

The Two Past Participles of Modals

PRESENTATION

> Herr Moser **hat** in den Süden **fahren wollen.**
> Herr Moser **hat** in den Süden **gewollt.**

What is the meaning of either sentence? What tense is each sentence in? –Name the past participle in the first sentence and in the second sentence.

> Er **hat** nicht von der Autobahn **runterfahren können.**
> Er **hat** nicht von der Autobahn **runtergekonnt.**

Are these two sentences similar in meaning? Does the second sentence contain an infinitive? What infinitive seems to be implied? Is the meaning of the second sentence clear even without the infinitive expressed? *DRILLS 15–17*

GENERALIZATION

1. The modals have two past participles.

Infinitive	*Past Participles*	
dürfen	dürfen	gedurft
können	können	gekonnt
mögen	mögen	gemocht
müssen	müssen	gemusst
sollen	sollen	gesollt
wollen	wollen	gewollt

2. The form of the past participle which is the same as the infinitive must be used when there is another infinitive in the sentence.

> Herr Moser **hat** in den Süden **fahren wollen.**

3. The **ge**-form of the past participle must be used whenever an infinitive is clearly implied but not expressed. In most cases the understood infinitive is a verb of motion or the verb **tun**: Er **hat** nicht **runtergedurft.** (runterfahren dürfen)   Er **hat** das nicht **gekonnt.** (tun dürfen)

STRUCTURE DRILLS

15. OMISSION OF THE INFINITIVE

1. Dr. Wirtz hat nicht nach Rumänien fahren können. ⊗

   Dr. Wirtz hat nicht nach Rumänien gekonnt.

   Er hat nach Österreich reisen sollen.

   Er hat nach Österreich gesollt.

   Er hat Herrn Dörfler nie leiden mögen.

   Er hat Herrn Dörfler nie gemocht.

   Herr Dörfler hat nichts dafür tun können.

   Herr Dörfler hat nichts dafür gekonnt.

   Er hat um 5 Uhr aus dem Büro gehen müssen.

   Er hat um 5 Uhr aus dem Büro gemusst.

   Er hat es eigentlich nicht tun wollen.

   Er hat es eigentlich nicht gewollt.

2. Die Mosers haben von der Autobahn runterfahren wollen. ⊗

   Die Mosers haben von der Autobahn runtergewollt.

   Sie haben an der Ausfahrt nicht rausfahren können.

   Sie haben an der Ausfahrt nicht rausgekonnt.

   Sie haben dann auf der Landstrasse weiterfahren wollen.

   Sie haben dann auf der Landstrasse weitergewollt.

   Aber auch hier haben sie nicht weiterfahren dürfen.

   Aber auch hier haben sie nicht weitergedurft.

   Sie haben auf einer engen Nebenstrasse weiterreisen müssen.

   Sie haben auf einer engen Nebenstrasse weitergemusst.

3. Hast du nach Italien fahren dürfen? ⊗

   Hast du nach Italien gedurft?

   Haben Sie an die Riviera reisen wollen?

   Haben Sie an die Riviera gewollt?

   Hat er kein Französisch sprechen können?

   Hat er kein Französisch gekonnt?

   Haben sie die Berge nie leiden mögen?

   Haben sie die Berge nie gemocht?

   Habt ihr gleich wieder nach Hause reisen sollen?

   Habt ihr gleich wieder nach Hause gesollt?

   Hast du zuerst nach Bayern fahren müssen?

   Hast du zuerst nach Bayern gemusst?

VARIATION: Use right-hand column as a cue and have students supply as many appropriate infinitives as possible.

16. ADDITION OF INFINITIVE

Ich habe dieses Land nie gemocht. (leiden) ⊗

Ich habe dieses Land nie leiden mögen.

Ich habe nicht ans Schwarze Meer gedurft. (reisen)

Ich habe nicht ans Schwarze Meer reisen dürfen.

Ich habe ins Zillertal gewollt. (fahren)   Ich habe ins Zillertal fahren wollen.

Ich habe schnell dorthin gemusst. (lau-   Ich habe schnell dorthin laufen müssen.
fen)

Ich habe es aber nicht gekonnt. (tun)   Ich habe es aber nicht tun können.

17. FREE SUBSTITUTION

Dr. Wirtz hat <u>nach Österreich</u> <u>gewollt</u>.   *ins Zillertal, an die Riviera, ans Schwarze Meer /*
müssen, können, dürfen

Writing

EXERCISE BOOK: EXERCISE 3

SENTENCE REWRITE

Rewrite each of the following sentences in the conversational past, omitting the dependent infinitives.

> BEISPIEL   Ich habe nicht nach Rumänien fahren können.
>
> Ich habe nicht nach Rumänien gekonnt.

1. Dr. Wirtz hat beim Reisebüro vorbeigehen wollen.
2. Er hat mit seiner Frau nach Italien fahren sollen.
3. Die beiden haben sofort wegreisen müssen.
4. Die Mosers haben von der Autobahn nicht runterfahren dürfen.
5. Ich hab' nicht runtergehen mögen.

1. Dr. Wirtz hat beim Reisebüro vorbeigewollt.
2. Er hat mit seiner Frau nach Italien gesollt.
3. Die beiden haben sofort weggemusst.
4. Die Mosers haben von der Autobahn nicht runtergedurft.
5. Ich hab' nicht runtergemocht.

READING

SECTION C ⊗

Listening Comprehension: Exercises 66, 67, 68
Structure Drills 22.1–22.2; 23

Ferienpläne

Vater hat sich das gar nicht mehr anhören wollen. „Schon am Neujahr muß man sich gefallen lassen°, daß sich die Kinder streiten, wohin man im Sommer in die Ferien geht! Das hat man früher nicht gedurft", fügte er mit gespieltem Zorn hinzu.

5 „Wir haben dich nicht ärgern° wollen", rief meine kleine Schwester, die siebenjährige Elisabeth, die halbe Tage vor einem Ameisenhaufen sitzen kann und dort die Ameisen mit Brotkrümeln füttert. Wie immer, sie hat nicht begriffen°, daß Vater nur Spaß machte°.

s. gefallen lassen: *to put up with*

ärgern: *to annoy*

begreifen: *to comprehend*
Spaß machen: *to joke*

10 „Eigentlich habe ich dieses Jahr in die Berge fahren wollen", sagte meine Mutter, während sie und meine ältere Schwester Vera das Geschirr wegräumten und in die Küche trugen. „Eigentlich hat Gerd heute helfen müssen", bemerkte meine Schwester. „An Samstagen ist er immer an der Reihe."

15 „Ich hab' ja gewollt", heuchelte° ich, „ich war gerade dabei zu sagen, daß ich nach Italien gehen möchte, und da habt ihr schon mit dem Abräumen begonnen."

heucheln: *to pretend*

„Das ist nicht wahr! Du versuchst, dich immer zu drücken°. Noch nie hast du freiwillig geholfen."

s. drücken: *to get out of doing something*

20 „Wollt ihr lieber streiten oder über die Ferien reden?" rief meine Mutter.

„Ich habe eben in der Zeitung gelesen, daß es im Sommer ganz billige Flüge nach Island° gibt", erzählte Vater.

Island: *Iceland*

„Also das ist mir zu kalt", sagte ich, „da friert man sich direkt
25 die Schnauze° zu."

die Schnauze: *mouth, snout*

„Das will ich nicht gehört haben", sagte Vater, „lernt ihr solche Ausdrücke° in der Schule?"

der Ausdruck, ¨e: *expression*

„Freilich°, wenn auch nicht gerade in der Lateinstunde."

freilich: *certainly, of course*

„Hast du schon so was Freches gesehen?" fragte Vera. „Ein
30 richtiger Flegel°. Und wenn man mich fragt: Ich möchte nach Südfrankreich."

der Flegel, –: *rude, nasty person*

„Auch Klein-Elisabeth darf sagen, wohin sie gehen will", sagte Vater.

„Ich mag überallhin°, wo es Eis gibt."

überallhin: *everywhere*

35 „Also doch nach Island?" neckte° Vater.

necken: *to tease*

„Oder gleich an den Nordpol", fügte ich hinzu.

Ascona—Berge, See und Palmen

„Hör auf, deine kleine Schwester zu ärgern!" sagte Mutter.
„Sie meint natürlich Eis, das man essen kann, Fruchteis oder so,
nicht wahr Elisabeth?"

40 „Vanilleeis", erklärte Elisabeth.

„Sylt[7] oder die Nordsee, das ist auch etwas", sagte Vater.
„Oder nach Schleswig-Holstein[8], Dänemark, oder mal nach Norwegen."

„Nein, in den Süden!"

45 „Die Deutschen zieht es immer in den Süden", bemerkte °die   **bemerken:** *to remark*
Mutter. „Das ist das Wetter."

„Vergiß nicht, daß es auch die Römer einst in den Norden
zog", dozierte Vater. „Vielleicht sind sie sogar auf derselben Stelle
gewesen, wo wir im Augenblick sitzen. Schließlich haben ja die
50 Römer Köln gegründet°."   **gründen:** *to found*

„Laß jetzt deine historischen Erklärungen", rief Vera. „Sag
lieber, warum du nicht nach Italien willst!"

„Das kann ich dir gleich sagen, nämlich wegen der endlosen
Autokolonnen°. Man kann ja ebensogut zu Fuß gehen."   **die Autokolonne, –n:**
                                                                   line of cars
55 „Du hast dir aber schön von uns helfen lassen", sagte Vera,
„ich weiß, was du im Grunde willst! Du willst sicher wieder im
Tessin[9] zelten gehen."

„Das habt ihr doch sonst immer gern gewollt." Vater spielte
den Erstaunten°.   **der Erstaunte:** *the*
                                                                   astonished person
60 „Auch du", sagte er zu Mutter, „hast mir sonst immer gehol-
fen, wenn ich das Tessin vorschlug."

„Die Campingplätze im Tessin haben wir nun doch wirklich
gesehen", rief Vera aus der Küche.

„Ehrlich gesagt, ich habe das Zelten nie gemocht", sagte Mut-
65 ter. „Für eine Hausfrau sind das keine richtigen Ferien."

„Aber hör mal", sagte Vater, „das ist doch wirklich neu!"

„Nicht so neu, wenn ich ehrlich sein will. Auch mag ich in
den Ferien nicht immer nur Landsleute antreffen, und dazu noch
dieselben wie im vergangenen Jahr."

70 „Aber Ascona[10] ist doch so schön", sagte Vater, „der See und
die Palmen——"

---

[7] **Sylt** is Germany's northernmost island in the North Sea and a popular vacation spot. It is connected to the
mainland by a dam seven miles long.

[8] **Schleswig-Holstein** is one of Germany's eleven states.

[9] **Das Tessin** is the southernmost canton of Switzerland. Tourism is one of the main industries in this Italian-speaking
canton, especially known for the spas, Lugano and Locarno.

[10] **Ascona**, like Locarno, is a city on the Lago Maggiore.

„Und die geldgierigen° Schweizer——" diese Bemerkung hat Vera nicht unterlassen° können.

„Ein Zelt kostet weniger Geld", gab Vater zur Antwort. „Und
75 Italienisch könnt ihr dort auch noch lernen."

„Wo?" fragte meine Schwester. „Auf demselben Zeltplatz?" Also wieder Ascona.

„Na ja, Vater hat es so gewollt, nun soll er es haben."

Ich kann mir nicht helfen, aber Eltern sind heutzutage° fürch-
80 terlich konservativ. Vielleicht liegt das an der Zeit. Ich bin fünfzehn und komme mir manchmal fast rückständig° vor. Und das hab' ich wirklich nie gewollt.

geldgierig: *money-hungry*
unterlassen: *to refrain from doing something*

heutzutage: *nowadays*

rückständig: *backward*

Dictionary Section

Ameisenhaufen   *Die Ameisen bauen einen Ameisenhaufen und wohnen darin.*

Brotkrümel   sehr kleine Stücke Brot: *Nach dem Frühstück liegen viele Brotkrümel auf dem Tisch.*

Das ist mir zu kalt. = *Das ist zu kalt für mich.*

dozieren   wie ein Professor sprechen: *Der Vater weiß viel und doziert gern.*

Flug   *Dieses Flugzeug macht einen Flug nach England.*

freilich   sicher; klar: *Freilich weiß ich das!*

Fruchteis   Eis, das einen Obstgeschmack hat, z.B. Erdbeereis.

fürchterlich   furchtbar: *Seine Eltern sind fürchterlich konservativ.*

hinzufügen   hinterher sagen oder schreiben: *Er schrieb den Brief fertig und fügte noch einen Gruß von seinen Eltern hinzu.*

im Grunde   wirklich: *Ich weiß, was du im Grunde willst.* = *Ich weiß, was du wirklich willst.*

Landsleute   Leute, die aus Ihrem Land kommen: *Wenn Sie Amerikaner sind, so sind andere Amerikaner Ihre Landsleute.*

siebenjährig   sieben Jahre alt: *Elisabeth ist ein siebenjähriges Kind.*

wegräumen   wegnehmen: *Nach dem Essen räumten sie das Geschirr weg.*

18. QUESTIONS

1. Was muss sich der Vater schon am Neujahr gefallen lassen?   *2*
2. Was sagt die kleine Elisabeth zu ihrem Vater?   *5*
3. Was macht Elisabeth manchmal?   *6*
4. Was hat sie aber nicht begriffen?   *8*
5. Wohin hat die Mutter dieses Jahr fahren wollen?   *10*
6. Was macht die Mutter zusammen mit ihrer Tochter Vera?   *12*
7. Was muss Gerd samstags gewöhnlich tun?   *13*
8. Was versucht er immer?   *18*
9. Wohin möchte Gerd diesen Sommer fahren?   *16*
10. Was hat der Vater in der Zeitung gelesen?   *23*
11. Warum will Gerd nicht nach Island fliegen?   *24*
12. Warum nennt Vera ihren Bruder einen Flegel?   *29*

13. Wohin möchte Vera? *31*
14. Und wohin will Klein-Elisabeth? *34*
15. Wie ärgert der Vater das kleine Mädchen? *35*
16. Was für andere Ferienplätze schlägt der Vater vor? *41*
17. Was zieht die Deutschen in den Süden? *46*
18. Wer ist aber einst in den Norden gezogen? *47*
19. Welche Stadt haben die Römer gegründet? *50*
20. Warum will der Vater nicht nach Italien fahren? *53*
21. Was will er im Grunde? *57*
22. Warum mag die Mutter das Zelten nicht? *65*
23. Was können die Kinder lernen, wenn sie ins Tessin fahren? *75*
24. Aus welchem Grund sagt Gerd, dass die Eltern konservativ sind?

Noun Exercises

19. der, die, das

1. Er zeigt seinen Zorn nicht.
2. Wir haben keinen Haufen Geld.
3. Sie gibt dem Vogel einen Brotkrümel.
4. Bekommen wir noch einen Flug?
5. Er lernt einen neuen Ausdruck.
6. Was für ein dummer Flegel!
7. Sie fahren an den Nordpol.

1. ____ Zorn war nur gespielt. *der*
2. Wo ist ____ Ameisenhaufen? *der*
3. ____ Brotkrümel fiel vom Tisch. *der*
4. ____ Flug war ruhig. *der*
5. ____ Ausdruck passt hier nicht. *der*
6. Was sagt ____ Flegel? *der*
7. ____ Nordpol ist kalt. *der*

20. SINGULAR → PLURAL

1. Der Ameisenhaufen ist bei der Garage.
2. Der Krümel liegt noch auf dem Stuhl.
3. Der Flug ist ganz billig.
4. Der Ausdruck gefällt mir nicht.
5. Der Flegel streitet sich wieder.
6. Der Pol ist mit Eis bedeckt.
   1. Die Ameisenhaufen sind bei der Garage.

1. Die Ameisenhaufen sind bei der Garage.
2. Die Krümel liegen noch auf dem Stuhl.
3. Die Flüge sind ganz billig.
4. Die Ausdrücke gefallen mir nicht.
5. Die Flegel streiten sich wieder.
6. Die Pole sind mit Eis bedeckt.

VARIATION
   1. *Der Ameisenhaufen ist bei der Garage.*

Verb Exercises

21. CUED RESPONSE

1. Was **begreift** Elisabeth nicht? (dass ihr Vater Spass macht)
   Was **begriff** Gerd sofort? (das der Vater ins Tessin wollte)

Elisabeth **begreift** nicht, dass ihr Vater Spass macht.
Gerd **begriff** sofort, dass der Vater ins Tessin wollte.

(continued)

(*continued*)

Was haben Sie nicht **begriffen?**
(worüber sich die Familie gestritten hat)

Ich habe nicht **begriffen,** worüber sich die Familie gestritten hat.

2. Was können Sie nicht **unterlassen?** (diese törichte Bemerkung)

Ich kann diese törichte Bemerkung nicht **unterlassen.**

Was **unterlässt** der Vater? (die Reise nach Island)

Der Vater **unterlässt** die Reise nach Island.

Was **unterliess** Gerd? (das Abräumen)

Gerd **unterliess** das Abräumen.

Was haben Sie **unterlassen?** (die Arbeit)

Ich habe die Arbeit **unterlassen.**

EXERCISE BOOK: EXERCISES 4 AND 5

RECOMBINATION EXERCISES

22. NARRATIVE PAST → CONVERSATIONAL PAST

1. Der Vater wollte nicht zuhören. ⊗
Die Kinder wollten ihn nicht ärgern.
Er liess es sich gern gefallen.
Die Mutter wollte eigentlich in die Berge fahren.
Gerd sollte in der Küche helfen.
Aber er wollte sich wieder drücken.

Der Vater hat nicht zuhören wollen.
Die Kinder haben ihn nicht ärgern wollen.
Er hat es sich gern gefallen lassen.
Die Mutter hat eigentlich in die Berge fahren wollen.
Gerd hat in der Küche helfen sollen.
Aber er hat sich wieder drücken wollen.

2. Vera wollte nach Frankreich fahren. ⊗
Sie wollte dort Französisch lernen.
Gerd musste eine freche Bemerkung machen.
Er konnte damit seine Schwester ärgern.
Vera durfte den Tisch abräumen.
Gerd wollte ihr nicht helfen.
Er mochte überhaupt nichts tun.

Vera hat nach Frankreich fahren wollen.
Sie hat dort Französisch lernen wollen.
Gerd hat eine freche Bemerkung machen müssen.

Er hat damit seine Schwester ärgern können.
Vera hat den Tisch abräumen dürfen.
Gerd hat ihr nicht helfen wollen.
Er hat überhaupt nichts tun mögen.

23. ADDITION OF THE INFINITIVE

Das hat man nicht gedurft. (tun) ⊗
Ich hab' ja gewollt. (helfen)
Sie hat nicht gekonnt. (verreisen)
Ich habe das Zelten nie gemocht. (leiden)
Gerd hat nach Italien gemusst. (fahren)

Das hat man nicht tun dürfen.
Ich hab' ja helfen wollen.
Sie hat nicht verreisen können.
Ich habe das Zelten nie leiden mögen.
Gerd hat nach Italien fahren müssen.

24. CUED RESPONSE

Was haben die Kinder nicht gewollt? (den Vater ärgern)

Die Kinder haben den Vater nicht ärgern wollen.

Wohin hat die Mutter dieses Jahr gewollt? (in die Berge fahren)

Die Mutter hat dieses Jahr in die Berge fahren wollen.

Was hat Gerd nicht gewollt? (das Geschirr abräumen)

Gerd hat das Geschirr nicht abräumen wollen.

Wohin hat Elisabeth nicht gedurft? (nach Island fliegen)

Elisabeth hat nicht nach Island fliegen dürfen.

Was hat Vera nicht gekonnt? (diese Bemerkung unterlassen)

Vera hat diese Bemerkung nicht unterlassen können.

EXERCISE BOOK: EXERCISE 6

```
SECTION D  ⊗
Listening Comprehension: Exercise 69
Structure Drills 25.1–25.2; 26.1–26.2
Additional Structure Drill
Listening Comprehension: Exercise 70
```

Dative Case Forms with Adjectives

There are many adjectives in set expressions which require the person concerned to be in the dative case. In such expressions the impersonal subject **es** (or **das**) is often used. **Mir ist kalt.** *I'm cold.* **Es (Das) ist meinem Vater zu teuer.** *That's too expensive for my father.*

25. SENTENCE TRANSFORMATION

1. Es ist zu kalt für mich. ⊗
   Es ist zu nah für ihn.
   Es ist zu ruhig für sie.
   Es ist zu klein für uns.
   Ist es zu teuer für dich?

   Mir ist es zu kalt.
   Ihm ist es zu nah.
   Ihr ist es zu ruhig.
   Uns ist es zu klein.
   Ist es dir zu teuer?

2. Mein Vater glaubt, es ist zu teuer. ⊗
   Meine Mutter glaubt, es ist zu dunkel.
   Meine Geschwister glauben, es ist zu langweilig.
   Sein Vetter glaubt, es ist zu schwer.
   Seine Kusine glaubt, es ist zu heiss.

   Es ist meinem Vater zu teuer.
   Es ist meiner Mutter zu dunkel.
   Es ist meinen Geschwistern zu langweilig.
   Es ist seinem Vetter zu schwer.
   Es ist seiner Kusine zu heiss.

The Demonstratives: derselbe, dieselbe, dasselbe

Derselbe, dieselbe, dasselbe (*the same*) are a combination of a definite article and an adjective. They are always written as one word. **Derselbe** changes its form according to gender, number, and case: <u>Derselbe</u> Kunde hat angerufen. Sie trafen <u>dieselben</u> Landsleute in Italien. Wir fahren <u>denselben</u> Wagen.

When a preposition contracts with a definite article, **selb-** may be used as a separate word: Wir fahren **am selben (an demselben)** Tag nach Ascona.

26. ARTICLE → DEMONSTRATIVE

1. Die Kinder streiten sich wieder. ⊗
   Ich habe es in der Zeitung gelesen.
   Die Römer waren auf der Stelle, wo wir
      sitzen.
   Wir fahren auf den Campingplatz.
   Ich bleibe lieber in der Gegend.

   Dieselben Kinder streiten sich wieder.
   Ich habe es in derselben Zeitung gelesen.
   Die Römer waren auf derselben Stelle, wo wir
      sitzen.
   Wir fahren auf denselben Campingplatz.
   Ich bleibe lieber in derselben Gegend.

2. Wir nehmen den Flug nach Island. ⊗
   Wir fliegen auch an dem Tag.
   Wir fahren auch zu der Zeit.
   In dem Monat kommt mein Vetter.
   Wir gehen auf die Universität.

   Wir nehmen denselben Flug nach Island.
   Wir fliegen auch am selben Tag.
   Wir fahren auch zur selben Zeit.
   Im selben Monat kommt mein Vater.
   Wir gehen auf dieselbe Universität.

Additional Structure Drill may be done at this point.

1. Warum ist es für Herrn Keller nicht so einfach, eine Reise zu planen?
2. Aus welchem Grund schlägt das Fräulein Norwegen vor?
3. Warum gefällt Herrn Keller dieser Vorschlag nicht?
4. Warum empfiehlt dann das Fräulein eine Reise ans Schwarze Meer?
5. Warum will Herr Keller nicht nach Russland?

Conversation Buildup

6. Was für eine Gegend empfiehlt das Fräulein dann?
7. Was gibt es alles im Tessin zu sehen?

FRÄULEIN	Womit kann ich Ihnen dienen?
HERR KELLER	Meine Frau und ich möchten gern eine Reise machen.
FRÄULEIN	Wo wollen Sie denn hinfahren?
HERR KELLER	Hm, das ist nicht so einfach. Wir können uns nicht entscheiden. Meine Frau liebt die Berge, kühles Wetter, und ich möchte lieber in den warmen Süden, ans Meer. Wenn möglich nach Italien. Ich kann ein bisschen Italienisch.
FRÄULEIN	Nun, haben Sie schon mal an Norwegen gedacht? Es ist nicht Italien, aber im Sommer ist es dort auch warm, und Sie finden dort Berge und das Meer.
HERR KELLER	Meine Frau hat Salzwasser nicht gern. Und, ehrlich gesagt, sind mir Palmen lieber.
FRÄULEIN	Wir haben preiswerte Gesellschaftsreisen ans Schwarze Meer, nach Russland. Dort finden Sie Palmen, Berge, das Meer. Etwas für beide.
HERR KELLER	Das ist mir zu weit. Ich will mit meinem eigenen Wagen fahren. Und für Russland brauchen wir Pässe und Visa, das ist viel zu kompliziert.
FRÄULEIN	Da fällt mir eben etwas ein. Sind Sie schon mal im Tessin gewesen?
HERR KELLER	Tessin? Wo ist denn das?

FRÄULEIN   In der Schweiz. Und dort spricht man Italienisch. Und dort gibt es Palmen für Sie, und Wasser—den Lago Maggiore—und Berge für Ihre Frau. Und ein herrliches mildes Klima. Im Hotel Moro in Ascona kann ich Ihnen ein sehr preiswertes Zimmer mit Frühstück besorgen, nur fünfunddreissig Franken[11].

REJOINDERS

Haben Sie die Berge lieber, oder fahren Sie lieber ans Meer?
Wann bekommen Sie denn Ihre Ferien?

Ich weiss nicht, wo ich in den Ferien hinfahren soll.

Rat mal, wo wir diesen Sommer hinfahren!

Ihr fahrt bestimmt wieder zum Zelten ins Tessin!

CONVERSATION STIMULUS

Keine Ahnung. Ins Ausland vielleicht?

Herr Clark, ein Deutschlehrer in Amerika, möchte seinen nächsten Urlaub gern in Deutschland verbringen. Vor seiner Reise geht er in New York in ein deutsches Reisebüro, um seine Reisepläne zu besprechen.

HERR CLARK   Ich fliege bald nach Europa und werde wohl die längste Zeit meines Urlaubs in Deutschland verbringen. Ich möchte aber auch andere Länder kennenlernen. Was können Sie mir empfehlen?

FRÄULEIN IM REISEBÜRO   *Was für andere Länder möchten Sie denn besuchen?* . . . .

HERR CLARK   *Die Schweiz und Österreich, wo man Deutsch spricht.*

EXERCISE BOOK: EXERCISES 7 AND 8

Writing

1. SENTENCE CONSTRUCTION

1. Er hat Herrn Dörfler sehen wollen.
2. Herr Dörfler hat eine Reise für ihn geplant.
3. Dr. Wirtz kann nicht an die Nordsee fahren.

Write an answer to each of the following questions. Base your answers on Basic Material I.

BEISPIEL   Was hat Dr. Wirtz gestern abend nicht tun können?
Dr. Wirtz hat gestern abend nicht vorbeikommen können.

Warum hat er nicht vorbeikommen können?
Er hat keine Zeit gehabt.

1. Wen hat er im Reisebüro sehen wollen?
2. Was hat Herr Dörfler für ihn geplant?
3. Wohin kann Dr. Wirtz nicht fahren?
4. Warum kann er nicht dorthin fahren?
5. Wohin hat er vor zwei Jahren fahren wollen?

6. Warum hat er nicht dorthin gekonnt?
7. Für welche Reise entscheidet sich Dr. Wirtz?
8. Was hat er dieses Jahr eigentlich gewollt?

4. In der Hochsaison ist dort alles belegt.
5. Vor zwei Jahren hat er nach Rumänien fahren wollen.

[11] **Der Franken** is the name of the Swiss monetary unit. Today there are approximately five **Franken** to one U.S. dollar.

6. Er hat kein Visum bekommen können.
7. Dr. Wirtz entscheidet sich für eine Reise nach Österreich.
8. Er hat dieses Jahr eigentlich weiter weg fahren wollen.

2. SENTENCE REWRITE

Now rewrite your answers in narrative form, connecting every two sentences with an appropriate conjunction, such as denn, weil, aber, obwohl, etc.

Dr. Wirtz hat gestern abend nicht vorbeikommen können, weil er keine Zeit gehabt hat. *Er hat Herrn Dörfler sehen wollen, denn Herr Dörfler hat eine Reise für ihn geplant. Dr. Wirtz kann nicht an die Nordsee fahren, weil in der Hochsaison dort alles belegt ist. Vor zwei Jahren hat er nach Rumänien fahren wollen, aber er hat kein Visum bekommen können. Dr. Wirtz entscheidet sich für eine Reise nach Österreich, obwohl er dieses Jahr eigentlich hat weiter weg fahren wollen.*

REFERENCE LIST

Nouns

die Ahnung, –en	die Erklärung, –en	die Landsleute *pl*	die Richtung, –en
der Ameisenhaufen, –	der Flegel, –	die Landstrasse, –n	der Römer, –
der Ausdruck, ̈-e	das Fruchteis	das Meer, –e	das Schild, –er
die Ausfahrt, –en	die Geduld	die Nebenstrasse, –n	der Schilling, –e
das Ausland	die Gesellschaft, –en	der Norden	der Süden
der Ausweis, –e	die Geschwindigkeit, –en	der Nordpol, –e	der Urlaub, –e
die Autobahn, –en	die Geschwindigkeits-	die Nordsee	das Visum, Visa
die Autokolonne, –n	begrenzung, –en	der Osten	die Vollpension
der Brotkrümel, –	die Grenze, –n	Österreich	der Westen
die Einfahrt, –en	die Hochsaison	der Pass, ̈-e	der Zorn

Weak Verbs

ärgern	bedeuten	dozieren	gründen	hinzufügen	versuchen	wegräumen
s. anhören	besorgen	s. drücken	heucheln	necken	warnen	zelten

Strong Verbs

begreifen (begreift, begriff, begriffen) verbinden (verbindet, verband, verbunden)
unterlassen (unterlässt, unterliess, vorschlagen (schlägt vor, schlug vor, vorge-
 unterlassen) schlagen)
 s. gefallen lassen weitergehen

Adjectives and Adverbs

belegt	geldgierig	preiswert	sonnig	ebensogut	heutzutage
endlos	historisch	rückständig	verstopft	freilich	überallhin
gelb	konservativ	siebenjährig		fürchterlich	

Other Words and Expressions

ab	Das ist mir zu kalt.	Na ja!	sobald	Woran liegt es?
Bescheid haben	im Grunde	pro Person	voran	zur Antwort geben
	von der Autobahn runterfahren			

Buntes Allerlei

für Ihre Ferien

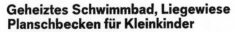

BASIC MATERIAL I

Drei Fallschirme

Man erzählt in Basel folgende Geschichte, die von vier Bankiers handelt, die dringend zu einer Sitzung nach Genf fliegen mussten. In einem kleinen Privatflugzeug sassen: ein Basler, ein Zürcher, ein Berner und ein Lausanner. Die vier hatten sich während des Flugs viel zu berichten. Doch da die Schweiz so klein ist, blieb wenig Zeit, um das Gespräch in Gang zu bringen. Als man endlich auf das schweizerische Bankgeheimnis[1] zu sprechen kam, begann einer der Flugzeug-motoren zu knattern und schliesslich auszusetzen. Die Herren begannen, vor Angst zu zittern. Leider stellte man auch fest, dass nur drei Fallschirme an Bord waren. Die Herren wählten sofort den Basler als Richter darüber, wer einen Fallschirm bekommen sollte.

DER ZÜRCHER   Ich flehe Sie an, Herr Sarasin, als Direktor der grössten Schweizer Bank bin ich für das schweizerische Bankwesen unentbehrlich.

DER BASLER   Vergessen Sie nicht, Herr Kollege, dass ich im Verwaltungsrat Ihrer Bank sitze. Aber bitte sehr. Hier ist der Fallschirm!

Der Zürcher schnallte sich den Fallschirm um und sprang aus dem Flugzeug, ohne sich weiter um das Schicksal der anderen zu kümmern.

DER BERNER   Als Offizier der schweizerischen Armee besteht wohl kein Zweifel darüber, dass ich den nächsten Fallschirm bekommen muss!

DER BASLER   Selbstverständlich, Herr Kollege! Ich kann es mit meinem Gewissen nicht vereinbaren, die Schlagkraft der Schweizer Armee zu schwächen. Bitte, hier ist der Fallschirm.

Von der sprichwörtlichen Berner Langsamkeit war nichts mehr zu erkennen. Schwupps, der Mann war verschwunden.

DER LAUSANNER   Was nun, cher Monsieur?

DER BASLER   Mein lieber Freund Jotterand, nun wollen wir den Absprung wagen.

DER LAUSANNER   Ich muss doch aber annehmen, dass uns nur noch ein Fallschirm geblieben ist.

DER BASLER   Aber nein, Monsieur Jotterand, aber nein. Unserm verehrten Zürcher Kollegen habe ich nämlich den Postsack gegeben.

---

[1] **Das Bankgeheimnis** refers to the absolute secrecy of Swiss banks regarding a client's account.

◄ *Blick auf Brunnen am Vierwaldstättersee*

Three Parachutes

In Basel they tell the following story about four bankers who urgently had to fly to a meeting in Geneva. In a small private plane were: a man from Basel, one from Zurich, one from Bern, and one from Lausanne. The four had much to tell one another during the flight. However, since Switzerland is so small, there was not much time to get the conversation going. When they finally got around to talking about the Swiss banking secret, one of the airplane motors began to sputter and finally died. The gentlemen began to tremble with fright. Unfortunately they also noticed that there were only three parachutes on board. The gentlemen immediately elected the man from Basel to decide (to be the judge of) who should receive a parachute.

THE MAN FROM ZURICH   I implore you, Mr. Sarasin, as the director of Switzerland's largest bank I am indispensable to the Swiss banking system.

THE MAN FROM BASEL   Don't forget, dear colleague, that I'm a member of your board of directors. But, here is the parachute.

The man from Zurich strapped on the parachute and jumped out of the plane without concerning himself further about the fate of the others.

THE MAN FROM BERN   As an officer of the Swiss army there shouldn't be any doubt about the fact that I must have the next parachute.

THE MAN FROM BASEL   Of course, dear colleague. I couldn't reconcile it with my conscience that I weakened the striking force of the Swiss army. Please, here is the parachute.

None of the proverbial Bern slowness could be noticed. Oops, the man had disappeared.

THE MAN FROM LAUSANNE   What now, dear Sir?

THE MAN FROM BASEL   My dear Jotterand, let us now dare the jump.

THE MAN FROM LAUSANNE   But I must assume that there is only one parachute left for us.

THE MAN FROM BASEL   But no, Monsieur Jotterand, no. I gave the mailbag to our dear (honored) friend from Zurich.

Vocabulary Exercises

1. QUESTIONS ON BASIC MATERIAL

1. Wovon handelt die Geschichte?
2. Warum war es schwer, das Gespräch in Gang zu bringen?
3. Worauf kamen die vier endlich zu sprechen?
4. Was passierte dann plötzlich?
5. Was stellten die Herren fest?
6. Wen wählten sie als Richter?
7. Was sollte er entscheiden?
8. Was für eine Stelle hat der Zürcher, und wofür ist er unentbehrlich?
9. Was soll der Zürcher nicht vergessen?
10. Was machte der Zürcher mit dem Fallschirm?
11. Was ist der Berner von Beruf?
12. Aus welchem Grund gibt der Basler ihm den Fallschirm?
13. Was war nicht mehr zu erkennen?
14. Was sagt dann der Basler zum Lausanner?
15. Was nimmt der Lausanner an?
16. Warum sind nun doch noch zwei Fallschirme an Bord?

Noun Exercises

2. der, die, das

1. Er schnallt sich den Fallschirm um.
2. Er arbeitet in der grössten Bank.
3. Das ist kein grosses Geheimnis.
4. Sie haben ein altes Bankwesen.
5. Ihn trifft ein schweres Schicksal.
6. Ich habe keinen Zweifel darüber.
7. Er hat ein schlechtes Gewissen.
8. Die Armee hat eine grosse Schlagkraft.
9. Wagen wir den Absprung!
10. Er gab ihm einen Postsack.

1. Wo liegt _____ Fallschirm? *der*
2. Wo ist _____ Bank? *die*
3. Ich kenne _____ Geheimnis. *das*
4. _____ Bankwesen ist konservativ. *das*
5. Ihm ist _____ Schicksal der andern egal. *das*
6. Es besteht nicht _____ kleinste Zweifel. *der*
7. _____ Gewissen lässt ihn nicht schlafen. *das*
8. _____ Schlagkraft ist zu schwach. *die*
9. _____ Absprung war nicht leicht. *der*
10. Wie schwer war _____ Postsack? *der*

3. SINGULAR → PLURAL

1. Der Fallschirm hat sich geöffnet.
2. Der Offizier muss mutig sein.
3. Die Bank ist in Zürich.
4. Er kümmert sich um das Geheimnis.
5. Der Postsack ist viel zu voll.
6. Der Direktor kommt aus Bern.

1. Die Fallschirme haben sich geöffnet.
2. Die Offiziere müssen mutig sein.
3. Die Banken sind in Zürich.
4. Er kümmert sich um die Geheimnisse.
5. Die Postsäcke sind viel zu voll.
6. Die Direktoren kommen aus Bern.

VARIATION

1. Die Fallschirme haben sich geöffnet.   1. Der Fallschirm hat sich geöffnet.

Grammar

Infinitive Constructions with zu: The Present Infinitive

PRESENTATION

1. Der Basler **möchte sprechen.**
2. Der Basler **versucht zu sprechen.**

3. Er **will fliegen.**
4. Er **hat vor zu fliegen.**

How do the infinitive constructions in sentences **1** and **3** differ from the infinitive constructions in sentences **2** and **4**? *DRILL 4.1*

5. Der Basler möchte jetzt sprechen.
6. Der Basler versucht, **jetzt <u>zu</u> sprechen.**

7. Er will nach Genf fliegen.
8. Er hat vor, **nach Genf <u>zu</u> fliegen.**

Compare sentences **1** and **2** with sentences **5** and **6.** What expression is added in **5** and **6?**
Compare sentences **3** and **4** with sentences **7** and **8.** What expression is added in **7** and **8?**
In the sentences with **versuchen** and **vorhaben,** how does the punctuation differ?

Die vier möchten **wegfliegen.**
Die vier wünschen **wegzufliegen.**

Sie können erst morgen **zurückkommen.**
Sie versprechen, erst morgen **zurückzukommen.**

What type of verb is **wegfahren** and **zurückkommen?** Where is **zu** used with this type of verb?
DRILLS 4.2, 5.1–5.2, 6.1–6.2, 7

Ich bitte Sie, **dass Sie mir den Fallschirm geben.**
Ich bitte Sie, **mir den Fallschirm zu geben.**

Name the **dass**-clause. Name the infinitive phrase. Do these two convey the same meaning?
DRILLS 8, 9

GENERALIZATION

The infinitive in German is used with and without **zu,** just as the infinitive in English is used with and without *to.* In English we say *I can go, I must go,* but *I want to go, I'm trying to sleep.* In German, however, **zu** is not always used before an infinitive whenever the corresponding English has *to.*

1. The infinitive with **zu** is used after most verbs except the modals and a few others.

Infinitive without **zu**	*Infinitive with* **zu**
Der Basler möchte sprechen.	Der Basler versucht **zu sprechen.**
Er will fliegen.	Er hat vor **zu fliegen.**

2. When the infinitive with **zu** includes other elements, such as expressions of time or place, the infinitive together with these elements must be separated from the main clause by a comma. The part after the comma is then called an infinitive phrase. Note that the present infinitive is used to refer to both present time and future time.

	Infinitive Phrase
Der Basler versucht,	jetzt zu sprechen.
Er hat vor,	nach Genf zu fliegen.

3. In the case of an infinitive with a separable prefix, **zu** is placed between the prefix and the verb.

Die vier möchten **wegfliegen.**   Die vier wünschen **wegzufliegen.**
Sie können morgen **zurückkommen.**   Sie versprechen, morgen **zurückzukommen.**

Use of the Infinitive Phrase

After certain verbs an infinitive phrase may be used instead of a **dass**-clause when:

a. the subject of the main clause and the **dass**-clause refer to the same person.

    dass-*clause*   **Die Bankiers** hoffen, dass **sie** gut in Genf ankommen.
    Infinitive Phrase   Die Bankiers hoffen, gut in Genf anzukommen.

b. the object of the main clause and the subject of the **dass**-clause refer to the same person.

    dass-*clause*   Ich bitte **Sie,** dass **Sie** mir den Fallschirm geben.
    Infinitive Phrase   Ich bitte Sie, mir den Fallschirm zu geben.

STRUCTURE DRILLS

4. INFINITIVE WITHOUT zu → INFINITIVE WITH zu

1. Ich möchte studieren. ⊗   Ich habe vor zu studieren.
   Ich möchte faulenzen.   Ich habe vor zu faulenzen.
   Ich möchte verreisen.   Ich habe vor zu verreisen.
   Ich möchte malen.   Ich habe vor zu malen.
   Ich möchte spielen.   Ich habe vor zu spielen.
   Ich möchte gewinnen.   Ich habe vor zu gewinnen.

2. Er will wegfahren. ⊗   Er beabsichtigt wegzufahren.
   Er will zurückkommen.   Er beabsichtigt zurückzukommen.
   Er will zusehen.   Er beabsichtigt zuzusehen.
   Er will anrufen.   Er beabsichtigt anzurufen.
   Er will hingehen.   Er beabsichtigt hinzugehen.
   Er will weiterfliegen.   Er beabsichtigt weiterzufliegen.

5. INFINITIVE SUBSTITUTION

1. Sie haben keine Lust zu antworten. ⊗
(schlafen–mitgehen–schreiben–zuschauen–aufpassen)

zu schlafen–mitzugehen–zu schreiben–zuzuschauen–
aufzupassen

2. Macht es dir Spass zu üben? ⊗
(weggehen–fotografieren–mittanzen–ausgehen–zuhören)

wegzugehen–zu fotografieren–mitzutanzen–auszugehen–
zuzuhören

6. CUED RESPONSE

1. Was haben Sie vor? (ins Kino gehen)
(eine Reise machen–die Eltern abholen–
ein paar Freunde einladen–eine Platte auflegen)

Ich habe vor, ins Kino zu gehen.

eine Reise zu machen–die Eltern abzuholen–ein paar
Freunde einzuladen–eine Platte aufzulegen

2. Was tun Sie jetzt? (s. rasieren)
(s. anziehen–s. um eine Stellung bewerben–
s. mit Peter treffen–s. mit ihm unterhalten)

Ich bin dabei, mich zu rasieren.

. . . , mich anzuziehen.

. . . , mich um eine Stellung zu bewerben.

. . . , mich mit Peter zu treffen.

. . . , mich mit ihm zu unterhalten.

7. SENTENCE TRANSFORMATION

Er will zu einer Sitzung fliegen.
Er will das Gespräch in Gang bringen.
Er will sich den Fallschirm umschnallen.

Er hat vor, zu einer Sitzung zu fliegen.
Er hat vor, das Gespräch in Gang zu bringen.
Er hat vor, sich den Fallschirm umzuschnallen.

Er will aus dem Flugzeug springen.
Er will sich um die andern kümmern.
Er will dem Zürcher den Postsack geben.

Er hat vor, aus dem Flugzeug zu springen.
Er hat vor, sich um die andern zu kümmern.
Er hat vor, dem Zürcher den Postsack zu geben.

8. dass-CLAUSE → INFINITIVE PHRASE

Ich bitte Sie, dass Sie den Motor wieder in Gang bringen. ⊗
Ich bitte Sie, dass Sie einen Mann als Richter wählen.
Ich bitte Sie, dass Sie sich den Fallschirm umschnallen.
Ich bitte Sie, dass Sie nicht über das Bankgeheimnis sprechen.
Ich bitte Sie, dass Sie die Schlagkraft der Armee nicht schwächen.

Ich bitte Sie, den Motor wieder in Gang zu bringen.
Ich bitte Sie, einen Mann als Richter zu wählen.
Ich bitte Sie, sich den Fallschirm umzuschnallen.
Ich bitte Sie, nicht über das Bankgeheimnis zu sprechen.
Ich bitte Sie, die Schlagkraft der Armee nicht zu schwächen.

9. FREE RESPONSE

Was beabsichtigen Sie, am Wochenende zu tun?
Was haben Sie nächsten Sommer vor?
Was planen Sie für Ihre Ferien?
Was schlagen Sie Ihrem Lehrer vor?
Was empfehlen Sie Ihrem Freund?

Writing

EXERCISE BOOK: EXERCISES 1 AND 2
SENTENCE CONSTRUCTION

1. . . . Zeit, das Gespräch in Gang zu bringen.
2. . . . begannen, über den Bergen auszusetzen.

Write sentences with an infinitive phrase, using all the words given in each group.

BEISPIEL   Es dauert nicht lange / von Bern nach Genf fliegen
Es dauert nicht lange, von Bern nach Genf zu fliegen.

1. Den Bankiers blieb wenig Zeit / das Gespräch in Gang bringen
2. Die Flugzeugmotoren begannen / über den Bergen aussetzen
3. Die Herren beabsichtigen / den Basler als Richter wählen
4. Der Zürcher hatte vor / als erster aus dem Flugzeug springen
5. Er begann sofort / sich den Fallschirm umschnallen

3. . . . beabsichtigen, den Basler als Richter zu wählen.
4. . . . vor, als erster aus dem Flugzeug zu springen.
5. . . . sofort, sich den Fallschirm umzuschnallen.

BASIC MATERIAL II

SECTION B

Basic Material II
Listening Comprehension: Exercise 72
Structure Drills 14.1–14.2; 15.1–15.2; 16

Die Schweizer Berge

Eiger, Mönch, Jungfrau und das Matterhorn[2] sind die berühmtesten Berge der Schweiz. Die ersten Touristen, die die Schweiz besuchten, kamen vor allem, um diese Bergriesen zu besteigen. Einheimische Bergführer, die die Berge wie ihre Hosentaschen kannten, begleiteten die Touristen auf ihren Touren. Allerdings war es diesen Bergführern fremd, das Bergsteigen als sportliches Abenteuer zu betrachten.

Wie man weiss, waren die Bergdörfer gewöhnlich sehr arm, und da nur einer der Söhne den väterlichen Bauernhof übernehmen konnte, waren die andern gezwungen, auszuwandern oder in fremden Heeren zu dienen[3]. Mit dem Aufschwung des Fremdenverkehrs im 19. Jahrhundert vermochte die Bergbevölkerung ihre wirtschaftliche Situation zu verbessern.

---

[2] The **Matterhorn,** 14,690 ft. high, on the Swiss-Italian border was first scaled in 1865 by Edward Whymper, an English mountain climber. The **Jungfrau,** 13,642 ft. high, can be approached by Europe's highest railroad which can take visitors to a mountain saddle, 11,397 ft. high.

[3] From the 15th to the late 19th century, Swiss mercenaries served in various European armies. Today, although pledged to perpetual neutrality, Switzerland has one of the best trained military forces in Europe.

Luxuriöse Hotels schossen buchstäblich aus dem Boden. Die Fremden entdeckten das Schilaufen und bestiegen im Sommer die Berggipfel. Viele der männlichen Dorfbewohner heuerten sich im Winter als Schilehrer an und im Sommer oft als Bergführer.

Für die Schweizer sind die Berge mehr als eine geographische Zufälligkeit, sie sind eine Idee. Während des letzten Krieges bestand der Plan der Schweizer Armee darin, einem möglichen Eindringling im Flachland auszuweichen und sich in die uneinnehmbaren Berge zurückzuziehen. Diese natürliche Alpenfestung vermag den Schweizern nicht nur das Gefühl von Schutz, sondern auch das Bewusstsein von Kraft zu geben.

The Swiss Mountains

Eiger, Mönch, Jungfrau and the Matterhorn are Switzerland's most famous mountains. The first tourists who visited Switzerland came above all to climb these gigantic mountains. Local mountain guides who knew the mountains like their vest (trouser) pockets accompanied the tourists on their hikes, although it was foreign to these guides to consider climbing a sporting adventure.

As one knows, the mountain villages were usually very poor, and since only one of the sons could take over the parental farm, the others were forced to emigrate or to serve in foreign armies. With the upswing of tourism in the 19th century, the mountain population was able to improve its economic situation. Luxurious hotels literally shot out of the ground. The visitors (strangers) discovered skiing and in the summer climbed the mountain peaks. Many of the male villagers hired out as ski instructors in the winter and often as mountain guides in the summer.

For the Swiss the mountains are more than a geographic phenomenon, they are an idea. During the last war the plan of the Swiss army was to elude a possible invader in the flatlands and to withdraw into the inconquerable mountains. This natural Alpine fortress gives the Swiss not only a feeling of protection but also a sense (consciousness) of power.

Vocabulary Exercises

10. QUESTIONS ON BASIC MATERIAL

1. Wie heissen die berühmtesten Berge der Schweiz?
2. Aus welchem Grund kamen die ersten Touristen in die Schweiz?
3. Wer begleitete sie auf ihren Bergtouren?
4. Was war diesen Bergführern allerdings fremd?
5. Warum konnte nur einer der Söhne den väterlichen Bauernhof übernehmen?
6. Wozu waren die andern Söhne gezwungen?
7. Wann vermochte die Bergbevölkerung ihre wirtschaftliche Situation zu verändern?
8. Was entdeckten die Fremden und was machten sie im Sommer?
9. Was machten dann die männlichen Dorfbewohner?
10. Was für einen Plan hatte die Schweizer Armee im letzten Weltkrieg?
11. Was für ein Gefühl vermag die natürliche Alpenfestung den Schweizern zu geben?

Noun Exercises

11. der, die, das

1. Sie machen eine lange Tour.
2. Sie haben ein kleines Abenteuer.
3. Hat die Schweiz ein starkes Heer?
4. Wir brauchen einen guten Aufschwung.
5. Es war ein aufregendes Jahrhundert.
6. Er hilft dem Fremden[4] gern.
7. Sie entdeckten den Eindringling sofort.
8. Er hat ein dunkles Gefühl.
9. In den Bergen findet man guten Schutz.
10. Er hat ein starkes Bewusstsein von Kraft.
11. Er hat keine Kraft mehr.

1. ____ Tour geht auf den Eiger.   *die*
2. ____ Abenteuer war gefährlich.   *das*
3. ____ Heer braucht Männer.   *das*
4. Was bedeutet ____ Aufschwung?   *der*
5. Wir haben jetzt ____ 20. Jahrhundert.   *das*
6. ____ verdächtige Fremde verschwand.   *der*
7. Woher kam ____ Eindringling?   *der*
8. ____ Gefühl war unheimlich.   *das*
9. ____ Schutz eines Landes ist wichtig.   *der*
10. Er verlor ____ Bewusstsein.   *das*
11. Er bekam ____ Kraft wieder.   *die*

12. SINGULAR → PLURAL

1. Er macht die Tour noch einmal.
2. Ihm gefällt das Abenteuer.
3. Das fremde Heer ist schwach.
4. Das Jahrhundert ist vergangen.
5. Der Eindringling zieht sich zurück.
6. Ihm fehlt das Gefühl für Musik.
7. Das geht über seine Kraft.   *VARIATION*
1. **Er macht die Touren noch einmal.**

1. Er macht die Touren noch einmal.
2. Ihm gefallen die Abenteuer.
3. Die fremden Heere sind schwach.
4. Jahrhunderte sind vergangen.
5. Die Eindringlinge ziehen sich zurück.
6. Ihm fehlen die Gefühle für Musik.
7. Das geht über seine Kräfte.
1. *Er macht die Tour noch einmal.*

Verb Exercises

13. CUED RESPONSE

1. Wozu können Sie Ihren Freund nicht **zwingen?** (den Berg besteigen)
   Was **zwang** Sie, vom Berg runterzukommen? (Regen und Schnee)
   Wozu hat das Wetter die Touristen **gezwungen?** (sich ins Tal zurückziehen)

   Ich kann meinen Freund nicht **zwingen,** den Berg zu besteigen.
   Regen und Schnee **zwang** mich, vom Berg runterzukommen.
   Das Wetter hat die Touristen **gezwungen,** sich ins Tal zurückzuziehen.

2. Was **schiesst** aus dem Boden? (luxuriöse Hotels)
   Wann **schossen** die Hotels aus dem Boden? (mit dem Aufschwung des Fremdenverkehrs)

   Luxuriöse Hotels **schiessen** aus dem Boden.

   Mit dem Aufschwung des Fremdenverkehrs **schossen** die Hotels aus dem Boden.

   (continued)

---

[4]Note that **der Fremde** has an **-n** in every case except the nominative singular.

(*continued*)

Seit wann **sind** die Hotels buchstäblich aus dem Boden **geschossen?** (seit dem letzten Krieg)

Wer hat in den Bergen **geschossen?** (die Schweizer Armee)

Seit dem letzten Krieg **sind** die Hotels buchstäblich aus dem Boden **geschossen.**

Die Schweizer Armee hat in den Bergen **geschossen.**

3. Wem kann die Armee leicht **ausweichen?** (einem Eindringling)

Warum **wich** der Personenwagen dem Lastwagen **aus?** (der Fahrer war nicht vorsichtig)

Warum **sind** Sie dem Bergführer **ausgewichen?** (Sie haben Angst vor ihm)

Die Armee kann einem Eindringling leicht **ausweichen.**

Der Personenwagen **wich** dem Lastwagen **aus,** weil der Fahrer nicht vorsichtig war.

Ich **bin** dem Bergführer **ausgewichen,** weil ich Angst vor ihm habe.

Grammar

Infinitive Constructions with zu:
The Perfect Infinitive

PRESENTATION

1. Der Tourist hofft, dass er morgen den Eiger besteigt.
2. Der Tourist hofft, morgen den Eiger zu besteigen.

Name the **dass**-clause. Name the infinitive phrase. What time do these refer to? What infinitive is used in the infinitive phrase?

3. Der Tourist meint, dass er den Eiger schon **bestiegen hat.**
4. Der Tourist meint, den Eiger schon **bestiegen zu haben.**

Name the **dass**-clause. What time does the **dass**-clause refer to? Name the infinitive phrase. Name the infinitive. What time do you think this infinitive refers to?

5. Er behauptet, dass er schon aufs Matterhorn **geklettert ist.**
6. Er behauptet, schon aufs Matterhorn **geklettert zu sein.**

Name the **dass**-clause. What time does the **dass**-clause refer to? Name the infinitive phrase. What infinitive is used in this phrase? In these two infinitive phrases that refer to the past (sentences **4** and **6**), what does the infinitive phrase consist of? *DRILLS 14–20*

GENERALIZATION

1. The perfect infinitive consists of:

Past Participle (+**zu**) + **haben** *or* **sein**		
bestiegen	(zu)	haben
geklettert	(zu)	sein

2. The perfect infinitive may be used after certain verbs instead of a **dass**-clause when the infinitive phrase refers to the past.

Infinitive Phrase Referring to the Past
Der Tourist glaubt, den Eiger schon **bestiegen zu haben**.
Er behauptet, schon aufs Matterhorn **geklettert zu sein**.

The choice of **haben** or **sein** depends, of course, upon the past participle used. Past participles which you have been using with **sein** as the auxiliary in the conversational past also require **sein** in the perfect infinitive. As in the case of the present infinitive, **zu** is not used after modals:

	Er **soll** den Eiger **bestiegen haben**.	*He is said to have climbed the Eiger.*
but	Er **behauptet,** den Eiger **bestiegen zu haben**.	*He claims to have climbed the Eiger.*

STRUCTURE DRILLS

14. PERFECT INFINITIVE WITHOUT zu → PERFECT INFINITIVE WITH zu

1. Er soll den Berg bestiegen haben. ⊗

Er soll die Touristen begleitet haben.

Er soll auf den Gipfel gestiegen sein.

Er soll die Festung entdeckt haben.

Er soll den Hof übernommen haben.

Er soll dem Bergführer ausgewichen sein.

Er behauptet, den Berg bestiegen zu haben.

Er behauptet, die Touristen begleitet zu haben.

Er behauptet, auf den Gipfel gestiegen zu sein.

Er behauptet, die Festung entdeckt zu haben.

Er behauptet, den Hof übernommen zu haben.

Er behauptet, dem Bergführer ausgewichen zu sein.

2. Sie wollen die Schilehrer angeheuert haben. ⊗

Sie wollen vom Eiger runtergekommen sein.

Sie wollen den Motor in Gang gebracht haben.

Sie wollen in Zürich gewesen sein.

Sie wollen viele Zweifel gehabt haben.

Sie behaupten die Schilehrer angeheuert zu haben.

Sie behaupten, vom Eiger runtergekommen zu sein.

Sie behaupten, den Motor in Gang gebracht zu haben.

Sie behaupten, in Zürich gewesen zu sein.

Sie behaupten, viele Zweifel gehabt zu haben.

15. PERFECT INFINITIVE SUBSTITUTION

1. Er soll in Bern gewohnt haben. ⊗
(bleiben–übernachten–aufwachsen–arbeiten–sterben)

geblieben sein–übernachtet haben–aufgewachsen sein–gearbeitet haben–gestorben sein

2. Sie behaupten, den Bergführer gekannt zu haben. ⊗
(helfen–begleiten–folgen–sehen–antworten)

dem B. geholfen zu haben–den B. begleitet zu haben–dem B. gefolgt zu sein–den B. gesehen zu haben–dem B. geantwortet zu haben

16. PRESENT INFINITIVE → PERFECT INFINITIVE

Sie behauptet, den Schilehrer zu kennen. ⊗

Sie behauptet, gut aufzupassen.

Sie behauptet, sich danach zu erkundigen.

Sie behauptet, ans Schwarze Meer zu fahren.

Sie behauptet, den Bauernhof zu erben.

Sie behauptet, an der Reihe zu sein.

Sie behauptet, den Schilehrer gekannt zu haben.

Sie behauptet, gut aufgepasst zu haben.

Sie behauptet, sich danach erkundigt zu haben.

Sie behauptet, ans Schwarze Meer gefahren zu sein.

Sie behauptet, den Bauernhof geerbt zu haben.

Sie behauptet, an der Reihe gewesen zu sein.

17. PATTERNED RESPONSE

Glauben Sie, dass die Bankiers vor Angst gezittert haben?

Glauben Sie, dass sie nach Genf geflogen sind?

Glauben Sie, dass sie sich die Fallschirme umgeschnallt haben?

Glauben Sie, dass sie den Absprung gewagt haben?

Glauben Sie, dass sie sich um das Schicksal der andern gekümmert haben?

Sie behaupten, vor Angst gezittert zu haben.

Sie behaupten, nach Genf geflogen zu sein.

Sie behaupten, sich die Fallschirme umgeschnallt zu haben.

Sie behaupten, den Absprung gewagt zu haben.

Sie behaupten, sich um das Schicksal der andern gekümmert zu haben.

18. SENTENCE TRANSFORMATION

Note: wollen is used here meaning *to claim to.*

Was sagen die Touristen?

„Wir haben das Schilaufen entdeckt."   Sie wollen das Schilaufen entdeckt haben.

„Wir sind aufs Matterhorn gestiegen."   *. . . aufs Matterhorn gestiegen sein.*

„Wir haben uns an die Berge gewöhnt."   *. . . sich an die Berge gewöhnt haben.*

„Wir haben uns mit dem Bergführer gestritten."   *. . . sich mit dem B. gestritten haben.*

„Wir sind danach ins Tal gefahren."   *. . . danach ins Tal gefahren sein.*

„Wir haben das Bergsteigen aufgegeben."   *. . . das Bergsteigen aufgegeben haben.*

19. CUED RESPONSE

Worüber sind Sie froh?

(Sie haben im Tessin gezeltet.)   Ich bin froh, im Tessin gezeltet zu haben.

(Sie haben das Matterhorn bestiegen.)   *. . . , das Matterhorn bestiegen zu haben.*

(Sie sind von der Autobahn runtergefahren.)   *. . . , von der A. runtergefahren zu sein.*

(Sie haben ein Unglück verhütet.)   *. . . , ein U. verhütet zu haben.*

(Sie haben sich ans Wetter gewöhnt.)   *. . . , mich ans W. gewöhnt zu haben.*

(Sie haben sich einen Regenmantel angeschafft)   *. . . , mir einen R. angeschafft zu haben.*

20. FREE RESPONSE

Woher ist Ihr Freund gekommen?   Er behauptet, . . .

Wo ist er zur Schule gegangen?

Wo hat er vorher gewohnt?

Was hat er in der Schule gespielt?

Was hat er in den letzten Ferien gemacht?

1. *Die Armee behauptet, den Eindringlingen ausgewichen zu sein.*
2. *Die Bergführer erklären, sich auf die Berge gefreut zu haben.*
3. *Mein Freund berichtet, sich um die Arbeit beworben zu haben.*
4. *Der Offizier glaubt, dem jungen Bergführer gefolgt zu sein.*
5. *Meine Mutter ist sicher, den Brief weggeschickt zu haben.*

Writing

EXERCISE BOOK: EXERCISES 3 AND 4

SENTENCE REWRITE

Rewrite each of the following sentences, using the verb given in parentheses in the perfect infinitive. Make any necessary changes.

BEISPIEL   Der Schilehrer erklärt, den Touristen angeheuert zu haben.   (helfen)

Der Schilehrer erklärt, dem Touristen geholfen zu haben.

1. Die Armee behauptet, die Eindringlinge entdeckt zu haben.   (ausweichen)
2. Die Bergführer erklären, sich in die Berge zurückgezogen zu haben.   (s. freuen auf)
3. Mein Freund berichtet, sich an die Arbeit gewöhnt zu haben.   (s. bewerben um)
4. Der Offizier glaubt, den jungen Bergführer gekannt zu haben.   (folgen)
5. Meine Mutter ist sicher, den Brief erhalten zu haben.   (wegschicken)

| *Note:* erklären is used here meaning *to say, to declare.*

READING

SECTION C ⊗

Listening Comprehension: Exercises 73, 74, 75
Structure Drills 25.1–25.2; 26

Word Study

The present participle, the **-nd** form of a verb, may be used as an adjective before a noun but never as a predicate adjective. In English the present participle usually ends in *-ing*.

INFINITIVE		ADJECTIVE	
folgen	*to follow*	**die folgende Geschichte**	*the following story*
glitzern	*to glitter*	**die glitzernden Lichter**	*the glittering lights*

If you know the meaning of the verbs **gehen, liegen,** and **sprechen,** you should be able to recognize the meaning of the verbs in the following forms: **weitgehend-, umliegend-, französischsprechend-.**

Die Schweiz und Basel

Die kleine Schweiz mit ihren sechs Millionen Einwohnern ist, genau wie die große amerikanische Union mit ihren 200 Millionen Einwohnern, ein Bundesstaat. Es ist wichtig, hier noch festzustellen, daß die 25 Staaten, die sich Kantone nennen, weitgehende
5 Autonomie genießen.

Wenn man einen fortschrittlichen Schweizer bittet, sich über die neuen Aufgaben seines Landes zu äußern, bekommt man meist diese Antwort: Eine Revision der föderalistischen Struktur ist nötig°. Denn die Souveränität der einzelnen Kantone hat oft
10 groteske Folgen. Wenn zum Beispiel ein Urner einen Glarner[5] in einem Brief beleidigt°, und den Brief statt von Uri von Zürich wegschickt, so ist der Beleidigte verpflichtet, ihn in Zürich einzuklagen°.

Ein Engländer, der ein Buch über die Schweiz geschrieben
15 hat, geht soweit zu behaupten, daß die Einigkeit° der Schweizer darin liegt, daß sich die Bewohner der verschiedenen° Kantone gegenseitig nicht leiden mögen. Man darf soweit gehen zu sagen, daß die Schweiz, historisch gesehen, eine Interessengemeinschaft° ist, die einst gezwungen war, sich gegen die umliegenden
20 deutschen, französischen, italienischen und österreichischen Mächte zusammenzuschließen[6]°.

nötig: *necessary*

beleidigen: *to insult*

einklagen: *to sue*

die Einigkeit: *unity*
verschieden: *various, different*
die Interessengemein-schaft: *union of interests*

s. zusammenschließen: *to unite*

---

[5] **Ein Urner** is a person from the canton of Uri, and **ein Glarner** is a person from the canton of Glarus.

[6] Switzerland's perpetual neutrality was hard-won. It was only through many wars that Switzerland became independent of foreign domination and as early as 1515 followed a policy of neutrality. Perpetual neutrality was only guaranteed by the Congress of Vienna in 1815.

Schweiz

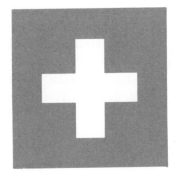

SPRACHEN

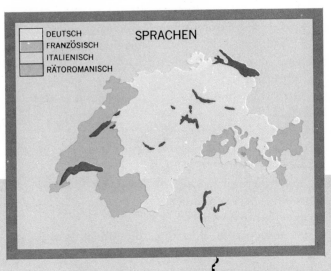

- DEUTSCH
- FRANZÖSISCH
- ITALIENISCH
- RÄTOROMANISCH

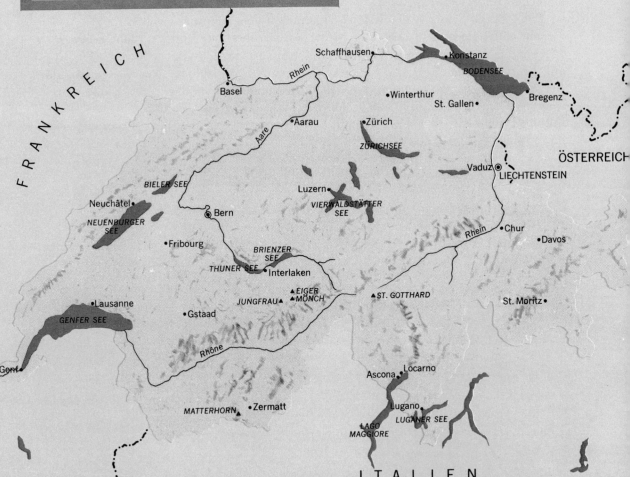

DEUTSCHLAND

FRANKREICH

Schaffhausen
Konstanz
BODENSEE
Basel
Rhein
Winterthur
St. Gallen
Bregenz
Aarau
Aare
Zürich
ZÜRICHSEE
ÖSTERREICH
Vaduz
LIECHTENSTEIN
BIELER SEE
Luzern
VIERWALDSTÄTTER SEE
Neuchâtel
Bern
Rhein
Chur
NEUENBURGER SEE
Davos
Fribourg
BRIENZER SEE
THUNER SEE
Interlaken
▲*EIGER*
JUNGFRAU▲ ▲*MÖNCH*
▲ ST. GOTTHARD
Lausanne
GENFER SEE
Gstaad
St. Moritz
Rhône
Ascona
Locarno
Genf
MATTERHORN▲ Zermatt
Lugano
LUGANER SEE
LAGO MAGGIORE

ITALIEN

Es ist übrigens <u>erstaunlich</u>, daß die Schweiz trotz der vier Landessprachen[7] und der drei verschiedenen Kulturkreise°, noch existiert. Heute ist die Schweiz freilich in Gefahr, in ihren Tradi-
25 tionen zu <u>versteinern</u>. Statt sich als europäisches und von Europa abhängiges° Land zu sehen, liebt sie es, sich als europäischen Einzelfall° zu verstehen.

//Wie lieben es die Amerikaner, die Schweiz zu sehen?/Sie lieben es, dieses Land touristisch zu sehen./Sie fahren in die Alpen, sie
30 schauen sich Interlaken an, bewundern° Gstaad und fahren nach St. Moritz um Schi zu laufen./Sie gehen nach Zermatt[8], um das Matterhorn zu besteigen./Sie besuchen auch Bergdörfer, um möglicherweise° hinterwäldlerisches „Heidi"-Leben[9] zu bewundern./Sie besuchen das regnerische Luzern am Vierwaldstät-
35 tersee[10] und stehen Schlange°, um eine Schweizeruhr zu kaufen./ Alles in allem tragen die Amerikaner meist ein längst vergangenes folkloristisches Bild nach Hause: <u>Ewiger</u> Schnee, <u>Gletscher</u>, Trachten°, Alphorn[11] und Käse und das unberührte <u>Bild</u> des einfachen Bauernlebens.//

40 Freilich, die Schweiz, deren Volkseinkommen vom Fremdenverkehr abhängig ist, gibt sich große Mühe°, dieses überholte Bild zu erhalten. Die Situation ist paradox. Einerseits ist die Schweiz auf Touristen angewiesen°, die dieses sentimentale unwirkliche Bergbauernleben zu verehren wünschen, andererseits ist die
45 Bauernidylle, die man mit Staatsgeldern erhält, eine große Belastung°, denn die Agrarsituation verbessert sich dadurch überhaupt nicht.

Doch ist es besser von <u>etwas Erfreulicherem</u> zu erzählen. Vielleicht von der Schweizer Stadt Basel. Basel findet man auf
50 der <u>Landkarte</u> am Rhein, dort wo die Schweiz an Frankreich und Deutschland grenzt. Basel ist eine der ältesten Universitätsstädte Europas und damit der Welt. Kein <u>Reiseführer</u> vergißt es, dem Reisenden in Erinnerung zu rufen°, daß Paracelsus, Erasmus von

der Kulturkreis, –e: *cultural sphere*

abhängig: *dependent*
der Einzelfall, ⁼e: *special case*

bewundern: *to admire*

möglicherweise: *possibly*

Schlange stehen: *to stand in line*

die Tracht, –en: *folk costume*

s. Mühe geben: *to take pains*
angewiesen sein auf: *to depend upon*

die Belastung, –en: *burden*

in Erinnerung rufen: *to call to mind*

---

[7] German, French, and Italian are the official languages of Switzerland. German is spoken by about 69% of the population, French by about 20%, Italian by 10%, and Romansh (a Latin dialect) by about .9%.

[8] **Interlaken, Gstaad, St. Moritz,** and **Zermatt** are exclusive resorts and centers for winter sports. Interlaken has a fine view of the Jungfrau and Zermatt faces the Matterhorn.

[9] **Heidi** is the name of a well-known children's book by the Swiss author Johanna Spyri (1827–1901).

[10] **Der Vierwaldstättersee** (*Lake of the Four Forest Cantons*) is noted for its beautiful scenery and is so named because it borders on the four forest cantons of Uri, Schwyz, Unterwalden, and Lucerne.

[11] The **Alphorn** is a woodwind instrument. It is sometimes as long as twelve feet.

Note: You may want to assign individual students to report on various people mentioned in this selection.

a-LM GERMAN: LEVEL TWO—UNIT 26 | **347**

Rotterdam, Holbein, die Mathematikerfamilie Bernoulli und der
55 Mathematiker Euler, Friedrich Nietzsche, der Theologe Karl Barth
und—nicht zu vergessen—der Pionier der Strathosphärenforschung° August Piccard hier gelebt haben.

    Basel liegt auf einem erloschenen Vulkan, dem ein Klima zu
verdanken ist, das die weltbedeutende chemische Industrie auch
60 nicht unbedingt verbessert hat. Doch hat es diese Industrie fertiggebracht°, zwei Nobelpreisträger hervorzubringen. Böse Basler
stellen fest, daß Friedrich Nietzsche seine Kopfschmerzen° auf das
Basler Klima zurückführte.

    In erster Linie fühlt sich der Basler—ganz im Sinne der Tradi
65 tion des Erasmus von Rotterdam—als Humanist, genauer: Er
fühlt sich in vielen Dingen seinen doppelsprachigen Nachbarn,
den Elsässern[12], näher, auch den deutschen Badensern[13], als den
andern Schweizern. Als richtiger Provinzler fühlt er sich genötigt°,
etwa die Zürcher oder die Berner für besonders provinziell zu
70 halten, und die französischsprechenden Schweizer lieben es, den
Baslern zu versichern°, daß die übrigen Deutschschweizer teutonischer und somit barbarischer sind als sie.

    Obwohl die Basler sich gern für konservativ halten, ist es nicht
ohne Ironie, daß sie politisch fortschrittlicher sind als die übrigen
75 Deutschschweizer. So haben sie zum Beispiel als erste deutschschweizerische Stadt fertiggebracht, in den Sechzigerjahren dieses
Jahrhunderts endlich den Frauen das Stimm-° und Wahlrecht[14]
zu geben. Es ist allerdings fraglich, ob die Basler Männer ihren
Frauen dieses Recht nur gegeben haben, weil sie Angst hatten,
80 sich vor der Welt lächerlich zu machen. Ein wenig kann man die
Basler in ihrer Denkweise mit den süddeutschen Protestanten und
den amerikanischen Puritanern vergleichen. Was sie von diesen
unterscheidet°, ist ihr feiner Witz°, den sie bei sich zu finden
meinen. Wenn aber einmal ein Nichtbasler im Gespräch der
85 Klügere ist, dann ist es Basler Pflicht festzustellen: Wir haben uns
damit abzufinden°, unverstanden zu sein.

    Ein bekannter Basler Schriftsteller behauptet: „Ein Charakteristikum der Basler ist es, das Gegenteil° dessen zu sagen, was

die Forschung, –en:
research

fertigbringen: *to achieve*
der Schmerz, –en: *ache,*
pain

s. genötigt fühlen: *to feel*
compelled

versichern: *to assure*

das Stimmrecht: *voting*
right

unterscheiden: *to*
differentiate
der Witz: *humor*
s. abfinden mit: *to resign*
oneself to
das Gegenteil, –e:
opposite

---

[12] The people of Alsace-Lorraine, having belonged to either Germany or France intermittently, speak both French
and German.

[13] The **Badenser** is the name for the people of Baden, once an independent political unit, today merged into the
state of Baden-Württemberg.

[14] In Switzerland women have traditionally been denied the right to vote or be elected in national elections. Only
seven cantons have extended these rights in the last few years, however only in cantonal affairs.

man eigentlich meint. Wenn es zum Beispiel in Strömen vom
90 Himmel gießt, daß man keinen Hund vor die Haustür jagen° will,   **jagen:** *to chase*
so steht der Basler am Fenster und sagt: ‚So ein feines Wetter!'
Jeder Basler weiß dann sofort, was los ist. Der Nichtbasler aber
fühlt sich unbehaglich°, weil er nicht annehmen kann, daß ein   **unbehaglich:**
Mensch mit gesunden Sinnen ein solches[15] Hundewetter fein   *uncomfortable*
95 finden kann."

Dictionary Section

s. äußern über die Meinung sagen: *Er äußert sich über die Situation.* = *Er sagt seine Meinung darüber.*

Denkweise wie man denkt: *Die Basler denken ein wenig wie die süddeutschen Protestanten.* = *Sie haben eine ähnliche Denkweise.*

einzeln *in den USA ist die Bundesregierung in Washington, aber die einzelnen Staaten haben auch eine eigene Regierung.*

erloschen *Der Vulkan ist nicht mehr aktiv, er ist erloschen.*

erstaunlich *Er hat erstaunlich gut gelesen.* = *Wir haben gestaunt, wie gut er gelesen hat.*

etwas Erfreulicheres etwas, was einen mehr freut: *Sprechen wir von etwas Erfreulicherem!* = *Sprechen wir von etwas, was uns mehr Freude bereitet!*

ewig *In den Bergen gibt es ewigen Schnee.* = *Der Schnee ist immer da, Sommer und Winter.*

Folge etwas, was aus irgendeinem Ereignis entsteht: *Er fuhr zu schnell, und das hatte keine guten Folgen (die Folge: er hatte einen Unfall).*

gegenseitig *Sie ärgerten einander.* = *Sie haben sich gegenseitig geärgert.*

gießen *Er gießt Milch ins Glas. Wenn es sehr stark regnet, sagt man auch: Es gießt.*

Gletscher *ein riesiges Stück Eis in den Bergen.*

Hundewetter sehr schlechtes Wetter: *Kaltes und regnerisches Wetter nennt man Hundewetter.*

Landkarte *Auf einer Landkarte kann man sehen, wo die Städte, Flüsse und Berge liegen.*

Macht *Die USA und Rußland haben große Macht; sie sind Weltmächte.*

Reiseführer ein Buch über ein Land oder über eine Stadt: *In einem Reiseführer von der Schweiz können Sie alles über die Schweiz lesen.*

Sechzigerjahre = 1960 bis 1969

Sinn *Menschen haben fünf Sinne: Sie können hören, sehen, schmecken, riechen und fühlen.*

überholt *Das Bild von der Schweiz ist überholt.* = *Das Bild ist nicht mehr richtig.*

vergleichen feststellen, ob sich zwei Sachen oder Personen ähnlich sind: *Man kann nicht eine Ameise mit einem Elefanten vergleichen. Sie sind sich überhaupt nicht ähnlich.*

verpflichtet *Er fühlt sich verpflichtet.* = *Er hält es für seine Pflicht.*

versteinern zu Stein werden: *Die Traditionen versteinern.* = *Sie werden wie Stein; man kann sie nicht mehr ändern.*

21. QUESTIONS

1. Wie gross ist die Schweiz, und aus wie vielen Kantonen besteht sie?   *1–4*
2. Wie äussert sich ein Schweizerbürger über die Aufgaben seines Landes?   *8*
3. Warum ist es oft nicht gut, dass die einzelnen Kantone so viel Souveränität besitzen?   *9*
4. Geben Sie ein Beispiel einer grotesken Folge dieser Souveränität!   *10*
5. Was hat ein Engländer einmal über die Einigkeit der Schweizer geschrieben?   *15*
6. Was ist die Schweiz historisch gesehen?   *18*

---

[15]**solch-** (*such, such a*) is a **dieser**-word like **dieser, jener, welcher,** etc. and follows the same pattern.

7. Wieviel Landessprachen gibt es in der Schweiz? *22*

8. Was für eine Gefahr besteht heute für die Schweiz? *24*

9. Ist die Schweiz gern ein von Europa abhängiges Land? *25*

10. Wie lieben es die Amerikaner, die Schweiz zu sehen? *29*

11. Nennen Sie einige Schweizer Städte, wohin die Amerikaner fahren! *30*

12. Warum besuchen sie auch Bergdörfer? *33*

13. Was für ein Bild von der Schweiz tragen die Amerikaner mit nach Hause? *37*

14. Warum gibt sich die Schweiz grosse Mühe, dieses überholte Bild zu erhalten? *40*

15. Warum ist diese Bauernidylle eine Belastung für den Staat? *45*

16. Wo liegt die Stadt Basel? *50*

17. Was für eine Stadt ist Basel? *51*

18. Nennen Sie einige berühmte Männer, die in Basel gelebt haben! *53*

19. Warum ist das Klima Basels nicht so besonders gut? *58*

20. Was stellen böse Basler fest? *62*

21. Welchen Nachbarn fühlt sich der Basler näher? *67*

22. Wofür hält der Basler die Zürcher und die Berner, zum Beispiel? *69*

23. Was lieben die französischsprechenden Schweizer den Baslern zu versichern? *71*

24. Sind die Basler genauso konservativ wie die übrigen Deutschschweizer? *74*

25. Was haben sie in den Sechzigerjahren dieses Jahrhunderts fertiggebracht? *77*

26. Warum haben sie vielleicht den Frauen das Stimm-und Wahlrecht gegeben? *79*

27. Mit wem kann man die Basler vielleicht auch vergleichen? *81*

28. Was stellt aber der Basler fest, wenn im Gespräch ein Nichtbasler der Klügere ist? *85*

29. Was hat ein bekannter Basler Schriftsteller einmal behauptet? *87*

30. Was für ein Beispiel können Sie dafür geben? *89*

Noun Exercises

22. der, die, das

1. Die Schweiz ist ein kleiner Staat.
2. Kennen Sie den Kanton Uri?
3. Welches Land hat grosse Macht?
4. Wir gehen über einen riesigen Gletscher.
5. Er trägt eine Schweizer Tracht.
6. Es ist ein friedliches Volk.
7. Sie hat ein hohes Einkommen.
8. Kennen Sie einen Vulkan?
9. Zermatt hat ein mildes Klima.
10. Er hat einen fürchterlichen Schmerz.
11. Verstehen Sie den Witz der Sache?
12. Er behauptet das Gegenteil.

1. Wie heisst ＿＿＿ grösste Staat? *der*
2. ＿＿＿ Kanton Uri besteht seit 1291. *der*
3. Wissen Sie, was ＿＿＿ Macht bedeutet? *die*
4. ＿＿＿ Gletscher schmilzt allmählich. *der*
5. Gefällt dir ＿＿＿ Tracht? *die*
6. ＿＿＿ Volk verlangt seine Rechte. *das*
7. Woher kommt ＿＿＿ Einkommen? *das*
8. ＿＿＿ Vulkan ist erloschen. *der*
9. Wie ist ＿＿＿ Klima in Luzern? *das*
10. Wo ist ＿＿＿ Schmerz? *der*
11. ＿＿＿ Witz der Basler ist sehr fein. *der*
12. ＿＿＿ Gegenteil von gross ist klein. *das*

23. SINGULAR → PLURAL

1. Der Staat ist konservativ.
2. Wie heisst der Kanton?
3. Ist das die grösste Weltmacht?
4. Der Gletscher ist sehr gefährlich.
5. Mir gefällt die Tracht.
6. Die Norweger sind ein Volk des Nordens.

7. Ist der Vulkan erloschen?
8. Der Schmerz macht mich verrückt.

1. Die Staaten sind konservativ.

1. Die Staaten sind konservativ.
2. Wie heissen die Kantone?
3. Sind das die grössten Weltmächte?
4. Die Gletscher sind sehr gefährlich.
5. Mir gefallen die Trachten.
6. Die Norweger und Schweden sind Völker des Nordens.
7. Sind die Vulkane erloschen?
8. Die Schmerzen machen mich verrückt.

VARIATION

1. Der Staat ist konservativ.

Verb Exercise

24. CUED RESPONSE

Mit wem kann man die Basler **vergleichen?** (mit den Elsässern)

Wer **verglich** den Basler mit dem Zürcher? (der Schriftsteller)

Was haben Sie **verglichen?** (die Höhe der beiden Berggipfel)

Man kann die Basler mit den Elsässern **vergleichen.**

Der Schriftsteller **verglich** den Basler mit dem Zürcher.

Ich habe die Höhe der beiden Berggipfel **verglichen.**

EXERCISE BOOK: EXERCISE 5

RECOMBINATION EXERCISES

25. INFINITIVE PHRASE SUBSTITUTION

1. Er hat mir versprochen, darauf zu achten. ⊗
   (denken an)
   (aufpassen auf)
   (sprechen über)
   (warten auf)
   (sprechen von)

   Er hat mir versprochen, darauf zu achten.
   Er hat mir versprochen, daran zu denken.
   Er hat mir versprochen, darauf aufzupassen.
   Er hat mir versprochen, darüber zu sprechen.
   Er hat mir versprochen, darauf zu warten.
   Er hat mir versprochen, davon zu sprechen.

2. Ich bitte Sie, sich darüber zu äussern. ⊗
   (s. kümmern um)
   (s. beschäftigen mit)
   (s. erkundigen nach)
   (s. gewöhnen an)
   (s. interessieren für)
   (s. abfinden mit)

   Ich bitte Sie, sich darüber zu äussern.
   Ich bitte Sie, sich darum zu kümmern.
   Ich bitte Sie, sich damit zu beschäftigen.
   Ich bitte Sie, sich danach zu erkundigen.
   Ich bitte Sie, sich daran zu gewöhnen.
   Ich bitte Sie, sich dafür zu interessieren.
   Ich bitte Sie, sich damit abzufinden.

26. SENTENCE TRANSFORMATION

Ich habe mich mit ihm gestritten. ⊗   Er behauptet, sich mit ihm gestritten zu haben.

Ich habe mich um die Stellung beworben.   *. . . , sich um die Stellung beworben zu haben.*

Ich habe mich mit dem Schweizer unterhalten.   *. . . , sich mit dem Schweizer unterhalten zu haben.*

Ich habe mich für die Bergtour entschieden.   *. . . , sich für die Bergtour entschieden zu haben.*

→ Ich habe mich auf die hohen Berge gefreut.

Ich habe mich mit dem Hundewetter abgefunden.

— *. . . , sich auf die hohen Berge gefreut zu haben.*

. . . , sich mit dem Hundewetter abgefunden zu haben.

> ### SECTION D ⊗
> Listening Comprehension: Exercise 76
> Structure Drills 27.1–27.2
> Additional Structure Drills
> Listening Comprehension: Exercise 77

27. CUED RESPONSE

1. Worum bitten Sie den Basler?

     (Er soll sich über die Schweiz äussern.) ⊗   Ich bitte ihn, sich über die Schweiz zu äussern.

     (Er soll die andern Schweizer nicht beleidigen.)   *. . . , die andern Schweizer nicht zu beleidigen.*

     (Er soll den Brief von Zürich wegschicken.)   *. . . , den Brief von Zürich wegzuschicken.*

     (Er soll den Urner in Zürich einklagen.)   *. . . , den Urner in Zürich einzuklagen.*

     (Er soll sich grosse Mühe geben.)   *. . . , sich grosse Mühe zu geben.*

     (Er soll von etwas Erfreulicherem erzählen.)   *. . . , von etwas Erfreulicherem zu erzählen.*

2. Was behaupten die Basler?

     (Sie haben zwei Nobelpreisträger hervorgebracht.) ⊗   Sie behaupten, zwei Nobelpreisträger hervorgebracht zu haben.

     (Sie haben den Frauen das Stimmrecht gegeben.)   *. . . , den Frauen das Stimmrecht gegeben zu haben.*

     (Sie haben sich lächerlich gemacht.)   *. . . , sich lächerlich gemacht zu haben.*

     (Sie haben sich mit den süddeutschen Protestanten verglichen.)

     (Sie sind politisch fortschrittlicher gewesen.)   *. . . , politisch fortschrittlicher gewesen zu sein.*

     (Sie haben sich unbehaglich gefühlt.)   *. . . , sich unbehaglich gefühlt zu haben.*

. . . , sich mit den s. P. verglichen zu haben.

Additional Structure Drills may be done at this point.

28. SUSTAINED TALK

1. Describe why many Americans travel to Switzerland. Use the following cues as a guide.

   1. Amerikaner–geniessen–Seen–Berge
   2. Zermatt–Matterhorn–besteigen
   3. St. Moritz–Schi laufen
   4. Bergdörfer–hinterwäldlerisches Heidileben–bewundern
   5. Schlange stehen–Schweizer Uhr

2. Describe some of the characteristics of the city of Basel and its population. Use the following cues as a guide.

   1. Basel–am Rhein–drei Länder
   2. Universitätsstadt–berühmte Männer
   3. Klima–chemische Industrie
   4. konservativ–politisch fortschrittlicher
   5. wie süddeutsche Protestanten

EXERCISE BOOK: EXERCISES 6, 7 AND 8

1. Wofür gibt die Schweizer Regierung eine Menge Geld aus?
2. Womit verdient die Schweiz auch Geld?
3. Worüber ist Gerhard erstaunt?
4. Was hat der Lehrer über die Schweizer gesagt?
5. Warum sagt Ulla, dass die Schweizer ab⟨?⟩ irgendetwas besser machen?
6. Was antwortet Gerhard?
7. Was meint er damit?

Conversation Buildup

GERHARD   Hier im *Stern*[16] steht ein wirklich guter Artikel über die Schweiz. Hast du ihn schon gelesen?

ULLA   Ich hab' mir nur die Bilder angesehen. Den Artikel schneid' ich mir aus und nehm' ihn in die Schule mit. Wir sprechen gerade über die Schweiz.

GERHARD   Über Heidi?

ULLA   Red nicht so dumm! Du weisst besser, dass das Heidi–Leben überholt ist!

GERHARD   Ich bin nicht so sicher. Hier steht, dass die Regierung eine Menge Geld ausgibt, um ein gewisses folkloristisches Bild für die Touristen zu erhalten.

ULLA   Warum auch nicht? Die Schweiz ist auf Touristen angewiesen, und sie bringen bestimmt mehr Geld in die Schweiz als die Regierung dafür ausgibt.

GERHARD   Der Fremdenverkehr ist wichtig für die Schweiz, aber vergiss nicht, dass die Schweiz auch eine gesunde Industrie hat und viel Geld durch den Export von Maschinen, Uhren, Textilien und Chemikalien verdient. Und das internationale Bankwesen bringt eine Menge Geld ins Land. –Was mich aber mehr erstaunt ist, wie gut die sechs Millionen Schweizer zusammen leben. Neutral, mitten in Europa!

ULLA   Unser Lehrer sagt, dass sich die Schweizer nur in schlechten Zeiten als eine Nation fühlen, zum Beispiel, wenn eine fremde Macht sie bedroht. Sonst sind die Schweizer nämlich richtige Provinzler. Ein Urner ist zuerst ein Urner, oder ein Glarner ein Glarner, dann erst ein Schweizer.

GERHARD   Das ist doch bei uns auch so. Ein Bayer ist zuerst ein Bayer, und dann erst ein Deutscher.

ULLA   Die Schweizer müssen aber irgendetwas besser machen als wir Deutschen. Wir haben in diesem Jahrhundert schon zwei Kriege angefangen und verloren. Und die Schweizer sind neutral geblieben und haben Geld verdient!

GERHARD   Freilich sind sie klüger als wir: sie lassen ihre Frauen nicht wählen . . .

ULLA   Du willst doch nicht etwa sagen, dass wir Frauen am Krieg schuld sind?

GERHARD   Siehst du, schon wieder fängst du an zu streiten!

---

[16] **Stern** is a popular German illustrated magazine.

Note: You may find it necessary to discuss the meaning of a provincial person with your students.

A-LM GERMAN: LEVEL TWO—UNIT 26 | **353**

REJOINDERS
Ein Provinzler ist jemand, der anderen Leuten etwas rückständig erscheint.
Ein Provinzler denkt zuerst an seine Provinz und dann erst an den Staat.

Ich verstehe nicht, was ein Provinzler ist.
Ich kann mir nicht vorstellen, warum die Schweizer den Frauen das Wahlrecht nicht geben.
Sie machen sich damit nur lächerlich.
Es ist nicht zu glauben, dass es noch Länder gibt, in denen Frauen kein
CONVERSATION STIMULUS   *Stimmrecht und kein Wahlrecht haben.*

In der Erdkundestunde spricht der Lehrer heute über die Schweiz. Ulla hat so viele Fragen: wohin die Touristen zum Bergsteigen fahren, wo sie Schi laufen, was für interessante Städte es in der Schweiz gibt, was für Industrie es gibt, ob die Schweiz eine starke Armee hat und warum die Schweizer Frau nicht wählen darf.

LEHRER   In der letzten Stunde habe ich Ihnen von der Schweiz erzählt.
Hat nun jemand von Ihnen eine Frage?

ULLA   *Ich habe gehört, dass besonders viele englische Bergsteiger in* . . . . *die Schweiz kommen. Wohin fahren sie gewöhnlich?*

Other Verbs that Require an Infinitive without zu

In addition to the modals there are a few verbs that do not require zu with the infinitive:

a. **helfen, hören, lassen, sehen,** (the verbs that require the double infinitive construction in the conversational past.)

Der Bergführer **hilft** uns **aufsteigen.**   Mutter **lässt** uns ins Kino **gehen.**
Er **hört** die Touristen **rufen.**   Wir **sehen** den Gletscher **schmelzen.**

b. some verbs of motion such as **gehen, fahren,** and the verb **bleiben,** particularly in set phrases:

Wir **gehen** nachher **spazieren.** Ich **fahre** heute **einkaufen.** Das Auto **bleibt stehen.**

Writing

SENTENCE CONSTRUCTION
1. Es ist unmöglich, einen Basler in Zürich einzuklagen.
2. Wir sehen die Hotels aus der Erde schiessen.

Write sentences in the present tense using all the words in the following groups. Make any other necessary additions and changes.

BEISPIEL   Es ist nicht einfach–besteigen / Eiger
<u>Es ist nicht einfach, den Eiger zu besteigen.</u>

1. Es ist unmöglich–einklagen / Basler / in Zürich
2. Wir sehen–schiessen / die Hotels / aus der Erde
3. Sie haben vor–auswandern / bald / nach Amerika
4. Die Schweizer lassen–lernen / Kinder / zwei Fremdsprachen
5. Ich habe keine Lust–besteigen / Matterhorn / allein

3. Sie haben vor, bald nach Amerika auszuwandern.
4. Die Schweizer lassen ihre Kinder zwei Fremdsprachen lernen.
5. Ich habe keine Lust, das Matterhorn allein zu besteigen.

REFERENCE LIST

Nouns

das Abenteuer, –	das Einkommen, –	das Jahrhundert, –e	der Schmerz, –en
die Alpenfestung, –en	der Fallschirm, –e	der Kanton, –e	der Schutz
die Armee, –n	das Flachland, ⸚er	das Klima	die Sitzung, –en
der Aufschwung, ⸚e	die Forschung, –en	die Kraft, ⸚e	der Staat, –en
die Bank, –en	der Fremde, –n	die Landessprache, –n	das Stimmrecht
der Bankier, –s	der Fremdenverkehr	die Landkarte, –n	die Tour, –en
das Bankwesen	das Gefühl, –e	die Macht, ⸚e	die Tracht, –en
die Belastung, –en	das Gegenteil, –e	der Nobelpreisträger, –	das Volk, ⸚er
das Bewusstsein	das Geheimnis, –se	der Offizier, –e	der Vulkan, –e
der Direktor,	das Gewissen	der Reisende, –n	das Wahlrecht
die Direktoren	der Gletscher, –	der Richter, –	der Witz
der Eindringling, –e	das Heer, –e	das Schicksal, –e	der Zweifel, –
die Einigkeit	die Industrie, –n	der Schilehrer, –	

Weak Verbs

s. äussern über A	begleiten	einklagen	grenzen an A	s. kümmern um	vereinbaren
aussetzen	betrachten	fertigbringen	handeln von	schwächen	versichern
auswandern(ist)	bewundern	feststellen	jagen	s. umschnallen	wagen
beleidigen	dienen	s. fühlen	knattern	verbessern	zittern

Strong Verbs

ausweichen D (weicht aus, wich aus,   vergleichen (vergleicht, verglich,
    ist ausgewichen)   verglichen)
schiessen (schiesst, schoss, geschossen)   zwingen (zwingt, zwang, gezwungen)

s. abfinden mit	bestehen	giessen	unterscheiden	s. zurückziehen
annehmen	besteigen	übernehmen	vermögen	s. zusammenschliessen

Adjectives and Adverbs

abhängig	fein	möglich	unbehaglich	allerdings	möglicherweise
buchstäblich	folgend-	nötig	unberührt	andererseits	selbstverständ-
einheimisch	fortschrittlich	politisch	unentbehrlich	dringend	lich
einzeln	fraglich	regnerisch	verschieden	einerseits	
erstaunlich	geographisch	sprichwörtlich	weltbedeutend	gegenseitig	
ewig	männlich	umliegend-	wirtschaftlich	längst	

Other Words and Expressions

alles in allem	im Sinne	in Gang bringen	solch
angewiesen sein auf A	in Erinnerung rufen	s. Mühe geben	somit
im 19. Jahrhundert	in erster Linie	Schlange stehen	vor Angst
	auf etwas zu sprechen kommen		

Die Häuser *sind* wie Pilze aus der Erde *geschossen.*
Er *hat* den Vogel vom Baum *geschossen.*
Note: Use of *sein* with verbs that can be used transitively and intransitively
will be taken up in Level III.

Zürich am Zürich See

Alphornbläser im Berner Oberland

Kramgasse in Bern

Blick auf Gstaad

BASIC MATERIAL I

Das Münchner Oktoberfest[1]

Wenn es das Oktoberfest auf der Theresienwiese nicht geben würde, wäre das Leben für viele Münchner nur halb so schön. Jedes Jahr kommen Millionen von Besuchern zu diesem Fest und trinken einige Millionen Mass[2] Bier, essen eine halbe Million Hühner, sogenannte „Brathendl", verzehren Dutzende von Ochsen, bis zu 600 Kilogramm[3] schwer, die saftig am Spiess braten.

Das Oktoberfest ist das grösste Volksfest Europas. Man trinkt und isst an endlosen Tischen in riesigen Zelten[4], die eigentlich gar nicht nötig wären, da das Herbstwetter in diesen Wochen strahlend ist. Doch selbst, wenn dies nicht der Fall wäre, würden sich die Münchner und die Festfreudigen aus aller Welt nicht abhalten lassen.

Das Oktoberfest ist ein Fest der Rekorde, der Superlative. Nie sind so viele Taschendiebe auf einem so kleinen Platz beisammen. Dutzende von Kindern gehen jeden Tag verloren. Auch sind Schlägereien nachts nicht selten. Aber das ist nicht so schlimm. Wenn es diese Unannehmlichkeiten nicht geben würde, so wäre das Oktoberfest kein richtiges Volksfest.

Man isst und trinkt nicht nur! In den Zelten spielt die Blechmusik zum Tanz, in den Buden ist die „Dame mit den zwei Köpfen" ausgestellt, und alle amüsieren sich auf den wildesten Achter– und Schleuderbahnen.

Wenn man Rekorde für etwas besonders Wichtiges hält, so kann man noch die Kellnerinnen erwähnen. Sie erhalten nämlich so viel Trinkgelder, dass sie während der übrigen fünfzig Wochen des Jahres nicht mehr arbeiten müssen. Was will man mehr?

---

[1] The first **Oktoberfest** was held in 1810 as a wedding celebration for King Ludwig I. The festival has become an annual event during the last week of September and the first week of October.

[2] **Eine Mass Bier** refers to a stein of beer which holds one quart.

[3] **Ein Kilogramm** is the unit of weight measurement in the metric system. It has 1000 grams, or approximately 2.2 American pounds.

[4] The larger beer tents have a capacity for 6000 people.

The Munich Oktoberfest

If there were no Oktoberfest on the Theresienwiese, life would only be half as pleasant for many people of Munich. Every year, millions of visitors come to this festival and drink a few million quarts of beer, eat half a million chickens, so-called "Brathendl", devour dozens of oxen, some as heavy as 600 kilograms, that roast juicily on a spit.

The Oktoberfest is Europe's largest folk festival. One drinks and eats at endless tables in huge tents, which wouldn't even be necessary, since the autumn weather during these weeks is glorious. Even if this were not the case, the people of Munich and those from all over the world who enjoy the festival wouldn't let this deter them.

The Oktoberfest is a festival of records, of superlatives. At no other time are so many pickpockets together in such a small area. Dozens of children get lost every day. Fistfights at night are common. But that's not so bad. If these unpleasant incidents didn't take place, the Oktoberfest wouldn't be a real folk festival.

One doesn't only eat and drink! In the tents the brass bands play for dancing, in the side-shows the "Woman with Two Heads" is displayed, and everyone has a good time on the wildest roller coasters.

If one considers records something of special importance, one can also mention the waitresses. They receive so many tips that they don't have to work the remaining fifty weeks of the year. What more do you want!

Vocabulary Exercises

1. QUESTIONS ON BASIC MATERIAL

1. Wo findet das Oktoberfest statt?
2. Wer kommt zu diesem Fest?
3. Was trinken die Leute?
4. Was essen sie alles?
5. Ist das Oktoberfest ein kleines Fest?
6. Wo essen und trinken die Leute?
7. Warum sind die Zelte oft nicht nötig?
8. Würden die Münchner bei schlechtem Wetter zu Hause bleiben?
9. Was für ein Fest ist das Oktoberfest?
10. Was für Unannehmlichkeiten gibt es?
11. Was kann man noch in den Zelten tun?
12. Was ist in den Buden ausgestellt?
13. Wo amüsieren sich viele Leute?
14. Was kann man über die Kellnerinnen erwähnen?

2. FREE RESPONSE

1. Auf was für ein Volksfest gehen Sie?
2. Was isst und trinkt man dort?
3. Isst man dort auch in riesigen Zelten?
4. Was für Musik spielt zum Tanz?
5. Wie können sich die Leute sonst noch amüsieren?

Noun Exercises

3. der, die, das

Nouns ending in **-ei** are always feminine and form their plural by adding **-en: die Konditorei, die Konditoreien; die Schlägerei, die Schlägereien.**

1. Ein grosses Fest findet statt.	1. Wie heisst ____ grösste Fest? *das*
2. Er trinkt eine Mass Bier.	2. Wie gross ist ____ Mass? *die*
3. Sie essen ein ganzes Dutzend.	3. Wie teuer ist ____ Dutzend? *das*
4. Sie braten einen grossen Ochsen⁵.	4. Wie schwer ist ____ Ochse? *der*
5. Das Fest bricht jeden Rekord.	5. Wissen Sie, was ____ Weltrekord ist? *der*
6. Das ist ein seltener Fall.	6. ____ Fall ist nicht gewöhnlich. *der*

4. SINGULAR → PLURAL

1. Das Fest beginnt Ende September.
2. Der Rekord ist erstaunlich!
3. Kommen Sie auf jeden Fall!   *VARIATION*
1. Die Feste beginnen Ende September.

1. Die Feste beginnen Ende September.
2. Die Rekorde sind erstaunlich!
3. Kommen Sie auf alle Fälle!
1. *Das Fest beginnt Ende September.*

Verb Exercise

5. CUED RESPONSE

Was **braten** Sie heute?   (Gänse)   Ich **brate** heute Gänse.

Was **brät** Ihre Mutter?   (Fleisch)   Meine Mutter **brät** Fleisch.

Wo hat man die Ochsen **gebraten?**   (am   Man hat die Ochsen am Spiess **gebraten.**
Spiess)

Grammar

Conditional Sentences: Real Conditions

PRESENTATION

Wenn ich 3 Tage Ferien bekomme, fahre ich aufs Oktoberfest.

How many clauses does this sentence contain? Name the main clause. Name the subordinate clause. What is the meaning of the entire sentence?

---

⁵ Note that **Ochse** has an **-n** in every case except the nominative singular.

Wenn er grossen Hunger hat, isst er ein Huhn.

Which word introduces the subordinate clause? In what position is the verb? In what position is **isst?** What is in first position?

Wenn die Blechmusik spielt, können die Leute tanzen.

Which clause expresses a condition? Which one a conclusion? What tense is used in both clauses?

DRILL 6, 7

Ich fahre mit der Achterbahn, wenn ich mich amüsieren will.

Which clause is in first position? Which one is in second position? Is the entire sentence still a conditional sentence?

Wenn ich mich amüsieren will, so fahre ich mit der Achterbahn.
Wenn ich mich amüsieren will, dann fahre ich mit der Achterbahn.

What words can be used to introduce the conclusion when the conditional clause precedes it?

GENERALIZATION

1. A conditional sentence consists of two clauses, a condition and its conclusion. The clause beginning with **wenn** (*if*) states the condition under which something might happen. The clause stating what might happen is the conclusion. Under a certain condition, a certain conclusion is possible.

Condition	*Conclusion*
Wenn ich 3 Tage Ferien bekomme, *If I get a 3-day vacation,*	fahre ich aufs Oktoberfest. *I'll go to the Oktoberfest.*

It is possible that I'll get a 3-day vacation, so this sentence expresses something that might happen, might become real. Such a condition is said to be a "real" condition. Note that in German, present tense verb forms are used in both clauses.

2. A conditional sentence may be introduced by the conclusion with the condition following.

Ich gehe aufs Oktoberfest, wenn ich 3 Tage Ferien bekomme.

3. In a conditional sentence the conclusion may be introduced by the words **dann** or **so.**

Wenn ich 3 Tage Ferien bekomme, dann (so) fahre ich aufs Oktoberfest.

STRUCTURE DRILLS

6. SENTENCE COMBINATION

Die Leute gehen aufs Oktoberfest. Sie amüsieren sich gut. ⊗

Wenn die Leute aufs Oktoberfest gehen, amüsieren sie sich gut.

Sie haben Hunger. Sie essen ein Brathuhn.

Wenn sie Hunger haben, essen sie ein Brathuhn.

Sie sind müde. Sie setzen sich in ein Zelt.

Wenn sie müde sind, setzen sie sich in ein Zelt.

Sie haben Durst. Sie trinken eine Mass Bier.

Wenn sie Durst haben, trinken sie eine Mass Bier.

Sie wollen Spass haben. Sie fahren mit der Schleuderbahn.

Wenn sie Spass haben wollen, fahren sie mit der Schleuderbahn.

7. FREE RESPONSE

Wohin gehen Sie, wenn Sie sich amüsieren wollen?

Was tun Sie, wenn Sie etwas essen möchten?

Was kaufen Sie, wenn jemand in Ihrer Familie Geburtstag hat?

Wohin fahren Sie, wenn Sie Ferien haben?

Conditional Sentences:
Unreal Conditions Referring to the Present

PRESENTATION

Note: Only one way of constructing conditional sentences is being presented in this unit.

Wenn ich Ferien hätte, würde ich nach München fahren.

Which clause is the condition? Which one is the conclusion? Does this sentence refer to the present or the past? How do the verb forms differ from the ones you have been using? What does this sentence mean? *DRILL 8.1*

Wenn ich krank wäre, würde ich zu Hause bleiben.

Which clause is the condition? Which one is the conclusion? Does this sentence refer to the present or the past? How do the verb forms differ from the ones you have been using? What does this sentence mean? *DRILLS 8.2; 9.1–9.2*

Wenn ich aufs Oktoberfest gehen würde, dann würde ich dich mitnehmen.

What does this sentence mean? Which construction is used in the condition? And in the conclusion? Does this sentence refer to the present or to the past? *DRILLS 9.3; 10–13*

GENERALIZATION

1. You have already seen that present tense verb forms are used in "real" conditions, in which the possibility expressed may happen, i.e., become "real".

> Wenn ich Ferien habe, fahre ich aufs Oktoberfest.
> *When I have my vacation, I'll go to the Oktoberfest.*

2. The conditions expressed in the following sentences are not true. Therefore, they are unreal conditions.

> ·Wenn ich Ferien **hätte, würde** ich nach München **fahren.**
> *If I had a vacation (but I don't), I would go to Munich.*

> Wenn ich krank **wäre, würde** ich zu Hause **bleiben.**
> *If I were sick (but I am not), I would stay home.*

> Wenn ich aufs Oktoberfest **gehen würde, würde** ich dich **mitnehmen.**
> *If I were going to the Oktoberfest (but I'm not going), I would take you along.*

3. In German, special verb forms called subjunctive forms are used in unreal conditions. The subjunctive forms of **haben, sein,** and **werden** are:

	haben	sein	werden
ich	hätte	wäre	würde
du	hättest	wär(e)st	würdest
er, sie, es	hätte	wäre	würde
wir	hätten	wären	würden
ihr	hättet	wär(e)t	würdet
sie, Sie	hätten	wären	würden

4. In some conditional sentences referring to the present (or immediate future) subjunctive forms of **haben** and **sein** are often used in the condition, and **würde** + an infinitive in the conclusion.

> Wenn ich Ferien **hätte, würde** ich nach München **fahren.**
> Wenn ich krank **wäre, würde** ich zu Hause **bleiben.**

5. The **würde** + infinitive construction may also be used in both condition and conclusion.

> Wenn ich aufs Oktoberfest **gehen würde, würde** ich dich **mitnehmen.**

STRUCTURE DRILLS

8. PERSON-NUMBER SUBSTITUTION

1. Wenn ich Lust hätte, würde ich mit der Achterbahn fahren. ⊗

   ____ wir _____ .

   ____ er _____ .

   ____ du _____ .

   ____ ihr _____ .

   ____ sie (Plural) _____ .

   > Wenn ich Lust hätte, würde ich mit der Achterbahn fahren.
   > Wenn wir Lust hätten, würden wir mit der Achterbahn fahren.
   > Wenn er Lust hätte, würde er mit der Achterbahn fahren.
   > Wenn du Lust hättest, würdest du mit der Achterbahn fahren.
   > Wenn ihr Lust hättet, würdet ihr mit der Achterbahn fahren.
   > Wenn sie Lust hätten, würden sie mit der Achterbahn fahren.

2. Wenn sie hungrig wäre, würde sie etwas essen. ⊗

   ____ du _____ .

   ____ ich _____ .

   ____ Sie (Sie-Form) _____ .

   ____ ihr _____ .

   ____ wir _____ .

   > Wenn sie hungrig wäre, würde sie etwas essen.
   > Wenn du hungrig wärst, würdest du etwas essen.
   > Wenn ich hungrig wäre, würde ich etwas essen.
   > Wenn Sie hungrig wären, würden Sie etwas essen.
   > Wenn ihr hungrig wärt, würdet ihr etwas essen.
   > Wenn wir hungrig wären, würden wir etwas essen.

9. REAL CONDITION → UNREAL CONDITION

1. Wenn ich in München bin, gehe ich aufs Oktoberfest. ⊗
   Wenn ich mehr Geld habe, nehme ich dich mit.
   Wenn ich Hunger habe, kaufe ich mir ein Brathendl.
   Wenn ich Durst habe, trinke ich eine Limonade.
   Wenn ich Lust habe, fahre ich mit der Schleuderbahn.

   > Wenn ich in München wäre, würde ich aufs Oktoberfest gehen.
   > Wenn ich mehr Geld hätte, würde ich dich mitnehmen.
   > Wenn ich Hunger hätte, würde ich mir ein Brathendl kaufen.
   > Wenn ich Durst hätte, würde ich eine Limonade trinken.
   > Wenn ich Lust hätte, würde ich mit der Schleuderbahn fahren.

Wenn ich in München wäre, würde ich aufs Oktoberfest gehen.

VARIATION

Ich würde aufs Oktoberfest gehen, wenn ich in München wäre.

2. Wenn das Zelt voll ist, bleiben wir draussen.

   Wenn das Bier zu kalt ist, trinkt er es nicht.

   Wenn das Ochsenfleisch saftig ist, esse ich ein Stück.

   Wenn die Kellnerin tüchtig ist, bekommt sie ein Trinkgeld.

   Wenn die Blechmusik gut ist, tanzen die Leute.

   Wenn das Zelt voll wäre, würden wir draussen bleiben.

   Wenn das Bier zu kalt wäre, würde er es nicht trinken.

   Wenn das Ochsenfleisch saftig wäre, würde ich ein Stück essen.

   Wenn die Kellnerin tüchtig wäre, würde sie ein Trinkgeld bekommen.

   Wenn die Blechmusik gut wäre, würden die Leute tanzen.

3. Wenn ich in die Schweiz fahre, sehe ich mir Zermatt an.

   Wenn ich einen Berg besteige, nehme ich mir einen Bergführer.

   Wenn ich meinen Urlaub bekomme, fahre ich ins Tessin.

   Wenn ich auf der Autobahn fahre, sehe ich nicht viel.

   Wenn ich nach Russland fahre, brauche ich ein Visum.

   Wenn ich in die Schweiz fahren würde, würde ich mir Zermatt ansehen.

   Wenn ich einen Berg besteigen würde, würde ich mir einen Bergführer nehmen.

   Wenn ich meinen Urlaub bekommen würde, würde ich ins Tessin fahren.

   Wenn ich auf der Autobahn fahren würde, würde ich nicht viel sehen.

   Wenn ich nach Russland fahren würde, würde ich ein Visum brauchen.

10. CLAUSE INVERSION

Wenn Sie in München wären, würden Sie bestimmt aufs Oktoberfest gehen.

Wenn Sie auf die Theresienwiese gehen würden, würden Sie sich amüsieren.

Wenn Sie grossen Hunger hätten, würden Sie ein Stück Ochsenfleisch essen.

Wenn die Zelte voll wären, würden Sie in die Buden gehen.

Wenn Sie einen Taschendieb sehen würden, würden Sie die Polizei rufen.

Sie würden bestimmt aufs Oktoberfest gehen, wenn Sie in München wären.

Sie würden sich amüsieren, wenn Sie auf die Teresienwiese gehen würden.

Sie würden ein Stück Ochsenfleisch essen, wenn Sie grossen Hunger hätten.

Sie würden in die Buden gehen, wenn die Zelte voll wären.

Sie würden die Polizei rufen, wenn Sie einen Taschendieb sehen würden.

11. CUED RESPONSE

Was würden Sie tun, wenn Sie in München wären? (ins Theater gehen)

Was würden Sie besuchen, wenn Sie im Herbst dort wären? (das Oktoberfest)

Was würden Sie sich ansehen, wenn Sie viel Zeit hätten? (das Museum)

Wenn ich in München wäre, würde ich ins Theater gehen.

Wenn ich im Herbst dort wäre, würde ich das Oktoberfest besuchen.

Wenn ich viel Zeit hätte, würde ich mir das Museum ansehen.

Wohin würden Sie fahren, wenn das Wetter besonders schön wäre? (in die Berge)

Wenn das Wetter besonders schön wäre, würde ich in die Berge fahren.

Auf welchen Berg würden Sie fahren, wenn Sie in Garmisch wären? (auf die Zugspitze)

Wenn ich in Garmisch wäre, würde ich auf die Zugspitze fahren.

12. FREE COMPLETION

Wenn ich in München wäre, . . .
Wenn ich viel Zeit hätte, . . .
Wenn ich etwas Geld verdienen würde, . . .
Wenn mein Freund Geburtstag hätte, . . .
Wenn ich jetzt keine Schule hätte, . . .
Wenn ich morgen nichts vorhätte, . . .
Wenn ich durstig wäre, . . .

13. FREE RESPONSE

Was würden Sie sich ansehen, wenn Sie in Berlin (Hamburg, Freiburg, Washington) wären?
Was würden Sie sich alles ansehen, wenn Sie in die Schweiz fahren würden?
Was würden Sie sich kaufen, wenn Sie einmal Geld gewinnen würden?
Was würden Sie sich im Gasthaus bestellen, wenn Sie grossen Hunger hätten?
Was würden Sie am Wochenende tun, wenn Sie nichts anderes vorhätten?
Was würden Sie tun, wenn Sie keinen Job finden würden?
Was würden Sie alles tun, um sich Taschengeld zu verdienen?

Writing

EXERCISE BOOK: EXERCISES 1 AND 2

SENTENCE REWRITE

1. . . . hätte, würde ich mir einen Wagen anschaffen.
2. . . . hätte, würde er sich bei Siemens bewerben.
3. . . . wäre, würde sie ihre Freundin anrufen.

Rewrite each of the following sentences, changing each "real" conditional clause to an "unreal" conditional clause.

BEISPIEL   Wenn ich Zeit habe, beeile ich mich nicht.
Wenn ich Zeit hätte, würde ich mich nicht beeilen.

1. Wenn ich Geld habe, schaffe ich mir einen Wagen an.
2. Wenn Wolfgang keine Arbeit hat, bewirbt er sich bei Siemens.
3. Wenn Ursel nicht töricht ist, ruft sie ihre Freundin an.
4. Wenn du auf mich nicht böse bist, unterhalte ich mich mit dir.
5. Wenn wir die Antwort nicht wissen, fragen wir um Rat.
6. Wenn du mir das verbietest, machst du dich lächerlich.

4. . . . wärst, würde ich mich mit dir unterhalten.
5. Wenn wir die Antwort nicht wissen würden, würden wir um Rat fragen.
6. Wenn du mir das verbieten würdest, würdest du dich lächerlich machen.

BASIC MATERIAL II

Ein Telefongespräch

FRANZ   Grüss dich[6], Josef! Wie gefällt es dir in Frankfurt?

JOSEF   Sei nicht ekelhaft! Ich wünsche, dass meine verflixte Prüfung schon im Sommer gewesen wäre.

FRANZ   Weisst du, ich hab' ein paar Mal an dich gedacht. Aber für dich die ganze Zeit den Daumen zu drücken, das hab' ich leider nicht geschafft. Ist es dir trotzdem gut gegangen?

JOSEF   Klar! Aber es geht eben nichts über München. Und wenn ich nicht jeden Tag alle Münchner Tageszeitungen gelesen hätte, wäre ich vor Heimweh verzweifelt. Weisst du, das von der Fünfundneunzigjährigen, die schon zum vierundneunzigsten Mal auf dem Oktoberfest war, das hat mir am besten gefallen.

FRANZ   Wenn ich dieser Oma[7] begegnet wäre, hätte ich sie zum Tanz aufgefordert.

JOSEF   Mit wem hast du denn sonst getanzt?

FRANZ   Wenn du das wissen würdest, würdest du vor Neid bleich werden. Rat mal!

JOSEF   Es fällt mir nicht ein, dir diesen Gefallen zu tun!

FRANZ   Wie du willst. Aber nicht, dass du später einmal sagst, ich hätte dir etwas verheimlicht . . .

A Phone Conversation

FRANZ   Hi, (Greetings) Josef! How do you like Frankfurt?

JOSEF   Don't be obnoxious. I wish my darn examination had been in the summer.

FRANZ   You know, I thought of you a few times. But to keep my fingers crossed (press my thumbs) for you all the time—I just didn't manage. Did it work out all right in spite of it?

JOSEF   Sure. But there's just nothing like Munich. And if I hadn't read all the daily newspapers every day, I would have died of (been desperate with) homesickness. You know the thing about the ninety-five-year old woman who was at the Oktoberfest for the ninety-fourth time—I liked that best of all.

FRANZ   If I had met that granny, I would have asked her for a dance.

JOSEF   Who else did you dance with anyhow?

FRANZ   If you knew that, you would get green (pale) with envy. Guess.

JOSEF   I wouldn't think of doing you the favor.

FRANZ   As you please. But, don't say later on that I kept something from you . . .

---

[6] **Grüss dich!** is a casual way of addressing a friend in Southern Germany.

[7] **Oma** and **Opa** are used by children to address their grandmother and grandfather.

Vocabulary Exercises

14. QUESTIONS ON BASIC MATERIAL

1. Wo ist Josef, und wo ist Franz?
2. Was hat Josef in Frankfurt gemacht?
3. Was wollte Franz für seinen Freund tun?
4. Wie ist es Josef in der Prüfung gegangen?
5. Was sagt Josef über München?
6. Was hat er jeden Tag gelesen? Warum?
7. Was hat ihm am besten gefallen?
8. Was hätte Franz mit der Oma getan?
9. Was möchte Josef wissen?
10. Warum sagt ihm Franz nicht, mit wem er getanzt hat?
11. Was soll Josef später einmal nicht sagen?

Noun Exercises

15. der, die, das

1. Franz drückt den Daumen.
2. Er hat grosses Heimweh.
3. Tu mir bitte den Gefallen!

1. _____ Daumen ist gebrochen.   *der*
2. _____ Heimweh macht ihn traurig.   *das*
3. _____ Gefallen hat ihm Freude bereitet. *der*

16. SINGULAR → PLURAL

1. Der Daumen ist verletzt.
2. Die Oma verheimlicht nichts.   *VARIATION*
1. Die Daumen sind verletzt.

1. Die Daumen sind verletzt.
2. Die Omas verheimlichen nichts.
1. *Der Daumen ist verletzt.*

Grammar

Conditional Sentences:
Unreal Conditions Referring to the Past

PRESENTATION

Wenn ich Ferien gehabt hätte, wäre ich nach München gefahren.

What does this sentence mean? Does this sentence refer to the present or to the past? What do the verb phrases in each clause consist of?

Wenn er Zeit gehabt hätte, hätte er das Oktoberfest besucht.

What does this sentence mean? Does this sentence refer to the present or to the past? What do the verb phrases in each clause consist of? *DRILLS 17–20*

GENERALIZATION

In sentences expressing unreal conditions that refer to the past, the subjunctive form of **haben** or **sein** plus a past participle are used in both the condition and the conclusion.

> Wenn ich Ferien **gehabt hätte, wäre** ich nach München **gefahren.**
> Wenn er Zeit **gehabt hätte, hätte** er das Oktoberfest **besucht.**

STRUCTURE DRILLS

17. UNREAL CONDITIONS: PRESENT → PAST

1. Wenn ich Ferien hätte, würde ich nach München fahren. ☻

   Wenn ich Zeit hätte, würde ich aufs Oktoberfest gehen.

   Wenn ich müde wäre, würde ich mich in ein Zelt setzen.

   Wenn ich hungrig wäre, würde ich mi etwas zu essen bestellen.

   Wenn ich Lust hätte, würde ich mit der Achterbahn fahren.

   Wenn ich Ferien gehabt hätte, wäre ich nach München gefahren.

   Wenn ich Zeit gehabt hätte, wäre ich aufs Oktoberfest gegangen.

   Wenn ich müde gewesen wäre, hätte ich mich in ein Zelt gesetzt.

   Wenn ich hungrig gewesen wäre, hätte ich mir etwas zu essen bestellt.

   Wenn ich Lust gehabt hätte, wäre ich mit der Achterbahn gefahren.

2. Wenn es Josef gefallen würde, würde er in Frankfurt bleiben. ☻

   Wenn er den Daumen drücken würde, würde er die Prüfung bestehen.

   Wenn er die Zeitung nicht lesen würde, würde er Heimweh bekommen.

   Wenn er die Oma antreffen würde, würde er mit ihr tanzen.

   Wenn er das wissen würde, würde er vor Neid bleich werden.

   Wenn es Josef gefallen hätte, wäre er in Frankfurt geblieben.

   Wenn er den Daumen gedrückt hätte, hätte er die Prüfung bestanden.

   Wenn er die Zeitung nicht gelesen hätte, hätte er Heimweh bekommen.

   Wenn er die Oma angetroffen hätte, hätte er mit ihr getanzt.

   Wenn er das gewusst hätte, wäre er vor Neid bleich geworden.

VARIATION: Use the right-hand column as a cue for a Past → Present drill.

18. CUED RESPONSE

Was hätten Sie getan, wenn Sie mehr Zeit gehabt hätten? (aufs Oktoberfest gehen) ☻

Was hätten Sie getan, wenn Sie einen Taschendieb gesehen hätten? (die Polizei rufen)

Wenn ich mehr Zeit gehabt hätte, wäre ich aufs Oktoberfest gegangen.

Wenn ich einen Taschendieb gesehen hätte, hätte ich die Polizei gerufen.

Was hätten Sie getan, wenn Sie keine Flugkarte bekommen hätten? (mit dem Zug fahren)

Wenn ich keine Flugkarte bekommen hätte, wäre ich mit dem Zug gefahren.

Was hätten Sie getan, wenn Sie vier Wochen Ferien bekommen hätten? (nach Italien fliegen)

Wenn ich vier Wochen Ferien bekommen hätte, wäre ich nach Italien geflogen.

Was hätten Sie getan, wenn Sie nach Berlin geflogen wären? (sich die Stadt ansehen)

Wenn ich nach Berlin geflogen wäre, hätte ich mir die Stadt angesehen.

Wenn ich mehr Zeit gehabt hätte, wäre ich aufs Oktoberfest gegangen.

VARIATION

Ich wäre aufs Oktoberfest gegangen, wenn ich mehr Zeit gehabt hätte.

19. SITUATIONAL RESPONSE

Was sagen Sie in folgenden Situationen?

Sie wollten aufs Oktoberfest gehen, aber Sie hatten keine Zeit.

Wenn ich Zeit gehabt hätte, wäre ich aufs Oktoberfest gegangen.

Sie wollten länger im Zelt bleiben, aber Sie waren so müde.

Wenn ich nicht so müde gewesen wäre, wäre ich länger im Zelt geblieben.

Sie wollten sich etwas zu essen bestellen, aber Sie hatten Ihr Geld vergessen.

Wenn ich mein Geld nicht vergessen hätte, hätte ich mir etwas zu essen bestellt.

Sie wollten eine Gesellschaftsreise machen, aber Sie haben keinen Platz bekommen.

Wenn ich einen Platz bekommen hätte, hätte ich eine Gesellschaftsreise gemacht.

Sie wollten nach Russland fliegen, aber Sie haben kein Visum bekommen.

Wenn ich ein Visum bekommen hätte, wäre ich nach Russland geflogen.

Wenn ich Zeit gehabt hätte, wäre ich aufs Oktoberfest gegangen.

VARIATION

Ich wäre aufs Oktoberfest gegangen, wenn ich Zeit gehabt hätte.

20. FREE COMPLETION

Wenn ich in München gewesen wäre, . . .

Wenn ich Zeit gehabt hätte, . . .

Wenn ich Musik gehört hätte, . . .

Wenn ich Hunger gehabt hätte, . . .

Wenn ich eine schlechte Zensur bekommen hätte, . . .

VARIATION: Use the right-hand column of drills 9.1–9.3 and 11 as a cue for a Present → Past drill.

21. FREE RESPONSE

Was hätten Sie sich angesehen, wenn Sie in Bonn (Berlin, München) gewesen wären?

Was hätten Sie sich gekauft, wenn Sie Geld zum Geburtstag bekommen hätten?

Welche Länder hätten Sie besucht, wenn Sie nach Europa geflogen wären?

Welche Städte hätten Sie gern gesehen, wenn Sie in der Schweiz gewesen wären?

Wohin wären Sie gegangen, wenn Sie nichts vorgehabt hätten?

Was hätten die Einbrecher mitgenommen, wenn Sie mehr Zeit gehabt hätten?

Was hätten Sie sich alles mitgenommen, wenn Sie ein Picknick gemacht hätten?

1. *Wenn ich in München gewesen wäre, hätte ich mir die vielen Kirchen angesehen.*
2. *Wenn er nicht krank gewesen wäre, hätte er sich an das schlechte Wetter gewöhnt.*

Writing

3. *Wenn ich mehr Geld gehabt hätte, hätte ich mich für eine Italienreise entschieden.*
4. *Wenn er Geld gebraucht hätte, hätte er sich um einen guten Job beworben.*
5. *Wenn er mir das gesagt hätte, hätte ich mich um den kranken Onkel gekümmert.*

SENTENCE CONSTRUCTION

Write sentences, using all the words given. Make any necessary changes.

BEISPIEL   Wenn ich Zeit gehabt hätte, / ich / s. beschäftigen mit / meine Briefmarken
            <u>Wenn ich Zeit gehabt hätte, hätte ich mich mit meinen Briefmarken beschäftigt.</u>

1. Wenn ich in München gewesen wäre, / ich / s. ansehen / die vielen Kirchen
2. Wenn er nicht krank gewesen wäre, / er / s. gewöhnen an / das schlechte Wetter
3. Wenn ich mehr Geld gehabt hätte, / s. entscheiden für / eine Italienreise
4. Wenn er Geld gebraucht hätte, / s. bewerben um / ein guter Job
5. Wenn er mir das gesagt hätte, / ich / s. kümmern um / der kranke Onkel

EXERCISE BOOK: EXERCISES 3 AND 4

SECTION C ⊗

Listening Comprehension: Exercises 80, 81, 82
Additional Structure Drills

READING

München[8] und der Chaplin der deutschen Sprache

     Viele Deutsche betrachten München, das sich gern „Weltstadt mit Herz°" nennt, als heimliche Hauptstadt. München ist eine Stadt, die mit jedem Tag größer und größer wird, mit ständig wachsendem Straßenverkehr (man erzählt sich, daß auf dem Sta-

5 chus[9] Dackel° wegen der Autoabgase nach drei Minuten bewußtlos werden) und viel zu wenig Wohnungen. Wenn sich die Münchner nicht schon vor einigen Jahren entschieden hätten, eine Untergrundbahn zu bauen, so wäre eine Verkehrskatastrophe in naher Zukunft gar nicht zu vermeiden° gewesen.

10   Wenn ich die Olympischen Spiele[10] besuchen würde, würde ich mir bestimmt den Englischen Garten anschauen und das Hofbräuhaus[11]; ich würde auch ein paar Abende in Schwabing

das Herz, –en: *heart*

der Dackel, –: *dachshund*

vermeiden: *to avoid*

---

[8] **München,** the capital of Bavaria, is located at the foot of the Bavarian Alps. This fast-growing commercial, industrial, and cultural center has a population of 1.3 million. It has become the home of nearly 200,000 persons from other countries, mainly from Italy, Greece, and Turkey.

[9] **Der Stachus,** whose official name is Karlsplatz, is the busiest intersection in the center of the city. To meet increasing traffic problems, a multi-layered traffic complex is being constructed.

[10] Munich is the site of the 1972 Olympic Games.

[11] **Das Hofbräuhaus** is the most famous beer hall in the city of Munich.

verbringen, wo die meisten jungen Künstler und Schriftsteller wohnen, <u>weshalb</u> man wohl sagt, Schwabing ist kein Quartier, sondern ein Zustand°. Natürlich würde ich auch an einen der zehn oberbayrischen Seen fahren, die von München aus alle innerhalb einer Stunde zu erreichen sind. Vor allem aber würde ich eines nicht versäumen°, nämlich einen Besuch im Karl Valentin-Museum, dem Museum des höheren <u>Unsinns</u>, für den ja Amerikaner eine besondere <u>Vorliebe</u> haben.

Aber wer war denn eigentlich dieser Karl Valentin? Valentin war ein Sänger, ein Dichter, ein Schauspieler und irgendwie auch ein Philosoph, der zum Beispiel über den Krieg <u>folgendermaßen</u> <u>nachdachte</u>: Ich weiß, sagte er, woher der Treibstoffmangel° im Weltkrieg kam. Da sind die englischen Flugzeuge immer nach Deutschland hinüber geflogen, und die deutschen nach England, und jeder hat über dem andern Land Bomben abgeworfen. Man hätte doch viel Treibstoff sparen können, wenn die Engländer einfach aufgestiegen wären und ihre Bomben über England abgeworfen hätten und umgekehrt° die Deutschen auch . . .

Kann man die <u>Sinnlosigkeit</u> des Krieges besser darstellen°? //Karl Valentin, den viele Menschen für ein bißchen verrückt hielten, vergleichen bedeutende Essayisten sogar mit James Joyce[12]./Valentin, 1882 in dem Münchner Stadtteil° Au geboren, hieß eigentlich Valentin Ludwig Fey./Man erzählt sich, daß Valentin München so sehr liebte, daß er schon nach einem Tag in einer andern Stadt Heimweh bekam./Die Au, berichtet ein Kenner Valentins, war berühmt für ihre Originale°./ Da war zum Beispiel der berühmte Wirt° Styrer Hans, der damals als der stärkste Mensch der Welt galt° und dessen <u>Spazierstock</u> 25 Pfund wog./Oft konnte man in der Au auch den Maler Tiefenbach sehen, der eine Mönchskutte° und schulterlanges, <u>lockiges</u> Haar trug./Das größte Auer Original war einer, der sich 1895 selbst ein Fahrrad gebastelt° hatte, und damit im Fünfkilometertempo durch Münchens Straßen fuhr./Ein normales Fahrrad hätte ihm wenig genützt°, denn er war ständig <u>betrunken</u>.//

Dort also wuchs der kleine Valentin auf. 1902, nach einem Kurs in einer Münchner Varietéschule[13], trat er schon als Komiker auf°. Später reiste er in Deutschland herum und trat in vielen Städten auf. Er entdeckte seine Kunst so schnell wie Charlie Chaplin die seine entdeckt hatte. Valentin zeigte den Leuten, daß

Note: das Quartier is Austrian and Swiss for Stadtviertel.

der Zustand ⸚e: *state (of mind)*

versäumen: *to miss*

der Treibstoffmangel: *fuel shortage*

umgekehrt: *vice versa*
darstellen: *to present*

der Teil, –e: *part*

das Original, –e: *character*
der Wirt, –e: *innkeeper*
gelten als: *to be considered as*

die Mönchskutte, –n: *monk's habit*
basteln: *to make, build*

nützen: *to be of use*

auftreten: *to perform*

---

[12] James Joyce (1882–1941) was a well-known Irish author.

[13] A **Varietéschule** is a theatrical school for comedy and satire.

die meisten Wörter viele Bedeutungen haben, besonders wenn man die Wörter wörtlich° nimmt! Hier ist eine Szene mit einem Verkäufer:

wörtlich: *literally*

55	VERKÄUFER	Sie wünschen?
	VALENTIN	Eine Leica[14]
	VERKÄUFER	Zur Zeit haben wir leider keine da.
	VALENTIN	Wann bekommen Sie wieder welche°?
	VERKÄUFER	Schauen Sie in vierzehn Tagen wieder her.
60	VALENTIN	Herschauen? Ich seh' so schlecht! Außerdem wohne ich in Planegg, 15 Kilometer von München entfernt, und so weit seh' ich nicht!
	VERKÄUFER	Ich meine, kommen Sie in vierzehn Tage wieder her!
	VALENTIN	Kommen, ja. Und dann haben Sie Leicas bekommen?
65		
	VERKÄUFER	Vielleicht.
	VALENTIN	Vielleicht? Ich kann ja auch nicht „vielleicht" kommen, ich komme bestimmt.
	VERKÄUFER	Bestimmt? Ich kann natürlich nicht garantieren, ob in vierzehn Tagen bestimmt Leicas eingetroffen° sind.
70		
	VALENTIN	Dann ist es ja auch nicht nötig, daß ich in vierzehn Tagen kommen soll.
	VERKÄUFER	Sie können ja auch später kommen.
75	VALENTIN	Um wieviel Uhr?
	VERKÄUFER	Ich meine—acht Tage später kommen.
	VALENTIN	Also in drei Wochen?
	VERKÄUFER	Ja. Sie können auch früher kommen.
	VALENTIN	Wer? Ich?
80	VERKÄUFER	Nein. Die Leicas.
	VALENTIN	Und ich erst in drei Wochen?
	VERKÄUFER	Nein! Wenn die Leicas früher eintreffen, dann können Sie früher eine haben, wenn wir welche haben.
85	VALENTIN	Wenn ich aber auch früher komme, und Sie haben dann noch keine, soll ich dann etwas später kommen?
	VERKÄUFER	Selbstverständlich.
	VALENTIN	Wann?
90	VERKÄUFER	Das ist unbestimmt.
	VALENTIN	Und wann wäre es dann bestimmt?

welche: *some*

eintreffen: ankommen

---

[14] **Eine Leica** is an expensive German-made camera.

VERKÄUFER	Sobald welche da sind.
VALENTIN	Momentan° haben Sie also keine da?
VERKÄUFER	Nein.

momentan: im Augenblick

95 VALENTIN Am liebsten wäre mir, wenn ich jetzt gleich eine haben könnte, dann brauchte ich nicht mehr zu kommen.

VERKÄUFER Das wäre mir auch das Liebste, wenn Sie nicht mehr kommen würden.

100 VALENTIN Ich soll nicht mehr kommen?

VERKÄUFER Freilich können Sie kommen, aber doch erst, wenn wir wieder Leicas haben.

VALENTIN Und wann haben Sie welche?

VERKÄUFER Ich sagte Ihnen ja schon, schauen Sie in vierzehn
105 Tagen wieder her.

VALENTIN Herschauen? Ich schau' so schlecht! Außerdem wohne ich in Planegg, 15 Kilometer von München entfernt, und soweit sehe ich nicht!

Und so geht das weiter!
110 Man wartet und wartet. Aber es geht einen dabei keineswegs so wie Valentin einmal das Warten beschrieben° hat: „Erst wartete ich langsam, dann immer schneller und schneller."

Dieser Karl Valentin hat mit der Sprache und den Wörtern gekämpft° wie mit Menschen. Daraus ist eines der geistreichsten°
115 Werke der nicht immer besonders witzigen deutschen Literatur entstanden. Es gibt Leute, die behaupten, Karl Valentin wäre als Engländer oder Amerikaner weltberühmt geworden.

beschreiben: *to describe*

kämpfen: *to fight, struggle*
geistreich: *ingenious*

Dictionary Section

betrunken *Wenn man zu viel Wein trinkt, wird man betrunken.*

bewußtlos das Bewußtsein verlieren: *Er wurde von der schlechten Luft bewußtlos.*

folgendermaßen auf folgende Art: *Valentin hat den Krieg folgendermaßen erklärt.*

heimlich nicht bekannt: *Das ist sein heimlicher Wunsch. = Er sagt es nicht, aber das ist sein Wunsch.*

lockig *Das Mädchen geht nie zum Friseur, weil sie von Natur aus lockiges Haar hat.*

nachdenken über etwas denken: *Er hat über die Frage lange nachgedacht.*

Sinnlosigkeit ohne Sinn: *Das Stück handelt von der Sinnlosigkeit des Krieges.*

Spazierstock *Ältere Leute brauchen einen Spazierstock, der ihnen beim Gehen hilft.*

Unsinn etwas, was keinen Sinn macht: *Kladderadatsch macht keinen Sinn. Es ist Unsinn.*

Untergrundbahn eine Bahn, die unter der Straße fährt: *In München baut man jetzt eine Untergrundbahn, weil der Straßenverkehr so stark ist.*

Vorliebe *Sie haben eine Vorliebe für etwas Lustiges. = Sie haben etwas Lustiges besonders gern.*

weshalb warum: *Weshalb kommst du? = Warum kommst du?*

Zukunft *Es gibt in naher Zukunft eine Verkehrskatastrophe. = Es gibt bald eine Verkehrskatastrophe.*

22. QUESTIONS

1. Wie nennt sich München gern? *1*
2. Wie betrachten viele Deutsche München? *2*
3. Was für Probleme hat München? *4*
4. Was erzählt man sich über die Autoabgase am Stachus? *5*
5. Wann wäre eine Verkehrskatastrophe nicht zu vermeiden gewesen? *9*
6. Was würden Sie sich in München anschauen? *11*
7. Was können Sie über Schwabing sagen? *13*
8. Was aber würden Sie nicht in München versäumen? *18*

9. Wer war dieser Karl Valentin? *22*
10. Wie dachte er über den letzten Krieg nach? *24*
11. Wie hiess Valentin eigentlich? *35*
12. Wofür war die Au berühmt? *38*
13. Was wissen Sie über den Styrer Hans? *40*
14. Beschreiben Sie den Maler Tiefenbach! *42*
15. Was hatte sich das grösste Original gebastelt? *43*
16. Als was trat Valentin zuerst auf? *48*
17. Was zeigte Valentin den Leuten? *52*
18. Versuchen Sie, diese Szene zu erzählen! *55*

Noun Exercises

23. der, die, das

1. Die Oma hat ein schwaches Herz.
2. Da kommt ein kleiner Dackel.
3. Das ist ein gefährliches Abgas.
4. Er hat eine grosse Zukunft.
5. Das ist ein schlechter Zustand!
6. Red doch keinen Unsinn!
7. Kennen Sie einen Philosophen[15]?
8. Im Krieg gab es keinen Treibstoff.
9. Wir haben keinen Mangel daran.
10. Denken Sie über diesen Essayisten[15] nach!
11. Das ist ein reizender Stadtteil!
12. Das war ein altes Original!
13. Sie verlangen ein schnelles Tempo.
14. Das ist sein einziges Werk.
15. Er beschäftigt sich mit der Literatur.
16. Der Wirt hatte einen Spazierstock.

1. Mir tut ―― Herz weh. *das*
2. ―― Dackel jagt die Katze. *der*
3. Woher kommt ―― Abgas? *das*
4. ―― Zukunft gehört der Jugend. *die*
5. ―― Zustand ist nicht zu ertragen. *der*
6. ―― Unsinn macht Spass. *der*
7. ―― Philosoph gibt gern einen Rat. *der*
8. War ―― Treibstoff kostbar? *der*
9. ―― Mangel ist gar nicht erstaunlich. *der*
10. ―― Essayist hat den Komiker erwähnt. *der*
11. ―― letzte Teil ist noch witziger. *der*
12. Wo wohnte ―― Original? *das*
13. Er gewöhnt sich an ―― Tempo. *das*
14. Interessieren Sie sich für ―― Werk? *das*
15. Verstehen Sie ―― moderne Literatur? *die*
16. Wie schwer war ―― Spazierstock? *der*

EXERCISE BOOK: EXERCISES 5 AND 6

24. SINGULAR → PLURAL

1. Die Herzen sind schwach.
1. Das Herz ist schwach.
2. Der Dackel belustigt uns.

VARIATION

1. Das Herz ist schwach.
1. Die Herzen sind schwach.
2. Die Dackel belustigen uns.

---

[15] Note that **Philosoph** and **Essayist** have an **-en** in all cases except the nominative singular.

3. Das Abgas ist gefährlich.
4. Der Zustand wird immer schlechter.
5. Dieser Teil handelt vom Krieg.
6. Das Original wuchs in der Au auf.
7. Der Wirt kümmert sich um das Essen.
8. Dieses Werk ist sehr geistreich.
9. Der Spazierstock wog 25 Pfund.

3. Die Abgase sind gefährlich.
4. Die Zustände werden immer schlechter.
5. Diese Teile handeln vom Krieg.
6. Die Originale wuchsen in der Au auf.
7. Die Wirte kümmern sich um das Essen.
8. Diese Werke sind sehr geistreich.
9. Die Spazierstöcke wogen 25 Pfund.

Additional Structure Drills may be done at this point.

RECOMBINATION EXERCISES

SECTION D ⊗

Listening Comprehension: Exercise 83
Structure Drill 25
Additional Structure Drills
Listening Comprehension: Exercise 84

---

25. CUED RESPONSE

Was würden Sie besuchen, wenn Sie nach München kommen würden? (die Olympischen Spiele) ⊗

Was würden Sie sich bestimmt auch anschauen? (den Englischen Garten)

Wo würden Sie auch ein paar Abende verbringen? (in Schwabing)

Wohin würden Sie natürlich auch fahren? (an die oberbayrischen Seen)

Was würden Sie sicher nicht versäumen? (ein Besuch im Valentin Museum)

Wenn ich nach München kommen würde, würde ich die Olympischen Spiele besuchen.

Ich würde mir bestimmt auch den Englischen Garten anschauen.

Ich würde auch ein paar Abende in Schwabing verbringen.

Ich würde natürlich auch an die oberbayerischen Seen fahren.

Ich würde sicher nicht einen Besuch im Valentin Museum versäumen.

Additional Structure Drills may be done at this point.

26. FREE RESPONSE

Was würden Sie sich wünschen, wenn Sie morgen Geburtstag hätten?
Was würden Sie sich kaufen, wenn Sie mehr Taschengeld bekommen würden?
Was würden Sie sich bestellen, wenn Ihr Freund Sie zum Essen einladen würde?
Was würden Sie tun, wenn Sie in einer fremden Stadt wären und viel Zeit hätten?
Was würden Sie alles sehen, wenn Sie den Rhein hinunterfahren würden?
Was würden Sie alles tun, wenn Sie in Berlin (München) wären?
Welche Orte und Plätze würden Sie sich ansehen, wenn Sie die Schweiz besuchen würden?

Conversation Buildup

KLAUS   Da hast du gestern aber etwas versäumt, mein Lieber!

ERICH   Ich wäre gern mitgekommen, wenn ich diese verflixte Prüfung nicht hätte.

KLAUS   Haben wir uns amüsiert! Zuerst sind wir durch ein paar Bierzelte gegangen: Löwenbräu, Hackerbräu, und so weiter...

1. Warum ist Erich gestern abend nicht mit zum Oktoberfest gegangen?
2. Wohin ist Klaus mit seinen Freunden gegangen?

3. Warum sind die Jungen nicht im Bierzelt geblieben?
4. Was haben sie in der Ochsenbraterei gemacht?
5. Mit was für Bahnen sind sie gefahren?
6. Was haben die Jungen an der Schiessbude gewonnen?

ERICH	Hm, mach mich nicht durstig! Habt ihr zusammen eine Mass getrunken?
KLAUS	Wir hätten gar keinen Platz bekommen, wenn wir dort geblieben wären. Wir sind aber in die Ochsenbraterei gegangen und haben uns ein saftiges Stück Ochsenfleisch gekauft. Das hat gut geschmeckt!
ERICH	Mit was für Bahnen seid ihr denn gefahren?
KLAUS	Mit der Achterbahn, der Berg- und Talbahn. Und rat mal, wen wir beim Karussel getroffen haben! Du wirst bleich vor Neid.
ERICH	Den Gefallen tu' ich dir nicht!
KLAUS	Die Helga und die Monika. Und wir sind mit ihnen zur Schiessbude gegangen. Jochen hat für Monika einen Teddybären geschossen.
ERICH	Und du?
KLAUS	Kein Glück! Ich hab' nichts getroffen.
ERICH	Ja, du hast schiessen gelernt, als das Treffen nicht Mode war.

REJOINDERS

Wo bist du denn gewesen?
Siehst du, ich hab' dir's ja gesagt, dass es dir dort gefallen wird.

Ich hab' mich gestern gut amüsiert.
Mit der Schleuderbahn fahr' ich nie wieder!

Warum? Ist etwas passiert?
Ich auch nicht. Die Schleuderbahn ist mir zu gefährlich.

CONVERSATION STIMULUS

Benno ist zum ersten Mal in München. Er hat schon oft vom Oktoberfest gehört, aber er hat wenig Lust hinzugehen. Er glaubt, dass so ein grosses Volksfest langweilig ist. Kurt versucht, die Meinung seines Vetters zu ändern.

KURT	Du kannst das Oktoberfest mit dem Volksfest in einer kleinen Stadt nicht vergleichen.
BENNO	*Ach, solche Feste sind doch alle gleich!*

Writing

EXERCISE BOOK: EXERCISES 7 AND 8

SENTENCE CONSTRUCTION

1. Wenn ich nach München fahre, sehe ich mir das Oktoberfest an.
Wenn ich nach M. fahren würde, würde ich mir das O. ansehen.
Wenn ich nach M. gefahren wäre, hätte ich mir das O. angesehen.

Answer each of the following questions three times, first as a real condition, second as an unreal condition referring to the present, and third, as an unreal condition referring to the past. Use the cue given in parentheses as an answer in these conditional sentences.

BEISPIEL Was tun Sie, wenn Sie Hunger haben? (etwas essen)
Wenn ich Hunger habe, esse ich etwas.
Wenn ich Hunger hätte, würde ich etwas essen.
Wenn ich Hunger gehabt hätte, hätte ich etwas gegessen.

2. Wenn ich viel Zeit habe, bastele ich mir ein Modellschiff.
Wenn ich viel Zeit hätte, würde ich mir ein Modellschiff basteln.
Wenn ich viel Zeit gehabt hätte, hätte ich mir ein Modellschiff gebastelt.

3. Wenn ich drei Wochen Ferien bekomme, fliege ich ans Schwarze Meer.
Wenn ich drei Wochen Ferien bekommen würde, würde ich ans Schwarze Meer fliegen.
Wenn ich drei Wochen Ferien bekommen hätte, wäre ich ans Schwarze Meer geflogen.

1. Was tun Sie, wenn Sie nach München fahren? (s. das Oktoberfest ansehen)
2. Was tun Sie, wenn Sie viel Zeit haben? (s. ein Modellschiff basteln)
3. Was tun Sie, wenn Sie 3 Wochen Ferien bekommen? (ans Schwarze Meer fliegen)
4. Was tun Sie, wenn die Autobahn verstopft ist? (auf einer Nebenstrasse fahren)

4. Wenn die Autobahn verstopft ist, fahre ich auf einer Nebenstrasse.
Wenn die Autobahn verstopft wäre, würde ich auf einer Nebenstrasse fahren.
Wenn die Autobahn verstopft gewesen wäre, wäre ich auf einer Nebenstrasse gefahren.

REFERENCE LIST

Nouns

das Abgas, –e	der Essayist, –en	der Neid	der Teil, –e
die Achterbahn, –en	der Fall, ̈e	der Ochse, –n	das Tempo
die Bedeutung, –en	das Fest, –e	die Oma, –s	der Treibstoff
der Besucher, –	der Gefallen, –	das Original, –e	der Unsinn
die Blechmusik	das Heimweh	der Philosoph, –en	die Untergrundbahn, –en
die Bombe, –n	das Herz, –en	der Rekord, –e	der Verkäufer, –
die Bude, –n	die Katastrophe, –n	die Schlägerei, –en	die Vorliebe
der Dackel, –	das Kilogramm	die Schleuderbahn, –en	das Werk, –e
die Dame, –n	der Komiker, –	die Sinnlosigkeit	der Wirt, –e
der Daumen, –	die Literatur	der Spazierstock, ̈e	die Zukunft
das Dutzend, –e	der Mangel, ̈	die Szene, –n	der Zustand, ̈e

Weak Verbs

s. amüsieren	darstellen	garantieren	kämpfen	nützen	verheimlichen	verzehren
basteln	erwähnen	grüssen	nachdenken	schaffen	versäumen	

Strong Verbs

braten (brät, briet, gebraten)   vermeiden (vermeidet, vermied, vermieden)

abwerfen   auftreten   beschreiben   eintreffen(ist)   erhalten

Adjectives and Adverbs

betrunken	geistreich	oberbayrisch	strahlend	nachts	wörtlich
bewusstlos	heimlich	saftig	verflixt	selbst	
bleich	lockig	schlimm	witzig	ständig	
ekelhaft	normal	sogenannt			

Other Words and Expressions

s. abhalten lassen	dies	trotzdem	welche
am Spiess braten	eine Mass Bier	verloren gehen	weshalb
aus aller Welt	hinüber	von München aus	zum Tanz auffordern
den Daumen drücken	momentan	vor Heimweh verzweifeln	zur Zeit

Es geht eben nichts über München.

GRAMMATICAL SUMMARY

The Definite Articles

	Masculine	Feminine	Neuter	Plural
NOMINATIVE	der	die	das	die
GENITIVE	des	der	des	der
DATIVE	dem	der	dem	den
ACCUSATIVE	den	die	das	die

dieser-words

	Masculine	Feminine	Neuter	Plural
NOMINATIVE	dieser	diese	dieses	diese
GENITIVE	dieses	dieser	dieses	dieser
DATIVE	diesem	dieser	diesem	diesen
ACCUSATIVE	diesen	diese	dieses	diese

Other **dieser**-words: jeder, jener, welcher, solcher

The ein-words

	Masculine	Feminine	Neuter	Plural
NOMINATIVE	ein	eine	ein	(meine)
GENITIVE	eines	einer	eines	(meiner)
DATIVE	einem	einer	einem	(meinen)
ACCUSATIVE	einen	eine	ein	(meine)

Other **ein**-words: kein, mein, dein, sein, unser, euer, ihr, Ihr

Endings of Adjectives after Determiners

	Masculine		Feminine		Neuter		Plural	
NOMINATIVE	der	**neue** Wagen	die	**alte** Stadt	das	**kleine** Haus	die	
	ein	**neuer** Wagen	eine	**alte** Stadt	ein	**kleines** Haus	keine	**guten** Dinge
GENITIVE	des		der		des		der	
	eines	**neuen** Wagens	einer	**alten** Stadt	eines	**kleinen** Hauses	keiner	**guten** Dinge
DATIVE	dem		der		dem		den	
	einem	**neuen** Wagen	einer	**alten** Stadt	einem	**kleinen** Haus	keinen	**guten** Dingen
ACCUSATIVE	den		die	**alte** Stadt	das	**kleine** Haus	die	
	einen	**neuen** Wagen	eine	**alte** Stadt	ein	**kleines** Haus	keine	**guten** Dinge

NOTE: Adjectives that follow **alle** and **beide** have the above plural endings.

Endings of Adjectives not Preceded by Determiners

	Masculine	Feminine	Neuter	Plural
NOMINATIVE	**kalter** Kaffee	**frische** Milch	**grünes** Obst	**gute** Dinge
GENITIVE	**kalten** Kaffees	**frischer** Milch	**grünen** Obstes	**guter** Dinge
DATIVE	**kaltem** Kaffee	**frischer** Milch	**grünem** Obst	**guten** Dingen
ACCUSATIVE	**kalten** Kaffee	**frische** Milch	**grünes** Obst	**gute** Dinge

NOTE: Adjectives that follow numerals and the determiners of quantity **andere, einige, mehrere, wenige,** and **viele** have the above plural endings.

Interrogative Pronouns

NOMINATIVE	wer?	was?
GENITIVE	wessen?	
DATIVE	wem?	
ACCUSATIVE	wen?	was?

Personal Pronouns

			Nominative	Dative	Accusative
SINGULAR					
1st person			ich	mir	mich
2nd person			du	dir	dich
	m.	er	er	ihm	ihn
3rd person	f.	sie	sie	ihr	sie
	n.	es	es	ihm	es
PLURAL					
1st person			wir	uns	uns
2nd person			ihr	euch	euch
3rd person			sie	ihnen	sie
FORMAL ADDRESS			Sie	Ihnen	Sie

Reflexive Pronouns

		Dative	Accusative
SINGULAR			
1st person	(ich)	mir	mich
2nd person	(du)	dir	dich
	(er)		
3rd person	(sie)	sich	sich
	(es)		
PLURAL			
1st person	(wir)	uns	uns
2nd person	(ihr)	euch	euch
3rd person	(sie)	sich	sich
FORMAL ADDRESS	(Sie)	sich	sich

Relative Pronouns

	Masculine	Feminine	Neuter	Plural
NOMINATIVE	der	die	das	die
GENITIVE	dessen	deren	dessen	deren
DATIVE	dem	der	dem	denen
ACCUSATIVE	den	die	das	die

Prepositions

DATIVE	aus, ausser, bei, mit, nach, seit, von, zu, gegenüber
ACCUSATIVE	durch, für, gegen, ohne, um
TWO-WAY Dative or Accusative	an, auf, in, hinter, neben, über, unter, vor, zwischen wo? – *Dative* wohin? – *Accusative*
GENITIVE	(an)statt, trotz, während, wegen ausserhalb, innerhalb

Word Order

VERB-FIRST POSITION

- questions that do not begin with an interrogative

  Trinkst du Kaffee?
- commands

  Sprechen Sie nicht so schnell!

VERB-SECOND POSITION

- statements

  Wir spielen morgen.

  Übermorgen kommt mein Vater.
- questions that begin with an interrogative

  Wohin fahrt ihr?
- sentences connected by **und, oder, aber, sonder, denn**

  Ich übe nicht, denn ich habe keine Zeit.

VERB-LAST POSITION

- clauses introduced by **da, dass, ob, weil, obwohl,** and interrogatives (such as **wo? wann? warum?**)

  Ich übe heute nicht, weil ich keine Zeit habe.

Present Tense Verb Forms

	spielen	warten	sehen	fahren	müssen	sein	haben	werden
ich	spiele	warte	sehe	fahre	muss	bin	habe	werde
du	spielst	wartest	siehst	fährst	musst	bist	hast	wirst
er, sie, es	spielt	wartet	sieht	fährt	muss	ist	hat	wird
wir	spielen	warten	sehen	fahren	müssen	sind	haben	werden
ihr	spielt	wartet	seht	fahrt	müsst	seid	habt	werdet
sie, Sie	spielen	warten	sehen	fahren	müssen	sind	haben	werden
	All weak verbs	*Verbs whose stems end in –t or –d*	For verbs with stem vowel change see pp 383*ff*	For other modal verbs see pp 383*ff*				

Narrative Past Tense Forms (Imperfect)

	spielen	warten	sehen	fahren	müssen	sein	haben	werden
ich	spielte	wartete	sah	fuhr	musste	war	hatte	wurde
du	spieltest	wartetest	sahst	fuhrst	musstest	warst	hattest	wurdest
er, sie, es	spielte	wartete	sah	fuhr	musste	war	hatte	wurde
wir	spielten	warteten	sahen	fuhren	mussten	waren	hatten	wurden
ihr	spieltet	wartetet	saht	fuhrt	musstet	wart	hattet	wurdet
sie, Sie	spielten	warteten	sahen	fuhren	mussten	waren	hatten	wurden
	All weak verbs follow this pattern		All strong verbs follow this pattern for endings. For vowel changes, see pp 383*ff*					

Command Forms

	spielen	warten	sehen	fahren	sein	haben	werden
FAM SG	spiel!	warte!	sieh!	fahr!	sei!	hab!	werde!
FAM PL	spielt!	wartet!	seht!	fahrt!	seid!	habt!	werdet!
FOR SG, PL	spielen Sie!	warten Sie!	sehen Sie!	fahren Sie!	seien Sie!	haben Sie!	werden Sie!
let's FORM	spielen wir!	warten wir!	sehen wir!	fahren wir!	seien wir!	haben wir!	werden wir!

Conversational Past Tense Forms (Perfect)

---
auxiliary (haben or sein) + a past participle

FORMATION OF PAST PARTICIPLES

WEAK VERBS	spielen	(er) spielt	gespielt	Er hat gespielt.
with inseparable prefixes	besuchen	(er) besucht	besucht	Er hat ihn besucht.
with separable prefixes	abholen	(er) holt ab	abgeholt	Er hat uns abgeholt.
STRONG VERBS	kommen		gekommen	Er ist gekommen.
with inseparable prefixes	bekommen		bekommen	Er hat es bekommen.
with separable prefixes	ankommen		angekommen	Er ist angekommen.

NOTE: For past participles of strong verbs and irregular verbs, see pp 383*ff*

Future

(a) present tense verb forms	Er kommt morgen.
(b) **werden** + infinitive	Er wird (morgen) kommen.

Principal Parts of Verbs

This list includes all strong verbs and those weak verbs with a stem vowel change or other irregularity which appear in Levels One and Two. Only the basic verbs are listed. Verbs with a prefix are given only if the basic verb has not been taught or if the prefixed verb forms the perfect tenses with **sein**. Usually, only one English meaning of the verb is given. Other meanings may be found in the German-English Vocabulary.

INFINITIVE	PRESENT (stem vowel change)	PAST	PAST PARTICIPLE	MEANING
abwerfen	wirft ab	warf ab	abgeworfen	to drop (bombs)
aufstehen		stand auf	ist aufgestanden	to get up
ausweichen		wich aus	ist ausgewichen	to elude
backen	bäckt	backte	gebacken	to bake
beginnen		begann	begonnen	to begin
begreifen		begriff	begriffen	to comprehend
beissen		biss	gebissen	to bite
beschliessen		beschloss	beschlossen	to decide
besitzen		besass	besessen	to own, possess
betreten	betritt	betrat	betreten	to step (into)
beweisen		bewies	bewiesen	to prove

INFINITIVE	PRESENT	PAST	PAST PARTICIPLE	MEANING
	(stem vowel change)			
s. bewerben	bewirbt	bewarb	beworben	to apply
bitten		bat	gebeten	to ask
bleiben		blieb	ist geblieben	to stay, remain
braten	brät	briet	gebraten	to fry
brechen	bricht	brach	gebrochen	to break
bringen		brachte	gebracht	to bring
denken		dachte	gedacht	to think
dürfen	darf	durfte	gedurft	to be allowed to
empfehlen	empfiehlt	empfahl	empfohlen	to recommend
s. entscheiden		entschied	entschieden	to decide
einladen	lädt ein	lud ein	eingeladen	to invite
ergreifen		ergriff	ergriffen	to seize
erscheinen		erschien	ist erschienen	to appear
erschrecken	erschrickt	erschrak	ist erschrocken	to be frightened
ertrinken		ertrank	ist ertrunken	to drown
essen	isst	ass	gegessen	to eat
fahren	fährt	fuhr	ist gefahren	to go (by vehicle)
fallen	fällt	fiel	ist gefallen	to fall
fangen	fängt	fing	gefangen	to catch
finden		fand	gefunden	to find
fliegen		flog	ist geflogen	to fly
fliessen		floss	ist geflossen	to flow
fressen	frisst	frass	gefressen	to eat (of animals)
geben	gibt	gab	gegeben	to give
gefallen	gefällt	gefiel	gefallen	to like
gehen		ging	ist gegangen	to go
geniessen		genoss	genossen	to enjoy
geraten	gerät	geriet	ist geraten	to get into
geschehen	geschieht	geschah	ist geschehen	to happen
gewinnen		gewann	gewonnen	to win
giessen		goss	gegossen	to pour
haben	hat	hatte	gehabt	to have
halten	hält	hielt	gehalten	to stop, hold
hängen		hing	gehangen	to hang
heissen		hiess	geheissen	to be called
helfen	hilft	half	geholfen	to help
kennen		kannte	gekannt	to know
klingen		klang	geklungen	to sound
kommen		kam	ist gekommen	to come
können	kann	konnte	gekonnt	to be able to
lassen	lässt	liess	gelassen	to let
laufen	läuft	lief	ist gelaufen	to run

INFINITIVE	PRESENT (stem vowel change)	PAST	PAST PARTICIPLE	MEANING
leihen		lieh	geliehen	to lend
lesen	liest	las	gelesen	to read
liegen		lag	gelegen	to lie (down)
mögen	mag	mochte	gemocht	to like
müssen	muss	musste	gemusst	to have to
nehmen	nimmt	nahm	genommen	to take
nennen		nannte	genannt	to name
pfeifen		pfiff	gepfiffen	to whistle
raten	rät	riet	geraten	to advise
reiben		rieb	gerieben	to rub
rennen		rannte	ist gerannt	to run
riechen		roch	gerochen	to smell
rufen		rief	gerufen	to call
scheinen		schien	geschienen	to shine
schiessen		schoss	geschossen	to shoot
schlafen	schläft	schlief	geschlafen	to sleep
schmelzen	schmilzt	schmolz	geschmolzen	to melt
schneiden		schnitt	geschnitten	to cut
schreiben		schrieb	geschrieben	to write
schreien		schrie	geschrien	to shout
schweigen		schwieg	geschwiegen	to be quiet
schwimmen		schwamm	geschwommen	to swim
sehen	sieht	sah	gesehen	to see
sein	ist	war	ist gewesen	to be
singen		sang	gesungen	to sing
sitzen		sass	gesessen	to sit
sollen		sollte	gesollt	to be supposed to
sprechen	spricht	sprach	gesprochen	to speak
springen		sprang	ist gesprungen	to jump
stechen	sticht	stach	gestochen	to sting
stehen		stand	gestanden	to stand
stehlen	stiehlt	stahl	gestohlen	to steal
steigen		stieg	ist gestiegen	to climb
sterben	stirbt	starb	ist gestorben	to die
s. streiten		stritt	gestritten	to quarrel
tragen	trägt	trug	getragen	to carry
treffen	trifft	traf	getroffen	to meet
trinken		trank	getrunken	to drink
tun		tat	getan	to do
übertreiben		übertrieb	übertrieben	to exaggerate
s. unterhalten	unterhält	unterhielt	unterhalten	to converse
unterlassen	unterlässt	unterliess	unterlassen	to refrain from

INFINITIVE	PRESENT (stem vowel change)	PAST	PAST PARTICIPLE	MEANING
unterscheiden		unterschied	unterschieden	to differentiate
verbieten		verbot	verboten	to forbid
verbinden		verband	verbunden	to connect
vergessen	vergisst	vergass	vergessen	to forget
vergleichen		verglich	verglichen	to compare
verlieren		verlor	verloren	to lose
vermeiden		vermied	vermieden	to avoid
verschieben		verschob	verschoben	to postpone
verschlingen		verschlang	verschlungen	to devour
verschwinden		verschwand	ist verschwunden	to disappear
versinken		versank	versunken	to sink
vorschlagen	schlägt vor	schlug vor	vorgeschlagen	to propose
wachsen	wächst	wuchs	ist gewachsen	to grow
waschen	wäscht	wusch	gewaschen	to wash
werden	wird	wurde	ist geworden	to become
widerstehen		widerstand	widerstanden	to resist
wiegen		wog	gewogen	to weigh
wissen	weiss	wusste	gewusst	to know
wollen	will	wollte	gewollt	to want to
ziehen		zog	gezogen	to pull
zufrieren		fror zu	ist zugefroren	to freeze
zusammenstossen	stösst zusammen	stiess zus.	ist zusammengestossen	to collide
zwingen		zwang	gezwungen	to force

GERMAN-ENGLISH VOCABULARY

This vocabulary includes words and phrases that appear in Levels One and Two. Not included are names of people, parts of the verbs other than the infinitive, personal and reflexive pronouns, reflexive forms of verbs whose meanings are not different from the nonreflexive, numbers, and all compounds whose individual components are listed separately and establish the meaning of the compounds.

The number, letter or letter-number combination after each definition refers to the unit in which the word or phrase first appears. A number alone refers to a **Level One Basic Dialog, BI** refers to **Basic Material I, BII** refers to **Basic Material II; S** refers to a **Level One Supplement, SI** refers to **Supplement I, SII** refers to **Supplement II; N** refers to a **Level One Narrative; R** refers to the **Reading Selection,** including **Word Study** and **Dictionary Section; BA** refers to **Buntes Allerlei; G** refers to **Structure Drills** and **Recombination Exercises.**

The following abbreviations are used: (fn), footnote; (pl), plural; (sep pref), separable prefix; (s.), **sich,** to indicate that the verb is used only reflexively.

A

ab from, 19BA; *starting at, from,* 25BI; ab und zu *now and then,* 23R

ab– (sep pref), 7

der **Abend, –e** *evening,* 2S; am Abend *in the evening,* 8S; Guten Abend! *Good evening,* 2S; heute abend *this evening, tonight,* 10

das **Abendessen** *supper,* 8

das **Abenteuer, –** *adventure,* 19BA

aber *but,* 4

der **Aberglaube** *superstition,* 19R

abergläubisch *superstitious,* 17R

s. **abfinden mit** *to resign oneself to,* 26R

das **Abgas, –e** *exhaust,* 27R

s. **abhalten lassen** *to let oneself be deterred from,* 27BI

abhängig *dependent,* 26R

abholen *to pick (somebody or something) up, call for,* 7

das **Abitur, –e** *Abitur,* 23BII (see fn page 265)

abnehmen *to lose weight,* 22SII

abräumen *to clear away,* 25R

der **Absprung, –e** *jump (from a plane),* 26BI

abwärts *down(stream),* 17BI

abwerfen *to drop (bombs),* 27R

achten auf *to watch,* 22BII

die **Achterbahn, –en** *roller coaster,* 27BI

der **Acker, –** *field,* 19BI

addieren *to add,* 14N

der **Affe, –n** *monkey, ape,* 11

die **Agrarsituation, –en** *agricultural situation,* 26R

ähnlich *similar,* 21R

die **Ahnung, –en** *idea,* 25SII

aktiv *active,* 26R

das **Alarmsystem, –e** *burglar alarm,* 18BII

albern *silly,* 7S

das **All** *universe,* 19BA

alle *all, all of them,* 10; alle hundert Jahre *every hundred years,* 16R; alle paar *every few,* 17R

allein *alone,* 17SI

allerdings *however, in fact,* 26BII

allerhöchst– *the very highest,* 22R

alles *everything,* 11N; alles in allem *all in all,* 26R

allmählich *gradual(ly),* 19BI

die **Alpen** (pl) *the Alps,* 15N

das **Alphorn, –er** *Alphorn,* 26R (see fn page 346)

der **Alphornbläser, –** *alphorn player,* 20BA

als *when,* 12N; *as,* 18SI; *than (after comparatives)* 21R

also *so,* 22BI

alt *old,* 3S

altmodisch *old-fashioned,* 23R

am (prep, contraction of **an dem**) am Bahnhof *at the station,* 9; am 1. Mai *on the first of May,* 22R; am Nachmittag *in the afternoon,* 8; am Sonntag *on Sunday,* 1

die **Ameise, –n** *ant,* 20 BII

der **Ameisenhaufen, –** *ant hill,* 25R

der **Amerikaner, –** *American,* 17SI

amerikanisch *American,* 17SI

die **Ampel, –n** *traffic light,* 16BII

s. **amüsieren** *to have a good time,* 27BI

an (prep) *to, at,* 1; an den See *to the lake,* 1

an– (sep pref), 7

der **Anblick, –e** *sight,* 17R

anbringen *to install,* 18R

andere *other, others,* 10S

die **anderen** *the others,* 9

andererseits *on the other hand,* 26R

ändern *to change,* 19R

anders *different,* 21R

der **Anfang, –e** *beginning,* 18BA, 23R

anfangen *to begin,* 19BA

anflehen *to implore,* 26BI

die **Anfrage, –n** *request,* 21R

angeben *to brag,* 23R

der **Angeber, –** *bragger,* 23BI

angeblich *supposedly,* 24BI

angehen: Das geht Sie nichts an! *That's none of your business!* 22R

der **Angestellte, –n** *employee,* 18BI

angewiesen sein auf *to depend upon,* 26R

der **Angriff, –e** *attack,* 24BA

die **Angst, –e** *fear,* 8; Angst haben *to worry,* 8; vor Angst *with fright,* 26BI

angsterfüllt *frightened,* 24R

ängstlich *fearful, scared,* 24R

anhaben *to have on, wear,* 14S

s. **anheuern** *to hire out,* 26BII

s. **anhören** *to listen to,* 25R
ankommen *to arrive,* 23R
die **Anlage, –n** *public grounds,* 7S
anmutig *graceful, charming,* 24BA
annehmen *to adopt, to accept,* 19R; *to assume,* 26BI
anrichten: Schaden anrichten *to do damage,* 24BI
der **Anruf, –e** *(phone)call,* 12S
anrufen *to call up,* 7
s. **anschaffen** *to buy, to acquire,* 21BII
anschauen *to look at,* 17R
ansehen *to look at,* 17R
die **Ansichtskarte, –n** *picture postcard,* 15S
der **Anspruch, ⸚e** *demand,* 21BA
anstatt *instead,* 23G
anstossen *to touch glasses,* 22R
antik *antique,* 18R
antreffen *to meet,* 25R
antreten: eine neue Stellung antreten *to begin a new job,* 22R
die **Antwort, –en** *answer,* 12S; **zur Antwort geben** *to give as an answer,* 25R
antworten *to answer,* 13S
die **Anzahl, –en** *number,* 21R
die **Anzeige, –n** *ad, advertisement,* 19BA
anziehen *to put on (clothes),* 11
der **Anzug, ⸚e** *suit,* 5S
der **Apfel, ⸚** *apple,* 9S
das **Apfelmus** *applesauce,* 22SI
die **Apfelsine, –n** *orange,* 9S
der **Apparat, –e** *phone,* 23BI; der **Fernsehapparat, –e** *television set,* 18R
der **Appetit** *appetite,* 6; **Appetit haben auf** *to feel like having,* 22BI
der **April** *April,* 9S
das **Aquarell, –e** *water color,* 18BA
die **Arbeit, –en** *work,* 16SI
arbeiten *to work,* 13N
der **Arbeiter, –** *worker,* 19R
der **Architekt, –en** *architect,* 20BA
ärgern *to tease,* 11S; *to annoy,* 25R
arm *poor,* 12S
der **Arm, –e** *arm,* 12
das **Armband, ⸚er** *bracelet,* 12
die **Armee, –n** *army,* 26BI
die **Art, –en** *way, manner,* 18R; *kind, type,* 20R
der **Artikel, –** *article,* 24R
der **Arzt, ⸚e** *doctor,* 6

attraktiv *attractive,* 21R
auch *also, too,* 7
auf (prep) *on, onto,* 14S; **auf der Welt** *in the world,* 18R
auf– (sep pref), 10
der **Aufenthaltsraum, ⸚e** *lounge,* 25BA
auffordern: zum Tanz auffordern *to ask for a dance,* 27BII
die **Aufgabe, –n** *assignment,* 23SII
aufgeben *to give up,* 20BA
aufgeregt *excited,* 23BI
aufhören *to stop,* 23BI
auflegen *to put on (a record),* 10
aufmerksam *attentive(ly),* 24R
aufpassen auf *to look after,* 23R
die **Aufregung, –en** *excitement,* 24BI
der **Aufschnitt** *cold cuts,* 22BA
der **Aufschwung, ⸚e** *upswing,* 26BII
aufspüren *to track down,* 24BI
aufstehen *to get up,* 13N
aufsuchen *to look up,* 17BII
der **Auftakt, –e** *prelude,* 24BA
auftreten *to perform,* 27R
der **Auftritt, –e** *act (in a performance),* 24BI
aufwachsen *to grow up,* 17R
aufwärts *up(stream),* 17SI
aufwirbeln *to stir up,* 16R
das **Auge, –n** *eye,* 14
der **Augenblick, –e** *moment,* 17R
der **August** *August,* 9S
aus (prep) *from,* 13; *out of,* 12; **aus diesem Grund** *for this reason,* 13N; **aus Silber** *made of silver,* 12
aus– (sep pref), 10: **aus sein** *to be over,* 12N
ausbrechen *to break out,* 24BI
der **Ausbruch, ⸚e** *escape, break,* 24BI
der **Ausdruck, ⸚e** *expression,* 25R
die **Ausfahrt, –en** *exit (of a highway),* 25BII
der **Ausflug, ⸚e** *excursion, trip,* 11
ausführen *to commit, carry out,* 18BII; *to take out,* 27G
der **Ausgang, ⸚e** *exit,* 24BI
ausgeben *to spend,* 12
ausgewählt *selected,* 18BA
ausgezeichnet *excellent,* 19BI
die **Auskunft, ⸚e** *information,* 25BA
das **Ausland: ins Ausland fahren** *to go abroad,* 25SI
die **Auslöse** (pl) *bonus,* 21BA
auspacken *to unpack,* 24R
ausrechnen *to figure out,* 23R

aussehen *to look, appear,* 13
ausser *besides, in addition to,* 17BI
ausserdem *besides,* 22BII
ausserhalb *outside of,* 24BI
s. **äussern über** *to voice an opinion (about),* 26R
aussetzen *to die (a motor),* 26BI
die **Aussicht, –en** *view,* 25BA
aussprechen: die Meinung aussprechen *to give one's opinion,* 21R
aussteigen *to get out,* 16R
ausstellen *to exhibit,* 21R
die **Ausstellung, –en** *exhibit, exhibition,* 18BI
aussuchen *to pick out, select,* 10
ausüben *to practice (a profession),* 23R
auswandern *to emigrate,* 26BII
ausweichen *to elude,* 26BII
der **Ausweis, –e** *identification card,* 25SI
auszeichnen *to award,* 19BA
das **Auto, –s** *car,* 3
die **Autobahn, –en** *Autobahn (federal freeway),* 16BA (see fn page 92)
die **Autokolonne, –n** *line of cars,* 25R
die **Autonomie** *autonomy,* 26R
Autsch! *Ouch!* 20BII

B

der **Bach, ⸚e** *brook,* 19SI
backen *to bake,* 19BII
der **Bäcker, –** *baker,* 15
das **Bad, ⸚er** *bath,* 25BA
der **Badeanzug, ⸚e** *bathing suit,* 14S
die **Badehose, –n** *bathing trunks,* 14S
die **Bademütze, –n** *bathing cap,* 14S
baden gehen *to go swimming,* 19SII
die **Bahn, –en** *railway,* 15S
der **Bahnhof, ⸚e** *station,* 7S
bald *soon,* 4
baldmöglichst *as soon as possible,* 21BA
der **Balkon, –e** *balcony,* 25BA
der **Ball, ⸚e** *ball,* 6S
die **Bank, –en** *bank,* 14N; **auf der Bank** *in the bank,* 14N
das **Bankgeheimnis, –se** *bank secret,* 26BI (see fn page 331)
der **Bankier, –s** *banker,* 26BI
das **Bankwesen** *banking system,* 26BI
barbarisch *barbaric,* 26R
barock *baroque,* 17BII
der **Bart, ⸚e** *beard,* 23R

basteln *to make, build,* 27R
die **Batterie, –n** *battery,* 16SII
der **Bau, –ten** *architecture* 18BA
bauen *to build,* 19R
der **Bauer, –n** *farmer,* 13N
das **Bauerndorf, ⸚er** *farm village,* 13N
der **Bauernhof, ⸚e** *farm,* 19SI
die **Bauernidylle** *bucolic idyl,* 26R
der **Baum, ⸚e** *tree,* 20BII
der **Bayer, –n** *Bavarian,* 27G
das **Bayern** *Bavaria,* 15
beabsichtigen *to intend,* 18R
beachten *to take notice of, to pay attention to,* 16BII
beanspruchen *to claim, to demand,* 21R
beantworten *to answer,* 21R
bedecken *to cover,* 19R
bedeuten *to mean,* 16BA
die **Bedeutung, –en** *meaning,* 27R
s. **bedienen** *to help (serve) oneself,* 22R
die **Bedingung, –en** *requirement,* 21BA
bedrohen *to threaten,* 26G
s. **beeilen** *to hurry,* 21BI
beenden *to end,* 23R
die **Beere, –n** *berry,* 19G
der **Befehl, –e** *command,* 17R
begegnen *to meet,* 24R
begeistern *thrill,* 19BA
begeistert *enthusiastic,* 19BA
beginnen *to begin,* 8
begleiten *to accompany,* 26BII
die **Begleiterin, –nen** *companion,* 16BII
begreifen *to comprehend,* 25R
die **Behaglichkeit** *comfort, coziness,* 25BA
behaupten *to say, to assert,* 23R
bei (prep) *at, near,* 13; **bei euch** *at your place,* 13; **bei grosser Kälte** *when it's very cold,* 16R
beide *the two of them, both,* 3
beim (prep, contraction of **bei dem**), 13
das **Bein, –e** *leg,* 14S
beisammen *together,* 24BII
das **Beispiel, –e** *example,* 19R; **zum Beispiel** *for example,* 19R
beissen *to bite,* 24BI
bekannt *known,* 17SII; **bekannt machen** *to acquaint with,* 21R; **Es war ihm bekannt.** *It was known to him.* 24R
bekommen *to get, receive,* 4S

die **Belastung, –en** *burden,* 26R
belegt *occupied,* 25BI
beleidigen *to insult,* 26R
der **Beleidigte** *the insulted person,* 26R
das **Belgien** *Belgium,* 16BA
beliebt *popular,* 25BA
belustigen *to entertain,* 24R
bemerken *to notice,* 18BII; *to remark,* 25R
benutzen *to use,* 19R
das **Benzin, –e** *gasoline,* 16SI
der **Berater, –** *advisor,* 18SI
bereit sein *to be ready,* 24BII
bereiten: Freude bereiten *to give pleasure,* 20BII
bereits *already,* 19BA
der **Berg, –e** *mountain,* 15
die **Bergbahn, –en** *mountain railway,* 15S
der **Bergführer, –** *mountain guide,* 26BII
die **Berghütte, –n** *mountain cabin,* 15N
der **Bergriese, –n** *giant of a mountain,* 26BII
die **Bergstation, –en** *mountain station,* 15N
das **Bergsteigen** *mountain climbing,* 26BII
der **Bergsteiger, –** *mountain climber,* 26G
die **Bergtour, –en** *trip through the mountains,* 15N
der **Bericht, –e** *report,* 9
berichten *to report,* 16BII
s. **berichten** *to tell one another,* 26BI
der **Beruf, –e** *profession,* 18SI
berühmt *famous,* 18BI
berühren *to touch,* 18R
s. **beschäftigen mit** *to occupy oneself with,* 21R
beschäftigt sein *to work, to be employed,* 17BII
die **Beschäftigung, –en** *occupation,* 19BII
der **Bescheid: Bescheid haben** *to have an answer,* 25BI
bescheiden *modest,* 22BII
beschliessen *to decide,* 20R
beschreiben *to describe,* 27R
der **Besen, –** *broom,* 13S
besichtigen *to see, to go to see,* 17BII
besitzen *to own,* 18SI
besonders *especially,* 12N
besorgen *to get, obtain,* 25BI

besprechen *to discuss,* 24SII
das **Besteck, –e** *silverware,* 20SI
bestehen aus *to consist of,* 19BI; **bestehen in** *to consist of,* 26BII
besteigen *to climb,* 26BII
bestellen *to order,* 4S
die **Bestie, –n** *animal, beast,* 24BI
bestimmt *for sure, definitely,* 5
der **Besuch, –e** *company, visitors,* 15
besuchen *to go to see, visit,* 6; **eine Schule besuchen** *to attend school,* 19R
der **Besucher, –** *visitor,* 27BI
die **Betätigung, –en** *activity,* 25BA
betont *especially, expressly,* 25BA
betrachten *to consider,* 26BII
betreten *to step (in, on),* 16R
betrunken *drunk,* 16R
das **Bett, –en** *bed,* 22R
die **Bevölkerung** *population,* 24BI
bevor *before,* 12N
beweisen *to prove,* 22R
s. **bewerben um** *to apply for,* 21BI
die **Bewerbungsunterlagen** (pl) *application forms and references,* 21BA
der **Bewohner, –** *inhabitant,* 19R
bewundern *to admire,* 26R
bewusstlos *unconscious,* 27R
das **Bewusstsein** *sense, consciousness,* 26BII
bezahlen *to pay,* 17R
die **Biene, –n** *bee,* 20SII
das **Bier, –e** *beer,* 13N
bieten *offer,* 21BA
das **Bild, –er** *picture,* 15
billig *cheap,* 5S
die **Birke, –n** *birch,* 20R
die **Birne, –n** *pear,* 19SI
bis *to,* 3S; **bis auf** *up to,* 24BI
ein **bisschen** *a little,* 5S
bitte *please,* 8
bitten (um) *to ask (for),* 22R
Bitteschön! *Here you are.* 22BI
blass *pale,* 14S
blau *blue,* 14S
blauäugig *blue-eyed,* 21R
die **Blaubeere, –n** *blueberry,* 22BA
die **Blechmusik** *music of brass instruments,* 27BI
bleiben *to stay, remain,* 8
bleich *pale,* 27BII
der **Bleistift, –e** *pencil,* 4S
der **Blick, –e (auf)** *view (of),* 26BI
der **Blinker, –e** *blinker,* 16SI

blitzen *to sparkle,* 17BA; es blitzt *there's lightning,* 8S
blond *blonde,* 17R
bloss *only,* 18R
blühen *to be in bloom,* 20BII
die **Blume, –n** *flower,* 13S
die **Bluse, –n** *blouse,* 5S
der **Boden, ⸚** *ground,* 20R
der **Bodensee** *Lake Constance,* 16R
die **Bohne, –n** *bean,* 22BA
die **Bombe, –n** *bomb,* 27R
das **Boot, –e** *boat,* 1
Bord: an Bord *aboard,* 17BI
böse *mad,* 23SI
braten *to roast,* 27BI
das **Brathendl, –** *roast chicken,* 27BI
das **Brathuhn, ⸚er** *fried chicken,* 22BI
die **Bratkartoffeln** (pl) *fried potatoes,* 22BI
die **Bratwurst, ⸚e** *fried sausage,* 22BI
brauchbar *usable,* 20R
brauchen *to need,* 3; *to take,* 25BI; Sie brauchen das nicht. *You don't have to (do that).* 3
braun *brown, tanned,* 14
die **Braut, ⸚e** *fiancée, bride,* 23SI
der **Bräutigam, –e** *fiancé, bridegroom,* 23BI
brechen *to break,* 16R
breit *wide,* 16SI
der **Brief, –e** *letter,* 4
die **Briefmarke, –n** *postage stamp,* 15S
das **Briefpapier** *stationery,* 6N
der **Briefträger, –** *mailman,* 4
die **Brille, –n** *eyeglasses,* 14
bringen *to bring,* 4S
das **Brot, –e** *bread,* 9S
der **Brotkrümel, –** *bread crumb,* 25R
die **Brücke, –n** *bridge,* 15S
der **Bruder, ⸚** *brother,* 6S
die **Brust, ⸚e** *chest,* 23R
das **Buch, ⸚er** *book,* 4S
der **Bücherwurm, ⸚er** *bookworm,* 14N
das **Buchgeschäft, –e** *bookstore,* 14N
der **Buchstabe, –n** *letter,* 16BA
buchstäblich *literal(ly),* 26BII
die **Bude, –n** *side show, booth,* 27BI
die **Büfettkraft, ⸚e** *counter help,* 21BA
das **Büffet, –s** *counter,* 22BII, (see fn page 240)
die **Bühne, –n** *stage,* 19BA
bummeln *to stroll, take a walk,* 7
Bundes– *federal,* 17BII
die **Bundesbahn** *federal railroad,* 16BA

die **Bundesrepublik** *Federal Republic,* 20BA
die **Bundeswehr** (*federal*) *armed forces,* 21BII
das **Büro, –s** *office,* 21R
der **Bursche, –n** *fellow,* 23R
der **Bus, Busse** *bus,* 8S
die **Butter** *butter,* 9S

C

das **Café, –s** *café,* 2S
der **Cellist, –en** *cellist,* 24R
das **Charakteristikum, –ka** *characteristic,* 26R
der **Chefpilot, –en** *chief pilot,* 24R
die **Chemikalien** (pl) *chemicals,* 26G
chemikalisch *chemical,* 26R
Cher Monsieur! *My dear Sir!* 26BI
der **Clown, –s** *clown,* 24BI
die **Creme, –s** *lotion,* 14
die **CSSR** *Czechoslovakia,* 18BA

D

da *here, there,* 14; *because,* 16BII
dabei *at the same time,* 17BA; Ich habe den Plan dabei. *I have the schedule with me.* 24BII
dabei sein: Ich bin gerade dabei, . . . *I'm in the process of . . . ,* 24BII
das **Dach, ⸚er** *roof,* 19BI
der **Dackel, –** *dachshund,* 27R
dafür *for it,* 17R; Ich kann nichts dafür. *I can't help it.* 24BII
daher: daher kommen *to come along,* 23R
damals *then, at that time,* 18R
die **Dame, –n** *lady,* 27BI
der **Dampfer, –** *steamer,* 17SI
das **Dänemark** *Denmark,* 16BA
der **Dank** *thanks,* 22R
danken *to thank,* 13S; Danke! *Thanks!* 1
dann *then, in that case,* 5
darstellen *to present,* 27R
das *the,* 2; *that,* 4
dass (conj) *that,* 3
dauern *to last,* 17SI
der **Daumen, –** *thumb,* 27BII; den Daumen drücken *to cross one's fingers,* 27BII
Deck: an Deck *on deck,* 17G
die **Decke, –n** *blanket,* 14S

der **Deckel, –** *lid, cover,* 20BI
decken: den Tisch decken *to set the table,* 15
denken (an) *to think (of),* 12, 17R
die **Denkweise** *way of thinking,* 26R
denn (particle), 10; (conj) *because, for,* 11
derselbe *the same,* 25R
deshalb *for this reason,* 13
deswegen *therefore,* 23R
deutsch *German* (adj), 17SI
das **Deutsch** *German* (*language*), 6S
der **Deutsche, –n** (*the*) *German,* 17SI
das **Deutschland** *Germany,* 15S
der **Dezember** *December,* 9S
das **Dia, –s** *slide, color slide,* 15S
der **Dichter, –** *poet,* 20R
dick *fat, thick,* 12S
der **Dieb, –e** *thief,* 18BII
dienen (als) *to serve (as),* 26BII
der **Dienstag, –e** *Tuesday,* 4S
dies *this,* 27BI
dieser, –e, –es *this,* 5
das **Ding, –e** *thing, object,* 19R
direkt *direct(ly),* 8N
der **Direktor, –en** *director,* 26BI
der **Dirigent, –en** *conductor,* 24R
die **Diskussion, –en** *discussion,* 21R
doch *yes* (particle), 10; *however,* 17R
donnern *to thunder,* 8S
der **Donnerstag, –e** *Thursday,* 4
doppelsprachig *bi-lingual,* 26R
das **Dorf, ⸚er** *village,* 7S
dort *there* (*location*), 2; dort drüben *over there,* 2
dorthin *there* (*direction*), 5
dozieren *to lecture,* 25R
das **Drahtseil, –e** *high wire,* 24BA
draussen *outside,* 3
der **Dreck** *dirt,* 19BA
dringend *urgent(ly),* 26BI
drinnen *inside,* 3S
dritt: zu dritt *the three (of us),* 17SI
drohen *to threaten,* 19R
drüben: dort drüben *over there,* 2
drücken *to press,* 27BII
s. **drücken** *to get out of doing something,* 25R
die **Druckerei, –en** *printshop,* 21BA
das **Dschungelbuch** *jungle book,* 19BA
dumm *stupid,* 12S
die **Dummheit, –en** *stupidity,* 22R
der **Dummkopf, ⸚e** *numbskull,* 22R

dunkel *dark,* 19BI

die **Dunkelheit** *darkness,* 24R

dunkeln *to get dark,* 17BA

dünn *thin,* 12S

durch (prep) *through,* 7

dürfen *to be allowed to, may,* 11

der **Durst** *thirst,* 6S; Durst haben *to be thirsty,* 6S

durstig *thirsty,* 6S

die **Dusche, –n** *shower,* 25BA

das **Dutzend, –e** *dozen,* 27BI

E

eben *in that case,* 14; *just now, at this moment,* 15

ebenso *just as,* 23BII

ebensogut *just as well,* 25R

echt *real, genuine,* 20R

die **Ecke, –n** *corner,* 7S

egal: Das ist mir egal. *It's all the same to me.* 22BII

ehemalig *former,* 19BII

ehren *to honor,* 23R

der **Ehrgeiz** *ambition,* 23BII

ehrlich *honest(ly),* 23R

das **Ei, –er** *egg,* 9S

die **Eiche, –n** *oak,* 20SII

eigen *own,* 19BII

eigentlich *actually,* 17R

der **Eimer, –** *pail,* 13S

ein– (sep pref), 10

einander *each other,* 19R

einbauen *to build in(to), install,* 19R

der **Einbrecher, –** *burglar,* 18BII

der **Einbruch, ‒e** *burglary,* 18BII

der **Eindringling, –e** *invader,* 26BII

einerseits *on one hand,* 26R

einfach *simple(ly),* 15

die **Einfahrt, –en** *entrance (to a highway),* 25BII

einfallen: mir fällt . . . ein *I remember,* 18R

einfangen *to catch,* 24G

eingebildet *conceited,* 21BII

einheimisch *local,* 26BII

einige *some,* 10S

die **Einigkeit** *unity,* 26R

einkaufen gehen *to go shopping,* 12N

einklagen *to sue,* 26R

das **Einkommen, –** *income,* 26R

einladen *to invite,* 10

die **Einladung, –en** *invitation,* 7

einmal *once, some day,* 10N

eins *one,* 3S; eines Tages *one day,* 26R

einsammeln *to collect,* 24BII

einst *at one time,* 20R; *someday,* 23R

einstellen *to adjust, to set,* 11S

eintreffen *to arrive,* 27R

der **Eintritt, –e** *admission,* 18BA

der **Einwohner, –** *inhabitant,* 17SII

die **Einzahl** *singular,* 23R

der **Einzelfall, ‒e** *special case,* 26R

einzeln *individual, single,* 26R

einzig: ein einziges Mal *only one single time,* 22R

das **Eis** *ice, ice cream,* 14N

eitel *vain,* 21SII

ekelhaft *obnoxious,* 27BII

der **Elefant, –en** *elephant,* 11S

der **Elektriker, –** *electrician,* 21R

die **Eltern** (pl) *parents,* 10S

empfehlen *to recommend,* 22BII

das **Ende, –n** *end,* 18BA; zu Ende *over,* 20R

enden *to end,* 10N

endlich *finally,* 24R

endlos *endless,* 25R

die **Energie** *energy,* 22R

eng *tight, narrow,* 5S

der **Engländer, –** *(the) Englishman,* 17SI

englisch *English* (adj), 17SI

das **Englisch** *English (language),* 6S

entdecken *to discover,* 18BI

die **Ente, –n** *duck,* 19SI

entfernen *to remove,* 17R

entfernt *(far) away,* 17SI

entgegen *toward,* 20R

entkommen *to escape,* 24BI

s. **entscheiden (für)** *to decide,* 21BI

die **Entscheidung, –en** *decision,* 21BI

die **Entschuldigung, –en: Entschuldigung!** *Excuse me!* 24BII; um Entschuldigung bitten *to apologize, to excuse oneself,* 22R

entsetzt *shocked,* 18BII

entstehen *to emerge,* 19R

enttäuscht *disappointed,* 24BII

die **Epoche, –n** *epoch,* 18R

erbauen *to build,* 20R

erben *to inherit,* 23BII

erbeten *to request,* 21BA

erblicken *to see,* 18BII

die **Erdbeere, –n** *strawberry,* 19BII

die **Erde** *ground,* 20SI

die **Erdkunde** *geography,* 6S

das **Ereignis, –se** *event, occurrence,* 24R

die **Erfahrung, –en** *experience,* 21R

der **Erfolg, –e** *success,* 19BA

ergreifen *to seize,* 17BA

erhalten *to support,* 21R; *to keep,* 26R; *to receive,* 27BI

die **Erholung, –en** *rest, relaxation,* 25BA

die **Erika** *heather,* 24R

erinnern an *to remind,* 24BII

s. **erinnern an** *to remember,* 21BI

die **Erinnerung: in Erinnerung rufen** *to call to mind,* 26R

die **Erkältung, –en** *cold,* 6S

erkennen *to recognize,* 23R

erklären *to explain,* 12S

die **Erklärung, –en** *explanation,* 25R

s. **erkundigen (nach)** *to inquire (about),* 21R

erleben *to experience,* 18S

das **Erlebnis, –se** *experience,* 25BA

erledigen *to do (a task),* 19R

erloschen *extinguished,* 26R

erneuern *to renew,* 19BI

ernst *serious,* 12S

erregend *exciting, thrilling,* 19BA

erreichen *to reach,* 18R

erscheinen *to appear,* 20R

erschrecken *to become frightened,* 22R

erschöpft *exhausted,* 24R

erst *just,* 4; *first,* 11; *not only, until,* 19R

die **Erstaufführung, –en** *first performance,* 19BA

erstaunlich *astonishing,* 26R

der **Erstaunte, –n** *the astonished person,* 25R

erstens *in the first place,* 16R

ertragen *to stand, to bear,* 18R

ertrinken *to drown,* 17R

erwähnen *to mention,* 27BI

erwünschen *to desire, request,* 21BA

erzählen (von) *to tell (about),* 12S

der **Essayist, –en** *essayist,* 27R

essen *to eat,* (8), 9

das **Essen** *lunch, supper,* 13; *food,* 20SI

etwa *about,* 16R

etwas *something,* 7; *somewhat,* 22R

das **Europa** *Europe,* 16SI

der **Europäer, –** *(the) European,* 16SI

europäisch *European,* 17SI

ewig *eternal*, 26R
die Existenz *existence*, 21R
  existieren *to exist*, 21R
die Expedition, –en *delivery*, 21BA
der Export, –e *export*, 26G
  extra *extra*, 14N
das Extrageld *extra money*, 22R

F

die Fabrik, –en *factory*, 19BI
das Fach, ⸚er *subject*, 23SII
  fahren *to drive, to go (by vehicle)*, 7
der Fahrer, – *driver*, 16BII
das Fahrrad, ⸚er *bicycle*, 19R
die Fahrt, –en *trip*, 17BI
der Fall, ⸚e *case*, 27BI
  fallen *to fall*, 20R
der Fallschirm, –e *parachute*, 26BI
  falsch *wrong*, 12S
die Familie, –n *family*, 21R
  fangen *to catch*, 19R
die Farbe, –n *color*, 16BI
  fassen *to understand, comprehend*, 19BA
  fast *almost*, 5
  faul *lazy*, 3S
  faulenzen *to loaf*, 19SII
der Februar *February*, 9S
die Feder, –n *feather*, 6
  Federball *badminton*, 2S
  fehlen *to be missing, absent*, 20BI
der Feigling, –e *coward*, 21R
  fein *fine*, 20BA
das Feld, –er *field*, 15S
der Felsen, – *rock, cliff*, 17R
das Felsenriff, –e *rocky reef*, 17BA
das Fenster, – *window*, 3S
die Ferien (pl) *vacation*, 17R
das Fernglas, ⸚er *binoculars*, 11S
das Fernsehen *television*, 17R
der Fernseher, – *television set*, 18R
  fertig *ready*, 9
  fertigbringen *to achieve*, 26R
  fesch *stylish, sharp-looking*, 21BII
das Fest, –e *festival*, 27BI
der Festfreudige, –n *a person enjoying a festival*, 27BI
das Festland *mainland*, 20BA
  feststellen *to notice, discover*, 26BI
die Festung, –en *fortress*, 26BII
der Film, –e *film*, 8; *roll of film*, 15N
  finden *to find*, 5; Wie findest du . . . ? *How do you like . . . ?* 5

die Firma, –men *firm*, 21G
der Fisch, –e *fish*, 11S
der Fischer, – *fisherman*, 17R
das Flachland, ⸚er *flatland*, 26BII
die Flasche, –n *bottle*, 20BI
der Flegel, – *rude, nasty person*, 25R
das Fleisch *meat*, 15S
der Fleischer, – *butcher*, 15S
  fleissig *hard-working*, 3
die Fliege, –n *fly*, 20SII
  fliegen *to fly*, 20BII
  fliessen *to flow*, 17BA
der Flötist, –en *flutist*, 24R
der Flug, ⸚e *flight*, 25R
die Flugkarte, –n *airplane ticket*, 21R
das Flugzeug, –e *airplane*, 17R
der Fluss, ⸚e *river*, 15S
  föderalistisch *federalistic*, 26R
  folgen *to follow*, 13S
  folgend– *following*, 26BI
  folgendermassen *in the following manner*, 27R
  folkloristisch *folkloric*, 26R
die Forelle, –n *trout*, 19SI
die Forschung, –en *research*, 26R
  fort *gone*, 18R
  fortschaffen *to carry away*, 18BII
der Fortschritt, –e *progress*, 19R
  fortschrittlich *progressive*, 26R
  fotografieren *to photograph*, 11S
der Frachter, – *freighter*, 17BI
die Frage, –n *question*, 21R
  fragen *to ask*, 2
  fraglich *questionable*, 26R
der Franken *Frank*, 25G (see fn page 327)
das Frankreich *France*, 15S
der Franzose, –n *(the) Frenchman*, 17SI
das Französisch *French (language)*, 6S
  französisch *French* (adj), 17SI
  französischsprechend– *French-speaking*, 26R
die Frau, –en *Mrs.*, 2S; *lady, woman*, 4S; *wife*, 17R
das Fräulein, – *Miss*, 2; *operator*, 25BI
  frech *fresh, impudent, cheeky*, 7S; *daring*, 18BII
  frei *free*, 18BA; im Freien *outside*, 20BII
die Freiheit, –en *freedom*, 21R
  freilich *certainly, of course*, 25R
der Freitag, –e *Friday*, 4S
  freiwillig *voluntary(ily)*, 21BII
die Freizeit *leisure time*, 19BII

  fremd *foreign*, 21R
der Fremde, –n *visitor, stranger*, 26BII
der Fremdenverkehr *tourism*, 26BII
die Fremdsprache, –n *foreign language*, 21R
  fressen *to eat (of animals)*, 20BII
die Freude: Freude bereiten *to give pleasure*, 20BII
  s. freuen auf *to look forward to*, 17R
  s. freuen (über) *to be happy (about)*, 21BI; Es freut mich . . . *I'm happy . . .* , 20BII
der Freund, –e *friend*, 6S
  freundlich *friendly*, 7S
  friedlich *peaceful*, 20BII
  frisch *fresh*, 19BI
der Frisör, –e *barber*, 18BI
  froh *happy*, 15N
das Fruchteis *fruit-flavored ice cream*, 25R
  früh *early*, 7; morgen früh *tomorrow morning*, 7
  früher *formerly*, 18R; *in the earlier days, earlier*, 19BI
das Frühjahr *spring*, 20R
der Frühling, –e *spring*, 10S
das Frühstück, –e *breakfast*, 8S
  s. fühlen: sich genötigt fühlen *to feel compelled*, 26R
  führen *to lead, take*, 18R
der Führerschein, –e *driver's license*, 21BA
die Führung, –en *tour*, 18BA
der Füller, – *fountain pen*, 4S
  funkeln *to glisten*, 17BA
  funkelnd *sparkling*, 18R
  funktionieren *to function*, 18BII
  für (prep) *for*, 4; Schritt für Schritt *step by step*, 16R; was für ein *what kind of (a)*, 6S; *what (a)*, 14; Woche für Woche *week by week*, 21R
  furchtbar *terrible(ly)*, 12S; *awful*, 22BII
  fürchterlich *terrible(ly)*, 25R
der Fuss, ⸚e *foot*, 6; zu Fuss gehen *to go on foot*, 11S
der Fussball, ⸚e *soccer*, 2
das Fussballstadion, –dien *soccer stadium*, 14N
  füttern *to feed*, 11

G

die Gabel, –n *fork*, 20BI

die **Galerie, -n** *gallery*, 20BA

der **Gang: in Gang bringen** *to get ... going*, 26BI

die **Gans,** ⸚**e** *goose*, 19SI

ganz *quite*, 10N; *altogether, entirely*, 14

die **Garage, -n** *garage*, 3

garantieren *to guarantee*, 27R

gar nicht *not at all*, 17BI

der **Garten,** ⸚ *garden*, 3

der **Gasherd, -e** *gas stove*, 20BI

der **Gast,** ⸚**e** *guest*, 6

der **Gastarbeiter** *guest worker*, 16G (see fn page 89)

das **Gasthaus,** ⸚**er** *restaurant*, 2S

der **Gasthof,** ⸚**e** *inn*, 19R

gastieren *to give a (guest) performance*, 24BI

das **Gebäude, -** *building*, 7S

geben *to give*, 9; **es gibt** *there is, there are*, 9

gebildet *educated*, 24R

geboren *born*, 17SII

geboten *offered*, 21BA

der **Gebrauchtwagen, -** *used car*, 23R

die **Geburt, -en** *birth*, 6

der **Geburtstag, -e** *birthday*, 5

die **Geduld** *patience*, 25BII

die **Gefahr, -en** *danger*, 24BI

gefährlich *dangerous*, 15N

gefallen *to please, be pleasing*, 13S; **Es gefällt mir.** *I like it.* 13S; **gefallen an** *to like about*, 16SI

der **Gefallen, -** *favor*, 27BII

s. **gefallen lassen** *to put up with*, 25R

das **Gefühl, -e** *feeling*, 26BII

gefüllt *filled*, 24BI

gegen (prep) *against*, 7; *around (time)*, 7S

die **Gegend, -en** *area*, 19R

gegenseitig *each other*, 26R

das **Gegenteil, -e** *opposite*, 26R

gegenüber (prep) *across from*, 13

das **Gehalt,** ⸚**er** *salary*, 21BII

das **Geheimnis, -se** *secret*, 26BI

gehen *to go*, (1), 2; **Das geht.** *That is possible.* 7; **Es geht nichts über ...** *There's nothing like ...*, 27BII; **Wie geht's?** *How are you?* 1

gehorchen *to obey*, 13S

gehören *to belong to*, 13

die **Geige, -n** *violin*, 1

der **Geiger, -** *violinist*, 24R

der **Geist, -er** *ghost, spirit*, 19R

geistreich *witty, ingenious*, 27R

der **Geiz** *greediness*, 22R

geizig *stingy, greedy*, 22SII

gelb *yellow*, 25SII

das **Geld** *money*, 12

geldgierig *money-hungry*, 25R

gelten (als) *to be considered (as)*, 27R

das **Gemälde, -** *painting,* 18SI

das **Gemüse** *vegetables*, 15S

der **Gemüsehändler, -** *greengrocer*, 15S

gemütlich *cozy*, 22BII

genauso *just as*, 22SI

geniessen *to enjoy*, 18SI

die **Generation, -en** *generation*, 25R

s. **genötigt fühlen** *to feel compelled*, 26R

genug *enough*, 8

genügen *to suffice, to be enough*, 23R

geographisch *geographic*, 26BII

das **Geplapper** *chitchat*, 23BI

gerade *exactly*, 22R; *just, at this moment*, 23BI

das **Gerät, -e** *appliance*, 18R; **Fernsehgerät** *television set*, 18BII

geraten: in Panik geraten *to get panicky*, 24BI

geräumig *spacious*, 16SI

das **Gerede** *(idle) talk*, 23R

geregelt *regular*, 21BA

das **Gericht, -e** *dish (of food)*, 19SI; *court*, 21R

gern *gladly*, 2; **Gern!** *Very much!* 11; **gern haben** *to like*, 5; **gern trinken** *to like to drink*, 2

der **Geruch,** ⸚**e** *smell*, 11

der **Gesang,** ⸚**e** *singing*, 17R

das **Geschäft, -e** *store*, 12N

geschehen *to happen*, 24SI

das **Geschenk, -e** *present, gift*, 5

das **Geschenkpapier** *gift wrapping*, 12N

die **Geschichte, -n** *story*, 4S; *history*, 6S

das **Geschirr** *dishes*, 20BI

der **Geschirrschrank,** ⸚**e** *cupboard*, 20BI

geschlossen *closed*, 1

der **Geschmack,** ⸚**e** *taste*, 21BII

das **Geschmeide, -** *jewels*, 17BA

die **Geschwindigkeit, -en** *speed*, 25BII

die **Geschwindigkeitsbegrenzung, -en** *speed limit*, 25SII

die **Geschwister** (pl) *brothers and sisters*, 10S

der **Geselle, -n** *journeyman*, 21BII (see fn page 214)

die **Gesellschaft, -en** *group (of people)*, 25BI

die **Gesellschaftsreise, -n** *group trip*, 25BI

der **Gesellschaftsraum,** ⸚**e** *lounge*, 25BA

das **Gesicht, -er** *face*, 14S

das **Gespenst, -er** *ghost*, 19R

gespielt *feigned*, 25R

das **Gespräch, -e** *conversation*, 18R

gestern *yesterday*, 15S; **gestern abend** *last night*, 15S

gesund *healthy*, 6S

die **Gesundheit** *health*, 23R

gewaltig *powerful*, 17BA

gewinnen *to win*, 2S

gewinnbringend *profitable*, 19R

gewiss *certain*, 17BII

das **Gewissen** *conscience*, 26BI

das **Gewitter, -** *thunderstorm*, 9S

s. **gewöhnen an** *to get used to*, 21BI

die **Gewohnheit, -en** *habit*, 19R

gewöhnlich *usually*, 8S

giessen *to water*, 13S; *to pour*, 26R

der **Gipfel, -** *summit*, 15N

das **Gipfelhaus,** ⸚**er** *summit house*, 15N

die **Gitarre, -n** *guitar*, 10S

glänzen *to shine*, 23BA

das **Glas,** ⸚**er** *glass*, 12S

glauben *to think, to believe*, 2; **glauben an** *to believe in*, 17R

gleich *right away*, 10; *same*, 22R; **Es ist mir gleich.** *It's all the same to me.* 22R

der **Gletscher, -** *glacier*, 26R

glitzern *to sparkle*, 26R

glitzernd *glittering*, 18R

das **Glück** *luck*, 6; **Glück haben** *to be lucky*, 6

glücklich *happy*, 19BII

das **Gold** *gold*, 12S

die **Graphik** *graphic arts*, 18BA

das **Gras** *grass*, 13

grau *gray*, 17BA

die **Grenze, -n** *border*, 16BA

grenzen an *to border*, 26R

grinsen *to grin*, 18R

die **Grippe** *grippe, flu*, 6

gross *tall*, 3S; *big*, 16SI

die **Grossmutter,** ⸚ *grandmother*, 6S

der **Grossvater,** ⸚ *grandfather*, 6S

grotesk *grotesque*, 26R

grün *green*, 13S; im Grünen *outside, outdoors*, 20R

der **Grund,** ⸚e *reason;* aus diesem Grund *for this reason*, 13N; im Grunde *really*, 25R

gründen *to found*, 25R

das **Grundgehalt,** ⸚er *base pay*, 21BA

gründlich *thorough*, 22R

die **Gründlichkeit, –en** *thoroughness*, 22R

der **Gruss,** ⸚e *greeting;* herzliche Grüsse *cordial greetings*, 15N

grüssen *to greet*, 27BII; Grüss dich! *Hi!* (see fn page 366)

der **Gummi** *rubber*, 12S

günstig *favorable*, 21BA; *reasonable*, 25BA

die **Gurke, –n** *cucumber*, 22BI

der **Gürtel, –** *belt*, 5S

gut *fine, good, well*, 1; Gut! *O.K.!* 2

das **Gymnasium, –ien** *secondary school*, 23R (see fn page 271)

H

das **Haar, –e** *hair*, 14S

haben *to have*, 4; etwas haben gegen *to have something against* (*someone*), 7; gern haben *to like*, 5; recht haben *to be right*, 4

der **Hafen,** ⸚ *harbor*, 7S

das **Hafenviertel, –** *harbor area*, 7

halb *half*, 8; halb vier *three-thirty*, 8S; halb oben *halfway up*, 15N

die **Halle, –n** *lobby*, 18BI

Hallo! *Hello!* (*a telephone greeting or call for attention*), 3

der **Hals,** ⸚e *neck*, 12S

die **Halskette, –n** *necklace*, 12S

halten *to stop*, 9; *to hold*, 11S; für seine Pflicht halten *to consider something one's duty;* s. für arm halten *to consider oneself poor*, 21R

die **Hand,** ⸚e *hand*, 6

handeln von *to deal with, to be about*, 26BI

der **Handstand,** ⸚e *handstand*, 17R

die **Handtasche, –n** *handbag*, 5S

das **Handtuch,** ⸚er *towel*, 14S

der **Handwerker, –** *craftsman*, 19BI

der **Hang,** ⸚e *slope*, 20R

hängen *to hang*, 13S

hart *hard*, 22R

hartgesotten *tough*, 19BA

hässlich *ugly*, 5S

Haupt– *main (capital)*, 17BII

die **Hauptrolle, –n** *main role*, 21R

die **Hauptsache, –n** *main thing*, 22R

das **Haus,** ⸚er *house*, 3S; nach Hause gehen *to go home*, 2; zu Hause *at home*, 3

die **Hausfrau, –en** *housewife*, 25R

der **Hausrat** *household belongings*, 18BII

die **Haustür, –en** *front door*, 18BII

das **Heer, –e** *army*, 26BII

das **Heft, –e** *notebook*, 4S

die **Heide** *heath*, 24R

das **Heidekraut** *heather*, 24R

die **Heimat** *home*, 19R

heimlich *secret*, 27R

das **Heimweh** *homesickness*, 27BII

heiraten *to marry*, 23R

heiss *hot*, 11N

heissen *to be called*, 1; Ich heisse Fritz. *My name is Fritz.* 1; das heisst *that is to say*, 20R; willkommen heissen, *to welcome*, 25BA

helfen, *to help*, (3), 7S

das **Hemd, –en** *shirt*, 5S

her (sep pref indicating motion toward the speaker), 10

heraus (sep pref): **herausziehen** *to pull out*, 16R

der **Herbst, –e** *fall, autumn*, 10S

herkommen *to come here*, 10

der **Herr, –en** *Mr.*, 2S; *gentleman, man*, 4; aus aller Herren Ländern *from all over the world*, 23R

herrlich *magnificent*, 15

herrschen *to prevail*, 24BI

herschauen *to look in, to come by*, 27R

hervorbringen *to produce, bring forth*, 26R

das **Herz, –en** *heart*, 27R

herzlich *cordial*, 15N; herzliche Grüsse *cordial greetings*, 15N

heucheln *to pretend*, 25R

heute *today*, 2; heute abend *tonight, this evening*, 10; heute mittag *this noon*, 10S; heute nachmittag *this afternoon*, 10S; heute nacht *tonight*, 10S

heutig– *today's*, 20BII

heutzutage *nowadays*, 25R

hier *here*, 3

die **Hilfe, –n** *help*, 24BI

die **Himbeere, –n** *raspberry*, 19SI

der **Himmel** *sky*, 15S

hin (sep pref indicating motion away from the speaker), 10S

hinab (sep pref) *down*, 17SI

hingehen *to go there*, 10S

hinten *behind, in the rear*, 16R

hinter *behind*, 20BI

hinterwäldlerisch *back-woods*, 26R

hinüber (sep pref): **hinüberfliegen** *to fly over to*, 27R

hinunter (sep pref) *down*, 17BI

hinzufügen *to add*, 25R

der **Hirsch, –e** *male deer, buck*, 11S

historisch *historic(al)*, 25R

hoch *high*, 13

die **Hochsaison** *high season*, 25BI

die **Höchstgeschwindigkeit** *speed limit*, 25SII

die **Hochzeit, –en** *wedding*, 21R

der **Hof,** ⸚e *yard, backyard*, 3S; *farm*, 19BI

hoffen *to hope*, 23R

hoffentlich *hopefully*, 3

die **Hoffnung, –en** *hope*, 20BA

höflich *polite*, 22SII

die **Höflichkeit, –en** *politeness*, 22R

die **Höhe, –n** *height*, 26G

der **Holländer, –** *Dutchman*, 17BI

das **Holz** *wood*, 12S

hören *to hear*, 6

die **Hose, –n** *pants*, 5S

das **Hotel, –s** *hotel*, 2S

hübsch *pretty*, 20R

der **Hügel, –** *hill*, 19BI

das **Huhn,** ⸚er *chicken*, 19SI

der **Humanist, –en** *humanist*, 26R

der **Humor** *humor*, 20BA; Humor haben *to have a sense of humor*, 21R

humorvoll *full of humor*, 20BA

der **Hund, –e** *dog*, 11S

hundert (*a, one*) *hundred*, 5S

das **Hundewetter** *very bad weather*, 26R

der **Hunger** *hunger*, 6S; Hunger haben *to be hungry*, 6S

hungrig *hungry*, 6S

der **Husten** *cough*, 6S

der **Hut,** ⸚e *hat*, 1

die **Hütte, –n** (*mountain*) *cabin*, 15N

I

die **Idee,** –n *idea,* (6N), 12S

die **Illustrierte,** –n *illustrated maga-zine,* 4S

im (prep, contraction of **in dem**), 1

immer *always,* 2S; immer wieder *again and again,* 14; immer mehr *more and more,* 19R

in (prep) *in, into,* 1

die **Industrie,** –n *industry,* 20BA

die **Information,** –en *information,* 21R

der **Ingenieur,** –e *engineer,* 21R

der **Inhaber,** – *proprietor,* 22BA

innerhalb *inside of,* 24SI

der **Insasse,** –n *passenger,* 24R

die **Insel,** –n *island,* 20BA

die **Institution,** –en *institution,* 21R

das **Instrument,** –e *instrument,* 20BA

intelligent *intelligent,* 21R

s. **interessieren für** *to be interested in,* 21BI

interessant *interesting,* 16R

die **Interessengemeinschaft,** –en *union of interest,* 26R

international *international,* 18R

irgendetwas *something,* 19G

irgendwann *sometime, any time,* 11S

irgendwie *somehow,* 11S

irgendwo *someplace, any place,* 11

die **Ironie** *irony,* 26R

die **Irre,** –n *madwoman,* 19BA

das **Island** *Iceland,* 25R

das **Italien** *Italy,* 16BA

der **Italiener,** – *Italian,* 17SI

italienisch *Italian* (adj), 16BA

das **Italienisch** *Italian (language),* 6S

J

ja *yes,* 1; (particle), 8

die **Jacke,** –n *jacket,* 5S

jagen *to chase,* 26R

das **Jahr,** –e *year,* 5S

die **Jahreszeit,** –en *season,* 10S

das **Jahrhundert,** –e *century,* 26BII

der **Januar** *January,* 9S

der **Jazz** *jazz,* 10S

das **Jazzlokal,** –e *jazz cellar,* 21R

jeder, –e, –es *each, every,* 5

jedoch *however,* 18BII

jemand *somebody,* 17SI

jener, –e, –es *this one,* 18R

jetzt *now,* 2

jeweils *each time,* 18BA

der **Job,** –s *job,* 21R

die **Jugend** *youth,* 19BII

die **Jugendherberge,** –n *youth hostel,* 10N

der **Jugendliche,** –n *young, youngster,* 21R

der **Juli** *July,* 9S

jung *young,* 16BII

der **Junge,** –n *boy,* 10S

die **Jungfrau,** –en *maiden,* 17BA

der **Junggeselle,** –n *bachelor,* 18R

der **Juni** *June,* 9S

K

der **Käfer,** – *bug,* 16BA

der **Kaffee** *coffee,* 2S; *coffeetime,* 8S

der **Käfig,** –e *cage,* 24BI

der **Kahn,** ⸚e *boat,* 17BA

der **Kaiser,** – *kaiser, emperor,* 21R

der **Kakao** *cocoa,* 9

der **Kalbsbraten,** – *roast veal,* 22SI

kalt *cold,* 16R

die **Kälte** *cold, coldness,* 16R

die **Kamera,** –s *camera,* 11

der **Kamm,** ⸚e *comb,* 14S

kämmen *to comb,* 17R

kämpfen *to struggle,* 27R

der **Kanal,** ⸚e *canal,* 17BA

das **Kännchen,** – *little pot,* 22BA

der **Kanton,** –e *canton,* 26R

die **Kapelle,** –n *band,* 10S

der **Kapitän,** –e *captain,* 17BI

kaputt *broken,* 13; kaputt machen *to break,* 13

die **Karosserie,** –n *body (of a car),* 16BI

die **Karte,** –n *card, postcard,* 4; Karten spielen *to play cards,* 13N

die **Kartoffel,** –n *potato,* 19SI

die **Kartonagenfabrik,** –en *carton factory,* 21BA

das **Karussel,** –e *carousel,* 27G

der **Käse** *cheese,* 9S

die **Kastanie,** –n *chestnut,* 20SII

der **Katalog,** –e *catalog,* 5

die **Katastrophe,** –n *catastrophe,* 27R

die **Katze,** –n *cat,* 11S

kaufen *to buy,* 5

das **Kaufhaus,** ⸚er *department store,* 7S

kehren *to sweep,* 13S

kein *no, not any,* 6

keineswegs *by no means,* 22R

der **Keller,** – *basement, cellar,* 3S

der **Kellner,** – *waiter,* 21BA

kennen *to know (a person),* 1

kennenlernen *to get to know, to meet,* 15S

der **Kenner,** – *expert, connoisseur,* 27R

die **Kenntnis,** –se *knowledge,* 23SII

das **Kennzeichen,** – *identifying sign,* 16BA

das **Kilogramm** 27BI (see fn page 357)

das **Kind,** –er *child,* 10S

kindisch *childish,* 7

das **Kinderheim,** –e *home for children,* 17R

das **Kindermädchen,** – *nursemaid,* 21R

das **Kino,** –s *movies, movie theater,* 8

die **Kinokarte,** –n *movie ticket,* 12N

die **Kinokasse,** –n *box office,* 19BA

die **Kirche,** –n *church,* 7S

der **Kirchturm,** ⸚e *church tower, steeple,* 15N

die **Kirsche,** –n *cherry,* 22BA

die **Kiste,** –n *crate,* 19BA

klar *clear,* 8; **Klar!** *Of course! Sure!* 8

die **Klasse,** –n *class,* 23BII; Klasse, was? *Classy, isn't it?* 16BI

die **Klassenarbeit,** –en *test,* 24BII

der **Klassenkamerad,** –en *classmate,* 23BI

der **Klassensprecher,** – *class speaker,* 23BII (see fn page 265)

das **Kleid,** –er *dress,* 5S

die **Kleider** (pl) *clothes,* 20SII

das **Kleidergeschäft,** ⸚e *dress shop,* 18G

der **Kleiderschrank,** ⸚e *clothes closet,* 20SI (see fn page 177)

klein *little, small,* 3S; *short,* 21SII

das **Klima** *climate,* 25G

klimatisiert *air-conditioned,* 25BA

klingen *to sound,* 21R

der **Kloss,** ⸚e *dumpling,* 22SI

klug *smart,* 23BI

knattern *to sputter,* 26BI

der **Koch,** ⸚e *cook,* 21BA

kochen *to cook,* 22SI

der **Koffer,** – *suitcase,* 4S

der **Kofferraum,** ⸚e *trunk (of a car),* 16SI

die **Kohle,** –n *coal,* 17R

die **Koje,** –n *cabin, berth, bunk (on a ship),* 17BI

der **Kollege,** –n *colleague, co-worker,* 10S

der **Komfort** *comfort*, 19R
der **Komiker**, – *comedian*, 27R
kommen *to come*, 1
der **Komödiant**, –en *comedian*, 18BA
kompliziert *complicated*, 25G
der **Komponist**, –en *composer*, 17SII
das **Kompott**, –e *stewed fruit*, 22SI
der **Konditor**, –en *pastry chef*, 21BA
die **Konditorei**, –en 22BII (see fn page 240)
können *to be able to, can*, (3), 11
das **Können** *ability*, 23R
konservativ *conservative*, 25R
der **Kontinent**, –e *continent*, 17SI
der **Kontrast**, –e *contrast*, 20BA
der **Kontrollpunkt**, –e *checkpoint*, 20BA
das **Konzert**, –e *concert*, 8S
der **Kopf**, ⸚e *head*, 14S
das **Köpfchen**, – *little head*, 19BA
der **Korb**, ⸚e *basket*, 6
der **Korbball**, ⸚e *basketball*, 2S
der **Korken**, – *cork*, 20BI
der **Korridor**, –e *hall, corridor*, 18BI
die **Kosmetik** *cosmetics*, 21R
kostbar *valuable*, 18SII
kosten *to cost*, 5
kostenlos *free, without charge*, 18BA
das **Kostüm**, –e *lady's suit*, 5S
das **Kotelett**, –s *cutlet*, 22BA
die **Kraft**, ⸚e *power, strength*, 26BII
krank *sick*, 1
das **Krankenhaus**, ⸚er *hospital*, 16BII
der **Krankenwagen**, – *ambulance*, 16BII
die **Krawatte**, –n *necktie*, 5S
der **Krebs**, –e *crab*, 14
kreisen *to circle*, 20R
die **Kreuzung**, –en *intersection*, 16BII
der **Krieg**, –e *war*, 18R
kriegen *to get*, 18SII
der **Kritiker**, – *critic*, 18BI
der **Kubikmeter**, – *cubic meter*, 20R
die **Küche**, –n *kitchen*, 3S
der **Kuchen**, – *cake*, 15
der **Kugelschreiber**, – *ballpoint pen*, 12S
die **Kuh**, ⸚e *cow*, 19BI
kühl *cool*, 20SI
der **Kühlschrank**, ⸚e *refrigerator*, 20SI
kultivieren *to cultivate*, 19R
die **Kultur**, –en *culture*, 21R
kulturell *cultural*, 21R
der **Kulturkreis**, –e *cultural sphere*, 26R
s. **kümmern um** *to concern oneself about*, 26BI

der **Kunde**, –n *customer*, 14N
die **Kunst**, ⸚e *art*, 18BI
der **Kunstgegenstand**, ⸚e *object of art*, 18SII
der **Künstler**, – *artist*, 18SI
künstlich *artificial*, 20R
die **Kuppel**, –n *dome*, 24BA
der **Kurfürstendamm** 18R (see fn page 138)
der **Kurs**, –e *course*, 21R
die **Kurve**, –n *curve*, 20R
kurz *short*, 5S
die **Kusine**, –n *cousin (female)*, 6S

L

lächeln *to smile*, 12N
das **Lachen** *laughter*, 24BI
lachen (über) *to laugh (about)*, 24R
lächerlich: s. lächerlich machen *to make oneself look ridiculous*, 21R
die **Lachmuskeln** (pl) *funny bone (laugh muscles)*, 24BA
der **Laden**, ⸚ *shop*, 18BI
die **Lage**, –n *location*, 25BA
die **Lampe**, –n *lamp*, 20SI
das **Land**, ⸚er *country, nation*, 17SI; *country*, 19R
die **Landessprache**, –n *language of a country*, 26R
die **Landkarte**, –n *map*, 26R
die **Landschaft**, –en *landscape*, 19BI
die **Landsleute** (pl) *people from the same country*, 25R
die **Landstrasse**, –n *highway*, 25BII
lang *long*, 5S
lange *long, for a long time*, 8S
die **Länge** *length*, 17BA
langhaarig *long-haired*, 27G
langsam *slow(ly)*, 8S
die **Langsamkeit** *slowness*, 26BI
längst (adv) *a long time ago*, 26R
langweilig *boring*, 16R
der **Lappen**, – *rag*, 3
lassen *to leave*, 9; **liegenlassen** *to leave, forget*, 11; **übriglassen** *to leave over*, 9
die **Last**, –en *burden*, 23R
der **Lastwagen**, – *truck*, 16BII
das **Latein** *Latin*, 23BII
der **Lauf: im Laufe der Zeit** *in the course of time*, 19BI
laufen *to walk, run*, 9S; **Schi laufen** *to ski*, 9S

die **Laune**, –n *mood*, 19BA
laut *loud*, 22R
das **Leben** *life*, 17R
leben *to live*, 19BI
die **Lebenserfahrung** *experience*, 21R
das **Lebensjahr**, –e *year (of one's life)*, 21R
der **Lebenslauf**, ⸚e *résumé*, 21BA
die **Lebensmittel** (pl) *groceries*, 21BA
die **Leber** *liver*, 22BA
der **Leckerbissen**, – *goodies*, 22BII
leer *empty*, 17R
legen *to place, to put, to lay*, 20BI
der **Lehrer**, – *teacher*, 4
leicht *not serious*, 16BII; *easy*, 21R
leichtsinnig *irresponsible*, 12
leiden *to stand, like*, 11
leider *unfortunately*, 11N
leihen *to lend*, 12
s. **leisten** *to afford*, 21BII
lernen *to learn, study*, 6S
lesen (über) *to read (about)*, 24G
das **Lesen** *reading*, 6
letzt– *last*, 16R
die **Leute** (pl) *people*, 10S
das **Licht**, –er *(traffic) light*, 16BII
das **Lichtspiel**, –e *movies*, 19BA
lieb *dear*, 15N
lieben *to love*, 23R
lieber *rather*, 10; *better*, 14; **mein Lieber** *my friend*, 16BI
die **Lieblingsfarbe**, –n *favorite color*, 16BI
das **Lied**, –er *song*, 10S
liegen *to lie, to be (lying)*, 3; **liegenlassen** *to leave, forget*, 11; **Woran liegt es, dass . . . ?** *How come that?* 25BII
der **Liegestuhl**, ⸚e *reclining chair*, 14S
die **Liegewiese**, –n *lawn*, 25BA
lila *lavender (color)*, 24R
die **Limo**, –s (**Limonade**) *lemonade*, 2
die **Limonade**, –n *lemonade*, 2
das **Lineal**, –e *ruler*, 12S
die **Linie**, –n *figure*, 22BII; **in erster Linie** *first of all*, 26R
der **Lippenstift**, –e *lipstick*, 14S
die **Literatur** *literature*, 27R
der **LKW** (**Lastkraftwagen**) *truck*, 21BA
loben *to praise*, 22R
lockig *curly*, 27R
der **Löffel**, – *spoon*, 12N
der **Lohn**, ⸚e *wages*, 21BA
das **Lokal**, –e *place, restaurant*, 19BII

los: los sein *to be going on*, 11; Was ist los? *What's up?* 10

der **Löwe, –n** *lion*, 11S

die **Löwin, –nen** *lioness*, 24BI

die **Luft, ⸚e** *air*, 15

die **Luftschlacht, –en** *air battle*, 19BA

die **Lust** *desire*, 6; Lust haben (zum) *to have a desire (to)*, 6

lustig *funny*, 14

luxuriös *luxurious*, 26BII

M

machen *to make, do*, (1), 2; bekannt machen *to get acquainted with*, 21R; eine Reise machen *to take a trip*, 16BI; kaputt machen *to break*, 13

die **Macht, ⸚e** *might, power*, 26R

das **Mädchen, –** *girl*, 10S

das **Magazine, –e** *magazine*, 4S

mager *thin*, 16R

mähen *to mow*, 13

der **Mäher, –** *mower*, 13

der **Mai** *May*, 9S

mal (particle), 8; Hör mal! *Just listen!* 9

das **Mal, –e: zum ersten Mal** *for the first time*, 20SII

malen *to paint*, 18SII

der **Maler, –** *painter*, 18BII

die **Malerei** *painting*, 18R

der **Manager, –** *manager*, 18BI

manchmal *sometimes*, 2S

der **Mangel, ⸚** *shortage*, 27R

der **Mann, ⸚er** *man*, 11N; *husband*, 23SI

männlich *male*, 21BA

der **Mantel, ⸚** *coat*, 5S

das **Märchen, –** *fairy tale*, 17BA

die **Mark** *mark (monetary unit)*, 5

die **Marke, –n** *stamp*, 15S; *brand*, 16BII

das **Markstück, –** *one-mark coin*, 14N

der **Marktplatz, ⸚e** *market square (place)*, 16BII

der **März** *March*, 9S

die **Maschine, –n** *machine*, 20BI

die **Mass: eine Mass Bier** *a stein of beer*, 27BI

die **Mathe** *math*, 6

die **Mathematik** *mathematics*, 6

der **Mathematiker, –** *mathematician*, 26R

die **Mathematikprüfung, –en** *mathematics examination*, 6

der **Matrose, –n** *sailor*, 17BI

die **Mauer, –n** *wall*, 20BA

der **Mechaniker, –** *mechanic*, 22R

das **Meer, –e** *sea, ocean*, 25BI

das **Mehl** *flour*, 22BA

mehr *more*, 8

mehrere *several*, 10S

meinen *to mean, think*, 2

die **Meinung, –en** *opinion*, 12S

meist *mostly*, 19R

meistens *mostly*, 8S

der **Meister, –** *master*, 22R (see fn page 246)

melken *to milk*, 19BI

die **Menge, –n** *lot*, 18SI

die **Mensa** 22BI (see fn page 231)

der **Mensch, –en** *man*, 17R; Mensch! *Boy!* 26BII

das **Messer, –** *knife*, 13S

das **Metall, –e** *metal*, 12S

die **Metallkasse, –n** *metal box*, 14N

der **Meter, –** *meter*, 16R (see fn page 83)

der **Metzger, –** *butcher*, 21BA

mieten *to rent*, 19BII

die **Milch** *milk*, 2S

mild *mild*, 25G

die **Million, –en** *million*, 17SII

die **Mindestgeschwindigkeit** *minimum speed*, 25BII

die **Minute, –n** *minute*, 8S

mit (prep) *with*, 1; *by*, 8; Montag mit Freitag *Monday through Friday*, 18BA; sprechen mit *to talk to*, 13S

mit (sep pref) *along, with*, (7), 10

mitbringen *to bring along*, 10

mitgehen *to go along*, 10

das **Mitglied, –er** *member*, 24R

mitkommen *to come along*, 9

mitsingen *to sing along*, 10S

das **Mittagessen, –** *lunch*, 8S

mittanzen *to join in the dancing*, 10S

das **Mittelmeer** *Mediterranean*, 17BA

mitten *in the middle of*, 20R

mittler– *medium(-sized)*, 23R

der **Mittwoch, –e** *Wednesday*, 4S

die **Mitwirkenden** (pl) *cast*, 24BA

die **Möbel** (pl) *furniture*, 18BII

die **Mode, –n** *fashion*, 27G

das **Modell, –e** *model*, 16SI

die **Modenschau, –en** *fashion show*, 10N

modern *modern*, 6N

mögen *to desire (to), like (to)*, 11

möglich *possible*, 21R

möglicherweise *possibly*, 26R

die **Möglichkeit, –en** *possibility*, 24G

der **Moment, –e** *moment*, 24SII; Moment mal! *Just a minute!* 24SII

momentan *at the moment*, 27R

der **Monat, –e** *month*, 5S

der **Montag, –e** *Monday*, 4S

die **Mönchskutte, –n** *monk's habit*, 27R

morgen *tomorrow*, 2S; morgen abend *tomorrow evening*, 7S; morgen früh *tomorrow morning*, 7; morgen mittag *tomorrow noon*, 7S

der **Morgen, –** *morning*, 2S; am Morgen *in the morning*, 8S; Guten Morgen! *Good morning.* 2S

die **Mosel** *Moselle (river)*, 17SI

der **Motor, –en** *motor*, 13S

das **Motorrad, ⸚er** *motorcycle*, 8S

die **Mücke, –n** *mosquito*, 20BII

müde *tired*, 1

s. **Mühe geben** *to take pains*, 26R

der **Mund, ⸚er** *mouth*, 23R

münden *to mouth*, 17BA

das **Museum, Museen** *museum*, 8S

die **Musik** *music*, 10S

musikalisch *musical*, 24R

die **Musikstunde, –n** *music class*, 24BII

müssen *to have to, must*, 11

der **Mut** *courage*, 20BA

die **Mutter, ⸚** *mother*, 4

der **Muttertag, –e** *Mother's Day*, 12N

die **Mutti, –s** *Mom*, 5

mutig *courageous*, 20R

N

na: Na ja! *Oh, well.* 25R; Na schön! *Well, O.K.* 8

nach (prep) *to (place)*, 2; *after (time)*, 8; *according to*, 18BI; nach Hause gehen *to go home*, 2

der **Nachbar, –n** *neighbor*, 4S

nachdenken *to think something over*, 27R

nachher *afterwards*, 7S; Bis nachher! *Until later.* 25BI

der **Nachmittag, –e** *afternoon*, 8

die **Nachricht, –en** *news*, 24BII

nächst– *next*, 18BI

die **Nacht, ⸚e** *night*, 2S; Gute Nacht! *Good night.* 2S

nachts *at night*, 27BI
nah *close*, 19R
die Nähe: in der Nähe *near, in the vicinity*, 18BI
nähen *to sew*, 19SII
naiv *naive*, 21R
der Name, –n *name*, 20R
nämlich *namely, that is to say*, 12
die Nase, –n *nose*, 14S
nass *wet*, 13S
das Nationalitätszeichen, – *sign of nationality*, 16BA
die Natur *nature*, 19R
natürlich *naturally, of course*, 7
der Nebel *fog*, 9S
neben *next to*, 16BA
der Nebenfluss, ⸚e *tributary*, 17BA
die Nebenstrasse, –n *side street*, 25BII
necken *to tease*, 25R
nehmen *to take*, 9
der Neid *envy*, 27BII
neidisch *envious*, 23BI
nett *nice*, 7S
neu *new*, 3S
das Neujahr *New Year*, 22R
nennen *to name*, 19R
nervenzerfetzend *nerve shattering*, 19BA
das Nest, –er *nest*, 20R
nicht *not*, 1; nicht? *isn't it?* 5; nicht mehr *not any more, no longer*, 8; nicht nur . . . sondern auch *not only . . . but also*, 21SII
nichts *nothing*, 7S
der Nichtsnutz *good-for-nothing*, 21BII
nie *never*, 6
die Niederlande *the Netherlands*, 16BA
niedrig *short, low*, 13S
niemand *nobody*, 17SI
nimmermehr *nevermore*, 23BA
der Nobelpreisträger, – *Nobel Prize winner*, 26R
noch *still*, 3; noch ein *another*, 9; noch immer *still*, 16R
der Norden *the north*, 25SII
der Nordpol, –e *North Pole*, 25R
die Nordsee *North Sea*, 17BA
normal *normal*, 27R
das Norwegen *Norway*, 25R
der Norweger, – *Norwegian*, 26G
die Note, –n *mark, grade*, 23BII
nötig *necessary*, 21BA
notlanden *to make an emergency landing*, 24R

die Notlandung, –en *emergency landing*, 24R
der November *November*, 9S
null *zero*, 3S
die Nummer, –n *number*, 14N
das Nummernschild, –er *license plate*, 16SII
nun *now*, 15
nur *only*, 2; *just*, 8; Schau nur! *Just look!* 8
nützen *to be of use*, 27R

O

ob *whether*, 3
oben *upstairs*, 3S
der Ober, – *waiter*, 22BI
oberbayrisch *Upper-Bavarian*, 27R
das Oberland, ⸚er *highland*, 26BA
das Obst *fruit*, 15S
obwohl *(al)though*, 24R
der Ochse, –n *ox*, 22BA
die Ochsenbraterei, –en *a large tent at the Oktoberfest where oxen are roasted on a spit*, 27G
oder *or*, 2
der Ofen, ⸚ *oven*, 19R
offen *open*, 1
offensichtlich *obviously*, 24SII
öffentlich *public*, 21R
offiziell *official*, 20R
der Offizier, –e *officer*, 26BI
öffnen *to open*, 18BI
oft *often*, 2S
ohne (prep) *without*, 7
das Ohr, –en *ear*, 12S
der Ohrring, –e *earring*, 12S
der Oktober *October*, 9S
das Öl, –e *oil*, 14
die Olympischen Spiele (pl) *Olympic games*, 27R
die Oma, –s *granny*, 27BII
der Onkel, – *uncle*, 4S
die Oper, –n *opera*, 8S
der Opernplan, ⸚e *opera schedule*, 24SII
optimistisch *optimistic*, 20R
das Orchester, – *orchestra*, 24R
orientalisch *oriental*, 18R
das Original, –e *character*, 27R
die Originalfassung, –en *original production*, 19BA
Ost *the east*, 20BA
der Osten *east*, 25SII

das Österreich *Austria*, 15S
österreichisch *Austrian*, 15N
oval *oval*, 16BA

P

paar: ein paar *a few, a couple of*, 10
das Paar, –e *pair*, 22BI
packen *to grab*, 24R
das Paket, –e *package*, 4
die Palme, –n *palm tree*, 25R
die Panik *panic*, 24BI
das Papier *paper*, 4S
die Pappel, –n *poplar*, 20R
das Paradies, –e *paradise*, 20R
paradox *paradox*, 26R
der Park, –s *park*, 2S
die Party, –s *party*, 10N
der Pass, ⸚e *passport*, 25SI
passen *to fit*, 5
passieren *to happen*, 15N
die Patentanwaltskanzlei, –en *patent office*, 21BA
patriarchalisch *patriarchal*, 21R
die Pause, –n *intermission*, 24SI
der Pauschalpreis, –e *all-inclusive price*, 25BA
die Person, –en *person*, 23R
der Personenwagen, – *passenger car*, 16BII
die Pfanne, –n *pan*, 22BA
der Pfannkuchen, – *pancake*, 22SI
pfeifen *to whistle*, 14S
der Pfennig, –e *penny*, 12
das Pferd, –e *horse*, 11S
die Pflanze, –n *plant*, 20SII
die Pflaume, –n *plum*, 22BA
die Pflicht, –en *duty*, 16R
die Pfote, –n *paw*, 24R
das Pfund, –e *pound*, 22BII (see fn page 240)
der Philosoph, –en *philosopher*, 27R
der Pianist, –en *pianist*, 24R
das Picknick, –s *picnic*, 20BI
der Pilot, –en *pilot*, 17R
der Pilz, –e *mushroom*, 19SI
der Pionier, –e *pioneer*, 26R
das Plakat, –e *poster, placard*, 18BA
der Plan, ⸚e *plan*, 21BI
planen *to plan*, 11N
das Planschbecken, – *kiddie pool*, 25BA
die Plastik, –en *sculpture*, 18BA
die Platte, –n *record*, 10
der Plattenspieler, – *record player*, 10S

der **Platz,** ⸚e *square,* 7S; *seat,* 24BI

die **Platzanweiserin,** –nen *usherette,* 24BA

plötzlich *suddenly,* 7

politisch *political,* 26R

die **Polizei** *police,* 16R

der **Polizeibericht,** –e *police report,* 18BII

der **Polizist,** –en *policeman,* 18G

die **pommes frites** (pl) *French fried potatoes,* 22BA

populär *popular,* 18R

die **Portion,** –en *portion,* 22BI

die **Post** *post office,* 1; *mail,* 4

der **Postsack,** ⸚e *mail bag,* 26BI

das **Prädikat,** –e *rating,* 19BA

praktisch *practical(ly),* 21R

preiswert *reasonable,* 25BI

Prima! *Great!* 8

pro: pro Person *per person,* 25BI

probieren *to try,* 22BII

das **Problem,** –e *problem,* 27G

produzieren *to produce,* 20BA

der **Professor,** –en *professor,* 23BI

prominent *prominent,* 21R

der **Protestant,** –en *protestant,* 26R

provinziell *provincial,* 26R

der **Provinzler,** – *a person from the provinces,* 26R

die **Prüfung,** –en *examination,* 6S

der **Pudding,** –s *pudding,* 22SI

der **Pulli,** –s (Pullover) *pullover,* 6N

der **Pullover,** – *sweater,* 5

pünktlich *punctual, on time,* 22R

der **Puritaner,** – *Puritan,* 26R

putzen *to clean,* 3

Q

der **Quadratmeter,** – *square meter,* 20R

das **Quartier,** –e *district,* 27R

die **Quelle,** –n *spring, well,* 19R

R

das **Rad,** ⸚er *bicycle,* 3S; *wheel,* 16R

der **Radar** *radar,* 20R

der **Radiergummi,** –s *eraser,* 12S

die **Radierung,** –en *etching,* 18BA

das **Radio,** –s *radio,* 10S

der **Rahm** *cream,* 22BA

der **Rand,** ⸚er *edge, outskirts,* 20R

rasant *lively,* 24BA

der **Rasen,** – *lawn,* 13

der **Rasenmäher,** – *lawnmower,* 13

rasieren *to shave,* 21SI

rasten *to rest,* 15N

der **Rat: um Rat fragen** *to ask for advice,* 21R

raten *to guess,* 12; *to advise,* 13S

das **Ratespiel,** –e *guessing game,* 16BA

der **Ratschlag,** ⸚e *advice,* 19R

rauf (sep pref) *up,* 15

raufsteigen *to climb up,* 15

der **Raum,** ⸚e *room,* 21R

rausfliegen: aus der Schule rausfliegen *to flunk out of school,* 23R

recht: recht haben *to be right,* 4

das **Recht,** –e *right,* 21R; **das Recht verlangen** *to demand one's right,* 21R

der **Rechtsanwalt,** ⸚e *lawyer,* 23BII

reden *to talk,* 14

die **Reederei,** –en *shipping company,* 17BI

regelmässig *regular,* 17R

der **Regen** *rain,* 6

der **Regenschirm,** –e *umbrella,* 5S

die **Regie** *direction,* 19BA

die **Regierung,** –en *government,* 17BII

der **Regisseur,** –e *director,* 19BA

regnen *to rain,* 8

regnerisch *rainy,* 26R

das **Reh,** –e *deer, doe,* 11

reiben *to rub,* 14S

reich *rich,* 12S

reichen *to hand, reach,* 14

der **Reifen,** – *tire,* 16SI

die **Reihe,** –n: *row,* 25R; **Ich bin an der Reihe.** *It's my turn.* 22BI

rein (sep pref) *into,* 20BI

reinstellen *to place inside,* 20BI

der **Reis** *rice,* 22BI

die **Reise,** –n *trip,* 16BI

das **Reisebüro,** –s *travel agency,* 25BI

der **Reiseführer,** – *travel guide (book),* 26R

reisen *to travel,* 18R

der **Reisende,** –n *traveler,* 26R

reizend *charming,* 21SII

der **Rekord,** –e *record,* 27BI

rennen *to run,* 11S

reparieren *to repair,* 19R

das **Restaurant,** –s *restaurant,* 20R

retten *to save,* 16R

die **Revision,** –en *revision,* 26R

der **Rhein** *Rhine (river),* 17BI

richten an *to address to,* 21BA

der **Richter,** – *judge,* 26BI

richtig *correct, right,* 12S; *real,* 17BI

die **Richtung,** –en *direction,* 25SII

riechen *to smell,* 11S

riesig *huge,* 19R

der **Rinderbraten,** – *roast beef,* 22BA

der **Ring,** –e *ring,* 12S

die **Riviera** *Riviera,* 25BI

der **Rock,** ⸚e *skirt,* 5S

die **Rodelbahn,** –en *bobsled run,* 20BII

der **Rollschuh,** –e *roller skate,* 9S

der **Roman,** –e *novel,* 4S

romantisch *romantic,* 17BA

der **Römer,** – *Roman,* 25R

Rost: vom Rost *roasted,* 22BA

der **Rostbraten,** – *roast,* 22BA

rot *red,* 14

das **Rotkehlchen,** – *robin,* 20SII

rüber (sep pref) *over,* 10

rüberkommen *to come over,* 10

der **Rücken,** – *back,* 14S

der **Rucksack,** ⸚e *knapsack,* 19R

rückständig *backward,* 25R

der **Ruf,** –e *call, shout,* 17R

rufen *to call,* 3

die **Ruhe: Immer mit der Ruhe!** *Take it easy!* 22BI

ruhig *calm,* 17BI

das **Ruhrgebiet** 17BA (see fn page 119)

die **Ruine,** –n *ruin,* 20R

das **Rumänien** *Rumania,* 25BI

rund *approximately, about,* 21R

runter (sep pref) *down,* 15S

runterfahren *to get off (a highway),* 25BII

runtersteigen *to climb down,* 15S

der **Russe,** –n *Russian,* 17SI

russisch *Russian (adj),* 17SI

das **Russisch** *Russian (language),* 6S

das **Russland** *Russia,* 17S

S

der **Saal, Säle** *hall,* 24R

die **Sache,** –n *thing, object,* 11S

der **Saft,** ⸚e *juice,* 2S

saftig *juicy,* 27BI

die **Sage,** –n *legend,* 17R

sagen *to say,* 2

der **Salat,** –e *salad,* 20BI

die **Salbe,** –n *salve,* 14S

der **Salto mortale** *death-defying leap,* 24BA

das **Salzwasser** *salt water,* 25R
sammeln *to collect,* 12N
die **Sammeltasse, –n** *collector's cup,* 12N
die **Sammlung, –en** *collection,* 18BA
der **Samstag, –e** *Saturday,* 4S
der **Sänger, –** *singer,* 27R
satt: satt haben *to have enough, to be fed up with,* 22R
sauber *clean,* 3S
säubern *to clean,* 15S
sauer *sour,* 22BI
das **Sauerkraut** *sauerkraut,* 22BI
das **Schach** *chess,* 1
Schade! *Too bad!* 7
der **Schaden, –** *damage,* 23BA
das **Schaf, –e** *sheep,* 19SI
schaffen *to manage,* 27BII
der **Schal, –s** *scarf,* 5S
s. **schämen (über)** *to be ashamed (of),* 24R
der **Schanzentisch, –e** *ski-jump,* 20R
scharf *sharp,* 16R
der **Schatten, –** *shade,* 14
schätzen *to value,* 23R
die **Schau, –en** *show,* 10N
schauen *to look,* 8
die **Schaufel, –n** *shovel,* 13S
der **Schauspieler, –** *actor,* 18S
scheinen *to shine,* 9S
der **Scheinwerfer, –** *head light,* 16S
schenken *to give (as a present),* 12
die **Schere, –n** *scissors,* 13S
der **Schi, –er** *ski,* 9S; **Schi laufen** *to ski,* 9S
schick *sharp, chic,* 5
schicken *to send,* 4
das **Schicksal, –e** *fate,* 26BI
die **Schiessbude, –n** *shooting gallery,* 27G
schiessen *to shoot,* 26BII
der **Schifahrer, –** *skier,* 20R
das **Schiff, –e** *ship,* 7S
schiffbar *navigable,* 17BA
der **Schiffer, –** *seaman,* 17R
das **Schilaufen** *skiing,* 9
das **Schild, –er** *sign,* 25SII
der **Schilehrer, –** *ski instructor,* 26BII
der **Schilling, –e** *shilling,* 25BI (see fn page 307)
schimmern *to shimmer,* 24R
schimpfen *to scold,* 24R
der **Schinken, –** *ham,* 20BII
der **Schirm, –e** *umbrella,* 6

schlafen *to sleep,* 9; **schlafen gehen** *to go to bed,* 13N
der **Schlager, –** *hit song,* 10S
die **Schlägerei, –en** *fist fight,* 27BI
die **Schlagkraft** *striking force,* 26BI
die **Schlagsahne** *whipped cream,* 22BII
Schlange stehen *to stand in line,* 26R
schlank *slim,* 21SII
schlau *clever,* 22R
der **Schlauch, –e** *(garden) hose,* 13S
schlecht *bad,* 5; **schlecht und recht** *as well as possible,* 19R
der **Schlepper, –** *tugboat,* 17BA
die **Schleuderbahn, –en** *roller-coaster,* 27BI
das **Schleuderbrett, –er** *springboard,* 24BA
schliesslich *finally,* 19R
schlimm *bad,* 27BI
der **Schlitten, –** *sled,* 20BII
der **Schlittschuh, –e** *ice skate,* 9S
das **Schlittschuhlaufen** *ice-skating,* 9S
das **Schloss, –er** *castle,* 15; *lock,* 18R
der **Schlüssel, –** *key,* 18R
schmal *narrow,* 16SI
schmecken *to taste,* 11S
schmelzen *to melt,* 16R
der **Schmerz, –en** *ache, pain,* 26R
der **Schmetterling, –e** *butterfly,* 20BII
der **Schmuck** *jewelry,* 12S
schmutzig *dirty,* 3S
die **Schnauze, –n** *snout,* 25R
der **Schnee** *snow,* 9
schneiden *to cut,* 13S
schneien *to snow,* 8S
schnell *fast,* 8
die **Schnitte, –n** *sandwich,* 20BII
schnittig *sharp-looking,* 16BI
das **Schnitzel, –** *cutlet,* 22SI
der **Schnupfen** *sniffles,* 6S
die **Schokoladenmilch** *chocolate milk,* 12N
schon *already,* 8; **schon wieder** *again,* 8
schön *handsome, beautiful,* 5; *nice (weather),* 9S; *all right,* 10; *etwas Schönes something pretty,* 12; *Na, schön! Well, O.K.!* 8
die **Schönheit, –en** *beauty,* 24R
der **Schöpfer, –** *creator,* 19BA
der **Schrank, –e** *closet,* 20BI
schrecklich *terrible,* 24R
schreiben *to write,* 18SI

schreien *to shout,* 14S
schriftlich *written,* 21BA
der **Schriftsteller, –** *writer,* 18SI
der **Schritt, –e** *step,* 16R
die **Schublade, –n** *drawer,* 20SI
der **Schuh, –e** *shoe,* 11
der **Schuhputzer, –** *shoeshine man,* 18BI
schuld: Ich bin schuld daran. *It's my fault.* 26G
schulden *to owe,* 12
die **Schule, –n** *school,* 3; *eine Schule besuchen to go to school,* 19R; *höhere Schule secondary school,* 19R (see fn page 166)
der **Schüler, –** *student, pupil,* 4S
die **Schülervorstellung, –en** *student performance,* 12N
die **Schulfreundin, –nen** *classmate (female),* 6
die **Schulter, –n** *shoulder,* 14S
schulterlang *shoulder length,* 27R
der **Schuppen, –** *shed,* 13
die **Schüssel, –n** *dish, bowl,* 20BI
der **Schuster, –** *cobbler,* 15S
der **Schutt** *rubble,* 20R
schütteln *to shake,* 22R
der **Schutz** *protection,* 26BII
schwach *weak,* 6S
schwächen *to weaken,* 26BI
der **Schwager, –** *brother-in-law,* 23BI
die **Schwägerin, –nen** *sister-in-law,* 23SI
das **Schwänzchen, –** *little tail,* 19BA
schwarz *black,* 16BA
der **Schwarzwald** *Black Forest,* 19BI
das **Schweden** *Sweden,* 16BA
das **Schweigen** *silence,* 23BA
schweigen *to be silent,* 22R
das **Schwein, –e** *pig,* 19SI
die **Schweiz** *Switzerland,* 21R
der **Schweizer** *person (male) from Switzerland,* 25R
schweizerisch *Swiss,* 26BI
schwer *heavy,* 16BII; *serious,* 16SII; *difficult,* 21R
die **Schwester, –n** *sister,* 6
die **Schwiegermutter, –** *mother-in-law,* 23SI
das **Schwimmbad, –er** *swimming pool,* 25BA
das **Schwimmbecken, –** *swimming pool,* 25BA
schwimmen *to swim,* 8N
der **Schwimmklub, –s** *swimming club,* 14N

Schwupps! *Oops!*, 26BI

der **See, –n** *lake*, 1

der **Seebär, –en** *sea bear*, 17BI

seekrank *seasick*, 17BI

sehen *to see*, 9

sehr *very*, 5

die **Seife, –n** *soap*, 14S

das **Seil, –e** *cable*, 15S

die **Seilbahn, –en** *cable car*, 15S

sein *to be*, 3

seit *since*, 17BII

die **Seite, –n** *side*, 16R

die **Sekretärin, –nen** *secretary*, 21G

selber *myself, yourself, etc.*, 14N

selbst *myself, yourself, etc.*, 3; *even*, 27BI

Selbstverständlich! *Of course!* 26BI

selten *not often, seldom*, 16R; *rare*, 18R

das **Semester, –** *semester*, 27G

die **Semmel, –n** *roll, hard roll*, 9

der **Senat, –e** *senate*, 20R

sentimental *sentimental*, 19R

der **September** *September*, 9S

die **Serviette, –n** *napkin*, 20SI

setzen *to place, to put, to set*, 20SI

s. **setzen** *to sit down*, 21G

seufzen *to sigh*, 18R

sicher *surely*, 22BII

siebenjährig *seven-year old*, 25R

das **Silber** *silver*, 12

der **Silberlöffel, –** *silver spoon*, 12N

das **Silberstück, –e** *silver coin*, 14N

singen *to sing*, 10S

der **Sinn, –e** *mind*, 17BA; *sense*, 23BII; **im Sinne** *in the sense (of)*, 26R

die **Sinnlosigkeit** *senselessness*, 27R

die **Sitte, –n** *custom*, 18BI

die **Situation, –en** *situation*, 21R

sitzen *to sit*, 16R

die **Sitzung, –en** *meeting, conference*, 25BA

der **Slalom, –s** *slalom*, 20R

so *so*, 1; **so ein** *one like this*, 13; **so . . . wie** *as . . . as*, 14; **Sagst du das nur so?** *Are you just saying that?* 2; **So, so!** *Well, well!* 17BI

sobald *as soon as*, 25BI

sofort *right away*, 15

sogar *even*, 10N

sogenannt *so-called*, 27BI

der **Sohn, ⸚e** *son*, 23BI

solcher, –e, –es *such*, 26R

sollen *to be supposed to, should*, 11

somit *with that*, 26R

der **Sommer, –** *summer*, 1

die **Sonate, –n** *sonata*, 24R

sondern *but, on the contrary*, 16R

der **Sonnabend, –e** *Saturday*, 4S

die **Sonne, –n** *sun*, 9S

der **Sonnenbrand, ⸚e** *sunburn*, 14

die **Sonnenbrille, –n** *sunglasses*, 14

die **Sonnencreme, –s** *suntan lotion*, 14

das **Sonnenöl, –e** *suntan oil*, 14

der **Sonnenschein** *sunshine*, 23BA

der **Sonnenschirm, –e** *sun umbrella*, 14

sonnig *sunny*, 25BII

der **Sonntag, –e** *Sunday*, 1

sonst *otherwise*, 9

die **Sorge, –n** *worry*, 23BII

sorgen für *to take care of*, 21BA

die **Souveränität** *sovereignty*, 26R

soweit *so far*, 26R

sowieso *anyway*, 6

die **Sozialleistung, –en** *social benefits*, 21BA

das **Spanien** *Spain*, 16BA

der **Spanier** *Spaniard*, 17SI

spanisch *Spanish* (adj), 17SI

das **Spanisch** *Spanish* (language), 6S

die **Spannung** *tension*, 19BA

sparen *to save*, 14N

der **Spass** *fun*, 13; **Spass machen** *to be fun*, 13; *to joke*, 25R

spät *late*, 7S; **Wie spät ist es?** *What time is it?* 8S; **später** *later*, 19R

der **Spatz, –en** *sparrow*, 20SII

spazierengehen *to take a walk*, 19SII

der **Spazierstock, ⸚e** *walking cane*, 27R

die **Speise, –n** *dish*, 22BA

die **Speisekarte, –n** *menu*, 22BI

der **Spiegel, –** *mirror*, 14S

das **Spiegelei, –er** *fried egg*, 22BA

das **Spiel, –e** *game*, 2; *play*, 8S

spielen *to play*, 1

Spiess: am Spiess braten *to roast on the spit*, 27BI

der **Spiessgeselle, –n** *accomplice*, 19BA

spinnen: Du spinnst ja! *You're nuts!* 21BII

der **Sport** *sports*, 14N

das **Sportfest, –e** *sports festival*, 22G

der **Sportler, –** *sportsman*, 22G

sportlich *sporty*, 16BI

die **Sprache, –n** *language*, 21R

sprachlos *speechless, surprised*, 3

sprechen (über, von) *to speak, talk (about)*, 13S; **auf etwas zu sprechen kommen** *to get around to talking about something*, 26BI; **sprechen mit** *to talk to*, 13S

das **Sprichwort, ⸚er** *saying, proverb*, 23R

sprichwörtlich *proverbial*, 26BI

springen *to jump*, 20R

die **Spülmaschine, –n** *dishwasher*, 20BI

der **Staat, –en** *state*, 18BA

das **Staatsgeld** *federal money*, 26R

die **Stadt, ⸚e** *city*, 3

das **Städtchen, –** *little town*, 24R

der **Städter, –** *city dweller*, 19BII

der **Stall, ⸚e** *stable*, 19BI

der **Stand, ⸚e** *stand*, 2

ständig *constantly, always*, 27R

stark *strong*, 6S; *heavy*, 17G

statt *instead*, 23BII

stattfinden *to take place*, 18R

staubfrei *dust free*, 25BA

staunen *to be surprised*, 17BI

stecken *to place, to put, to stick*, 20BI

stehen *to stand*, 13

stehenbleiben *to stop*, 16R

stehlen *to steal*, 18SII

steigen *to climb*, 15

steil *steep*, 17R

der **Stein, –e** *stone*, 15S

die **Stelle, –n** *spot*, 16BII

stellen *to place, to put*, 18BI; **Fragen stellen** *to ask questions*, 21R; **vors Gericht stellen** *to take to court*, 21R; **zur Verfügung stellen** *to put at one's disposal*, 21R

das **Stellenangebot, –e** *job offer*, 21BA

die **Stellung, –en** *position*, 21SI

sterben *to die*, 17SII

das **Steuer, –** *steering wheel*, 16R

der **Steuermann, ⸚er** *helmsman*, 17SI

steuern *to steer*, 17R

still *still, quiet*, 24R

die **Stimme, –n** *voice*, 22R

das **Stimmrecht** *voting right*, 26R

die **Stirn, –en** *forehead*, 14S

der **Stoff, –e** *material*, 5S

stolz *proud*, 23SI

die **Stossstange, –n** *bumper*, 16S

die **Strafe, –n** *fine*, 16R

strahlend *glorious*, 27BI

der **Strand, –e** *beach*, 14S

die **Strasse, –n** *street*, 9

die **Strassenbahn, –en** *streetcar,* 9
die **Stratosphäre** *stratosphere,* 26R
der **Strauch, ⸚er** *bush,* 20R
  streicheln *to stroke, pat,* 11S
s. **streiten (über)** *to argue, quarrel (about),* 21BI
das **Strohdach, ⸚er** *thatched (straw) roof,* 19BI
der **Strom, ⸚e** *river,* 17R
  Strömen: in Strömen giessen *to pour (buckets),* 26R
die **Stromschnelle, –n** *current,* 17R
die **Struktur** *structure,* 26R
die **Stube, –n** *living room,* 1
der **Stubenhocker, –** *stay-at-home,* 21BII
das **Stück, –e** *piece,* 20BII
der **Student, –en** *student,* 22BI (see fn page 231)
der **Studienrat, ⸚e** 24BII (see fn page 291)
  studieren *to study,* 19R
das **Studium, –ien** *studies,* 23R
der **Stuhl, ⸚e** *chair,* 14S
die **Stunde, –n** *hour,* 5S; *class,* 24BII
  stürzen *to plunge,* 17R
  suchen *to look for, search for,* 3
  Süddeutschland *southern Germany,* 18BII
der **Süden** *the south,* 25BII
die **Suppe, –n** *soup,* 19SI
  süss *sweet,* 21SII
die **Szene, –n** *scene,* 27R

T

der **Tag, –e** *day,* 2S; **Guten Tag!** *Hello.* 2S
die **Tageszeitung, –en** *daily newspaper,* 27BII
  täglich *daily,* 18BA
  tagsüber *during the day,* 19BI
das **Tal, ⸚er** *valley,* 15S
der **Taler, –** *old coin,* 23R; (see fn page 272)
der **Tankwart, –e** *gas station attendant,* 21BA
die **Tanne, –n** *fir (tree),* 19BI
die **Tante, –n** *aunt,* 4
der **Tanz, ⸚e** *dance,* 10N
  tanzen *to dance,* 10S
die **Tasche, –n** *bag,* 6; *pocket,* 12S
der **Taschendieb, –e** *pickpocket,* 27BI
das **Taschengeld** *allowance,* 12S

der **Taschenkalender, –** *pocket calendar,* 16BA
die **Tasse, –n** *cup,* 9
die **Tätigkeit, –en** *job,* 21BA
  taub *deaf,* 24R
  taugen *to be worth,* 14; **Das taugt nichts.** *That's worthless.* 14
  tausend *thousand,* 17SII
  technisch *technical,* 21BI
der **Teddybär, –en** *teddy bear,* 27G
der **Tee** *tea,* 22BA
der **Teil, –e** *part,* 27R
  telefonieren *to phone,* 18BI
  telefonisch *by phone,* 21R
das **Telegramm, –e** *telegram,* 18R
der **Teller, –** *plate,* 20BI
das **Tempo** *speed,* 27R
das **Tennis** *tennis,* 2S
der **Tennisklub, –s** *tennis club,* 14N
der **Teppich, –e** *carpet,* 18BII
die **Terrasse, –n** *terrace,* 10N
  teuer *expensive,* 5
der **Teufel, –** *devil,* 20R
  teutonisch *teutonic,* 26R
die **Textilien** (pl) *textiles,* 26G
  tgl. (täglich) *daily,* 19BA
das **Theater, –** *theater,* 8S
das **Thema, Themen** *theme,* 21R
der **Theologe, –n** *theologian,* 26R
die **Thermosflasche, –n** *thermos bottle,* 20BI
die **Tiefe, –n** *depth,* 17R
das **Tier, –e** *animal,* 11
der **Tierpark, –s** *zoo,* 11
der **Tiger, –** *tiger,* 11S
der **Tisch, –e** *table,* 6
die **Tischdecke, –n** *tablecloth,* 20SI
das **Tischtennis** *ping-pong,* 2S
die **Tochter, ⸚** *daughter,* 23SI
der **Tod** *death,* 24R; **zu Tode erschrecken** *to be frightened to death,* 24R
  toll *great, wild,* 10
  tollkühn *daring,* 19BA
das **Tonband, ⸚er** *(recording) tape,* 10S
das **Tonbandgerät, –e** *tape recorder,* 10S
der **Topf, ⸚e** *pot,* 20BI
  töricht *silly,* 23BI
die **Torte, –n** *cake,* 22BI
  tot *dead,* 24G
  totenbleich *deathly pale,* 16R
  totschick *sharp (-looking),* 23BI
die **Tour, –en** *tour, trip,* 15N

der **Tourist, –en** *tourist,* 17R
  touristisch *touristic,* 26R
die **Tracht, –en** *folk costume,* 26R
die **Tradition, –en** *tradition,* 26R
  tragen *to wear,* 14
der **Traktor, –en** *tractor,* 13N
  transportieren *to transport,* 20R
das **Trapez, –e** *trapeze,* 24BA
  trauen *to believe, trust,* 24BI
  trauern *to mourn,* 18R
  traurig *sad,* 1
  treffen *to meet,* 9; *to hit,* 27G
s. **treffen mit** *to meet with,* 21BI
das **Treffen** *hitting (of a goal),* 27G
der **Treibstoff, –e** *fuel,* 27R
die **Treppe, –n** *staircase,* 13S
  trinken *to drink,* 2
das **Trinkgeld, –er** *tip,* 22R
  trocken *dry,* 13S
  trotz *in spite of,* 23BII
  trotzdem *in spite of,* 27BI
die **Trümmer** (pl) *rubble,* 20BII
der **Trümmerberg** (see fn page 187)
der **Truthahn, ⸚e** *turkey,* 19SI
  Tschüs! *See you later.* 21BI (see fn page 207)
  tüchtig *hard-working,* 21BA
  tun *to do,* 1
der **Tunnel, –** *tunnel,* 15N
die **Tür, –en** *door,* 13
die **Türkei** *Turkey,* 21R
der **Turm, ⸚e** *tower,* 15N
  turnen *to exercise,* 19SII
die **Tüte, –n** *paper bag,* 20SI

U

das **Übel, –** *evil,* 21R
  üben *to practice,* 1
  über (prep) *over,* 17SII
  überall *everywhere,* 20BA
  überallhin *all over,* 25R
  überhaupt nichts *nothing at all,* 24R
  überholen *to pass (a vehicle),* 16BA
  überholt *obsolete, old-fashioned,* 26R
  übermorgen *the day after tomorrow,* 2S
  übernachten *to stay overnight,* 17BII
  übernehmen *to take over,* 26BII
die **Überraschung, –en** *surprise,* 22BA
  überschauen *to overlook, see,* 16R
  übersetzen *to translate,* 23R

übertreiben *to exaggerate*, 16R
üblich *usual*, 21BA
übrig (sep pref), 9; *remaining*, 18R
übrigens *by the way*, 23BI
übriglassen *to leave over*, 9
das **Ufer, –** *bank (of a river)*, 16R
die **Uhr, –en** *watch*, 11S; **ein Uhr** *one o'clock*, 11S; **um wieviel Uhr?** *at what time?* 7S
um (prep) *at (time)*, 7; *around*, *(place)* 7S; **um welche Zeit?** *at what time?* 7; **um . . . zu** *in order to*, 16R
die **Umgebung, –en** *surroundings, area*, 23R
umgekehrt *vice versa*, 27R
umher (pref): **umherfliegen** *to fly about*, 20BII
umliegend– *surrounding*, 26R
der **Umschlag, ⸚e** *envelope*, 24BII
s. **umschnallen** *to strap on*, 26BI
umwerfend *smashing*, 19BA
die **Unannehmlichkeit, –en** *unpleasantness*, 27BI
unbedingt *by all means*, 23R
unbehaglich *uncomfortable*, 26R
unberührt *untouched*, 26R
unbeschränkt *unlimited*, 21R
und *and*, 2; **Und ob!** *And how!* 17BI
uneinnehmbar *unconquerable*, 26BII
unentbehrlich *indispensable*, 26BI
der **Unfall, ⸚e** *accident*, 16BII
unglaublich *unbelievable(ly)*, 18BII
das **Unglück, –e** *accident*, 24SI
unheimlich *eery*, 17R
die **Uniform, –en** *uniform*, 21BII
die **Union, –en** *union*, 26R
die **Universität, –en** *university*, 17G
unmenschlich *inhuman*, 24R
der **Unsinn** *nonsense*, 27R
unten *downstairs*, 3S
unter (prep) *under*, 19R
die **Untergrundbahn, –en** *subway*, 27R
s. **unterhalten** *to have a conversation*, 21R
die **Unterkunft, ⸚e** *living quarters*, 21BA
unterlassen *to refrain from (doing something)*, 25R
unterscheiden *to differentiate*, 26R
unübersichtlich *obstructed*, 16BII
unvergesslich *unforgettable*, 24R
unverstanden *misunderstood*, 26R
unzählig *innumerable*, 18R

Ur– (pref) *great-*, 23R
der **Urgrossvater, ⸚** *great-granafather*, 23R
der **Urlaub** *vacation*, 25BI
usw. (und so weiter) *etc.*, 16BII

V

die **Varietéschule, –n** 27R (see fn page 371)
die **Vase, –n** *vase*, 18R
der **Vater, ⸚** *father*, 4S
väterlich *paternal*, 26BII
der **Vati, –s** *Dad*, 12N
s. **verabschieden** *to say good-bye*, 24BA
s. **verändern** *to change*, 21R
verbessern *to improve*, 26BII
verbieten *to forbid*, 23R
verbinden *to connect*, 17BA
verbrennen *to burn*, 20R
verbringen *to spend*, 18BII
verdächtig *suspicious (-looking)*, 24BI
verdanken *to owe*, 26R
das **Verdeck, –e** *top (of a car)*, 16SI
verdienen *to earn*, 14N
verehren *to admire*, 26R
vereinbaren: mit seinem Gewissen vereinbaren *to reconcile with one's conscience*, 26BI
verfaulen *to become weather-beaten, to decay*, 19BI
verflixt *darn*, 27BII
die **Verfügung: zur Verfügung stellen** *to put at one's disposal*, 21R
vergangen– *last*, 18BI
vergehen *to pass (time)*, 16R; **Ihm vergeht das Lachen.** *He stops laughing.* 24BI
vergessen *to forget*, 11S
vergleichen *to compare*, 26R
das **Vergnügen, –** *pleasure*, 19BA
s. **verhalten: s. ruhig verhalten** *to remain calm*, 24BI
verheimlichen *to keep something secret*, 27BII
verhüten *to prevent*, 24BI
verkaufen *to sell*, 11S
der **Verkäufer, –** *salesman*, 27R
der **Verkehr** *traffic*, 14S
das **Verkehrsbüro, –s** *tourist information office*, 25BA
verlangen *to demand, ask*, 21R

verlassen *to leave (behind)*, 17BII
die **Verletzung, –en** *injury*, 16BII
verlieren *to lose*, 2
verloren gehen *to get lost*, 27BI
der **Verlust, –e** *loss*, 18BII
vermeiden *to avoid*, 27R
vermögen *to be able to*, 26BII
verordnen *to order, prescribe*, 19BA
verpachten *to lease*, 26R
verpflichtet: s. verpflichtet fühlen *to consider it one's duty*, 26R
verreisen *to travel*, 18BII
verriegeln *to bolt*, 18R
verrotten *to become run-down, to rot*, 19BI
verrückt *crazy*, 12
versäumen *to miss*, 27R
verschieben (auf) *to postpone (until)*, 24BII
verschieden *various, different*, 26R
verschlingen *to devour*, 17BA
verschwinden *to disappear*, 24BI
versichern *to assure*, 26R
versinken *to sink*, 16R
verspeisen *to eat up*, 24R
versprechen *to promise*, 12S
verstehen *to understand*, 6S
versteinern *to turn to stone*, 26R
verstopft *congested*, 25BII
versuchen *to try*, 25BI
der **Verwaltungsrat, ⸚e** *board of directors*, 26BI
der **Verwandte, –n** *relative*, 10S
verzehren *to devour*, 27BI
verzweifeln: vor Heimweh verzweifeln *to die of (be desperate with) homesickness*, 27BII
der **Vetter, –n** *cousin (male)*, 6S
das **Vieh** *livestock*, 19BI
viel *lots of, much*, 6
viele *many*, 5
vielleicht *probably*, 8S; *maybe*, 19R
das **Viertel, –** *area*, 7; *quarter*, 8; **Viertel nach drei** *a quarter past three*, 8
das **Visum, Visa** *visa*, 25BI
der **Vogel, ⸚** *bird*, 11S
das **Volk, ⸚er** *(a) people*, 26R
die **Völkerkunde** *study of peoples and culture*, 18BA
das **Volkseinkommen** *national income*, 26R
das **Volksfest, –e** *folk festival*, 27BI
der **Volkswagen, –** *Volkswagen*, 16R

voll *full*, 17BA
voller *full of*, 20BA
die **Vollpension** *room and board*, 25BI
vom (prep, contraction of **von dem**), 13S
von (prep) *from, of*, 3S; von . . . aus *from*, 27R
vor (prep) *to, before* (time), 8S; Viertel vor sieben *a quarter to seven*, 8S; vor einer Woche *a week ago*, 15N
vor– (sep pref), 10
vor allem *above all*, 24R
voran (sep pref) *ahead*, 25BII
vorankommen *to get ahead, move ahead*, 25BII
vorausgehen *to precede*, 24R
vorbei (sep pref) *past*, 20BII; vorbei sein *to be over*, 20BII
vorbeifahren *to go (drive) past*, 17R
das **Vorbild**, –er *example*, 21R
vorbildlich *exemplary*, 24BI
der **Vorfahre**, –n *ancestor*, 23R
vorgestern *the day before yesterday*, 15S
vorhaben *to plan to do*, 10
vorhanden *available*, 21BA
vorher *before, beforehand*, 7
vorkommen *to happen*, 18R
die **Vorliebe** *love, preference*, 27R
der **Vormittag**, –e *late morning, forenoon*, 8S
vorn *up front*, 16BA
der **Vorschlag**, ⁻e *proposal, suggestion*, 22R
vorschlagen *to suggest*, 25BI
vorsichtig *careful(ly)*, 13
vorstellen *to introduce*, 15S
s. **vorstellen** *to imagine*, 21BII
die **Vorstellung**, –en *performance*, 8
vortragen *to perform (music or poetry)*, 24R
das **Vorurteil**, –e *prejudice*, 26R
der **Vulkan**, –e *volcano*, 26R

W

wachsen *to grow*, 20S
wagen *to dare*, 26BI
der **Wagen**, – *car*, 16BI
das **Wagnis**, –se *risk, chance*, 19BA
wählen *to choose*, 19BII
das **Wahlrecht**, –e *right to run for office*, 26R

wahr *true*, 12
während *during*, 23SII; (conj) *while*, 18BII
wahrscheinlich *probably*, 6
der **Wald**, ⁻er *forest*, 7S
die **Wand**, ⁻e *wall*, 20SI
der **Wanderer**, – *hiker*, 20R
wandern *to hike*, 19S
der **Wanderweg**, –e *hiking path*, 20R
wann *when*, 1
warm *warm*, 8N
warnen *to warn*, 16R
warten *to wait*, 9S
der **Wärter**, – *guard*, 24BI
warum *why*, 1
was *what*, 1; (short for **etwas**), 9; was? *isn't it?* 16BI; was kostet? *how much is?* 5S; was für ein *what kind of*, 6S; *what (a)*, 14
die **Wäsche** *linen*, 20SI
waschen *to wash*, 11N
das **Wasser** *water*, 2S
die **Weberei**, –en *(weaving) mill*, 19BI
wecken *to wake (someone)*, 7
der **Wecker**, – *alarm clock*, 11S
weg *gone*, 16SII; (sep pref) *away*, 10
der **Weg**, –e *path*, 15S
wegen *because of*, 23BII
weggehen *to go away, go out*, 10
wegräumen *to clear (the table)*, 25R
das **Weh** *grief*, 17BA
weh tun *to hurt*, 14
weiblich *female*, 21BA
weich *soft*, 22BI
die **Weide**, –n *willow*, 20SII
das **Weihnachten** *Christmas*, 5S
weil *because*, 16R
der **Wein**, –e *wine*, 22R
weinen *to cry*, 14S
weise *wise*, 21R
die **Weisheit**, –en *wisdom*, 23SII
weiss *white*, 14
weit *wide*, 5S; *far*, 10N
die **Weite** *vastness*, 24R
weitergehen *to continue*, 25BII
weitgehend *far-reaching*, 26R
welche *some*, 27R
welcher, –e, –es *which*, 5; um welche Zeit? *at what time?* 7
die **Welle**, –n *wave*, 17BA
die **Welt**, –en *world*, 18R; auf der Welt *in the world*, 18R; aus aller

Welt *from all over the world*, 20BA
weltbedeutend *of great importance*, 26R
der **Weltkrieg**, –e *world war*, 21R
wem *(to, for) whom*, (1), 13
wen *whom*, 5S
wenig *little, not much*, 16SI
wenige *few*, 10S
wenigstens *at least*, 21BII
wenn *when*, 6N; *if*, 13
wer *who*, 4S
werden *to get, become*, 9
das **Werk**, –e *work*, 27R
werktags *during the week*, 18BA
wert: keiner Antwort wert sein *not to be worth an answer*, 23R
wertlos *worthless*, 18BII
wertvoll *precious, valuable*, 18BI
weshalb *why*, 27R
der **Westen** *the west*, 25SII
das **Wetter** *weather*, 9
der **Wetterbericht**, –e *weather report*, 9
wichtig *important*, 21BI
die **Wichtigkeit** *importance*, 23R
widerstehen *to resist*, 17R
wie *how*, 1; *like, as*, 14; wie oft? *how often?* 5S; wie teuer? *how much? how expensive?* 5S; wie viele? *how many?* 9S
wieder *again*, 2
wiederholen *to repeat*, 24R
wiegen *to weigh*, 22SII
die **Wiese**, –n *meadow*, 7S
wieso *why*, 21R
wieviel *how much*, 9S; um wieviel Uhr? *at what time?* 7S
wild *wild*, 8S
der **Wind**, –e *wind*, 15N
der **Winter**, – *winter*, 10S
wirklich *real*, 17BII
der **Wirt**, –e *innkeeper*, 27R
wirtschaftlich *economic*, 26BII
die **Wirtschaftswerbung**, –en *commercial advertising*, 21BA
wissen *to know (a fact)*, 7; wissen über *to know about*, 24BII
der **Witz** *humor*, 26R
der **Witzbold**, –e *joker*, 25BII
witzig *witty, humorous*, 27R
wo *where*, 1
woanders *someplace else*, 27G
die **Woche**, –n *week*, 5S
das **Wochenende**, –n *weekend*, 11N
der **Wochentag**, –e *week day*, 4S

woher (*from*) *where*, 13S
wohin (*to*) *where*, 1
wohl *probably*, 18R
wohnen *to live*, 9S
die **Wohnung,** –en *apartment*, 17BII
das **Wohnzimmer,** – *living room*, 3S
die **Wolke,** –n *cloud*, 15S
die **Wolle** *wool*, 5
wollen *to want to*, 11
das **Wort,** ̈er *word*, 16R
wörtlich *literal*, 27R
wunderbar *wonderful*, 20BA
wunderschön *wonderful*, 17R; *beautiful*, 19R
wundervoll *wonderful*, 24R
der **Wunsch,** ̈e *wish*, 12S
wünschen *to wish, desire*, 22BI; Was wünschen Sie? *May I help you?* 22BI
die **Wurst,** ̈e *sausage*
die **Wurstwaren** (pl) *sausages*, 22BA

Z

die **Zahl,** –en *number*, 3S
zahlen *to pay*, 14N
zählen *to count*, 24BII
der **Zahn,** ̈e *tooth*, 14S
der **Zahnarzt,** ̈e *dentist*, 23SII
zart *tender*, 22R
zauberhaft *magical, enchanting*, 19BA
z. B. (zum Beispiel) *e.g.* (*for example*), 25R
der **Zeichentrickfarbfilm,** –e *animated color cartoon*, 19BA
zeichnen *to draw*, 19SII
die **Zeichnung,** –en *drawing, sketch*, 18BA

zeigen *to show*, 8
die **Zeit,** –en *time*, 7; zur Zeit *at the* (*present*) *time*, 27R
die **Zeitung,** –en *newspaper*, 4
das **Zelt,** –e *tent*, 24BI
zelten *to camp* (*in a tent*), 25R
das **Zelten** *camping*, 25R
der **Zeltplatz,** ̈e *camping place*, 25BI
die **Zensur,** –en *grades*, 23BII
das **Zentrum, Zentren** *center*, 18R
zerbrechen *to break into pieces*, 20R
zerstören *to destroy*, 20R
der **Zeuge,** –n *witness*, 16BII
das **Zeugnis,** –se *report card*, 21SI
die **Ziege,** –n *goat*, 19SI
ziehen *to move*, 19BII; *to pull*, 25R
die **Ziehharmonika,** –s *harmonica*, 20R
das **Ziel,** –e *goal*, 20R
ziemlich *rather*, 21SII
zierlich *delicate-looking*, 21SII
das **Zimmer,** – *room*, 3S
der **Zirkus,** –se *circus*, 24BI
zittern *to tremble*, 26BI
zivilisiert *civilized*, 22R
der **Zoo,** –s *zoo*, 11
der **Zorn** *anger*, 25R
zu *too*, 5S
zu (prep) *to, at*, 3; *to the house of*, 13; zu Hause *at home*, 3; zu Weihnachten *for Christmas*, 5S; zu Fuss gehen *to walk, go on foot*, 11
zuerst *first*, 15
der **Zufall,** ̈e *chance*, 24R
zufällig *by chance*, 24SII
die **Zufälligkeit,** –en *phenomenon*, 26BII

zufrieden *satisfied*, 22R
zufrieren *to freeze* (*over*), 16R
der **Zug,** ̈e *train*, 8S
zuhören *to listen*, 13S
die **Zukunft** *future*, 19BA
zukünftig *future* (adj), 23BI
zuletzt *last*, 17BII
zum (prep, contraction of **zu dem**), (8), 13; zum Abendessen *for supper*, 8
zunehmen *to gain weight*, 22SII
zur (prep, contraction of **zu der**), 13
zurück (sep pref) *back*, 8
zurückführen auf *to go* (*lead*) *back to*, 26R
zurückkehren *to return*, 18BII
zurückkommen *to come back, return*, 10
zurücklassen *to leave behind*, 18BII
s. **zurückziehen** *to withdraw*, 26BII
zusammen *together*, 13N
s. **zusammenschliessen** *to unite*, 26R
zusammenstossen *to collide*, 16BII
zuschauen *to watch*, 13
der **Zuschauer,** – *spectator*, 20R
zusehen *to watch*, 13S
der **Zustand,** ̈e *state* (*of mind*), 27R
zustimmen *to agree* (*to, with*), 13S
zwar *to be sure, indeed*, 22R
der **Zweifel,** – *doubt*, 26BI
zweit: zu zweit *the two* (*of us*), 17BI
zweitens *in the second place*, 16R
die **Zwiebel,** –n *onion*, 17R
zwingen *to force*, 26BII
zwinkern *to wink*, 17R
zwischen *between*, 20SI

GRAMMATICAL INDEX

The Roman numerals in parentheses, (I) and (II), indicate Levels One or Two.

B
C
D
E
F
G
H
I
J